A ERA DO CAPITAL

CB035722

ERIC HOBSBAWM

A ERA DO CAPITAL
1848-1875

Tradução
Luciano Costa Neto

1ª edição

Paz & Terra
Rio de Janeiro
2025

© Eric J. Hobsbawm, 1977

Título original em inglês:
The Age of Capital 1848-1875
First published in Great Britain by Weidenfeld & Nicolson

Projeto gráfico de box e capa: Leonardo Iaccarino

CIP-BRASIL. CATALOGAÇÃO NA PUBLICAÇÃO
SINDICATO NACIONAL DOS EDITORES DE LIVROS, RJ

H599e Hobsbawm, E. J. (Eric J.), 1917-2012
A era do capital : 1848-1875 / Eric J. Hobsbawm ; tradução Luciano Costa Neto. - 1. ed. - Rio de Janeiro : Paz e Terra, 2025.

Tradução de: The age of capital : 1848 - 1875
ISBN 978-65-5548-090-0

1. História moderna - Séc. XIX. 2. História econômica - 1750-1918. I. Costa Neto, Luciano. II. Título.

CDD: 909.81
23-86444 CDU: 94(100)"18"

Meri Gleice Rodrigues de Souza - Bibliotecária - CRB-7/6439

Todos os direitos reservados. Proibida a reprodução, armazenamento ou transmissão de partes deste livro, através de quaisquer meios, sem prévia autorização por escrito.

Reservam-se os direitos desta edição à
EDITORA PAZ E TERRA LTDA.
Rua Argentina 171 – 3º andar – São Cristóvão
20921-380 – Rio de Janeiro, RJ
Tel.: (21) 2585-2000.

Seja um leitor preferencial Record.
Cadastre-se no site www.record.com.br
e receba informações sobre nossos
lançamentos e nossas promoções.

Atendimento e venda direta ao leitor:
sac@record.com.br

Impresso no Brasil
2025

SUMÁRIO

LISTA DE ILUSTRAÇÕES

LISTA DE MAPAS

PREFÁCIO

Embora este livro pretenda existir de forma autônoma, ele é o segundo volume de uma série de três que buscam analisar a história do mundo moderno da Revolução Francesa até a Primeira Guerra Mundial, dos quais *A era das revoluções 1789-1848* é o primeiro e o último *A era dos impérios 1875-1914*. Consequentemente, o livro pode ser lido por pessoas que conhecem o volume anterior e por outras que não o conhecem. Às primeiras, apresento as minhas escusas por incluir, aqui e ali, material que já lhes é familiar, com o objetivo de proporcionar a necessária informação para as últimas. De maneira similar, procurei brevemente, sobretudo na Conclusão, fornecer alguns indicadores para o próximo livro. Naturalmente tentei manter a duplicação do material de *A era das revoluções* a um mínimo e fazê-la tolerável pela sua distribuição ao longo do texto. O livro pode ser lido independentemente, desde que os leitores se lembrem de que ele não trata de um período fechado que pode ser separado do que vem antes ou depois. História não funciona assim.

Mesmo assim, ele não deveria pedir do leitor nada além de uma instrução geral adequada, pois é deliberadamente dirigido ao leitor não especializado. Se os historiadores devem justificar os recursos que as sociedades devotam a seus estudos, por menores que sejam, não deveriam escrever exclusivamente para outros historiadores. No entanto, um conhecimento elementar da história europeia será sempre uma vantagem. Parto do pressuposto de que, em caso de emergência, os leitores possam entender e continuar a leitura sem nenhum conhecimento prévio sobre a Queda da Bastilha ou as Guerras Napoleônicas, mas um tal conhecimento ajudará.

O período que o livro abarca é relativamente curto, mas sua dimensão geográfica é extensa. Escrever sobre a Europa de 1789 a 1848 — em outras palavras, quase que sobre a Inglaterra e a França — não é irreal. Porém, visto que o tema mais importante do quarto de século após 1848 é a expansão da economia capitalista por todo o mundo, e daí a impossibilidade de escrever uma história puramente europeia, seria absurdo escrever esta história sem dar uma atenção especial aos outros continentes. Mesmo assim, será que escrevi de uma maneira muito eurocêntrica? Possivelmente. Inevitavelmente um historiador europeu sabe muito mais a respeito de seu continente que dos outros, e não pode evitar ver o cenário global que o rodeia de seu ponto de vista particular. Inevitavelmente também um historiador americano verá o mesmo cenário de forma diferente. Não obstante, no século XIX a história do desenvolvimento do capitalismo mundial ainda estava centrada na Europa. Por exemplo, embora os Estados Unidos estivessem emergindo como o que viria a ser a maior economia industrial do mundo, ainda eram marginais e autossuficientes. Tampouco era uma sociedade incomumente grande: em 1870, sua população não era muito maior que a da Inglaterra, era do mesmo tamanho que a da França e um pouco menor do que estava prestes a ser o Império Alemão.

O tratamento que adotei divide-se em três partes. As revoluções de 1848 formam um prelúdio a uma seção sobre os principais desenvolvimentos do período. Estes últimos, eu os discuto de uma perspectiva continental e, onde necessário, global, em vez de tentar apreendê-las por meio de séries de histórias "nacionais" fechadas, embora nos dois capítulos sobre o mundo não europeu seria tanto impraticável quanto absurdo não lidar especificamente com áreas e países importantes, como os Estados Unidos e o Japão, a China e a Índia. Os capítulos estão divididos por temas e não cronologicamente, mas os principais subperíodos são claramente discerníveis. Eles se referem a da década de 1850, calma mas expansionista; dos turbulentos anos 1860; e da ascensão e do colapso da década de 1870. A terceira parte consiste em uma série de cortes através da economia, sociedade e cultura dos penúltimos 25 anos do século XIX.

Meu objetivo não foi tanto resumir fatos conhecidos, ou mesmo mostrar o que aconteceu e quando, mas unir fatos numa síntese histórica geral, para "dar sentido" ao período estudado, e traçar as raízes do mundo atual ligando-as àquele período. Mas meu objetivo é também trazer o caráter extraordinário de um período que realmente não tem paralelo na história e cuja excepcionalidade o faz estranho e remoto. Se *A era do capital* é bem-sucedido em "dar sentido" e trazer vida para esse período, cabe aos leitores julgar. Se suas interpretações são válidas, especialmente quando discordam das interpretações mais aceitas, deve ser deixado para a discussão dos colegas historiadores, que evidentemente nem sempre concordam comigo. Resisto à tentação do escritor cujo trabalho tem sido ampla e apaixonadamente revisto, em termos que variam do entusiasmo à irritação, de discordar dos críticos, embora tenha tentado nesta edição eliminar vários erros para os quais chamaram a minha atenção, consertar algumas confusões de sintaxe que aparentemente levaram a más interpretações e considerar algumas críticas que me pareceram justas. O texto permanece substancialmente como antes.

Não obstante gostaria de eliminar um engano que parece existir, especialmente entre críticos cujas simpatias naturais estão do lado da sociedade burguesa (as minhas evidentemente não estão). Como é o dever do historiador deixar o leitor levar em conta suas inclinações, escrevi (veja a Introdução): "O autor deste livro não pode ocultar uma certa aversão, talvez um certo desprezo, pela era com a qual lida, mesmo que diminuído pela admiração pelas titânicas realizações materiais e pelo esforço para compreender aquilo que não lhe agrada". Isso tem sido lido por alguns como uma declaração de intenção de ser injusto com a burguesia vitoriana e com a era de seu triunfo. Visto que algumas pessoas são evidentemente incapazes de ler o que está escrito na página, tão distinto do que elas pensam, gostaria de dizer claramente que este não é o caso. De fato, como pelo menos um crítico reconheceu corretamente, não apenas o triunfo burguês é o princípio organizador do presente volume, mas é a "burguesia que recebe muito do mais simpático tratamento no livro". Para o bem ou para o mal, foi a sua era, e procurei representá-la como tal, mesmo à custa de — pelo menos neste breve período — ver as outras classes não tanto em si, mas em sua relação com a burguesia.

Não posso considerar-me um *especialista* sobre todo o imenso material deste livro, mas apenas de minúscula parcela — e precisei confiar quase que inteiramente em informações de segunda ou mesmo de terceira mão. Mas isso é inevitável. Muito já se escreveu sobre o século XIX e, a cada ano que passa, acrescenta-se ao pico da montanha uma massa de publicações especializadas que escurecem o céu da História. Como o campo dos interesses históricos amplia-se para incluir praticamente todos os aspectos da vida pelos quais nós temos interesse, a quantidade de informação que precisa ser absorvida é demasiado grande, mesmo para o mais enciclopédico e erudito dos estudiosos. Ainda que se tomem todas as precauções, torna-se frequentemente necessário, no contexto de uma vasta síntese, reduzir passagens a um ou dois parágrafos, a uma linha, a apenas uma menção ou mesmo lamentavelmente omiti-las. E é necessário confiar, cada vez mais, no trabalho de outros.

Infelizmente, foi impossível seguir a admirável convenção pela qual os estudiosos identificam criteriosamente suas fontes e, especialmente, suas dívidas para com outros. Em primeiro lugar, não acredito que pudesse identificar todas as sugestões e ideias que tomei emprestadas de modo tão livre de algum artigo ou livro, conversa ou discussão. Posso apenas pedir àqueles cujo trabalho pilhei, conscientemente ou não, que perdoem minha falta de cortesia. Em segundo lugar, a tentativa de fazê-lo teria sobrecarregado o livro com um pouco recomendável aparato de erudição. Entretanto, há um guia geral de leitura complementar, que inclui parte dos trabalhos que considerei os mais úteis e em relação aos quais reconheço meu débito.

As referências foram quase inteiramente reduzidas a algumas fontes de citações, quadros estatísticos e alguns outros números, assim como algumas declarações controversas ou surpreendentes. Muitos dos dados não identificados são retirados das fontes-padrão ou do valiosíssimo compêndio *Dictionary of statistics*, de Mulhall. Referências a obras literárias — por exemplo, novelas russas — são feitas apenas aos títulos, visto existirem várias edições; a consultada pelo autor pode não estar disponível para o leitor. As referências aos escritos de Marx e Engels, que são os maiores comentadores contemporâneos do período, estão identificadas pelo título mais conhecido da obra ou pela data da carta, volume e página da edição-padrão existente (Karl Marx e Friedrich Engels, *Werke,* East Berlin, 1956-1971, de agora em diante, *Werke*). A nomes de lugares foi dada a grafia em inglês quando existe uma; caso contrário, a forma mais utilizada em publicações. Isso não implica nenhum preconceito nacionalista.

Sigurd Zienau e Francis Haskell gentilmente leram meus capítulos sobre as ciências e as artes e corrigiram alguns de meus erros. Charles Curwen respondeu a minhas perguntas sobre a China. Ninguém é responsável por erros ou enganos exceto eu mesmo. W. R. Rodgers, Carmem Claudin e Maria Moisá ajudaram-me enormemente como assistentes de pesquisa por inúmeras vezes. Andrew Hobsbawm e Julia Hobsbawm me ajudaram a selecionar as ilustrações, assim como Julia Brown. Reconheço também minha dívida para com minha editora, Susan Loden.

E. J. H.

INTRODUÇÃO

Na década de 1860, uma nova palavra entrou no vocabulário econômico e político do mundo: "capitalismo".* Portanto, parece apropriado chamar o presente volume *A era do capital*, um título que também faz lembrar a todos nós que a mais importante obra do mais formidável crítico do capitalismo, *O capital*, de Karl Marx (1867), foi publicada nessa época. O triunfo global do capitalismo é o tema mais importante da História nas décadas que se sucederam a 1848. Foi o triunfo de uma sociedade que acreditou que o crescimento econômico repousava na competição da livre-iniciativa privada, no sucesso de comprar tudo no mercado mais barato (inclusive trabalho) e vender no mais caro. Uma economia assim fundamentada e, portanto, repousando naturalmente nas sólidas fundações de uma burguesia composta daqueles cuja energia, mérito e inteligência os elevaram a tal posição, deveria — assim se acreditava — não somente criar um mundo de plena distribuição material, mas também de crescente esclarecimento, razão e oportunidade humana, de avanço das ciências e das artes, em suma, um mundo de contínuo progresso material e moral. Os poucos obstáculos ainda remanescentes no caminho do livre desenvolvimento da economia privada seriam levados de roldão. As instituições do mundo, ou mais precisamente daquelas partes do mundo ainda não excluídas pela tirania das tradições e superstições, ou pelo infortúnio de não possuírem pele branca (preferivelmente originária da Europa central

* Sua origem talvez preceda 1848, como foi sugerido em *A era das revoluções* (Introdução), mas uma pesquisa mais detalhada sugere que raramente tenha ocorrido antes de 1849 e dificilmente tenha ganho amplo uso antes da década de 1860.[1]

ou do norte), gradualmente se aproximariam do modelo internacional de um "Estado-nação" definido territorialmente, com uma Constituição garantindo a propriedade e os direitos civis, assembleias representativas e governos eleitos responsáveis por elas e, quando possível, uma participação do povo comum na política dentro de limites tais que garantissem a ordem social burguesa e evitassem o risco de ela ser derrubada.

Traçar o desenvolvimento inicial dessa sociedade não é a tarefa deste livro. É suficiente lembrar que essa sociedade já havia completado seu aparecimento histórico tanto na frente econômica como na frente político-ideológica sessenta anos antes de 1848. Os anos de 1789 a 1848 (os quais já discuti num volume anterior — *A era das revoluções,* veja o prefácio —, do qual os leitores terão referências ocasionalmente) foram dominados por uma dupla revolução: a transformação industrial, iniciada e largamente confinada à Inglaterra, e a transformação política, associada e largamente confinada à França. Ambas implicaram o triunfo de uma nova sociedade, mas se ela deveria ser a sociedade do capitalismo liberal triunfante ou aquilo que um historiador francês chamou de "os burgueses conquistadores", parecia ainda mais incerto para os contemporâneos do que parece para nós. Atrás dos ideólogos políticos burgueses estavam as massas, prontas para transformar revoluções moderadamente liberais em revoluções sociais. Por baixo e em volta dos empresários capitalistas, os "trabalhadores pobres", descontentes e sem lugar, agitavam-se e insurgiam-se. As décadas de 1830 e 1840 foram uma era de crises, cujo resultado apenas os otimistas ousavam predizer.

Ainda assim o dualismo da revolução de 1789 a 1848 dá à história desse período unidade e simetria. É fácil, em certo sentido, ler e escrever sobre este assunto, pois parece possuir tema e forma claros, assim como seus limites cronológicos parecem tão precisamente definidos quanto é possível no que diz respeito a assuntos humanos. Com a Revolução de 1848, que é o ponto de partida deste volume, a antiga simetria quebrou-se, a forma se modificou. A revolução política recuou, a revolução industrial avançou. Mil oitocentos e quarenta e oito, a famosa "primavera dos povos", foi a primeira e última revolução europeia no sentido (quase) literal, a realização momentânea dos sonhos da esquerda, dos pesadelos da direita, a derrubada virtualmente simultânea de velhos regimes da Europa continental a oeste dos impérios russo e turco, de Copenhague a Palermo, de Brasov a Barcelona. Ela fora esperada e prevista. Parecia ser o ponto culminante e o produto lógico da era das duas revoluções.

Ela falhou, universalmente, rapidamente e — apesar de isso não ter sido percebido durante muitos anos pelos refugiados políticos — definitivamente. Desde então, não mais ocorreria nenhuma revolução social geral do tipo almejado antes de 1848 nos países "avançados" do mundo. O centro de gravidade desses movimentos revolucionários sociais e, portanto, dos regimes socialistas e comunistas do século XX seria em regiões marginais e atrasadas, embora no período que este livro abrange os movimentos deste tipo permaneceriam episódicos, arcaicos e "subdesenvolvidos". A súbita, vasta e aparentemente ilimitada expansão da economia capitalista mundial forneceu alternativas políticas em países "avançados". A revolução industrial (inglesa) havia engolido a revolução política (francesa).

A história de nosso período é, portanto, desigual. Ela é basicamente a do maciço avanço da economia do capitalismo industrial em escala mundial, da ordem social que ele representou, das ideias e credos que pareciam legitimá-lo e ratificá-lo: na razão, na ciência, no progresso e no liberalismo. É a era da burguesia triunfante, embora a burguesia europeia ainda hesitasse em assumir uma ordem política pública. Para isso — e talvez apenas para isso — a era das revoluções ainda não havia terminado. As classes médias da Europa estavam assustadas e permaneceram assustadas com o povo: a "democracia" ainda era vista como o prelúdio rápido e certeiro para o "socialismo". Os homens que oficialmente presidiam os interesses da vitoriosa ordem burguesa no seu momento de triunfo eram os profundamente reacionários nobres do campo da Prússia, um falso imperador na França e uma sucessão de aristocratas proprietários de terra na Inglaterra. O medo da revolução era real, a insegurança básica que ele indica estava arraigada. Ao fim de nosso período, o único exemplo de revolução num país avançado, uma insurreição em Paris quase local e de vida curta, produziu um banho de sangue maior do que o fizera qualquer fato de 1848 e uma enxurrada de nervosas trocas diplomáticas. Já nesse tempo, os dirigentes dos Estados avançados da Europa, com maior ou menor relutância, começavam a reconhecer não apenas que a "democracia", isto é, uma Constituição Parlamentar fundamentada no sufrágio universal, era inevitável, como também provavelmente viria a ser um aborrecimento, mas politicamente inofensivo. Essa descoberta já havia sido feita muito antes pelos dirigentes dos Estados Unidos.

Os anos de 1848 até meados da década de 1870 não foram, portanto, um período capaz de inspirar leitores que apreciam o espetáculo de um drama com heróis no sentido convencional. Suas guerras — e esse período viu consideravelmente mais operações militares que os trinta anos precedentes e os quarenta subsequentes — eram operações decididas por superioridade organizacional ou tecnológica, como a maioria das campanhas europeias no exterior e as guerras rápidas e decisivas a partir das quais o Império Alemão se estabeleceu entre 1864 e 1871; ou então massacres malconduzidos, como a Guerra da Crimeia entre 1854 e 1856, nos quais mesmo o patriotismo dos países beligerantes recusou se demorar. A maior das guerras desse período, a Guerra Civil Americana, foi ganha, em última análise, pelo peso do poder econômico e dos recursos superiores. O derrotado Sul possuía o melhor exército e os melhores generais. Os exemplos ocasionais de heroísmo romântico e colorido destacaram-se, como Garibaldi com suas madeixas ao vento e sua camisa vermelha, devido à sua própria raridade. Tampouco havia muito drama na política, onde o critério de sucesso veio a ser definido por Walter Bagehot como a posse de "opiniões comuns e habilidades incomuns". Napoleão III visivelmente considerava o manto de seu tio, o primeiro Napoleão, desconfortável para usar. Lincoln e Bismarck, cujas imagens públicas se beneficiaram pela dureza de suas faces e pela beleza de suas prosas, foram, de fato, grandes homens, mas suas realizações foram conseguidas pelos seus dons de políticos e diplomatas, como as de Cavour na Itália, inteiramente desprovidas do que agora consideramos como seus carismas.

O drama mais óbvio desse período foi econômico e tecnológico: o ferro derramando-se em milhões de toneladas pelo mundo, serpenteando em estradas de ferro que cortavam continentes, cabos submarinos atravessando o Atlântico, a construção do Canal de Suez, as grandes cidades, como Chicago, surgidas do solo virgem do meio-oeste americano, os imensos fluxos migratórios. Era o drama do poder europeu e norte-americano, com o mundo a seus pés. Mas aqueles que exploraram esse mundo conquistado eram, se excluirmos o pequeno número de aventureiros e pioneiros, homens sóbrios em roupas sóbrias, espalhando respeitabilidade e um sentimento de superioridade racial juntamente com gasômetros, estradas de ferro e empréstimos.

Era o drama do *progresso*, a palavra-chave da época: maciço, iluminado, seguro de si, satisfeito, mas acima de tudo inevitável. Quase nenhum dos homens de poder e influência, em todos os acontecimentos no mundo ocidental, desejou pôr-lhe um freio. Apenas alguns pensadores e talvez um maior número de críticos intuitivos previram que esse avanço inevitável produziria um mundo bem diferente daquele para o qual aparentemente se caminhava: talvez exatamente o seu oposto. Nenhum deles — nem mesmo Marx, que havia imaginado uma revolução social em 1848 e para uma década depois — esperava um retrocesso imediato. Em meados de 1860, mesmo suas expectativas eram para longo prazo.

O "drama do progresso" é uma metáfora. Mas para duas espécies de pessoas era uma realidade literal. Para milhões de pobres, transportados para um novo mundo frequentemente transpondo fronteiras e oceanos, ele significou uma mudança de vida cataclísmica. Para os povos do mundo fora do capitalismo, que eram agora atingidos e sacudidos por ele, significou a escolha entre uma resistência passiva em nome de suas antigas tradições e modos de ser e um traumático processo de tomada das armas do Ocidente para voltá-las contra os conquistadores: de compreensão e manipulação do progresso por eles mesmos. O mundo dos últimos 25 anos do século XIX foi um mundo de vitoriosos e vítimas. Seu drama consistiu nas dificuldades não dos primeiros, mas, primordialmente, dos últimos.

O historiador não pode ser objetivo sobre o período que é seu tema. Nisso ele difere (para sua vantagem intelectual) dos ideólogos mais típicos, que acreditaram que o progresso da tecnologia, da "ciência positiva" e da sociedade tornou possível ver seu presente com a indiscutível imparcialidade do cientista natural, cujos métodos eles acreditam (erroneamente) compreender. O autor deste livro não pode ocultar uma certa aversão, talvez um certo desprezo, pela era com a qual lida, ainda que mitigada pela admiração por suas titânicas realizações materiais e pelo esforço para compreender mesmo aquilo que não o agrada. Ele não compartilha da nostálgica busca da certeza e da autoconfiança do mundo burguês de meados do século XIX, que atraem muitos que olham para trás, um século depois, a partir de um mundo ocidental atravessado por crises. Suas simpatias dirigem-se àqueles a quem poucos deram ouvidos há um século. Em todo caso, a certeza e a autoconfiança estavam erradas. O triunfo burguês foi breve e temporário. No momento em que pareceu completo, ele provou ser não monolítico, mas pleno de fissuras. No início da década de 1870, a expansão econômica e o liberalismo pareciam irresistíveis. No fim da mesma década, já não o eram mais.

Esse marco divisório define o fim da era que este livro aborda. Diferente da revolução de 1848, que forma seu ponto de partida, esse final não é marcado por nenhuma data universal e conveniente. Se alguma data fosse escolhida, essa data seria 1873, o equivalente vitoriano à quebra de Wall Street em 1929. Pois então começou o que um observador contemporâneo chamou de "a mais curiosa e, em muitos aspectos, sem precedentes perturbação e depressão dos negócios, do comércio e da indústria", à qual os contemporâneos chamaram de "A Grande Depressão", usualmente datada de 1873 a 1896. Escreveu o mesmo observador:

> Sua mais notável peculiaridade tem sido sua universalidade; afetando nações que estiveram envolvidas em guerras assim como as que haviam mantido a paz; as que tinham uma moeda estável (...) e as que tinham uma moeda instável (...); as que viviam sob um sistema de livre-comércio de bens e aquelas cujo comércio era mais ou menos restrito. Tem sido dolorosa em antigas comunidades como a Inglaterra e a Alemanha, e igualmente na Austrália, África do Sul e Califórnia, que representam o novo; tem sido uma calamidade demasiado pesada para os habitantes dos estéreis Newfoundland e Labrador e das ensolaradas e férteis ilhas de açúcar do Caribe; e não tem enriquecido os que estavam nos centros do comércio mundial, cujos ganhos são geralmente os maiores quando os negócios flutuam e são incertos.[2]

Assim escreveu um eminente norte-americano no mesmo ano em que, sob a inspiração de Karl Marx, a Internacional Trabalhista e Socialista foi fundada. A Depressão iniciou uma nova era e pôde, assim, fornecer propriamente uma data de conclusão para a antiga.

PRIMEIRA PARTE

PRELÚDIO REVOLUCIONÁRIO

1. A PRIMAVERA DOS POVOS

"Por favor, leia os jornais com bastante atenção — agora eles valem a pena ser lidos... Esta Revolução mudará a forma do planeta — assim deve e precisa! — Vive la République!"

O poeta George Weerth à sua mãe, 11 de março de 1848[1]

"Realmente, se eu fosse mais jovem e tivesse mais dinheiro, o que infelizmente não sou e não tenho, imigraria para a América hoje. Não por covardia — pois os tempos podem me atingir tão pouco quanto eu a eles —, mas por causa do desgosto pela podridão moral que, usando as palavras de Shakespeare, eleva o mau cheiro ao céu."

O poeta Joseph von Eichendorff a um correspondente, 1º de agosto de 1849[2]

1.

No início de 1848, o eminente pensador político francês Alexis de Tocqueville ergueu-se na Câmara dos Deputados para expressar sentimentos que muitos europeus partilhavam: "Estamos dormindo sobre um vulcão... Os senhores não percebem que a terra treme mais uma vez? Sopra o vento das revoluções, a tempestade está no horizonte". Mais ou menos no mesmo momento, dois exilados alemães, Karl Marx, com 30 anos, e Friedrich Engels, com 28, divulgavam os princípios da revolução proletária contra a qual Tocqueville alertava seus colegas, no programa que ambos tinham traçado algumas semanas antes para a Liga Comunista Alemã e que fora publicado anonimamente em Londres, em 24 de fevereiro de 1848, sob o título (alemão) *Manifesto do Partido Comunista,* "para ser publicado em inglês, francês, alemão, italiano, flamengo e dinamarquês".* Em poucas semanas ou, no caso do *Manifesto,* em poucas horas, as esperanças e os temores dos profetas pareceram estar na iminência da realização. A monarquia francesa fora derrubada por uma insurreição, a república fora proclamada e a revolução europeia se iniciava.

Tem havido um bom número de grandes revoluções na história do mundo moderno, e certamente muitas delas foram bem-sucedidas. Mas nunca houve uma que se tivesse espalhado tão rápida e amplamente, alastrando-se como fogo na palha por sobre fronteiras, países e mesmo oceanos. Na França, o centro natural e detonador das revoluções europeias (veja *A era das revoluções,* Capítulo 6), a república foi proclamada em 24 de fevereiro. Em 2 de março, a revolução havia ganhado o sudoeste alemão; em 6 de março, a Bavária; em 11 de março, Berlim; em 13 de março, Viena e, quase imediatamente, a Hungria; em 18 de março, Milão e, portanto, a Itália (onde uma revolta independente havia tomado a Sicília). Nessa época, o mais rápido serviço de informação acessível a *qualquer pessoa* (os serviços do Banco Rothschild) não podia trazer notícias de Paris a Viena em menos de cinco dias. Em poucas semanas, nenhum governo ficou de pé em uma área da Europa que hoje é ocupada completa ou parcialmente por dez Estados,** sem contar as repercussões menores em um bom número de outros. Além disso, 1848 foi a primeira revolução potencialmente global, cuja influência direta pode ser detectada

* Foi também traduzido em polonês e sueco no mesmo ano, mas é justo dizer que suas reverberações políticas fora dos pequenos círculos revolucionários alemães foram insignificantes até que foi republicado no início da década de 1870.

** França, Alemanha Ocidental, Alemanha Oriental, Áustria, Itália, Tchecoslováquia, Hungria, parte da Polônia, Iugoslávia e Romênia. Os efeitos políticos da revolução também podem ser considerados sérios na Bélgica, Suíça e Dinamarca.

na insurreição de 1848 em Pernambuco (Brasil) e, poucos anos depois, na remota Colômbia. Em certo sentido, foi o paradigma de um tipo de "revolução mundial" com o qual, dali em diante, os rebeldes poderiam sonhar e que, em raros momentos, como no pós-guerra das duas Guerras Mundiais, eles pensaram poder reconhecer. De fato, tais explosões simultâneas continentais ou mundiais são extremamente raras. A revolução de 1848 na Europa foi a única a afetar tanto as partes "desenvolvidas" quando as atrasadas do continente. Foi, ao mesmo tempo, a mais ampla e a menos bem-sucedida revolução desse tipo. No breve período de seis meses de sua explosão, sua derrota universal era seguramente previsível; 18 meses depois, todos os regimes que derrubara, com exceção de um, foram restaurados, e após 18 meses de sua irrupção, com a exceção da República Francesa, estava mantendo toda a distância possível entre si mesma e a revolução à qual devia sua própria existência.

As revoluções de 1848, portanto, possuem uma curiosa relação com o conteúdo deste livro. Não fosse sua ocorrência e o medo de sua recorrência, a história da Europa nos 25 anos seguintes teria sido muito diferente. Mil oitocentos e quarenta e oito estava bem longe de ser "o ponto crítico quando a Europa falhou em mudar". A Europa não conseguiu mudar de uma forma revolucionária. Já que tal não ocorreu, o ano das revoluções permanece sozinho, uma abertura mas não a ópera principal, um portal cujo estilo arquitetônico não leva a esperar o que se encontra após atravessá-lo.

2.

A revolução triunfou por todo o centro do continente europeu, mas não na sua periferia. Esta incluía países demasiadamente remotos ou isolados em sua história para serem direta ou indiretamente atingidos de alguma maneira (por exemplo, os da Península Ibérica, a Suécia e a Grécia), demasiadamente atrasados para possuírem estratos sociais politicamente explosivos da zona revolucionária (por exemplo, a Rússia e os países do Império Otomano), mas também os países já industrializados, como a Inglaterra e a Bélgica,* cujo jogo político já estava sendo feito de acordo com regras diferentes. Mesmo assim a zona revolucionária, constituída essencialmente pela França e pela Confederação Alemã, pelo Império Austríaco com seus limites no sudeste europeu e pela Itália, era suficientemente heterogênea para incluir regiões tão atrasadas e diferentes como a Calábria e a Transilvânia, tão desenvolvidas como Uhr e a Saxônia, tão alfabetizadas como a Prússia e iletradas como a Sicília, tão remotas uma para a outra como Kiel e Palermo, Perpignan e Bucareste. A maioria desses lugares era dirigida por aqueles que podemos chamar de monarcas ou príncipes absolutos, mas a França já era um reino constitucional e burguês, e a única república significativa do continente, a Confederação Helvética, já havia iniciado o ano da revolução com uma breve Guerra Civil, no final de 1847. Os Estados atingidos pela revolução variam em tamanho, dos 35 milhões da França para os poucos milhares de habitantes em principados de ópera-bufa da Alemanha central; em *status*, de poderosos Estados independentes do mundo a províncias ou satélites dirigidos por estrangeiros; em estrutura, de Estados uniformemente centralizados a conglomerados soltos.

Acima de tudo, a história — estrutura econômica e social — e a política dividiram a zona revolucionária em duas partes, cujos extremos pareciam ter pouco em comum. Suas estruturas sociais diferiam fundamentalmente, exceto por aquela prevalência substancial e praticamente universal dos homens do campo sobre os da cidade, das pequenas cidades

* Há também o caso da Polônia, dividida desde 1796 entre Rússia, Áustria e Prússia, que teria certamente participado da revolução não fosse o fato de seus governantes russo e austríaco terem conseguido mobilizar o campesinato contra a (revolucionária) pequena nobreza.

sobre as grandes; um fato facilmente ignorado, pois a população urbana e especialmente as grandes cidades eram desproporcionalmente proeminentes em política.* No oeste, camponeses eram legalmente livres, e grandes Estados, relativamente pouco importantes; em grande parte do leste, eles ainda eram servos e a propriedade da terra continuava altamente concentrada nas mãos da nobreza rural (veja mais adiante no Capítulo 10). No oeste, a "classe média" significava banqueiros locais, comerciantes, empresários capitalistas, "profissionais liberais" e funcionários de nível elevado (incluindo professores), se bem que alguns destes tendessem a se sentir membros de um estrato mais alto (*haute bourgeoisie*), prontos para competir com a nobreza proprietária pelo menos nos gastos. No leste, o estrato urbano equivalente consistia largamente em grupos nacionais distintos da população nativa, tais como os alemães e os judeus, em ambos os casos bem menor. O equivalente real da "classe média" era o setor do país de pequenos nobres e proprietários de terras educados e/ou preocupados com negócios, um estrato que era surpreendentemente grande em algumas áreas (veja *A era das revoluções*). A zona central, da Prússia ao norte até a Itália (central e do norte) ao sul, que era, em certo sentido, o coração da zona revolucionária, combinou de várias formas as características das regiões relativamente "desenvolvidas" e atrasadas.

Politicamente, a zona revolucionária era igualmente heterogênea. Excetuando-se a França, o que estava em jogo não era meramente o conteúdo político e social desses Estados, mas sua forma ou mesmo existência. Os alemães lutavam para construir uma "Alemanha" — deveria ser unitária ou federal? — de um punhado de principados germânicos de vários tamanhos e características. Os italianos tentaram transformar o que o chanceler austríaco Metternich arrogantemente, mas não descui-

---

* Dos delegados ao "pré-Parlamento" alemão da região de Uhr, 45% representavam grandes cidades, 24%, pequenas cidades e apenas 10%, o campo, onde vivia 73% da população.[3]

dadamente, descreveu como uma "mera expressão geográfica" em uma Itália unida. Ambos, com a visão tendenciosa dos nacionalistas, incluíram em seus projetos povos que não se sentiam alemães nem italianos, como os tchecos. Os alemães, italianos e praticamente todos os movimentos nacionais envolvidos na revolução, exceto os franceses, viram-se lutando contra o grande império multinacional dos Habsburgos, que se espalhava pela Alemanha e Itália, também incluindo os tchecos, húngaros, uma parte substancial de poloneses, romenos, iugoslavos e outros povos eslavos. Alguns destes, ou pelo menos seus porta-vozes, viam o império como uma solução menos ruim do que a possibilidade de serem absorvidos por algum nacionalismo expansionista, como o dos alemães ou o dos húngaros. "Se a Áustria não existisse", teria dito o professor Palacki, porta-voz dos tchecos, "seria preciso inventá-la". Através da zona revolucionária, diversas dimensões operavam simultaneamente.

Os radicais tinham confessadamente uma solução simples: uma república democrática unitária e centralizada da Alemanha, Itália, Hungria ou qualquer que fosse o país, constituída de acordo com os princípios da Revolução Francesa sobre as ruínas de todos os reis e príncipes e que empunhasse sua versão da bandeira tricolor que, conforme o modelo francês, era o modelo básico da bandeira nacional. Os moderados, por seu turno, estavam emaranhados numa teia de cálculos complexos baseados essencialmente no medo da democracia, que eles acreditavam ser equivalente à revolução social. Onde as massas ainda não houvessem varrido os príncipes, seria pouco sábio encorajá-las a minar a ordem social, e onde o tivessem feito seria desejável retirá-las das ruas e desmantelar aquelas barricadas que eram os símbolos essenciais de 1848. Portanto, a questão era saber quais príncipes paralisados mas não depostos pela revolução poderiam ser persuadidos a apoiar a boa causa. Como deveriam exatamente ser criadas uma Alemanha ou Itália liberais e federais, sob que forma constitucional e sob os auspícios de quem? Poder-se-ia conter igualmente o rei da Prússia e o imperador da Áustria (como os "grandes alemães" moderados pensavam — não confundir com os democratas radicais que eram, por definição, "grandes alemães" de um tipo diferente), ou se precisaria ser "pequeno alemão", isto é, excluir a Áustria? De forma semelhante, os moderados do Império dos Habsburgos praticavam o jogo de maquinar Constituições federais e multinacionais, o que só viria a cessar com o desaparecimento do império em 1918. Onde ação ou guerra revolucionária irrompesse, não havia muito tempo para especulações constitucionais. Onde não irrompesse, como na maior parte da Alemanha, dava-se-lhes a maior importância. Visto que ali a maior parte de moderados liberais se compunha de professores e funcionários civis — 68% dos deputados na assembleia de Frankfurt eram funcionários públicos, 12% pertenciam às "profissões livres" —, os debates desse Parlamento de vida curta transformaram-se num sinônimo de inteligente futilidade.

As revoluções de 1848, portanto, requerem um detalhado estudo por Estado, povo, região, para o que este livro não é o lugar. Elas tiveram, no entanto, muito em comum, não apenas pelo fato de terem ocorrido quase simultaneamente, mas também porque seus destinos estavam cruzados, todas possuíam um estilo e sentimento comuns, uma curiosa atmosfera romântico-utópica e uma retórica similar, para a qual os franceses inventaram a palavra *quarante-huitard*. Qualquer historiador reconhece-a imediatamente: as barbas, as gravatas esvoaçantes, os chapéus de aba larga dos militantes, as bandeiras tricolores, as ubíquas barricadas, o sentido inicial de libertação, de imensa esperança e confusão otimista. Era a "primavera dos povos" — e, como a primavera, não durou. Devemos agora examinar brevemente suas características comuns.

Em primeiro lugar, todas foram vitoriosas e derrotadas rapidamente e, na maioria dos casos, totalmente. Nos primeiros meses, todos os governos na zona revolucionária foram derrubados ou reduzidos à impotência.

Todos entraram em colapso ou recuaram virtualmente sem resistência. Contudo, em um período relativamente curto, a revolução havia perdido a iniciativa quase que em todos os lugares: na França, no fim de abril; no resto da Europa revolucionária, durante o verão, apesar de o movimento ter conservado certa capacidade para contra-atacar em Viena, na Hungria e na Itália. Na França, o primeiro marco da contraofensiva conservadora foi a eleição de abril, na qual o sufrágio universal, embora elegendo apenas uma minoria de monarquistas, enviou para Paris uma grande quantidade de conservadores, eleitos pelos votos de um campesinato politicamente mais inexperiente do que reacionário e para o qual a esquerda de mentalidade urbana ainda não sabia como apelar. (De fato, por volta de 1849, as regiões "republicanas" e esquerdistas do campo na França, familiares aos estudantes da política francesa, já haviam surgido — pôr exemplo, a região provençal —, e ali a mais amarga resistência à abolição da república, em 1851, deveria ocorrer.) O segundo marco foi o isolamento e a derrota dos trabalhadores revolucionários em Paris, batidos na insurreição de junho.

Na Europa central, o ponto decisivo veio quando o exército dos Habsburgos, com sua liberdade de manobra aumentada pela fuga do imperador, em maio, conseguiu reagrupar-se para derrotar, em junho, uma insurreição radical em Praga (não sem o apoio da classe média moderada tcheca e alemã), reconquistando assim as terras da Boêmia — o coração econômico do império — e logo após recuperar o controle da Itália do norte. Uma tardia e rápida revolução nos principados do Danúbio foi esmagada pelas intervenções russa e turca.

Entre o verão e o fim do ano, os velhos regimes retomaram o poder na Alemanha e na Áustria, embora tenha sido necessário recuperar a cidade de Viena, cada vez mais revolucionária, pela força das armas em outubro, com um custo de mais de 4 mil vidas. Depois disso, o rei da Prússia reuniu coragem para restabelecer sua autoridade sobre os rebeldes berlinenses sem problema, e o resto da Alemanha (exceto por alguma oposição no sudoeste) rapidamente entrou na linha, deixando o Parlamento alemão, ou melhor, a Assembleia Constitucional, eleita nos esperançosos dias da primavera, assim como a mais radical assembleia prussiana e outras entregues a suas discussões, esperando por seu fechamento. No inverno, apenas duas regiões ainda estavam nas mãos da revolução — partes da Itália e a Hungria. Terminaram por ser reconquistadas, em seguida a uma retomada mais modesta da ação revolucionária na primavera de 1849, em meados daquele ano.

Depois da capitulação dos húngaros e dos venezianos em agosto de 1849, a revolução estava morta. Com a única exceção da França, todos os antigos governantes foram restaurados no poder — em alguns casos, como no Império dos Habsburgos, até com maior poder que antes — e os revolucionários espalharam-se no exílio. Mais uma vez, com a exceção da França, virtualmente todas as mudanças institucionais, todos os sonhos políticos e sociais da primavera de 1848 foram varridos, e mesmo na França a república teria apenas mais dois anos e meio de vida. Ocorrera uma e apenas uma modificação irreversível importante: a abolição da servidão no Império dos Habsburgos.* Excetuando-se esta última, apesar de ser visivelmente uma importante realização, 1848 aparece como a revolução da moderna história da Europa que combina a maior promessa, a mais ampla extensão, o maior sucesso inicial imediato com o mais rápido e retumbante fracasso. Em certo sentido, lembra outro fenômeno de massa da década de 1840, o movimento cartista** na

---

* De maneira geral, a abolição da servidão e dos direitos senhoriais sobre os camponeses no restante da Europa ocidental e central (incluindo a Prússia) haviam ocorrido nos períodos da França revolucionária e napoleônica (1789-1815), embora alguns resquícios de dependência na Alemanha fossem abolidos em 1848. A servidão na Rússia e na Romênia durou até a década de 1860 (veja adiante o Capítulo 10).

** Movimento trabalhista inglês pela reforma parlamentar, teve seu nome baseado na Carta do Povo, um programa elaborado pelo radical londrino William Lovett em maio de 1838. Continha seis

Inglaterra. Os objetivos específicos do cartismo foram eventualmente atingidos — mas não revolucionariamente ou num contexto revolucionário. Suas grandes aspirações não foram perdidas, mas os movimentos que deveriam tê-las levado avante eram completamente diferentes dos de 1848. Não é por acidente que o documento daquele ano, que viria a ter o mais duradouro e significativo efeito na história mundial, tenha sido o *Manifesto comunista*.

Todas essas revoluções têm algo mais em comum, o que explica largamente o seu fracasso. Elas foram, de fato ou como antecipação imediata, revoluções sociais dos trabalhadores pobres. Por isso elas assustaram os moderados liberais a quem elas próprias deram poder e proeminência — e mesmo alguns dos políticos mais radicais —, pelo menos tanto quanto os que apoiavam os antigos regimes. O conde Cavour do Piemonte, futuro arquiteto da Itália Unida, apontara essa fraqueza alguns anos antes (1846):

> Se a ordem social chegar a ser genuinamente ameaçada, se os grandes princípios sobre os quais ela repousa vierem a estar diante de um sério risco, então muitos dos mais decididos oposicionistas, os mais entusiásticos republicanos, serão, temos certeza, os primeiros a aliarem-se aos flancos do Partido Conservador.[4]

Portanto os que fizeram a revolução foram inquestionavelmente os trabalhadores pobres. Foram eles que morreram nas barricadas urbanas: em Berlim, havia apenas 15 representantes das classes cultas e trinta mestres-artesãos entre os trezentos mortos das lutas de março: em Milão,

---

reivindicações: sufrágio universal, igualdade dos distritos eleitorais, voto secreto, eleição anual do Parlamento, pagamentos aos parlamentares e abolição da qualificação de proprietário para os candidatos. Foi o primeiro movimento nacional trabalhista que nasceu do protesto contra as injustiças sociais da nova ordem industrial na Inglaterra. O movimento foi abalado com o esmagamento de uma revolta em Newport e o banimento de seus líderes para a Austrália. Quando a economia saiu da Depressão, o movimento perdeu sua força. Mais tarde, todas as reivindicações foram transformadas em leis, com a exceção da eleição anual do Parlamento. (*N.T.*)

apenas 12 estudantes, trabalhadores de colarinho-branco ou proprietários entre os 350 mortos na insurreição.[5] Foi sua fome que alimentou as demonstrações que se transformaram em revoluções. O campo nas regiões ocidentais da revolução estava relativamente calmo, embora o sudoeste alemão tenha visto muito mais da insurreição campesina do que é comumente lembrado, mas, em outros lugares, o medo da revolta no campo era suficientemente agudo para se transformar em realidade, apesar de que ninguém precisaria usar muita imaginação em áreas como a Itália do sul, onde os camponeses por todos os lados marcharam espontaneamente com bandeiras e tambores para repartir as grandes propriedades. Mas o medo por si só era suficiente para concentrar totalmente as mentes dos proprietários da terra. Aterrorizados pelos falsos rumores de uma grande insurreição de servos sob a liderança do poeta S. Petöfi (1823-1849), a Dieta Húngara — uma assembleia constituída esmagadoramente por proprietários — votou a imediata abolição da servidão em 15 de março, apenas alguns dias antes de o governo imperial, procurando isolar os revolucionários de uma base rural, decretar a imediata abolição da servidão na Galícia, a abolição do trabalho forçado e outras obrigações feudais nas terras tchecas. Não havia dúvida de que a "ordem social" estava em perigo.

O perigo não era igualmente agudo em todos os lugares. Os camponeses poderiam ser — e eram — libertados com dinheiro pago pelos governos conservadores, especialmente se seus proprietários de terra ou os comerciantes e agiotas que os exploravam pertencessem a outra nacionalidade não tão "revolucionária", como a polonesa, a húngara ou a alemã. É improvável que as classes médias alemãs, incluindo os confiantes homens de negócios de Uhr, estivessem desesperadamente preocupadas com qualquer perspectiva imediata de comunismo proletário, ou mesmo com o poder proletário, que tinha pouca importância, exceto em Colônia (onde Marx instalara seu quartel-general) e em Berlim, onde o tipógrafo comunista Stefan Born organizara um movimento operário de razoável importância. Porém, do mesmo modo como as classes médias europeias da década de 1840 julgaram ter reconhecido a forma de seus problemas sociais futuros na chuva e fumaça de Lancashire, assim também pensaram ter reconhecido uma outra forma do futuro atrás das barricadas de Paris, o grande antecipador e exportador de revoluções. E a revolução de fevereiro não fora feita apenas pelo "proletariado", mas era uma revolução social consciente. Seu objetivo não era meramente qualquer república, mas a "república social e democrática". Seus líderes eram socialistas e comunistas. Seu governo provisório incluiu um trabalhador genuíno — um mecânico conhecido como Albert. Por alguns dias, houve dúvidas sobre se sua bandeira seria a tricolor ou a faixa vermelha da revolta social.

Exceto onde questões de autonomia nacional ou independência estava em jogo, a oposição moderada da década de 1840 não desejou nem se dedicou seriamente à revolução, e mesmo na questão nacional os moderados preferiram a negociação e a diplomacia à confrontação. Sem dúvida, eles teriam preferido mais, mas estavam bastante preparados para aceitar concessões que, pode-se argumentar razoavelmente, todos — exceto os mais estúpidos e autoconfiantes dos absolutismos, como o do czar —, mais cedo ou mais tarde seriam forçados a fazer, por mudanças internacionais que, cedo ou tarde, provavelmente seriam aceitas pela oligarquia das grandes potências que decidiam sobre tais questões. Arrastados para a revolução pela força dos pobres e/ou pelo exemplo de Paris, eles naturalmente tentaram transformar uma situação inesperadamente boa para dela extrair maior vantagem. Mas, em última análise, eles estavam certamente, e não raro desde o início, muito mais preocupados com o perigo de sua própria esquerda do que com os velhos regimes. Quando as barricadas foram erguidas em Paris, todos os liberais moderados (e, como observou Cavour, uma razoável proporção de radicais) eram conservadores potenciais. Como a opinião moderada mais ou menos rapidamente mudava de lado ou desertava, os trabalhadores, os intransigentes entre os radicais democratas, ficavam isolados ou, o que era mais fatal, viam-se diante de uma união de forças conservadoras e ex-moderadas aliadas ao velho regime: um "partido da ordem", como os franceses o chamaram. Mil oitocentos e quarenta e oito fracassou porque ficou evidenciado que a confrontação decisiva não era entre os velhos regimes e as "forças do progresso" unidas, mas entre "ordem" e "revolução social". Sua confrontação crucial não foi a de Paris em fevereiro, mas a de Paris em junho, quando os trabalhadores manobrados para uma insurreição isolada foram derrotados e massacrados. Eles lutaram e morreram bravamente. Cerca de 1.500 caíram na luta das ruas — dois terços dos mortos do lado do governo. É característica da ferocidade do ódio que os ricos nutrem pelos pobres o fato de que uns 3 mil foram trucidados depois da derrota, enquanto outros 12 mil foram aprisionados, a maioria para serem deportados para campos de trabalho na Argélia.[6]*

Portanto a revolução manteve seu ímpeto somente onde os radicais eram suficientemente fortes e suficientemente ligados ao movimento popular para empurrar os moderados para a frente ou para fazê-la sem eles. Isto era mais provável de ocorrer nos países onde a questão crucial era a libertação nacional, um objetivo que requeria a contínua mobilização das massas. Eis por que a revolução durou mais na Itália e sobretudo na Hungria.**

Na Itália, os moderados, unidos na retaguarda do antiaustríaco rei do Piemonte e com as fileiras engrossadas depois da insurreição de Milão

---

* A revolução de fevereiro em Paris custara apenas 370 vidas.

** Na França, a unidade nacional e a independência não estavam em questão. O nacionalismo alemão estava preocupado com a unificação de numerosos Estados separados, o que era, porém, impedido não pela dominação estrangeira, mas — excetuados alguns interesses particularistas — pela atitude de dois superpoderes que se consideravam a si próprios alemães, Prússia e Áustria. As aspirações nacionais eslavas entraram em conflito logo de início com as das nações "revolucionárias" como as dos alemães e húngaros, e calaram-se dali em diante, se não chegaram mesmo a apoiar a contrarrevolução. Mesmo a esquerda tcheca viu o Império dos Habsburgos como uma proteção contra a absorção por uma Alemanha nacional. Os poloneses não tomaram nenhuma parte importante nessa revolução.

pelos principados menores, com consideráveis reservas mentais, tomaram a dianteira na luta contra o opressor, sem perder de vista os republicanos e a revolução social. Graças à fraqueza militar dos Estados italianos, à hesitação Piemonte e, talvez acima de tudo, à recusa em apelar para os franceses (que fortaleceriam, acreditava-se, a causa republicana), eles foram duramente derrotados pelo reagrupado exército austríaco em Custoza, no mês de julho. [Pode ser notado, de passagem, que o grande republicano G. Mazzini (1805-1872), com seu infalível instinto para o que era politicamente fútil, opôs-se a um pedido de ajuda aos franceses.] A derrota desacreditou os moderados e passou a liderança da libertação nacional aos radicais, que tomaram o poder em diversos Estados italianos durante o outono, para finalmente instalar uma república romana no início de 1849, dando a Mazzini ampla oportunidade para a retórica. [Veneza, sob o governo de um advogado sensível, Daniele Manin (1804-1857), já se havia tornado uma república independente, ficando fora dos distúrbios até que foi inevitavelmente reconquistada pelos austríacos — mais tarde até do que os húngaros — no final de agosto de 1849.] Os radicais não foram uma ameaça militar para a Áustria; quando fizeram com que o Piemonte declarasse guerra novamente em 1849, os austríacos os venceram facilmente em Novara, no mês de março. Além disso, apesar de mais determinados a expulsar os austríacos e a unificar a Itália, eles partilhavam, de modo geral, do medo que os moderados tinham da revolução social. Mesmo Mazzini, com todo o seu zelo pelo homem comum, preferia que este confinasse seus interesses a questões espirituais, detestava o socialismo e opunha-se a qualquer interferência na propriedade privada. Depois desse fracasso inicial, a revolução italiana viveu mais do que se esperava. Ironicamente, entre os que a suprimiram estavam os exércitos de uma França agora não revolucionária, que reconquistou Roma em junho. A expedição romana foi uma tentativa de assegurar a influência diplomática francesa mais uma vez na península, em oposição à Áustria. Também teve a vantagem adicional de ser popular entre os católicos, apoio esse que o regime pós-revolucionário contava receber.

Diferentemente da Itália, a Hungria já era uma entidade política mais ou menos unificada ("as terras da coroa de Santo Estêvão"), com uma Constituição efetiva, um não negligenciável grau de autonomia e quase todos os elementos de um Estado soberano, excetuada a independência. Sua fraqueza era que a aristocracia húngara, que governava essa vasta e esmagadora área, dominava não somente o campesinato húngaro da grande planície, mas também uma população da qual uns 60% consistiam em croatas, sérvios, eslovacos, romenos e ucranianos, sem mencionar uma substancial minoria alemã. Esses povos de camponeses não eram antipáticos a uma revolução que libertasse os servos, mas sofriam antagonismos pela recusa até mesmo de radicais de Budapeste em fazer qualquer concessão que contribuísse para reconhecer suas diferenças nacionais em relação aos húngaros, pois seus porta-vozes eram hostilizados por uma feroz política de hungarização e incorporação de algumas regiões fronteiriças, ainda de alguma forma autônoma, num Estado húngaro centralizado e unitário. A Corte de Viena, seguindo a habitual máxima imperialista "dividir para reinar", ofereceu-lhes apoio. Caberia ao exército croata, sob o comando do barão de Jellacic (um amigo de Gaj, o pioneiro do nacionalismo iugoslavo), comandar o assalto à Viena e à Hungria revolucionárias.

Apesar disso, na área que hoje aproximadamente contém a Hungria, a revolução conseguiu manter o apoio de massa do povo (húngaro) por razões nacionais e sociais. Os camponeses consideravam ter recebido sua liberdade não do imperador, mas da revolucionária Dieta Húngara. Esta foi a única parte da Europa onde a derrota da revolução foi seguida de algo parecido com uma guerrilha rural, que o famoso bandido Sándor Rósza manteve por vários anos. Quando a revolução eclodiu, a Dieta, que consistia em uma Câmara Alta de magnatas comprometidos ou moderados e em uma Câmara Baixa dominada por radicais nobres rurais e advogados, teve apenas de trocar os protestos pela ação. Esta sobreveio rapidamente sob a liderança de um hábil advogado, jornalista e orador, Louis Kossuth (1802-1894), que viria a tornar-se a figura revolucionária internacionalmente mais famosa de 1848. Por razões práticas, a Hungria, sob um governo de coalizão moderado-radical relutantemente autorizado por Viena, era um Estado autônomo reformado, pelo menos até que os Habsburgos estivessem em condições de reconquistá-lo. Depois da batalha de Custoza, eles julgaram que já o estivessem e, cancelando as leis da reforma húngara de março e invadindo em seguida o país, colocaram os húngaros diante da alternativa da capitulação ou da radicalização. Consequentemente, sob a liderança de Kossuth, a Hungria virou a mesa, depondo o imperador (apesar de formalmente não proclamar a república) em abril de 1849. O apoio popular e a liderança militar de Görgei permitiram aos húngaros fazer face ao exército austríaco. Eles só vieram a ser derrotados quando Viena, em desespero, apelou para a derradeira arma da reação, as forças russas. Isso foi decisivo. Em 13 de agosto, a parcela remanescente do exército húngaro capitulou — não ante o comandante austríaco, mas ante o russo. Sozinha entre as revoluções de 1848, a húngara não caiu e nem de longe pareceu cair em razão de fraqueza ou conflitos internos, mas pela esmagadora conquista militar. É evidente que as probabilidades de evitar tal conquista eram nulas depois que todo o resto ruíra.

Havia alguma alternativa para essa *débâcle* geral? Quase certamente não. Dos principais grupos sociais envolvidos na revolução, a burguesia, como já vimos, descobriu que preferia a ordem à oportunidade de pôr em prática seu programa completo quando confrontada com a ameaça à propriedade. Quando se viram diante da revolução "vermelha", os moderados liberais e os conservadores uniram-se. Os "notáveis" da França, quer dizer, as famílias respeitáveis, influentes e ricas que dirigiam os negócios políticos daquele país, deram fim à sua longa e antiga rixa entre os partidários dos Bourbons, dos Orléans, e mesmo dos que apoiavam a república, e adquiriram uma consciência de classe nacional por meio de um emergente e novo "partido da ordem". As figuras-chave na monarquia restaurada dos Habsburgos viriam a ser o ministro do interior Alexander Bach (1806-1867), ex-moderado liberal oposicionista, e o magnata do comércio e da navegação K. von Bruck (1798-1860), figura-chave no próspero porto de Trieste. Os banqueiros e comerciantes da região de Uhr, que representavam o liberalismo burguês prussiano, teriam preferido uma monarquia constitucional limitada, mas instalaram-se confortavelmente como os pilares de uma Prússia restaurada, o que de todo modo evitou um sufrágio democrático. Em troca, os regimes conservadores restaurados estavam bem preparados para fazer concessões ao liberalismo econômico, legal e até cultural dos homens de negócios, desde que isso não significasse um recuo político. Como veremos, a reacionária década de 1850 viria a ser, em termos econômicos, um período de liberalização sistemática. Entre 1848 e 1849, os moderados liberais fizeram assim duas importantes descobertas na Europa ocidental: que a revolução era perigosa e que algumas de suas mais substanciais exigências (especialmente nos assuntos econômicos) poderiam ser atingidas sem ela. A burguesia deixara de ser uma força revolucionária.

O grande corpo das classes médias baixas radicais, artesãos descontentes, pequenos comerciantes etc. e mesmo agricultores, cujos porta-vozes e líderes eram intelectuais, especialmente jovens e marginais, formavam uma força revolucionária significativa, mas dificilmente uma alternativa política. Eles alinhavam-se, em geral, com a esquerda democrática. A esquerda alemã pedia novas eleições, pois seu radicalismo fizera grande estardalhaço em muitas áreas no final de 1848 e início de 1849, apesar de então já não dominar as grandes cidades, que haviam sido reconquistadas pela reação. Na França, os democratas radicais conseguiram 2 milhões de votos em 1849 contra 3 milhões para os monarquistas e 800 mil para os moderados. Os intelectuais forneceram seus ativistas, mas apenas em Viena a Legião Acadêmica de estudantes chegou a formar efetivamente tropas de choque para combate. Chamar 1848 de "a revolução dos intelectuais" é um erro. Eles não eram mais importantes nessa revolução que em quaisquer das outras que ocorreram, assim como esta, em países relativamente atrasados, onde a maior parte do estrato médio consistia em pessoas caracterizadas por sua escolarização e domínio da palavra escrita: graduados de todos os tipos, jornalistas, professores e funcionários. Mas não há dúvida de que os intelectuais eram proeminentes: poetas como Petöfi na Hungria, Herwegh e Freiligrath (que pertencia ao corpo editorial da *Neue Rheinische Zeitung*) na Alemanha, Victor Hugo e o coerente moderado Lamartine na França; acadêmicos em grande número (principalmente do lado moderado) na Alemanha,* médicos como C. G. Jacoby (1804-1851) na Prússia, Adolf Fischhof (1816-1893) na Áustria; cientistas como F. V. Raspail (1794-1878) na França; e uma vasta quantidade de jornalistas e publicistas, dos quais Kossuth era na época o mais celebrado e Marx provaria ser o mais formidável.

Como indivíduos, tais homens podiam exercer um papel decisivo; como membros de um estrato social específico ou como porta-vozes da pequena burguesia radical, não o podiam. O radicalismo dos "pequenos", que tinha expressão na exigência de "uma Constituição democrática de Estado, que fosse constitucional ou republicana, fornecendo-lhes a maioria para si e seus aliados camponeses, assim como um governo democrático local que lhes desse controle sobre a propriedade municipal e sobre uma série de funções atualmente exercidas pelos burocratas",[7] era suficientemente genuíno, ainda que uma crise secular de um lado e

---

* Os professores franceses, ainda que suspeitos para os governos, permaneceram quietos sob a monarquia de julho e supõe-se terem feito frente à "ordem" em 1848.

uma Depressão econômica temporária de outro lhe proporcionassem um gosto um pouco amargo. O radicalismo dos intelectuais possuía raízes menos profundas. Tinha sua base largamente na incapacidade (que se revelou temporária) da nova sociedade burguesa de antes de 1848 de produzir suficiente número de postos de *status* adequado para os cidadãos instruídos, que produzia em quantidade sem precedentes e cuja recompensa salarial era bem mais modesta que suas ambições. Que aconteceu com todos aqueles estudantes radicais de 1848 nas prósperas décadas de 1850 e 1860? Eles continuaram a herança da tradição familiar e de fato aceita no continente europeu, pela qual os moços burgueses faziam suas loucuras políticas e sexuais de juventude antes de se acomodarem. E havia inúmeras possibilidades de acomodar-se, especialmente depois da retirada da velha nobreza e da diversificação das formas de fazer dinheiro que a burguesia ligada ao comércio produzia para aqueles cujas qualificações eram basicamente a escolaridade. Em 1842, 10% dos professores de liceus franceses originavam-se dos "notáveis", mas, por volta de 1877, nenhum deles tinha essa origem. Em 1868, a França produziu poucos graduados secundários (*bacheliers*) a mais que na década de 1830, mas um número muito maior podia seguir carreira nos bancos, no comércio, no bem-sucedido jornalismo e, depois de 1870, na política profissional.[8]

Além disso, quando confrontados com a revolução vermelha, mesmo os radicais democratas tendiam a cair na retórica, dilacerados entre sua genuína simpatia pelo "povo" e seu senso de propriedade e dinheiro. Diferentemente da burguesia liberal, eles não mudaram de lado. Apenas vacilaram, embora nunca se tenham distanciado muito da direita.

No que diz respeito aos trabalhadores pobres, faltavam-lhes organização, maturidade, liderança e, talvez acima de tudo, a conjuntura histórica para fornecer uma alternativa política. Suficientemente fortes para fazer o projeto de uma revolução social parecer real e ameaçador, eles eram, porém, demasiadamente fracos para fazer algo mais do que assustar seus inimigos. Suas forças eram desproporcionalmente eficazes, pois estavam concentrados em massas famintas nos pontos mais politicamente sensíveis, ou seja, as grandes cidades, especialmente as capitais.

Tudo isto trazia certa fraqueza encoberta: em primeiro lugar, sua deficiência numérica — eles não eram sempre maioria nas cidades, geralmente considerando-se mesmo uma modesta minoria da população — e, em segundo lugar, sua imaturidade política e ideológica. Entre eles, os estratos mais ativistas e politicamente conscientes consistiam em artesãos pré-industriais (usando o termo no sentido inglês contemporâneo de artífices, artesãos, trabalhadores manuais especializados em oficinas não mecânicas etc.). Impelidos para ideologias social-revolucionárias, e mesmo socialistas e comunistas na França jacobina-sans culotte, seus alvos enquanto massa eram distintamente mais modestos na Alemanha, como o impressor comunista Stefan Born descobriu em Berlim. Os pobres e os trabalhadores não especializados das cidades e, fora da Inglaterra, o proletariado industrial e mineiro como um todo não haviam ainda desenvolvido uma ideologia política. Na zona industrial do norte da França, mesmo o republicanismo teve dificuldades em impor-se até quase o final da Segunda República. O ano de 1848 viu Lille e Roubaix exclusivamente preocupadas com seus problemas econômicos, dirigindo seus tumultos não contra reis ou burgueses, mas contra os ainda mais famintos trabalhadores belgas imigrantes.

Onde os plebeus urbanos ou, mais raramente, os novos proletários se encontravam sob a influência da ideologia jacobina, socialista ou democrático-republicana ou — como em Viena — de estudantes ativistas, tornavam-se uma força política, pelo menos como geradores de motins. (Sua participação em eleições ainda era baixa e imprevisível, diferente da dos trabalhadores rurais pauperizados que, na Saxônia ou na Inglaterra, eram altamente radicalizados.) Paradoxalmente, fora de Paris isso era raro na França jacobina, enquanto na Alemanha a Liga Comunista de Marx fornecia os elementos de uma rede nacional para a extrema esquerda. Fora desse raio de influência, os trabalhadores pobres eram politicamente insignificantes.

Evidentemente, não deveríamos subestimar o potencial do "proletariado" de 1848, ainda que jovem e imaturo como força social, começando, como estava, a ter consciência de si como classe. Em certo sentido, aliás, seu potencial revolucionário era maior do que o seria subsequentemente. A difícil geração do pauperismo e da crise antes de 1848 havia encorajado uns poucos a acreditar que o capitalismo poderia ou traria condições de vida decentes ou que ele duraria. A própria juventude e a fraqueza da classe trabalhadora, ainda emergindo da massa dos trabalhadores pobres, mestres artesãos independentes e pequenos comerciantes, evitou uma concentração exclusiva em reivindicações econômicas, o que só ocorria entre os mais ignorantes e isolados. As reivindicações *políticas*, sem as quais nenhuma revolução se realiza, nem mesmo a mais puramente social delas, foram feitas no contexto da situação. O objetivo popular de 1848, a "república democrática e social", era simultaneamente social e político. A experiência da classe trabalhadora injetou nele, pelo menos na França, novos elementos institucionais fundamentados na prática dos sindicatos e da ação cooperativa, embora não tenha criado elementos tão novos e poderosos como fizeram os sovietes da Rússia no início do século XX.

Por outro lado, organização, ideologia e liderança eram lamentavelmente pouco desenvolvidas. Mesmo a mais elementar das formas, o sindicato, era restrita a umas poucas centenas ou, no melhor dos casos, a uns poucos milhares de membros. Frequentemente, mesmo as sociedades dos trabalhadores especializados, pioneiros em sindicalismo, apareceram pela primeira vez durante a revolução — os impressores na Alemanha, os chapeleiros na França. Os socialistas e comunistas organizados eram ainda mais limitados em número: umas poucas dúzias, no máximo umas poucas centenas. Portanto, 1848 foi a primeira revolução na qual socialistas ou, mais precisamente, os comunistas — pois o socialismo pré-1848 era um movimento demasiado apolítico para construir utopias cooperativas — apareceram na frente da cena desde o início. Era o ano não apenas de Kossuth, A. Ledru-Rollin (1807-1874) e Mazzini, mas de Karl Marx (1818-1883), Louis Blanc (1811-1882) e L. A. Blanqui (1805-1881) (o severo rebelde que só saía de uma vida na prisão quando era libertado pelas revoluções), de Bakunin e mesmo de Proudhon. Mas o que significava o socialismo para os seus seguidores, além de um nome para uma classe trabalhadora autoconsciente com suas próprias aspirações a uma sociedade diferente da do capitalismo e baseada na sua derrubada? Mesmo seu inimigo não estava claramente definido. Falava-se muito de "classe trabalhadora" e mesmo de "proletariado", mas, durante a revolução, nada sobre "capitalismo".

De fato, quais eram as perspectivas políticas de uma classe trabalhadora, mesmo que socialista? O próprio Karl Marx não acreditou que a revolução estivesse na ordem do dia. Mesmo na França, "o proletariado de Paris ainda era incapaz de ir além da república burguesa de outra forma que não fosse nas *ideias*, na *imaginação*". "Suas necessidades imediatas e confessas desviavam-nos da vontade de derrubar a burguesia e, além disso, eles não possuíam os instrumentos para fazê-lo." O máximo que se poderia atingir seria uma república burguesa que pusesse em evidência a verdadeira natureza da futura luta — a confrontação entre a burguesia e o proletariado — e que a seu tempo unisse o restante estrato médio com os trabalhadores, "pois sua posição ficara mais insuportável e seu antagonismo à burguesia tornara-se mais agudo".[9] Seria, numa primeira instância, uma república democrática, numa segunda uma transição de uma revolução burguesa incompleta para uma revolução proletária popular e, finalmente, uma ditadura do proletariado ou, como na expressão que recorda as opiniões de Blanqui e que refletiu a temporária proximidade dos dois grandes revolucionários no pós-1848, imediato à "revolução permanente". Mas, diferentemente de

Lenin em 1917, Marx não concebeu a substituição da revolução proletária pela burguesia senão após a derrota de 1848; assim, quando formulou uma perspectiva comparável à de Lenin (incluindo "apoiar a revolução como uma nova edição da luta camponesa", como disse Engels), não a manteve por muito tempo. Não haveria uma segunda edição de 1848 na Europa central e do norte. A classe operária, como ele cedo reconheceu, teria de seguir um caminho diferente.

Portanto as revoluções de 1848 surgiram e quebraram-se como uma grande onda, deixando pouco para trás, exceto mito e promessa. Elas "deveriam ter sido" revoluções burguesas, mas a burguesia fugiu delas. Poderiam ter-se reforçado umas às outras sob a liderança da França, impedindo ou adiando a restauração dos velhos governantes e mantendo a distância o czar russo. Mas a burguesia francesa preferiu a estabilidade social em casa aos prêmios e perigos de ser, uma vez mais, *la grande nation* e, por razões análogas, os líderes moderados da revolução hesitaram em pedir a intervenção francesa. Nenhuma outra força social poderia ter sido suficientemente forte para lhes dar coerência e ímpeto, exceto nos casos especiais em que havia luta pela independência nacional contra um poder politicamente dominante, e mesmo isso falhou, visto que as lutas nacionais ficaram isoladas e, em todos os casos, foram fracas demais para fazer frente aos poderosos da época. Os grandes e característicos personagens de 1848 representaram seus papéis de heróis no palco da Europa por poucos meses antes de desaparecerem para sempre — com a exceção de Garibaldi, que viria a ter um momento ainda mais glorioso 12 anos mais tarde. Kossuth e Mazzini viveram o resto de suas longas vidas no exílio, pouco contribuindo diretamente para a conquista por seus países da autonomia e da unificação, apesar de terem um lugar garantido nos seus panteões nacionais. Ledru-Rollin e Raspail nunca mais vieram a ter outro momento de celebridade como na Segunda República, e os eloquentes professores do Parlamento de Frankfurt retiraram-se para seus gabinetes e salas de aula. Dos passionais exilados de 1850, que formaram grandes planos e governos rivais no exílio do *fog* de Londres, nada sobreviveu, salvo a obra dos mais isolados e atípicos, Marx e Engels.

Ainda assim, 1848 não foi meramente um breve episódio histórico sem consequências. Se as mudanças que 1848 realizou não foram nem as que os revolucionários pretenderam, nem mesmo facilmente definíveis em termos de regimes políticos, leis e instituições, elas foram mesmo assim profundas. O ano de 1848 marcou o fim, pelo menos na Europa ocidental, da política da tradição, das monarquias que acreditavam que seus povos (exceto os descontentes da classe média) aceitavam e até acolhiam a regra do direito divino, que apontava dinastias para presidir sobre sociedades hierarquicamente estratificadas, tudo sancionado pela tradição religiosa, na crença dos direitos e deveres patriarcais dos que eram superiores social e economicamente. Como o poeta Grillparzer, ele mesmo de forma alguma um revolucionário, escreveu ironicamente, talvez sobre Metternich:

> Aqui jaz toda a sua celebridade esquecida,
> O famoso Dom Quixote da legitimidade
> Quem, torcendo a verdade e o fato, julgou-se esperto
> E acabou acreditando nas suas próprias mentiras;
> Um velho louco, que deve ter sido um patife na juventude:
> Não podia mais reconhecer a verdade.[10]

Dali em diante, as forças do conservadorismo, do privilégio e da riqueza teriam que se defender de outras maneiras. Mesmo os obscuros e ignorantes camponeses da Itália do sul, na grande primavera de 1848, cessaram de patrocinar o absolutismo como haviam feito cinquenta anos antes. Quando marcharam para ocupar a terra, raramente expressaram hostilidade para com "a Constituição".

Os defensores da ordem social precisaram aprender a política do povo. Esta foi a maior inovação trazida pelas revoluções de 1848. Mesmo os mais arquirreacionários dos *junkers** prussianos descobriram, naquele ano, que precisavam de um jornal que pudesse influenciar a "opinião pública" — conceito em si próprio ligado ao liberalismo e incompatível com a hierarquia tradicional. O mais inteligente dos arquirreacionários prussianos de 1848, Otto von Bismarck (1815-1898), demonstraria mais tarde sua lúcida compreensão da natureza da política na sociedade burguesa e o magistral domínio que tinha das suas técnicas. Porém, as inovações políticas mais significativas desse tipo ocorreram na França.

Ali a derrota da insurreição da classe trabalhadora em junho havia deixado um poderoso "partido da ordem", capaz de derrotar a revolução social, mas não de conseguir o apoio das massas ou mesmo dos conservadores que não desejavam que, em função da defesa de sua "ordem", tivessem de comprometer-se precisamente com aquele tipo de republicanismo moderado que então se encontrava no poder. O povo estava ainda demasiadamente mobilizado para permitir uma limitação nas eleições: somente após 1850 uma substancial parte da "vil ralé" — quer dizer, um terço na França, dois terços na radical Paris — foi excluída do voto. Entretanto, se em dezembro de 1848 os franceses não elegeram um moderado para a nova Presidência da República, tampouco elegeram um radical. (Não havia candidato monarquista.) O vencedor, por maioria esmagadora — 5,5 milhões em 7,4 milhões de votos —, foi Luís Napoleão, sobrinho do grande imperador. Apesar de ter demonstrado mais tarde ser um político notavelmente astuto, Napoleão deu a impressão, quando assumiu o governo no final de setembro, de nada mais ter senão um nome prestigiado e o apoio financeiro de uma devotada amante inglesa. Evidentemente ele não era um revolucionário no sentido social, mas também não era um conservador; seus seguidores chegaram mesmo a fazer algumas brincadeiras com seu interesse na juventude pelo sansimonismo (veja mais adiante

* Morgado, membro da classe dominante na Prússia. (*N. T.*)

no Capítulo 3, Segunda Parte) e simpatia pelos pobres. Mas, basicamente, ele venceu porque os camponeses votaram solidamente no *slogan* "Abaixo os impostos, abaixo os ricos, abaixo a república, vida longa para o imperador"; em outras palavras, como observou Marx, os trabalhadores votaram nele contra a república dos ricos, pois, na percepção deles, Luís Napoleão significava "a deposição de Cavaignac (que havia debelado a insurreição de junho), o fim do republicanismo burguês e a revogação da vitória de junho";[11] já a pequena burguesia apoiou-o porque ele parecia não se alinhar com a grande burguesia.

A eleição de Luís Napoleão significou que mesmo a democracia do sufrágio universal, aquela instituição identificada com a revolução, era compatível com a manutenção da ordem social. Mesmo uma massa esmagadora de descontentes não estava destinada a eleger governantes dedicados a "derrubar a sociedade". As grandes lições dessa experiência não foram imediatamente aprendidas, pois logo depois Luís Napoleão aboliu a república e proclamou-se imperador, apesar de nunca esquecer as vantagens políticas de um bem-conduzido sufrágio universal, que ele reintroduziu. Seria ele o primeiro dos chefes de Estado modernos que governaria não apenas baseado na força das armas, mas também com aquela espécie de demagogia e de relações públicas mais facilmente operadas do alto do Estado do que de qualquer outro lugar. Sua experiência demonstra não apenas que a "ordem social" podia disfarçar-se de uma força capaz de atrair a "esquerda", mas também, numa época ou num país em que os cidadãos tinham sido mobilizados para participar da política, que tinha de fazê-lo As revoluções de 1848 deixaram claro que a classe média, o liberalismo, a democracia política, o nacionalismo e mesmo as classes trabalhadoras eram, daquele momento em diante, presenças permanentes no panorama político. A derrota das revoluções poderia tirá-los temporariamente do cenário, mas quando reaparecessem determinariam as ações mesmo dos estadistas que tinham menos simpatias por eles.

SEGUNDA PARTE

DESENVOLVIMENTO

2. A GRANDE EXPANSÃO*

"Aqui, aquele que é poderoso nas armas da paz, capital e maquinaria, usa-as para proporcionar conforto e alegria ao público, do qual ele é um servidor, tornando-se, portanto, rico enquanto enriquece a outros com suas mercadorias."

William Whewell, 1852[1]

"Um povo pode atingir bem-estar material sem táticas subversivas se for dócil, trabalhador e se esforçar sempre para melhorar."

Dos estatutos da Société contre l'ignorance, de Clermont-Ferrand, 1869[2]

"A área habitada do mundo expande-se rapidamente. Novas comunidades, isto é, novos mercados, surgem diariamente nas outrora desertas regiões do Novo Mundo no Oeste e nas terras tradicionalmente férteis do Velho Mundo no Leste."

"Philoponos", 1850[3]

1.

Poucos observadores, em 1849, poderiam ter vaticinado que 1848 seria a última revolução geral no Ocidente. As reivindicações políticas do liberalismo, radicalismo democrático e nacionalismo, apesar de excluírem a "república social", viriam a ser gradualmente realizadas nos setenta anos

* Título original: "The Great Boom." (*N. T.*)

seguintes na maioria dos países desenvolvidos, sem maiores distúrbios internos, e a estrutura social da parte desenvolvida do continente provaria a si mesma ser capaz de resistir às explosões catastróficas do século XX pelo menos até o presente (1977). A razão principal disso reside na transformação e expansão econômica extraordinárias dos anos entre 1848 e o início da década de 1870, e constituem o assunto principal deste capítulo. Foi o período no qual o mundo se tornou capitalista e uma minoria significativa de países "desenvolvidos" transformou-se em economias industriais.

Essa era de desmedido avanço econômico começou com uma expansão que viria a ser a mais espetacular ocorrida até então, sobretudo por ter sido temporariamente impedida pelos eventos de 1848. As revoluções haviam sido precipitadas pela última e talvez maior das crises econômicas pertencentes a um mundo que dependia da sorte nas colheitas e estações. O novo mundo do "ciclo do comércio", que apenas os socialistas haviam reconhecido como o ritmo básico e o modo de operação da economia capitalista, tinha seu próprio padrão de flutuações econômicas e suas próprias dificuldades seculares. Porém, em meados da década de 1840, embora a difusa e incerta era do desenvolvimento capitalista desse a impressão de estar chegando ao fim, ao contrário, o grande salto para a frente estava apenas começando. Os anos 1847-1848 viram um severo tropeço do ciclo do comércio, provavelmente agravado por coincidir com problemas antigos. De qualquer modo, de um ponto de vista puramente capitalista, era apenas um mergulho mais profundo no que já parecia ser uma tumultuada linha de acontecimentos. James de Rothschild, que via a situação econômica de 1848 com bastante complacência, era um homem de negócios sensato, mas um fraco profeta político. O pior do "pânico" parecia ter passado e as perspectivas a longo prazo eram mais róseas. Porém, embora a produção industrial se tivesse recuperado bem rapidamente até mesmo da virtual paralisia dos meses revolucionários, a atmosfera geral permanecia incerta. Dificilmente podemos datar a grande expansão antes de 1850.

O que se seguiu foi tão extraordinário que não foi possível detectar um precedente. Nunca, por exemplo, as exportações inglesas cresceram tão rapidamente quanto nos primeiros sete anos da década de 1850. Os produtos de algodão inglês, pioneiros na penetração no mercado por mais de meio século, aumentaram sua taxa de crescimento em relação às décadas anteriores. Entre 1850 e 1860, a taxa duplicou. Em números absolutos, o desempenho é ainda mais impressionante: entre 1820 e 1850, essas exportações cresceram em 1.100 milhões de jardas, mas entre 1850 e 1860 elas cresceram mais de 1.300 milhões. O número das máquinas de algodão cresceu de 100 mil entre os períodos de 1819 a 1821 e 1844 a 1846, para o dobro disso na década de 1850.[4] E estamos aqui lidando com uma grande indústria havia muito estabelecida e, mais do que isso, que acabava de perder terreno nos mercados europeus nessa década devido à rapidez do desenvolvimento das indústrias locais. Para onde olharmos, evidências similares da grande expansão podem ser encontradas. A exportação de ferro da Bélgica mais que duplicou entre 1851 e 1857. Na Prússia, um quarto de século antes de 1850, 67 companhias de ações haviam sido fundadas com um capital total de 45 milhões de *thalers*, mas, entre 1851 e 1857, 115 companhias similares tinham-se estabelecido — *excluindo* as companhias de estradas de ferro — com um capital total de 144,5 milhões, quase todas nos anos eufóricos entre 1853 e 1857.[5] Não é necessário multiplicar essas estatísticas, embora os homens de negócios da época (especialmente os fundadores de sociedades) as tenham lido e divulgado com avidez.

O que tornou essa expansão tão satisfatória para os homens de negócios famintos de lucros foi a combinação de capital barato com um rápido aumento nos preços. Depressões (do tipo de ciclo de comércio) sempre significaram preços baixos, em todos os acontecimentos do século XIX. As expansões eram inflacionárias. Mesmo assim, o aumento de cerca de um terço dos níveis de preços ingleses entre o período de 1848 e 1850 e o ano de 1857 foi notavelmente grande. Os lucros aparentemente à espera de produtores, comerciantes e, acima de tudo, investidores apresentavam-se quase que irresistíveis. Num certo momento desse período inacreditável, a taxa de lucro do capital do *Crédit mobilier* de Paris, a companhia financeira que era o símbolo da expansão capitalista no período (veja adiante no Capítulo 12), chegou a 50%.[6] E os homens de negócios não eram os únicos a lucrar. Como já foi sugerido, a taxa de emprego cresceu aos saltos tanto na Europa como no resto do mundo, para onde homens e mulheres migravam então em quantidades enormes (veja adiante no Capítulo 11). Não sabemos quase nada sobre taxas de desemprego real, mas, mesmo na Europa, um exemplo de evidência é decisivo. O grande aumento no custo dos cereais (ou seja, o principal elemento no custo de vida) entre 1853 e 1855 não mais precipitou tumultos em parte alguma, salvo em regiões atrasadas, como o norte da Itália (Piemonte) e Espanha, onde talvez tenha contribuído para a revolução de 1854. A alta taxa de emprego e a presteza em conceder aumentos salariais temporários onde fosse necessário apagaram o descontentamento popular. Mas, para os capitalistas, as amplas provisões de trabalho que então chegavam ao mercado eram relativamente baratas.

A consequência política dessa expansão era de longo alcance. Proporcionou aos governos sacudidos pela revolução um espaço para respirar de valor inestimável e, por outro lado, destroçou as esperanças dos revolucionários. Numa palavra, a política entrou em estado de hibernação. Na Inglaterra, o cartismo extinguiu-se, e o fato de que sua morte tenha sido mais protelada do que os historiadores normalmente supõem não a fez menos definitiva. Mesmo Ernest Jones (1819-1869), seu líder mais persistente, desistiu de reviver um movimento independente das classes trabalhadoras no final da década de 1850 e aliou-se, como a maioria dos velhos cartistas, aos que queriam organizar os trabalhadores como um grupo de pressão na esquerda radical do liberalismo. A reforma parlamentar cessou de preocupar os políticos ingleses por algum tempo, deixando-os livres para dançar seus complicados balés parlamentares. Mesmo os radicais de classe média, Cobden e Bright, tendo conseguido a abolição das "Corn Laws" em 1864, eram agora uma minoria isolada na política.

Para as monarquias restauradas do continente e para o filho indesejado da Revolução Francesa, o Segundo Império de Napoleão III, o espaço para respirar era ainda mais vital. Para Napoleão, esse espaço proporcionou maiorias eleitorais genuínas e impressionantes que conferiram certo colorido à sua aspiração de ser um imperador "democrático". Para as velhas monarquias e principados, deu tempo para a recuperação política e a legitimação da estabilidade e prosperidade, que era então politicamente mais relevante que a legitimidade de suas dinastias. Também lhes proporcionou lucros sem a necessidade de consultar assembleias representativas e outros interesses problemáticos, e deixou os exilados políticos roendo as unhas e se atacando mutuamente com selvageria num exílio impotente. Temporariamente, deixou-os fracos nos assuntos internacionais, mas fortes internamente. Mesmo o Império dos Habsburgos, que só havia sido restaurado em 1849 graças à intervenção do exército russo, era agora capaz, pela primeira e única vez na História, de administrar todos os seus territórios — incluindo os húngaros recalcitrantes — num único regime absolutista centralizado e burocrático.

Esse período de calma chegou ao fim com a Depressão de 1857. Economicamente falando, tratava-se apenas de uma interrupção da era de ouro do crescimento capitalista, que continuou numa escala ainda maior na década de 1860 e atingiu seu clímax na expansão ocorrida entre 1871 e 1873. Politicamente, ele transformou a situação. Confessadamente, frustrou as esperanças dos revolucionários que esperavam um novo 1848, apesar de admitirem que "as massas haviam-se tornado detestavelmente letárgicas como resultado dessa prolongada prosperidade".[7] Mas a política reanimou-se. Em pouco tempo, todas as velhas questões da política liberal voltaram à ordem do dia — a unificação nacional da Alemanha e da Itália, a reforma constitucional, liberdades civis e tudo o mais. A expansão econômica do período de 1851 a 1857, que havia ocorrido num vácuo político, prolongando a derrota e a exaustão verificadas em 1848 e 1849, depois de 1859 coincidiu com uma intensa e crescente atividade política. Por outro lado, apesar de interrompida por diversos fatores externos, como a Guerra Civil Americana de 1861 a 1865, a década de 1860 foi, do ponto de vista econômico, relativamente estável. A depressão do ciclo de comércio seguinte (que ocorreu, de acordo com o gosto e a região, em algum momento entre 1866 e 1868) não chegou a ser tão concentrada, global ou drástica como a de 1857 e 1858. Em resumo, a política ganhou novo ânimo num período de expansão, mas já não era a política da revolução.

2.

Se a Europa ainda vivesse na era dos príncipes barrocos, teria sido inundada por máscaras espetaculares, processões e óperas distribuindo representações alegóricas do triunfo econômico e progresso industrial aos pés de seus governantes. De fato, o mundo triunfante do capitalismo teve seu equivalente. A era dessa vitória global foi iniciada e pontilhada pelos gigantescos novos rituais de autocongratulação, as Grandes Exposições Internacionais, cada uma delas encaixada num principesco monumento à riqueza e ao progresso técnico — o Palácio de Cristal em Londres (1851), a Rotunda ("maior que São Pedro de Roma") em Viena, cada qual exibindo o número crescente e variado de manufaturas, cada uma delas atraindo turistas nacionais e estrangeiros em quantidades astronômicas. Catorze mil firmas exibiram em Londres em 1851 (a moda tinha sido condignamente inaugurada no lar do capitalismo); 24 mil em Paris, em 1855; 29 mil em Londres, em 1862; 50 mil em Paris, em 1867. Justiça seja feita, a maior delas todas foi a Feira do Centenário de Filadélfia, em 1876, nos Estados Unidos, aberta pelo presidente e com a presença do imperador e da imperatriz do Brasil — as cabeças coroadas da época agora se curvavam diante dos produtos da indústria — e de 130 mil cidadãos entusiastas. Eles eram os primeiros dos 10 milhões que naquela ocasião pagaram tributo ao "progresso da época".

Quais eram as razões desse progresso? Por que a expansão econômica foi tão acelerada nesse período? Na verdade a pergunta precisaria ser feita inversamente. O que nos choca retrospectivamente na primeira metade do século XIX é o contraste entre o enorme e crescente potencial produtivo da industrialização capitalista e sua incapacidade, bem patente, de quebrar as correntes que a prendiam. Poderia crescer drasticamente, mas parecia incapaz de expandir o mercado para seus produtos, proporcionar saídas lucrativas ao seu capital acumulado, isso sem mencionar a capacidade de gerar emprego a uma taxa comparável ou com salários adequados. É instrutivo lembrar que, mesmo no final da década de 1840, observadores inteligentes e bem informados da Alemanha — no clímax da explosão industrial naquele país — ainda admitiam, como ocorre atualmente nos países subdesenvolvidos, que nenhuma industrialização poderia fornecer emprego para a vasta e crescente "população excedente" dos pobres. Por essa razão, as décadas de 1830 e 1840 haviam sido um período de crise. Os revolucionários tinham tido a esperança de que isso viesse a ser definitivo, mas mesmo os homens de negócios temeram que isso pudesse vir a estrangular seu sistema industrial (veja *A era das revoluções*, Capítulo 16).

Por duas razões essas esperanças ou medos se revelaram infundados. Em primeiro lugar, a economia industrial, nos seus primórdios, descobriu — graças em grande parte à pressão da busca de lucro da acumulação do capital — o que Marx chamou de sua "suprema realização": a estrada de ferro. Em segundo lugar — e parcialmente por causa da estrada de ferro, do vapor e do telégrafo, "que finalmente representaram os meios de comunicação adequados aos meios de produção"[8] —, o espaço geográfico da economia capitalista poderia multiplicar-se repentinamente à medida que a intensidade das transações comerciais aumentasse. O mundo inteiro tornou-se parte dessa economia. Essa criação de um único mundo expandido é talvez a mais importante manifestação do nosso período (veja adiante no Capítulo 3). Olhando retrospectivamente meio século depois, H. M. Hyndman, simultaneamente homem de negócios vitoriano e marxista (apesar de atípico em ambos os papéis), comparou corretamente os dez anos de 1847 a 1857 com a era das grandes descobertas geográficas e das conquistas de Colombo, Vasco da Gama, Cortez e Pizarro. Apesar de nenhuma descoberta drástica ter ocorrido e (com exceções relativamente menores) de poucas conquistas formais terem sido realizadas por novos conquistadores militares, por razões práticas, um mundo econômico inteiramente novo acrescentou-se ao antigo e a ele se integrou.

Isto era particularmente crucial para o desenvolvimento econômico porque forneceu a base para a gigantesca expansão verificada nas exportações — em mercadorias, capital e homens —, que teve um papel tão importante na expansão daquele que era ainda o maior país capitalista, a Inglaterra. A economia de consumo de massa ainda repousava no futuro, exceto talvez nos Estados Unidos. O mercado doméstico dos pobres, ainda não engrossado por camponeses e pequenos artesãos, era desdenhado como base para qualquer avanço econômico espetacular.* Ele estava, evidentemente, longe de ser ignorado num momento em que a população do mundo desenvolvido cresceu rapidamente e provavelmente melhorou seu padrão de vida (veja adiante no Capítulo 12). Ainda assim

* Enquanto as exportações dos produtos de algodão ingleses triplicaram entre 1850 e 1875, o consumo de algodão no mercado doméstico inglês cresceu apenas dois terços.[9]

o enorme crescimento colateral do mercado era indispensável — tanto o de bens de consumo como, talvez mais importante, o de bens para a construção de novas indústrias, empreendimentos de transporte, utilidades públicas e cidades. O capitalismo tinha agora o mundo inteiro a seu dispor, e a expansão simultânea do comércio e dos investimentos internacionais dá bem a medida do entusiasmo que teve em capturá-lo. O comércio mundial entre 1800 e 1840 não tinha chegado a duplicar. Entre 1850 e 1870, cresceu 260%. Qualquer coisa vendável era negociada, mesmo as que sofriam direta resistência do país comprador, como o ópio da Índia Britânica exportado para a China, que dobrou em quantidade e quase triplicou de preço.* Por volta de 1875, um bilhão de libras esterlinas havia sido investido no exterior pela Inglaterra — três quartas partes desse montante desde 1850 —, enquanto o investimento externo francês decuplicava entre 1850 e 1880.

Observadores da época, com os olhos fixos em aspectos menos fundamentais da economia, certamente apontariam um terceiro fator: as grandes descobertas de ouro na Califórnia, Austrália e outros lugares depois de 1848 (veja adiante no Capítulo 3). Essas descobertas multiplicaram os meios de pagamento disponíveis para a economia mundial e removeram o que muitos homens de negócios acharam ser uma escassez (de meios de pagamento) paralisante, fizeram baixar a taxa de juros e encorajaram a expansão do crédito. Em sete anos, a disponibilidade mundial de ouro aumentou de seis a sete vezes, enquanto a quantidade de cunhagem de moedas de ouro emitidas pela Inglaterra, França e Estados Unidos cresceu de uma média de 4,9 milhões de libras em 1848 e 1849 para 28,1 milhões de libras por ano, entre 1850 e 1856. O papel da barra de ouro na economia mundial continua a ser até hoje um assunto de discussão

* O número médio de caixas de ópio de Bengala e Malwa exportadas anualmente era de 43 mil entre 1844 e 1849, e de 87 mil entre 1869 e 1874.[10]

apaixonada, na qual não precisamos entrar. Sua ausência, entretanto, não deve ter trazido tantos inconvenientes quanto se pensava, pois outros meios de pagamento, como cheques — uma grande novidade —, faturas etc, expandiam-se facilmente e numa velocidade considerável. Porém três aspectos da nova disponibilidade de ouro praticamente não levantavam controvérsias.

Em primeiro lugar, ajudaram, talvez de forma decisiva, a produzir aquela situação relativamente rara entre cerca de 1810 e o fim do século XIX, uma era de aumento de preços ou de inflação moderada, porém flutuante. Basicamente, a maior parte desse século foi deflacionária, em grande parte devido à persistente tendência da tecnologia em baratear produtos manufaturados e das recém-abertas fontes de matérias-primas e alimentos a baratearem (mesmo que mais intermitentemente) os produtos primários. A deflação a longo prazo — isto é, pressão nas margens de lucro — não fez muito mal aos homens de negócios, porque esses fabricaram e venderam uma quantidade muito mais vasta. Porém, até pouco depois do fim de nosso período, não trouxe aos trabalhadores nada de bom, pois o custo de vida não caía na mesma proporção ou seus salários eram demasiado magros para lhes permitir algum benefício. De outro lado, a inflação indiscutivelmente aumentou as margens de lucro e, assim fazendo, encorajou os negócios. Nosso período foi basicamente um interlúdio inflacionário num século deflacionário.

Em segundo lugar, a disponibilidade de barras de ouro em grandes quantidades ajudou a estabelecer aquele padrão monetário estável e seguro alicerçado na libra esterlina (fixada com paridade no ouro), sem o qual, como a experiência das décadas de 1930 e 1970 demonstra, o comércio mundial torna-se mais difícil, complexo e imprevisível. Em terceiro lugar, os caçadores de ouro abriram novas áreas, sobretudo no Pacífico, para intensa atividade econômica. Assim fazendo, eles "criaram mercados a partir do nada", como Engels pesarosamente formulou para

Marx. E, em meados da década de 1870, Califórnia, Austrália e outras zonas da nova "fronteira mineral" já não eram nada negligenciáveis. Elas tinham mais de 3 milhões de habitantes com mais dinheiro na mão que qualquer outra população comparável.

Certamente os contemporâneos teriam dado ênfase à contribuição de um outro fator: a liberação da iniciativa privada, o motor que, todos concordam, promoveu o progresso da indústria. Nunca houve um consenso mais esmagador entre economistas ou políticos e administradores inteligentes no que toca à receita para o crescimento de sua época: o liberalismo econômico. As barreiras institucionais que sobreviveram ao livre movimento dos fatores de produção, à livre-iniciativa ou a qualquer coisa que concebivelmente pudesse vir a tolher sua operacionalidade lucrativa caíram diante de uma ofensiva mundial. O que torna essa suspensão geral de barreiras tão extraordinária é que ela não estava limitada aos Estados onde o liberalismo político era triunfante ou mesmo influente. Se tinha sido mais drástica nas monarquias absolutas restauradas e nos principados da Europa que na Inglaterra, França ou Países Baixos, era porque ali muito mais havia a ser levado de roldão. O controle das guildas e corporações sobre a produção artesanal, que tinha permanecido forte na Alemanha, deu lugar à *Gewerbeffreiheit* — liberdade para iniciar e praticar qualquer forma de comércio — na Áustria em 1859 e na maior parte da Alemanha na primeira metade da década de 1860. Foi finalmente estabelecida de forma completa na Federação do Norte da Alemanha (1869) e no Império Alemão, para descontentamento de numerosos artesãos que deveriam, consequentemente, tornar-se cada vez mais hostis ao liberalismo, chegando a proporcionar uma base política para movimentos de extrema direita a partir de 1870. A Suécia, que havia abolido as guildas em 1846, estabeleceu completa liberdade em 1864; a Dinamarca aboliu a velha legislação de guildas em 1849 e 1857; a Rússia, que na sua maior parte não havia conhecido um sistema de guildas, removeu os últimos vestígios de uma das cidades (alemãs) de sua província báltica (1866), apesar de ter continuado, por razões políticas, a restringir o direito dos judeus de praticar comércio e negócios a uma área específica, a chamada "área de estabelecimento".

Essa liquidação legal dos períodos medieval e mercantilista não se limitou a uma legislação de ofício. As leis contra a usura, de há muito letra morta, foram abolidas na Inglaterra, Holanda, Bélgica e norte da Alemanha, entre 1854 e 1867. O severo controle que o governo exercia sobre a mineração — incluindo a operação de minas — foi virtualmente suspenso, por exemplo, na Prússia entre 1851 e 1865, e portanto (sujeito à permissão governamental) todo empresário poderia então reclamar o direito de explorar qualquer mineral que viesse a achar e conduzir as explorações da forma que melhor lhe aprouvesse. Similarmente, a formação de companhias de negócios (especialmente companhias de ações com responsabilidade limitada ou seu equivalente) ficara agora mais fácil e livre do controle burocrático. A Inglaterra e a França conduziram essas modificações, enquanto a Alemanha só veio a estabelecer o registro automático de companhias em 1870. A lei comercial foi adaptada à atmosfera de florescente expansão comercial que então prevalecia.

Mas, de certo modo, a tendência mais impressionante era o movimento em direção à total liberdade de comércio. Abertamente, apenas a Inglaterra (depois de 1846) havia abandonado o protecionismo de forma total, mantendo taxas alfandegárias — pelo menos teoricamente — apenas por razões fiscais. Não obstante, excetuada a eliminação ou redução de restrições etc. nas vias navegáveis internacionais como o Danúbio (1857) e o Sound entre a Dinamarca e a Suécia, além da simplificação do sistema monetário internacional, pela criação de grandes zonas monetárias (por exemplo, a União Monetária Latina da França, Bélgica, Suíça e Itália em 1865), uma série de "tratados de livre-comércio" derrubou substancialmente as barreiras de tarifas entre as nações industriais líderes na década de 1860. Mesmo a Rússia (1863) e a Espanha (1868) uniram-se de certo modo ao movimento. Apenas os Estados Unidos, cuja indústria se apoiava mais num mercado interno protegido do que em exportações, permaneceram como um bastião do protecionismo, mesmo assim, mostraram alguma melhora no começo da década de 1870.

Podemos dar um passo além. Até aquele momento, mesmo as mais audaciosas e seguras economias capitalistas haviam hesitado em confiar plenamente no livre mercado com o qual estavam teoricamente comprometidas, principalmente no que diz respeito à relação entre patrões e empregados. Mas nesse campo sensível as motivações não econômicas recuaram. Na Inglaterra, a lei do "Patrão e Empregado" foi modificada, estabelecendo-se igualdade de tratamento no que toca ao rompimento de contrato entre ambas as partes; o "vínculo anual" dos mineiros do norte da Inglaterra foi abolido, sendo que o contrato-padrão (para empregados) poderia ser terminado com aviso prévio. O que à primeira vista é mais surpreendente, entre 1867 e 1875, é que todos os obstáculos legais significativos aos sindicatos trabalhistas e ao direito de greve foram abolidos quase sem causar estardalhaço (veja adiante no Capítulo 6). Muitos outros países ainda hesitaram em conceder tal liberdade à organização trabalhista, embora Napoleão III relaxasse a proibição legal sobre os sindicatos de forma bastante significativa. Mesmo assim, a situação geral nos países desenvolvidos tendia a transformar-se naquilo que havia sido estabelecido no *Gewerbeordnung* alemão de 1869: "As relações entre aqueles que independentemente praticam um comércio ou negócio e seus trabalhadores, assistentes ou aprendizes são determinadas pelo livre contrato". Apenas o mercado regulava a compra e venda da força de trabalho, como fazia com qualquer outra coisa.

Indiscutivelmente, esse vasto processo de liberalização encorajou a iniciativa privada, assim como a liberalização do comércio ajudou a expansão econômica, mas não devemos esquecer que grande parte da liberalização formal não era realmente necessária. Algumas formas de livre movimento internacional, que hoje são controladas, sobretudo as do capital e do trabalho, como a migração, eram, em 1848, encaradas como certas no mundo desenvolvido, de modo que não eram sequer discutidas (veja adiante no Capítulo 2). Por outro lado, a questão do lugar que as mudanças institucionais ou legais têm na proteção ou limitação do desenvolvimento econômico é demasiadamente complexa para a fórmula simplista do século XIX: "A liberalização cria progresso econômico". A era de expansão já havia começado antes mesmo que as *Corn Laws** tivessem sido revogadas na Inglaterra, em 1846. Não há dúvida de que a liberalização trouxe todo tipo de resultados especificamente positivos. Tanto que Copenhague começou a desenvolver-se mais rapidamente como cidade depois da abolição dos "Pedágios Justos", que desencorajavam os navios mercantes de entrar no Báltico (1857). Mas até onde o movimento global para liberalizar era causa, concomitante ou consequência da expansão econômica, fica aberto para discussão. A única coisa certa é que, quando outras bases para o desenvolvimento capitalista faltavam, a liberalização não resolvia tudo por si mesma. Nenhum lugar liberalizou mais do que a República de Nova Granada (Colômbia) entre 1848 e 1854, mas quem afirmaria que as grandes esperanças de prosperidade de seus chefes de Estado foram realizadas imediatamente, se é que o foram?

Todavia, na Europa essas mudanças indicaram uma profunda e grande confiança no liberalismo econômico, que parecia ser justificado por uma geração. Dentro de cada país isso não era tão surpreendente, visto que

---

* *Corn Laws*: Na história inglesa, as leis que regulam a importação e a exportação de trigo. Embora haja registros que mencionem a imposição de tais restrições desde o século XII, elas só vieram a ser politicamente importantes no final do século XVIII e início do XIX, diante da falta crescente do produto devido ao aumento populacional da Inglaterra e aos bloqueios impostos pelas guerras napoleônicas. As Leis do Trigo foram finalmente revogadas em 1846, um triunfo para os produtores, cuja expansão havia sido dificultada pela proteção ao cereal, contra os interesses dos senhores da terra. Desde 1822, essa proteção era persistentemente impopular. De 1839 a 1846, a *Anti-Corn Law League*, operando de Manchester sob a direção de Richard Cobden, mobilizou as classes médias e os industriais contra os senhores da terra; e depois que o primeiro-ministro *Sir* Robert Peel passou a representar os interesses da *League* e a safra da batata na Irlanda fracassou (1845), todas as Leis do Trigo foram revogadas, cessando a agitação. (*N. T.*)

a livre-iniciativa capitalista florescia tão claramente. Enfim, mesmo a liberdade de contrato para os trabalhadores, incluindo a tolerância de sindicatos suficientemente fortes para se estabelecerem pelo poder de barganha de seus associados, pouco parecia ameaçar os lucros, pois o "exército industrial de reserva" (como Marx o chamou), que consistia basicamente em massas de camponeses, ex-artesãos e outros profissionais que migravam para as cidades e regiões industriais, parecia manter os salários em um nível satisfatoriamente modesto (veja adiante nos Capítulos 11 e 12). O entusiasmo pelo comércio livre internacional é, à primeira vista, mais surpreendente, exceto entre os ingleses, para os quais significou, em primeiro lugar, que lhes era permitido vender livremente a preço mais baixo em todos os mercados do mundo e, em segundo lugar, que assim encorajavam os países subdesenvolvidos a vender seus próprios produtos — basicamente alimentos e matérias-primas — barato e em grande quantidade, de forma a conseguir as divisas necessárias para comprar as manufaturas inglesas.

Mas por que os rivais da Inglaterra (com exceção dos Estados Unidos) aceitaram esse arranjo aparentemente desfavorável? (Para os países subdesenvolvidos, que não procuravam competir industrialmente, isto era evidentemente atraente: os estados do sul dos Estados Unidos, por exemplo, estavam bastante contentes de ter um mercado ilimitado para seu algodão na Inglaterra e, portanto, ficaram fortemente ligados ao comércio livre até serem conquistados pelo norte.) É um exagero dizer que o comércio livre internacional progrediu porque, nesse breve momento, a utopia liberal genuinamente empolgou até governos — mesmo que somente com a força daquilo que acreditavam ser uma inevitabilidade histórica —, mas não há dúvida de que eles estavam profundamente influenciados pelos argumentos econômicos que pareciam ter quase a força de leis naturais. Porém a convicção intelectual é raramente mais forte que o interesse próprio. Mas o fato é que a maior parte das economias em via de industrialização podia ver nesse período duas vantagens no livre--comércio. Em primeiro lugar, a expansão geral do comércio mundial, que era realmente espetacular comparada ao período anterior aos anos 1840, beneficiou a todos, ainda que beneficiasse desproporcionalmente a Inglaterra. Tanto um comércio de exportação grande e sem impedimentos quanto uma fonte de alimentos e matérias-primas igualmente grande e sem impedimentos eram evidentemente desejáveis. Se alguns interesses específicos pudessem ser afetados de forma adversa, havia outros que a liberalização compensava. Em segundo lugar, qualquer que fosse a futura rivalidade entre as economias capitalistas, nessa etapa de industrialização, a vantagem de poder utilizar o equipamento, as fontes e o *know-how* da Inglaterra era bastante útil. Para tomar apenas um exemplo, ilustrado pelo quadro seguinte, o ferro para estradas de ferro e maquinaria, cujas exportações aumentaram na Inglaterra, não inibiu a industrialização de outros países, pelo contrário, a facilitou.

Exportação de Ferro e Aço para
Estradas de Ferro e Maquinaria
(total quinquenal em milhares de toneladas)[11]

	Ferro e aço para estradas de ferro	Maquinaria
1845-1849	1.291	4,9 (1846-1850)
1850-1854	2.846	8,6
1856-1860	2.333	17,7
1861-1865	2.067	22,7
1866-1870	3.809	24,9
1870-1875	4.040	44,1

Fonte: B. R. Mitchell & P. Leane, *Abstract of Historical Statistics*, Cambridge, 1962, p. 146-47.

3.

A economia capitalista recebeu, portanto, simultaneamente (o que não quer dizer acidentalmente), numerosos estímulos extremamente poderosos. Qual foi o resultado? A expansão econômica é mais convenientemente medida em estatística, e a sua mais característica medida do século XIX era a força a vapor (pois o motor a vapor era *a* forma de força típica) e os produtos a ela associados, carvão e ferro. Os meados do século XIX foram fundamentalmente a era da fumaça e do vapor. A produção de carvão já de longa data era medida em milhões de toneladas, mas agora chegava a ser medida em dezenas de milhões para países individuais e em centenas de milhões para o mundo. Cerca de metade desse carvão — um pouco mais no início de nosso período — vinha da Inglaterra, cuja produção era incomparavelmente maior que as demais. A produção de ferro havia atingido ali, mas em nenhum outro lugar, a ordem da magnitude de milhões na década de 1830 (era de 2,5 milhões de toneladas em 1850). Por volta de 1870, a França, a Alemanha e os Estados Unidos produziam cada um entre 1 e 2 milhões de toneladas, enquanto a Inglaterra, ainda a "oficina do mundo", permanecia bem na frente, com 6 milhões, ou seja, cerca de metade da produção mundial. Naqueles vinte anos, a produção mundial de carvão multiplicou-se por duas vezes e meia, e a produção de ferro multiplicou-se por quatro vezes. A força total de vapor, porém, multiplicou-se por quatro vezes e meia, subindo de uma estimativa de 4 milhões de hp em 1850 para cerca de 18,5 milhões de hp em 1870.

Esses números aproximados indicam algo mais além do fato de que a industrialização estava em progresso. O fato significativo era que o progresso estava agora geograficamente muito mais espalhado, apesar de ser muito desigual. A presença de estradas de ferro e, numa escala menor, navios a vapor introduzia a força mecânica em todos os continentes e em países que de outro modo seriam não industrializados. A chegada da estrada de ferro (veja adiante no Capítulo 3) foi um símbolo e uma conquista revolucionários, pois a construção do planeta como uma economia interativa única era, de várias formas, o aspecto mais espetacular e de maior alcance da industrialização. Mas a "máquina fixa", por si só, fez progressos drásticos na indústria, na mina e na forja. Na Suíça, havia não mais que 34 máquinas instaladas em 1850, mas em 1870 elas eram quase mil; na Áustria, o número subiu de 671 (1852) para 9.160 (1875), aumentando em mais de 15 vezes os cavalos-vapor. (Para comparação, um país europeu realmente atrasado como Portugal ainda tinha apenas cerca de setenta máquinas, totalizando 1.200 hp ainda em 1873.) O total da força a vapor da Holanda multiplicou-se por 13 vezes.

Havia algumas regiões industriais menores e algumas economias industriais europeias, como a Suécia, que mal tinham começado a industrializar-se de forma ampla. Mas o fato mais significativo era o desenvolvimento desigual dos centros mais importantes.

No começo de nosso período, a Inglaterra e a Bélgica eram os únicos países onde a indústria se tinha desenvolvido de forma intensiva, e ambos permaneceram como os mais altamente industrializados *per capita*. O consumo de aço desses países por habitante em 1850, era, respectivamente, de 170 e 90 libras, comparadas às 56 libras dos Estados Unidos, 37 da França e 27 da Alemanha. A Bélgica era uma economia pequena, mas relativamente importante: em 1873 ainda produzia uma vez e meia mais ferro que seu vizinho muito maior, a França. A Inglaterra, evidentemente, era o país industrial *par excellence* e, como já vimos, conseguiu manter sua posição relativa, apesar de sua capacidade produtiva de força a vapor ter começado a declinar seriamente. Em 1850, a Inglaterra ainda possuía bem mais de um terço de toda a força a vapor global (em "máquinas fixas"), mas já na década de 1870 possuía apenas uma quarta parte ou menos: 900 mil hp, de um total de 4,1 milhões de hp. Em números absolutos, os Estados Unidos já estavam um pouco mais na frente por volta de 1850, e deixaram a Inglaterra bem atrás em 1870, com mais do dobro da força a vapor que a velha Inglaterra, mas, mesmo assim, a expansão industrial americana, apesar de extraordinária, parecia menos sensacional que a da Alemanha. A força a vapor fixa desta última era extremamente modesta em 1850 — talvez 40 mil hp ao todo, muito menos que 10% da dos ingleses — e, em 1870, era 900 mil hp, a mesma que a da Inglaterra, e muito superior à francesa, que era consideravelmente maior em 1850 (67 mil hp), mas conseguira atingir não mais que 341 mil em 1870 — menos que o dobro da pequena Bélgica.

A industrialização da Alemanha era um fato histórico de importância maior. Bem distintas de sua importância econômica, suas implicações políticas eram de longo alcance. Em 1850, a Federação Alemã tinha tantos habitantes quanto a França, mas sua capacidade industrial era incomparavelmente menor. Em 1871, o Império Alemão unido já era mais populoso que a França e muito mais poderoso economicamente. E, desde que o poder político e militar passou a se basear de forma crescente no potencial industrial, na capacidade tecnológica e no *know-how*, as consequências políticas do desenvolvimento industrial tornaram-se bem mais sérias do que antes. As guerras de 1860 demonstraram isso (veja adiante no Capítulo 4). Daquele momento em diante, nenhum Estado poderia manter seu lugar no clube das "grandes potências" sem aquelas bases.

Os produtos característicos da era vieram a ser o ferro e o carvão, e seu símbolo mais espetacular, a estrada de ferro, que os combinava. Os produtos têxteis, os mais típicos da primeira fase de industrialização, cresceram comparativamente menos. O consumo de algodão na década de 1850 era cerca de 60% maior do que na década de 1840, mas permaneceu estático na década de 1860 (porque a indústria fora paralisada pela Guerra Civil Americana), e cresceu por volta de 50% na década de 1870. A produção de lã em 1870 era o dobro da de 1840. Mas a produção de carvão e ferro-gusa havia quintuplicado, enquanto, pela primeira vez, tornava-se possível a produção em massa de aço. Durante esse período, as inovações tecnológicas na indústria do ferro e do aço tiveram um papel análogo ao das inovações na indústria têxtil da era precedente. No continente europeu (exceto na Bélgica, onde sempre prevaleceu), o carvão mineral substituiu o carvão vegetal como principal combustível na década de 1850. Por toda parte, novos processos — o conversor de Bessemer (1856), o alto-forno Siemens-Martin (1864) — tornaram possível a manufatura de aço barato, que vinha quase substituir o ferro forjado. Porém sua importância estava no futuro. Em 1870, apenas 15% do ferro acabado produzido na Alemanha, menos dos 10% produzidos na Inglaterra, terminavam por se transformar em aço. Nosso período ainda não era a idade do aço, nem mesmo ainda a era dos armamentos, que deram ao novo material um ímpeto significativo. Era a idade do ferro.

Porém, mesmo tendo possibilitado a tecnologia revolucionária do futuro, a nova "indústria pesada" não era particularmente revolucionária senão em escala. Em termos globais, a revolução industrial da década de 1870 ainda era impulsionada pelo ímpeto gerado pelas inovações técnicas do período de 1760 a 1840. Mesmo assim, as décadas de meados do século desenvolveram dois tipos de indústria a partir de uma tecnologia ainda mais revolucionária: a química e (na medida em que dizia respeito a comunicações) a elétrica.

Com poucas exceções, as principais invenções técnicas da primeira fase industrial não exigiam conhecimento científico muito avançado. Felizmente para a Inglaterra, elas estavam dentro da possibilidade de compreensão de homens práticos, experientes e de bom senso, como George Stephenson, o grande construtor de estradas de ferro. A partir da metade do século, as coisas se modificaram. O telégrafo estava fortemente ligado à ciência acadêmica, através de homens como C. Wheatstone (1802-1875), de Londres, e William Thompson (*Lord* Kelvin) (1824-1907), de Glasgow. A indústria de corantes artificiais, um triunfo de síntese de massa química — apesar de seu primeiro produto (a cor violeta-claro) não ser aclamado mundialmente por suas qualidades estéticas —, nasceu de um laboratório dentro de uma fábrica. Assim também ocorreu com os explosivos e a fotografia. Pelo menos uma das inovações cruciais na produção de aço, o processo Gilchrist-Thomas "básico", veio através da educação superior. Como testemunham as novelas de Júlio Verne (1828-1905), o professor tornou-se uma figura industrial mais importante do que nunca: não foi o grande L. Pasteur (1822-1895) que os produtores de vinho na França foram procurar para resolver um difícil problema? (veja adiante no Capítulo 14, Primeira Parte). Acima de tudo, o laboratório de pesquisa tornou-se parte integrante do desenvolvimento industrial. Na Europa, ele permaneceu ligado a universidades ou instituições similares — a de Ernst Abbe em Iena desenvolveu as famosas peças de fabricação Zeiss —, mas nos Estados Unidos o laboratório puramente comercial já havia aparecido no limiar das companhias telegráficas. Em breve seriam famosos graças a Thomas Alva Edison (1847-1931).

Uma consequência significativa dessa penetração da indústria pela ciência era que, dali em diante, o sistema educacional tornara-se crucial para o desenvolvimento da indústria. Os pioneiros da primeira fase industrial, Inglaterra e Bélgica, não estavam entre os povos mais alfabetizados, e seus sistemas de educação avançada ou tecnológica (se excetuarmos o escocês) estavam longe de ser bons. Daquele momento em diante, era quase impossível que um país onde faltassem educação de massa e instituições adequadas para educação avançada viesse a se tornar uma economia "moderna" e vice-versa, países pobres e retrógrados que contavam com um bom sistema educacional, como a Suécia,* encontram facilidade para iniciar o desenvolvimento.

* Taxa de analfabetismo em alguns países europeus (homens)[12]

Inglaterra	1875[a]	17%	Suécia	1875[b]	1%
França	1875[b]	18%	Dinamarca	1859-1860[b]	3%
Bélgica	1875[b]	23%	Itália	1875[b]	52%
Escócia	1875[a]	9%	Áustria	1875[b]	42%
Suíça	1879[b]	6%	Rússia	1875[b]	79%
Alemanha	1875[b]	2%	Espanha	1877[b]	63%

[a] Maridos, recém-casados, analfabetos.

[b] Recrutas analfabetos.

Fonte: C. M. Cippola, *Literacy and Development in the West*, Harmondsworth, 1969, Tabela I, Apêndice II, III.

O valor prático de uma boa educação primária para tecnologias científicas, tanto econômica como militar, é evidente. Não foi outra a razão da facilidade com que a Prússia derrotou os franceses, em 1870 e 1871, senão a alfabetização muito superior de seus soldados. Por outro lado, aquilo de que o desenvolvimento econômico precisava em nível mais elevado não era tanto originalidade científica e sofisticação — estas poderiam ser tomadas de empréstimo — como a capacidade de compreender e manipular a ciência: "desenvolvimento", mais do que pesquisa. As universidades e academias técnicas, indistintas pelos padrões de, digamos, Cambridge ou a Polytechnique, eram economicamente superiores às britânicas, porque proporcionavam uma educação sistemática para engenheiros como ainda não existia na Inglaterra. (Até 1898, a única forma de tornar-se engenheiro profissional na Inglaterra era por aprendizado.) Os americanos eram também superiores aos franceses, porque produziam em massa engenheiros de nível adequado, em vez de produzir uns poucos de nível superior e de grande cultura, como na França. Os alemães, neste aspecto, confiavam mais nas suas excelentes escolas secundárias do que nas suas universidades, e na década de 1850 iniciou-se como pioneira a *Realschule*, uma escola secundária não clássica, de orientação técnica. Quando, em 1867, os industriais notoriamente "instruídos" da região do Uhr receberam convite para contribuir para o quinquagésimo aniversário da Universidade de Bonn, todos eles, com uma única exceção, recusaram o convite, alegando que "os eminentes industriais locais não tiveram uma alta educação (*wissenschaftlich*) acadêmica e não dariam coisa semelhante a seus filhos".[13]

No entanto, a tecnologia tinha uma base científica, e é surpreendente como as inovações de um punhado de pioneiros científicos, desde que concebidas em termos facilmente conversíveis em maquinaria, fossem tão rápida e amplamente adotadas. Novas matérias-primas, frequentemente encontráveis apenas fora da Europa, atingiram a partir daí uma significação que só viria a se tornar evidente no período subsequente ao imperialismo.* Desse modo, o petróleo já havia atraído a atenção dos engenhosos ianques como um combustível conveniente para lâmpadas, mas rapidamente encontrou novos usos pelo processamento químico. Em 1859, apenas 2 mil barris haviam sido produzidos, mas por volta de 1874 quase 11 milhões de barris (a maioria proveniente da Pensilvânia e de Nova York) já davam meios a John D. Rockfeller (1839-1937) para estabelecer um cerco à nova indústria, pelo controle de seu transporte através de sua Standard Oil Company.

Apesar disso tudo, essas inovações parecem mais significativas quando vistas em retrospecto do que no seu próprio tempo. Pelo final da década de 1860, um especialista ainda pensava que os únicos metais que tinham um futuro econômico importante eram aqueles conhecidos pelos antigos: ferro, cobre, estanho, chumbo, mercúrio, ouro e prata. Manganês, níquel, cobalto e alumínio, conclui ele, "não parecem destinados a ter um papel tão importante quanto seus antecessores".[14] O crescimento das importações de borracha pela Inglaterra — de 7600 cwt** em 1850 para 159 mil cwt em 1876 — era realmente notável, mas as quantidades viriam a ser desprezíveis pelos padrões de vinte anos mais tarde. Os usos mais comuns desse material — ainda quase que totalmente coletado em forma bruta na América do Sul — ainda eram em artigos como roupas impermeáveis e elástico. Em 1876 havia exatamente duzentos telefones trabalhando na Europa e 380 nos Estados Unidos e, na Exposição Internacional de Viena, a operação de uma bomba de água movida a eletricidade ainda era uma grande novidade. Olhando para trás, podemos observar que a ruptura estava bem próxima: o mundo estava prestes a

* Os depósitos europeus de matéria-prima química também se expandiram. Assim os depósitos alemães de potassa produziram 58 mil toneladas no período de 1861 a 1865, 455 mil toneladas no período de 1871 a 1875 e mais de um milhão de toneladas no intervalo de 1881 a 1885.

** *cwt*, abreviatura de ***hundredweight***, que quer dizer peso de 112 libras. Equivale, no sistema decimal, a 50.8024 kg. (*N.T.*)

entrar na era da luz e da energia elétrica, do aço e das ligas de aço, do telefone e do fonógrafo, das turbinas e dos motores de combustão interna. Mas tudo isso ainda não havia acontecido em meados da década de 1870.

A maior inovação industrial, excetuando-se os campos científicos acima mencionados, foi provavelmente a produção em massa de maquinaria, que tinha sido construída virtualmente à mão, como as locomotivas e os navios ainda continuavam a sê-lo.

A maior parte do avanço na engenharia de produção de massa veio dos Estados Unidos, pioneiro do revólver Colt, do rifle Winchester, de relógios produzidos em massa, da máquina de costura e (através dos matadouros de Cincinnati e Chicago na década de 1860) das modernas linhas de montagem, isto é, transporte mecânico do objeto de produção de uma operação à seguinte. A essência da máquina produzida pela máquina (que implicava o desenvolvimento de máquinas-operatrizes automáticas ou semiautomáticas) era que se requeria em quantidades padronizadas muito superiores a qualquer outra máquina — isto é, por indivíduos e não por empresas ou instituições. O mundo inteiro em 1875 tinha talvez 62 mil locomotivas, mas o que era essa demanda comparada aos 400 mil relógios produzidos nos Estados Unidos em um único ano (1855) ou os rifles demandados pelos 3 milhões de soldados federais e confederados, entre 1861 e 1865, na Guerra Civil Americana? Consequentemente, os produtos mais claramente tendentes a seguir a linha de produção em massa eram aqueles que pudessem ser usados por um número muito grande de pequenos produtores, como fazendeiros e costureiras (as máquinas de costura), em escritórios (a máquina de escrever), bens de consumo como relógios, mas, acima de tudo, as pequenas armas e munição de guerra. Esses produtos eram de algum modo especializados e atípicos. Tudo isso preocupava os europeus inteligentes que já percebiam, por volta de 1860, a superioridade tecnológica dos Estados Unidos na produção em massa, mas ainda não preocupava os "homens práticos" que pensavam que os americanos não se preocupariam em inventar máquinas para produzir artigos inferiores, se tivessem nos europeus uma fonte de artesãos preparados e versáteis. Afinal, não foi um funcionário francês quem disse, já no início da década de 1900, que a França poderia talvez não ser capaz de ombrear com outros países na indústria de produção de massa, mas poderia manter facilmente sua posição na indústria onde habilidade e engenhosidade fossem decisivos: a manufatura de automóveis?

4.

Os homens de negócios, olhando à sua volta para o mundo no começo da década de 1870, podiam transpirar confiança, para não dizer complacência. Mas seria tal fato justificado? Mesmo que a gigantesca expansão da economia mundial, agora firmemente baseada na industrialização de numerosos países e num denso e genuíno fluxo global de mercadorias, capital e homens, continuasse e mesmo se acelerasse, o efeito das injeções específicas de energia que havia recebido na década de 1840 não duraria muito. O novo mundo aberto à empresa capitalista continuaria a crescer — mas não seria mais absolutamente novo. (De fato, logo que os seus produtos, como o trigo e outros grãos de pradarias e pampas americanos e das estepes russas, começaram a ser derramados no Velho Mundo, como ocorreu nas décadas de 1870 e 1880, tal fato iria romper e desequilibrar a agricultura tanto dos velhos como dos novos países.) Por uma geração, a construção das ferrovias pelo mundo continuou. Mas que aconteceria quando a construção de ferrovias se tornasse menos universal, porque a maior parte delas já havia sido construída? O potencial tecnológico da primeira revolução industrial, a inglesa, do algodão, carvão, ferro e máquinas a vapor, parecia suficientemente vasto. Antes de 1848, ele tinha, afinal, sido pouco explorado fora da Inglaterra e de maneira incompleta dentro dela. Uma geração que começasse a explorar esse potencial mais adequadamente poderia ser perdoada por julgá-lo inexaurível. Mas isso não ocorreu, e já em 1870 os limites desse tipo de tecnologia eram visíveis. Que ocorreria se viesse a ser exaurido?

Com o mundo entrando na década de 1870, estas sombrias reflexões pareciam absurdas. Mas, na verdade, o processo de expansão era, como todos agora reconhecem, curiosamente catastrófico. Violentas quedas, algumas vezes drásticas e crescentemente globais, sucediam-se a expansões estratosféricas, até que os preços caíssem o suficiente para dissipar os mercados retraídos e limpar o campo de empresas falidas, para que, então, os homens de negócios começassem a investir e expandir-se, renovando dessa forma o ciclo. Foi em 1860, depois da primeira dessas genuínas quedas mundiais (veja o Capítulo 3, Parte 4), que os economistas acadêmicos, na pessoa de um brilhante francês, Clément Juglar (1819-1905), reconheceram e mediram a periodicidade desse "ciclo do comércio" até então considerado apenas por socialistas e outros elementos heterodoxos. Assim, por mais dramáticas que fossem essas interrupções na expansão, elas eram temporárias. Nunca foi tão grande a euforia entre esses homens de negócios quanto no começo da década de 1870, durante o famoso *Gründerjahre* (anos da promoção de companhias) na Alemanha, o período no qual os projetos mais absurdos e evidentemente fraudulentos de companhias encontraram dinheiro de tolos para suas promessas. Eram os dias, como um jornalista vienense descreveu, em que "companhias eram fundadas para transportar a aurora boreal em oleodutos para a Praça de Santo Estêvão e para obter vendas em massa de nossa cera para botas destinadas aos nativos das ilhas dos Mares do Sul".[15]

Então veio a derrocada. Mesmo para o gosto de um período que apreciava seus *booms* econômicos velozes e coloridos, ela foi bastante drástica: 21 mil milhas de estradas de ferro americanas entraram em colapso e falência, as ações na Bolsa alemã caíram 60% entre a alta da expansão e 1877 e — mais característico — quase metade dos altos-fornos dos grandes países produtores de ferro parou. O dilúvio de imigrantes para o Novo Mundo foi reduzido para um modesto rio. Entre 1865 e 1873, anualmente, mais de 200 mil chegavam ao porto de Nova York, mas em 1877 apenas 63 mil o fizeram. Mas, diferentemente das outras quedas durante o século, esta não parecia chegar a um fim. Ainda em 1889, um estudo alemão, descrevendo a si mesmo como "uma introdução aos estudos econômicos para dirigentes e homens de negócios", observava que "desde a queda da Bolsa em 1883 (...) a palavra crise tem constantemente, com apenas algumas breves interrupções, estado presente na mente de todos".[16] E isso na Alemanha, um país cuja expansão econômica nesse período continuava a ser espetacular. Os historiadores têm duvidado da existência daquilo que vem sendo chamado de a "Grande Depressão" de 1873 a 1896, que, evidentemente, não foi tão drástica quanto a de 1929 a 1934, quando a economia capitalista mundial quase chegou a parar. No entanto, os contemporâneos não tinham dúvida de que a grande expansão havia sido seguida por uma Grande Depressão.

Uma nova era na história, tanto política quanto econômica, abre-se com a depressão da década de 1870. Essa era encontra-se fora dos limites deste volume, embora possamos ressaltar, de passagem, que ela minou ou destruiu as bases do liberalismo de meados do século XIX, que parecia tão fortemente estabelecido. O período do final da década de 1840 até meados da década de 1870 iria revelar-se — contrariamente ao desejo convencional da época — o modelo de crescimento econômico, desenvolvimento político, progresso intelectual e realização cultural que, apesar de tudo, terminaria por sobreviver com algumas melhoras, num futuro indefinido, mas foi, em vez de tudo isso, uma espécie de interlúdio. Entretanto, suas realizações globais eram, de qualquer forma, extremamente surpreendentes. Nessa época, o capitalismo industrial tornou-se uma genuína economia mundial e o globo havia se transformado, dali em diante, de uma expressão geográfica em uma constante realidade operacional. A História, doravante, passava a ser História Mundial.

3. O MUNDO UNIFICADO

"A burguesia, pelo rápido desenvolvimento de todos os instrumentos de produção, pelos meios de comunicação imensamente facilitados, arrasta todas as nações, mesmo as mais bárbaras, para a civilização (...). Em uma palavra, cria um mundo à sua própria imagem."

K. Marx e F. Engels, 1848[1]

"Como o comércio, a educação e toda a rápida divulgação de pensamento e conhecimento, seja pelo telégrafo, seja pelo vapor, tudo mudaram, acredito que o grande Criador prepare o mundo para se tornar uma nação falando um único idioma, uma realização que fará com que os exércitos e os navios não sejam mais necessários."

Presidente Ulysses S. Grant, 1873[2]

"Você precisava ter ouvido tudo o que ele disse — eu me preparava para viver numa montanha em algum lugar, no Egito ou na América.
E então? — Stoltz observou friamente. — Você pode chegar ao Egito em duas semanas e à América, em três.
Mas quem vai para a América ou para o Egito? Os ingleses certamente, mas este é o jeito como o bom Deus os fez e, além disso, eles não têm onde morar no seu próprio país. Mas quem de nós sonharia em viajar para lá? Alguns desesperados, talvez, cujas vidas não valem nada para eles mesmos."

I. Goncharov, 1859[3]

1.

Quando escrevemos a "História Mundial" dos períodos precedentes, estamos, na realidade, fazendo uma soma das histórias das diversas partes do globo, que, de fato, haviam tomado conhecimento umas das outras, porém superficial e marginalmente, exceto quando os habitantes de uma região conquistaram ou colonizaram outra, como os europeus ocidentais fizeram com as Américas. É perfeitamente possível escrever a história antiga da África com apenas uma referência casual ao Extremo Oriente, com (exceto a costa ocidental e o Cabo) pouca referência à Europa, mas não sem persistente referência ao mundo islâmico. O que acontecia na China era, até o século XVIII, irrelevante para os dirigentes políticos da Europa, exceção feita aos russos (mas não a alguns de seus grupos específicos de comerciantes); o que acontecia no Japão estava fora do conhecimento direto de todos, exceto de um punhado de mercadores holandeses, que tinham tido permissão para ali manter um entreposto, entre o século XVI e meados do século XIX. Inversamente, a Europa era para o Império Celeste apenas uma região de bárbaros, felizmente bastante longínqua para não trazer o problema de especificar o grau de sua fiel subserviência ao imperador, apesar de levantar alguns problemas menores de administração para os funcionários responsáveis por alguns portos. Por essa razão, mesmo entre algumas regiões onde havia razoável interação, muita coisa podia ser ignorada sem grande inconveniência. Para quem na Europa ocidental — mercadores ou estadistas — era importante saber o que se passava nas montanhas e nos vales da Macedônia? Se a Líbia fosse inteiramente engolida por um cataclisma natural, que diferença isso faria para alguém, mesmo para o Império Otomano, do qual era tecnicamente uma parte, ou entre os mercadores do Levante de várias nações?

A falta de interdependência entre as várias partes do globo não era simplesmente uma questão de ignorância, apesar de que, fora da região em questão e frequentemente dentro dela, a ignorância do "interior" ainda era considerável. Mesmo em 1848, imensas áreas de vários continentes estavam marcadas em branco, inclusive nos melhores mapas europeus — principalmente no que diz respeito à África, à Ásia central, ao interior da América do Sul e a partes da América do Norte e Austrália, sem mencionar os quase totalmente inexplorados Ártico e Antártico. Os mapas que fossem desenhados por qualquer outro cartógrafo teriam mostrado espaços ainda maiores do desconhecido; para isso, os funcionários chineses ou os exploradores ignorantes, mercadores e *coureurs de bois* de cada interior dos continentes conheciam bem mais sobre algumas áreas, fossem grandes ou pequenas, do que os europeus, ainda que a soma global de seus conhecimentos geográficos fosse bem mais exígua. Consequentemente, a adição meramente aritmética de tudo o que um especialista conhecesse sobre o mundo seria um mero exercício acadêmico. Não era uma coisa de se encontrar: na verdade não havia mesmo, em termos de conhecimento geográfico, *um* mundo.

A ignorância era mais um sintoma que uma causa da falta de unidade no mundo. Refletia simultaneamente a ausência de relações diplomáticas, políticas e administrativas, que eram demasiado tênues, e a fraqueza dos laços econômicos.* É verdade que o "mercado mundial", aquela precondição crucial e característica da sociedade capitalista, estava já havia longo tempo se desenvolvendo. O comércio internacional** havia ultrapassado o dobro do valor entre 1720 e 1780. No período da Revolução Dual (1780 a 1840) tinha mais que triplicado — notando-se que

* A bíblia europeia de referência diplomática, genealógica e política, o *Almanach de Gotha*, apesar de cuidadoso em reportar o pouco que era conhecido sobre as ex-colônias que se tinham tornado repúblicas nas Américas, não incluía a Pérsia antes de 1859, a China antes de 1861, o Japão antes de 1863, a Libéria antes de 1868 e o Marrocos antes de 1871. O reino do Sião entrou no almanaque apenas em 1880.

** Isto é, a soma total de todas as exportações e importações de todos os países de acordo com a competência das estatísticas econômicas europeias daquele período.

esse crescimento substancial era modesto em comparação com nosso período de estudo. Por volta de 1870, o valor do comércio externo para cada cidadão do Reino Unido, França, Alemanha, Áustria e Escandinávia era entre quatro e cinco vezes o que havia sido em 1830; para cada holandês e belga, três vezes maior; e mesmo para cada cidadão dos Estados Unidos — um país para o qual o comércio externo era de importância marginal — bem mais do dobro. No decorrer da década de 1870, uma quantidade anual de cerca de 88 milhões de toneladas de mercadorias transportadas por navios foi trocada entre as nações mais importantes, comparados com os 20 milhões de 1840; 31 milhões de toneladas de carvão atravessaram os mares, comparados a 1,4 milhão; 11,2 milhões de toneladas de grãos, comparados a menos de 2 milhões; 6 milhões de toneladas de ferro comparados a um milhão; e mesmo — antecipando o século XX — 1,4 milhão de toneladas de petróleo, que era desconhecido do comércio internacional em 1840.

Vamos medir mais precisamente a rede das trocas econômicas entre partes do mundo distantes entre si. As exportações britânicas para a Turquia e o Oriente Médio cresceram de 3,5 milhões de libras em 1848 para um máximo de 16 milhões em 1870; para a Ásia, de 7 milhões para 41 milhões em 1875; para as Américas Central e do Sul, de 6 milhões para 25 milhões em 1872; para a Índia, perto de 5 milhões para 24 milhões em 1875; para a Australásia, de 1,5 milhão para mais de 20 milhões em 1875. Em outras palavras, em 35 anos o valor das trocas entre a mais industrializada das economias e as regiões mais atrasadas ou remotas do mundo havia-se multiplicado por 6. Isso evidentemente não é muito impressionante comparado ao que temos hoje em dia, mas o volume em números absolutos ultrapassava tudo o que podia ter sido previsto anteriormente. A rede que unia as várias regiões do mundo estendia-se visivelmente.

Definir precisamente o quanto o processo contínuo de exploração, que gradualmente preencheu os espaços vazios nos mapas, estava interligado com o crescimento do mercado mundial é uma questão complexa. Parte era subproduto da política externa; parte, produto de entusiasmo missionário; parte, produto de curiosidade científica e, já para o fim de nosso período, parte era de iniciativa jornalística e editorial. Portanto nem J. Richardson (1787-1865), H. Barth (1821-1865) e A. Overweg (1822-1852), que tinham sido enviados pelo Ministério de Relações Exteriores britânico para explorar a África central em 1849, nem o grande David Livingstone (1813-1873), que cruzou o coração daquele que ainda era conhecido como o "continente negro" de 1840 a 1873, patrocinado pelo cristianismo calvinista, nem Henry Morton Stanley (1841-1904), o jornalista do *New York Herald* que foi descobrir o paradeiro de Livingstone (não ele, especialmente!), nem S. W. Baker (1821-1892) e J. H. Speke (1827-1864), cujos interesses eram mais puramente geográficos ou aventureiros, estavam ou poderiam estar desinformados sobre a dimensão econômica de suas viagens. Como disse um monsenhor francês com interesses missionários: "O bom Deus não precisa de nenhum homem, e a propagação do Evangelho ocorre sem ajuda humana; entretanto, redundaria em glória para o comércio europeu se isso viesse a ajudar na tarefa de superar as barreiras que obstruem o caminho da evangelização (...)".[4]

Explorar significava não apenas conhecer, mas desenvolver, trazer o desconhecido e, por definição, os bárbaros e atrasados para a luz da civilização e do progresso; vestir a imoralidade da nudez selvagem com camisas e calças, com uma providencial e beneficente manufatura de Bolton e Roubaix, levar as mercadorias de Birmingham que inevitavelmente arrastavam a civilização para onde quer que fossem.

Realmente, o que chamamos de "exploradores" de meados do século XIX eram apenas alguns subgrupos bem conhecidos, mas numericamente pouco importantes, de um número muito maior de homens que abriram o planeta ao conhecimento. Eram os que viajavam em áreas onde o desenvolvimento econômico e o lucro ainda eram insuficientemente atraentes para fazer substituir o "explorador" pelo comerciante (europeu), pelo explorador de minérios, pelo agrimensor ou pelo construtor de estradas de ferro e telégrafo e, mais tarde, se o clima se mostrasse adequado, pelo colono branco. Os "exploradores" dominaram a cartografia do interior da África, porque o continente, aos olhos do Ocidente, estava desprovido de interesses econômicos entre a abolição do tráfico de escravos e a descoberta, de um lado, de pedras preciosas e metais (no sul) e, de outro lado, do valor econômico de certos produtos primários que só podiam crescer ou ser cultivados em climas tropicais, estando ainda muito longe da produção sintética. Nada ali era muito significativo ou promissor até a década de 1870, mas parecia inconcebível que um continente tão vasto e tão subutilizado não viesse, mais cedo ou mais tarde, a se revelar uma fonte de riqueza e lucro. (Afinal, as exportações britânicas para a África ao sul do Saara tinham aumentado de cerca de 1,5 milhão de libras, no final de 1840, para cerca de 5 milhões em 1871, e vieram a dobrar durante a década de 1870, para atingir 10 milhões no começo de 1880, o que de modo algum podia ser considerado como pouco promissor.) Os "exploradores" também dominaram a abertura da Austrália, porque o deserto interior era vasto, vazio e, até meados do século XX, desprovido de recursos óbvios para a exploração econômica. Por outro lado, os oceanos do mundo (exceto o Ártico; o Antártico atraiu pouca atenção nesse período) cessaram de preocupar os "exploradores".*

O mundo em 1875 era, portanto, mais conhecido do que fora antes. Mesmo em nível nacional, mapas detalhados (a maior parte iniciada por

* O incentivo ali era largamente econômico: a busca de uma passagem praticável norte-oeste e norte-leste para navios entre o Atlântico e o Pacífico que pudesse, como os voos transpolares de nossos dias, economizar um bom tempo e, portanto, dinheiro. A busca do polo norte não era, nesse período, levada com grande persistência. A grande extensão das rotas de navios e, sobretudo, a colocação dos grandes cabos submarinos implicavam aquilo que pode ser propriamente chamado de exploração.

razões militares) não podiam ser encontrados na maioria dos países desenvolvidos: a publicação do empreendimento pioneiro nesse setor — os mapas Ordnance Survey* — da Inglaterra (mas não ainda da Escócia e Irlanda) tinha sido completada em 1862. Porém, mais importante que o mero conhecimento, as mais remotas partes do mundo estavam agora começando a ser interligadas por meios de comunicação que não tinham precedentes, pela regularidade, pela capacidade de transportar vastas quantidades de mercadorias e número de pessoas e, acima de tudo, pela velocidade: a estrada de ferro, o navio a vapor, o telégrafo.

Por volta de 1872, os meios de comunicação tinham chegado ao triunfo previsto por Júlio Verne: a possibilidade de fazer a volta ao mundo em oitenta dias, mesmo com os inúmeros contratempos que perturbaram o indômito Phileas Fogg. Os leitores podem recordar a rota do imperturbável viajante. Ele foi de trem e navio a vapor, através da Europa, de Londres a Brindisi e, em seguida, de barco, através do recém-aberto Canal de Suez (uma estimativa de sete dias). A viagem de barco de Suez a Bombaim lhe custaria 13 dias. A viagem de trem de Bombaim a Calcutá deveria, se não fosse a falha em completar um trecho do caminho, tomar-lhe três dias. Dali em diante, pelo mar, para Hong Kong, Yokohama e através do Pacífico até San Francisco, havia ainda um longo trecho de 41 dias. Entretanto, como a estrada de ferro transamericana acabara de ser completada em 1869, somente os perigos ainda não completamente dominados — indígenas, rebanhos de bisões etc. — estavam entre o viajante e uma viagem normal de sete dias para Nova York. O resto da viagem — o Atlântico para atingir Liverpool e o trem para Londres — não teria causado problemas, se não fosse a necessidade

* O Ordnance Survey foi uma investigação oficial que visava preparar mapas em larga escala de todo o território inglês. A confecção dos mapas iniciou-se no final do século XVII para uso do exército em caso de guerra. O sul do país foi mapeado primeiro em virtude do temor de uma invasão por parte dos franceses; o norte foi mapeado em meados do século XIX.

do suspense ficcional. Aliás, um agente de viagens americano ofereceu uma volta ao mundo similar não muito depois.

Quanto teria durado essa viagem a Phileas Fogg em 1848? Ela teria de ser feita quase inteiramente por via marítima, pois nenhuma estrada de ferro atravessava o continente e nem mesmo existiam no resto do mundo, exceto nos Estados Unidos, onde não avançavam terra adentro mais de duzentas milhas. Os barcos a vela mais rápidos, os famosos veleiros para transporte de chá, levariam pelo menos uma média de 110 dias para uma viagem até Cantão por volta de 1870, quando já haviam atingido o máximo da perfeição técnica; nunca poderiam fazê-la em menos de noventa dias, mas sabia-se que já a tinham feito em até 150 dias. Dificilmente podemos imaginar uma circum-navegação por volta de 1848, que, contando com a maior sorte possível, fosse feita em muito menos que 11 meses, ou seja, quatro vezes mais do que Phileas Fogg, sem contar o tempo despendido em portos.

Esse progresso no tempo gasto em viagens de longa distância era relativamente modesto, especialmente por causa do avanço observado nas velocidades marítimas. O tempo médio despendido por um vapor transatlântico entre Liverpool e Nova York, em 1851, era de 11 a 12 dias e meio; era substancialmente o mesmo em 1873, embora a linha White Star orgulhosamente garantisse poder encurtá-lo para dez dias.[5] Exceto onde a própria distância fosse encurtada, como no caso do Canal de Suez, Fogg não poderia esperar fazer melhor do que um viajante em 1848. A verdadeira transformação deu-se em terra — pelas estradas de ferro e, assim mesmo, não pelo aumento da velocidade tecnicamente possível das locomotivas, mas pela extraordinária extensão da construção de linhas de estradas de ferro. As locomotivas de 1848 eram de fato um pouco mais lentas que as de 1870, mas já atingiam Holyhead a partir de Londres em oito horas e meia, ou seja, três horas e meia a mais do que em 1974. (Em 1865, entretanto, *Sir* William Wilde — pai do famoso Oscar e notável pescador — poderia sugerir a seus leitores londrinos um fim de semana em Connemara para pescaria, viagem que teria sido impossível em tempo tão curto por trem ou barco hoje, e nada fácil sem o recurso da viagem aérea.) Todavia a locomotiva, tal como existia em 1830, era uma máquina de extraordinária eficiência. Mas o que não existia fora da Inglaterra, em 1848, era algo parecido com uma rede ferroviária.

2.

O período de que este livro se ocupa viu a construção dessas redes ferroviárias quase que por toda a Europa, nos Estados Unidos e mesmo em uns poucos outros lugares do mundo. Os quadros seguintes, o primeiro apresentando uma visão geral e o segundo ligeiramente mais detalhado, falam por si mesmos. Em 1845, fora da Europa, o único país "subdesenvolvido" a possuir uma milha que fosse de estrada de ferro era Cuba. Em 1855, havia linhas em todos os cinco continentes, apesar de na América do Sul (Brasil, Chile, Peru) e na Austrália serem dificilmente visíveis. Em 1865, a Nova Zelândia, a Argélia, o México e a África do Sul já possuíam suas primeiras estradas de ferro e, por volta de 1875, enquanto Brasil, Argentina, Peru e Egito tinham perto de mil milhas ou mais de trilhos, Ceilão, Java, Japão e mesmo o remoto Taiti já haviam adquirido suas primeiras linhas. Enquanto isso, por volta de 1875, o mundo possuía 62 mil locomotivas, 112 mil vagões de passageiros e quase meio milhão de vagões de carga transportando, segundo as estimativas da época, 1,371 bilhão de passageiros e 715 milhões de toneladas de mercadorias ou, em outras palavras, nove vezes mais do que era transportado anualmente por via marítima (em média) naquela década. O penúltimo quarto do século XIX era, em termos quantitativos, a primeira autêntica idade das estradas de ferro.

Vias férreas em milhas[6]
(milhares de milhas)

	1840	1850	1860	1870	1880
Europa	1,7	14,5	31,9	63,3	101,7
América do Norte	2,8	9,1	32,7	56,0	100,6
Índia	–	–	0,8	4,8	9,3
Resto da Ásia	–	–	–	–	–*
Australásia	–	–	–*	1,2	5,4
América Latina	–	–	–*	2,2	6,3
África (incl. Egito)	–	–	–*	0,6	2,9
Total mundial	4,5	23,6	66,3	128,2	228,4

* Menos de 500 milhas.
Fonte: M. Mulhall, *A Dictionary of Statistics*, Londres, 1982, p. 495.

O progresso da construção de estradas de ferro[7]

	1845	1855	1865	1875
Número de países na Europa				
com estradas de ferro	9	14	16	18
com mais de 1.000 km de trilhos	3	6	10	15
com mais de 10.000 km de trilhos	–	3	3	5
Número de países nas Américas				
com estradas de ferro	3	6	11	15
com mais de 1.000 km de trilhos	1	2	2	6
com mais de 10.000 km de trilhos	–	1	1	2
Número de países na Ásia				
com estradas de ferro	–	1	2	5
com mais de 1.000 km de trilhos	–	–	1	1
com mais de 10.000 km de trilhos	–	–	–	1
Número de países na África				
com estradas de ferro	–	1	3	4
com mais de 1.000 km de trilhos	–	–	–	1
com mais de 10.000 km de trilhos	–	–	–	–

Fonte: F. X. von Neumann-Spallart, *Übersichten der Weltwirtschaft*, Stuttgart, 1880, p. 336. "Eisenbahnstatistik", *Handwörterbuch der Staatswissenshaften*, 2ª ed., Iena, 1900.

A construção de grandes troncos ferroviários naturalmente ganhou a maior parte da publicidade. Era, realmente, visto como um todo, o maior conjunto de obras públicas existente e quase o mais sensacional feito da engenharia conhecido até então na História. Quando as ferrovias deixaram a topografia inexata da Inglaterra, suas realizações técnicas passaram a ser até mais sensacionais. A ferrovia do sul de Viena e Trieste atravessava o passo de Semmering a uma altura de quase 3 mil pés em 1854; em 1871, os trilhos que atravessam os Alpes atingiam elevações de até 4.500 pés; em 1869, a Union Pacific atingia 8.600 pés atravessando as Rochosas; e, em 1874, o triunfo do conquistador econômico da metade do século XIX Henry Meiggs (1811-1877), a Estrada de Ferro Central do Peru, corria lentamente a uma altura de 15.840 pés. Assim como atingiam os picos, elas perfuravam as montanhas, transformando em anãs as modestas passagens das primeiras estradas de ferro inglesas. O primeiro dos grandes túneis dos Alpes, o do Monte Cenis, tinha sido iniciado em 1857 e completado em 1870, e suas sete milhas e meia foram percorridas pelo primeiro trem postal subtraindo 24 horas da distância até Brindisi (um expediente utilizado por Phileas Fogg, como lembramos).

É impossível não partilhar a sensação de excitação, autoconfiança e orgulho que empolgava os que viveram nessa época heroica dos engenheiros, quando a estrada de ferro ligou pela primeira vez o Canal da Mancha ao Mediterrâneo, ou quando foi possível viajar de trem para Sevilha, Moscou, Brindisi, e também quando os trilhos de ferro percorreram o caminho do oeste através das pradarias e montanhas norte-americanas, pelo subcontinente indiano na década de 1860, subindo o vale do Nilo e varando o interior da América Latina na década de 1870.

Como conter a admiração por essas tropas de choque da industrialização que construíram tudo isso, pelos exércitos de camponeses frequentemente organizados de forma cooperativa que, com pá e picareta, moveram terra e pedras numa quantidade inimaginável, pelos trabalhadores e capatazes profissionais ingleses e irlandeses que construíram linhas longe de seu país natal, pelos maquinistas e mecânicos de Newcastle ou Bolton que partiram para longe a fim de construir as novas linhas de ferro da Argentina ou da Nova Gales do Sul?* Como não sentir pena dos exércitos de *coolies*** que deixaram seus ossos ao longo de cada milha de trilhos? Hoje, o belo filme *Pather Panchali*, de Satyadjit Ray (baseado numa novela bengalesa do século XIX), permite-nos recapturar a maravilha da primeira máquina a vapor, um maciço dragão de ferro, a própria força do mundo industrial irresistível e inspiradora, fazendo seu caminho onde nada havia passado antes, exceto animais de carga e carroças.

Também não podemos deixar de nos emocionar com os bravos homens de cartola que organizaram e presidiram essas vastas transformações do panorama humano — material e espiritual. Thomas Brassey (1805-1870), que chegou a empregar 8 mil homens em cinco continentes, foi apenas o mais conhecido desses empresários, sendo a lista de suas empresas pelo mundo afora o equivalente às honras de batalhas e medalhas de campanha dos generais em dias menos iluminados: a Prato e Pistoia, a Lyores e Avignon, a Norwegian Railway, a Jutland, o Grand Trunk of Canada, a Bilbao e Miranda, a Bastem Bengal, a Mauritius, a Queensland, a Central Argentine, a Lemberg e Czernowitz, a Delhi Railway, a Boca and Barracas, a Warsaw e Terespol, a Callao Docks.

O "romance da indústria", uma expressão que gerações de oradores públicos e homens de comércio cheios de si iriam desgastar e fazer perder o sentido original ou qualquer sentido, cercava até banqueiros, financistas, especuladores da Bolsa que apenas forneciam o dinheiro

---

* Encontramos seu rastro entre homens de negócio bem-sucedidos, como o mecânico de locomotivas William Pattison de Newcastle, que foi para o exterior como capataz para consertos na ferrovia francesa e que, em 1852, ajudaria a formar o que em breve seria a segunda maior companhia de engenharia mecânica da Itália.[8]

** *Coolies*: trabalhadores indianos ou chineses. (*N. T.*)

para a construção das estradas. Iguais a foguetes, homens de finanças mais ilusórias que desonestas, como George Hudson (1800-1871) ou Barthel Strousberg (1823-1884), ficaram na bancarrota, assim como antes alcançaram riqueza e proeminência social. Suas falências tornaram-se pontos de referência na história econômica. (Nenhuma tolerância, entretanto, pode ser concedida aos genuínos *robber barons*,* tais como os homens de estrada de ferro americanos — Jim Fisk (1834-1872), Jay Gould (1836-1892), Commodore Vanderbilt (1794-1877) etc. — que apenas compraram e exploraram as estradas de ferro existentes, assim como qualquer outra coisa sobre a qual pudessem pôr as mãos.) É difícil negar uma admiração relutante mesmo pelos escroques mais evidentes entre os construtores de estradas. Henry Meiggs era, sem dúvida, um aventureiro desonesto, tendo deixado atrás de si um rastro de contas não pagas, subornos e despesas luxuosas ao longo de todo o lado ocidental dos continentes americanos, mais à vontade nos centros de vilania e exploração como San Francisco e Panamá, do que entre respeitáveis homens de negócios. Mas pode alguém que tenha visto a Peruvian Central Railway negar a grandeza da concepção e realização dessa imaginação a um tempo romântica e ignóbil?

Essa combinação de romantismo, empreendimento e finanças era talvez mais drasticamente notória na curiosa seita francesa dos sansimonistas. Esses apóstolos da industrialização transformaram-se, especialmente depois do fracasso da Revolução de 1848, de portadores de um credo que os colocou nos livros de História como "socialistas utópicos" em um dinâmico e corajoso grupo de empresários conhecidos como "capitães de indústria", mas, acima de tudo, como construtores de comunicações. Eles não eram os únicos a sonhar com um mundo ligado pelo comércio e pela tecnologia. Centros improváveis de empreendimento global, como

* *Robber baron*: "barão medieval". (*N. T.*)

o Império dos Habsburgos, sem acesso ao mar, produziram o *Austrian Lloyd* de Trieste, cujos navios, antecipando o ainda não construído Canal de Suez, chamavam-se *Bombay* e *Calcutta*. E foi um sansimonista, F. M. de Lesseps (1805-1894), que construiu o Canal de Suez e planejou o Canal do Panamá, para seu azar mais tarde.

Os irmãos Isaac e Émile Pereire se tornariam conhecidos sobretudo como financistas aventurosos que se fizeram sozinhos no império de Napoleão III. O próprio Émile havia supervisionado a construção da primeira estrada de ferro francesa, em 1837, vivendo num apartamento sobre as obras e apostando na demonstração da superioridade do novo meio de transporte. Durante o Segundo Império, os Pereire construíram linhas de estradas de ferro por todo o continente, num duelo titânico com o mais conservador dos Rothschilds, que veio a arruiná-los (1869). Outro sansimonista, P. F. Talabot (1789-1885), construiu, entre outras coisas, as linhas férreas do sudeste francês, as docas de Marselha e as linhas férreas húngaras, além de ter comprado as balsas ultrapassadas pela ruína do comércio fluvial no Ródano, esperando usá-las numa frota comercial ao longo do Danúbio, em direção ao Mar Negro — projeto vetado pelo Império dos Habsburgos. Tais homens pensavam em termos de continentes e oceanos. Para eles, o mundo era uma única coisa, interligado por trilhos de ferro e máquinas a vapor, pois seus horizontes de negócios eram como seus sonhos sobre o mundo. Para tais homens, destino, história e lucro eram uma só coisa.

Do ponto de vista global, a rede de troncos ferroviários permanecia suplementar à de navegação internacional. Tal como existia na Ásia, Austrália, África e América Latina, a ferrovia, considerada do ponto de vista econômico, era basicamente um meio de ligar alguma área produtora de bens primários a um porto do qual esses bens poderiam ser enviados para as zonas industriais e urbanas do mundo. O transporte marítimo, como já vimos, não se tornou notavelmente rápido em nosso período.

Sua lentidão técnica é indicada pelo fato, hoje bem conhecido, de que o transporte marítimo a vela havia continuado a manter-se frente ao navio a vapor de forma surpreendente, graças aos progressos tecnológicos menos drásticos mas substanciais na sua própria eficiência. O vapor tinha-se expandido extraordinariamente, de cerca de 14% do transporte mundial em 1840 para 49% em 1870, mas a vela ainda estava ligeiramente na frente. Somente na década de 1870, e sobretudo na de 1880, é que ela saiu do páreo. (No final dessa última década, a vela fora reduzida para aproximadamente 25% do transporte global.) O triunfo do barco a vapor era essencialmente o da Marinha Mercante britânica, ou melhor, da economia britânica que estava por detrás dele. Entre 1840 e 1850, os navios britânicos perfizeram aproximadamente um quarto da tonelagem a vapor nominal do mundo; em 1870, perto de um terço; em 1880, mais da metade. Em outras palavras, entre 1850 e 1880 a tonelagem a vapor britânica cresceu cerca de 1.600%, e a do resto do mundo, 440%. Isso era razoavelmente natural. Se alguma carga fosse despachada de Callao Xangai ou Alexandria, a probabilidade era de que fosse destinada à Inglaterra. E muitos navios estavam carregados. Em 1874, 1,25 milhão de toneladas (900 mil inglesas) passou através do Canal de Suez — no primeiro ano de operação havia passado menos de meio milhão. O tráfego regular pelo Atlântico Norte era ainda maior: 5,8 milhões de toneladas entraram pelos três principais portos da costa leste dos Estados Unidos em 1875.

Trilhos e navios transportavam mercadorias e pessoas. Porém, em certo sentido, a transformação tecnológica mais sensacional de nosso período estava na comunicação de mensagens através do telégrafo elétrico. Esse invento revolucionário parece que estava pronto para ser descoberto em meados da década de 1830, da maneira misteriosa com que os problemas são repentinamente solucionados. Por volta de 1836 ou 1837, fora inventado quase que simultaneamente por um número de diferentes pesquisadores, dos quais Cooke e Wheatstone foram os mais imediatamente bem-sucedidos. Em poucos anos era aplicado nas estradas de ferro e, o que era mais importante, planos de linhas submarinas já eram estudados por volta de 1840, não sendo, porém, praticáveis antes de 1847, quando o grande Faraday sugeriu isolar os cabos com guta-percha. Em 1853, um austríaco, Gintl, e, dois anos mais tarde, outro, Stark, demonstraram que duas mensagens poderiam ser enviadas pelo mesmo fio nas duas direções; no final da década de 1850, um sistema para enviar 2 mil palavras por hora era adotado pela American Telegraph Company; em 1860, Wheatstone patenteava um telégrafo automático, ancestral dos telégrafos modernos e do telex.

A Inglaterra e os Estados Unidos já estavam aplicando essa nova invenção por volta da década de 1840, um dos primeiros exemplos de uma tecnologia desenvolvida por cientistas e que dificilmente o seria sem base numa sofisticada teoria científica. As partes desenvolvidas da Europa adotaram-no rapidamente nos anos posteriores a 1848: Áustria e Prússia em 1849, Bélgica em 1850, França em 1851, Holanda e Suíça em 1852, Suécia em 1853, Dinamarca em 1854. Noruega, Espanha, Portugal, Rússia e Grécia introduziram-no na segunda metade da década de 1850; Itália, Romênia e Turquia, na década de 1860. As linhas familiares do telégrafo e os polos multiplicaram-se: 2 mil milhas em 1849, no continente europeu, 15 mil em 1854, 42 mil em 1859, 80 mil em 1864, 111 mil em 1869. O mesmo ocorreu com as mensagens. Em 1852, menos de 250 mil foram enviadas em todos os seis países continentais onde o telégrafo havia sido introduzido. Em 1869, a França e a Alemanha enviaram cada uma mais de 6 milhões, a Áustria mais de 4 milhões, Bélgica, Itália e Rússia mais de 2 milhões, e mesmo a Turquia e a Romênia, entre 600 mil e 700 mil cada uma.[9]

Entretanto, o desenvolvimento mais significativo foi a construção de cabos submarinos, pioneiros através do canal, no início da década de 1850 (Dover-Calais 1851, Ramsgate-Ostend 1853), em distâncias cada vez maiores. Um cabo pelo Atlântico Norte havia sido proposto em meados da década de 1840 e veio a ser instalado em 1857 e 1858, mas inutilizou-se devido à precariedade do isolamento. A segunda tentativa, com o célebre navio *Great Eastern* — o maior do mundo — instalador de cabos, foi bem-sucedida em 1865. A partir daí sucederam-se as instalações de cabos internacionais que, em cinco ou seis anos, virtualmente enlaçaram o globo. Em 1870, cabos estavam sendo instalados entre Singapura e Batávia, Madras-Penang, Penang-Singapura, Suez-Aden, Aden-Bombaim, Penzâncio-Lisboa, Lisboa-Gibraltar, Gibraltar-Malta, Malta-Alexandria, Marselha-Bône, Emden-Teerã (por terra), Bône-Malta, Salcombe-Brest, Beachy Head-Havre, Santiago de Cuba-Jamaica, e outro par de linhas através do Mar do Norte. Em 1872, era possível telegrafar de Londres para Tóquio e Adelaide. Em 1871, o resultado do Derby* era enviado de Londres para Calcutá em não mais de cinco minutos, apesar de a notícia ser consideravelmente menos emocionante do que o feito em si. Que eram os oitenta dias de Phileas Fogg comparados a isso? Essa rapidez de comunicação não era apenas sem precedentes, ou mesmo sem comparação possível; para a maioria das pessoas, em 1848, estava completamente além da imaginação.

A construção desse sistema telegráfico mundial combinava elementos políticos e comerciais: com a importante exceção dos Estados Unidos, o telégrafo interno era ou tornou-se quase inteiramente estatal, e mesmo a Inglaterra o nacionalizou, adjudicando-o aos correios em 1869. Por outro lado, os cabos submarinos permaneceram quase que inteiramente sob a reserva da iniciativa privada que os havia construído, embora o mapa mostrasse sua substancial importância estratégica, sobretudo para o Império Britânico. Eles eram realmente da maior importância para o governo, não apenas por razões militares e de segurança, mas para a ad-

* Derby: elegante clube inglês que patrocinava famosas corridas de cavalo. (*N.T.*)

ministração — como testemunham os inúmeros telegramas enviados por países como Rússia, Áustria e Turquia, cujo tráfico comercial e privado pouco o teria justificado (o tráfico austríaco excedeu consistentemente o da Alemanha do norte até o início da década de 1860). Quanto maior o território, tanto mais útil era para as autoridades poderem dispor de meios rápidos de comunicação com seus mais remotos postos avançados.

Os homens de negócios obviamente usaram amplamente o telégrafo, mas os cidadãos comuns cedo descobriram seu uso, na maioria das vezes, evidentemente, para comunicações urgentes e drásticas com parentes. Por volta de 1869, 60% de todos os telegramas belgas eram privados. Mas o uso mais significativo da invenção não pode ser medido meramente pelo número de mensagens. O telégrafo transformou as notícias, como Julius Reuter (1816-1899) havia previsto quando fundou sua agência telegráfica em Aix-la-Chapelle em 1851. (Entrou mais tarde no mercado inglês, com o qual Reuter se associou em 1858.) Do ponto de vista jornalístico, a Idade Média terminou em 1860, quando as notícias internacionais passaram a ser enviadas livremente de um número suficientemente grande de lugares no mundo para atingir a mesa do café da manhã no dia seguinte. As notícias não eram mais medidas em dias ou, no caso de lugares remotos, em semanas ou meses, mas em horas, ou mesmo em minutos.

Essa aceleração extraordinária na velocidade das comunicações teve um resultado paradoxal. Aumentando o abismo entre os lugares acessíveis à nova tecnologia e o resto, intensificou o atraso relativo das partes do mundo onde o cavalo, o boi, a mula, o homem ou o barco ainda determinavam a velocidade do transporte. Numa época em que Nova York podia telegrafar a Tóquio em questão de minutos ou horas, era espantoso que os imensos recursos do *New York Herald* não fossem suficientes para obter uma carta de David Livingstone do centro da África em menos de oito ou nove meses (1871-1872); e mais espantoso ainda foi o *Times* de Londres poder reproduzir aquela mesma carta no dia seguinte à sua publicação em Nova York. A "selvageria" do "Oeste Selvagem" e a "escuridão" do "continente negro" eram devidas parcialmente a esses contrastes.

Assim se explicava a extraordinária paixão do público pelo explorador e pelo homem que passou a ser chamado de "viajante" *tout court* — isto é, a pessoa que viajava até ou além das fronteiras da tecnologia, fora da área onde a cabina de comando do vapor, o compartimento-dormitório do *wagon-lit* (ambas invenções do nosso período), o hotel e a *pension* cuidavam do turista. Phileas Fogg atravessou essa fronteira. O interesse de seu empreendimento residia simultaneamente na demonstração de que, por um lado, os trilhos, o vapor e o telégrafo praticamente enlaçavam o globo, e, por outro, uma margem de incerteza e lacunas remanescentes, impediam que viagens através do mundo se tornassem uma rotina.

Entretanto, os "viajantes" cujos relatórios eram mais avidamente lidos eram aqueles que enfrentavam as incertezas do desconhecido, sem ajuda suplementar da tecnologia moderna, exceto a que pudesse ser carregada nos ombros de numerosos e robustos carregadores nativos. Eram os exploradores e os missionários, especialmente os que penetraram no interior da África, os aventureiros, sobretudo os que se aventuravam nos territórios incertos do Islã, os naturalistas caçadores de borboletas e pássaros nas selvas da América do Sul ou nas ilhas do Pacífico. Os penúltimos 25 anos do século XIX eram, como os editores cedo descobriram, o início de uma idade de ouro feita para uma nova raça de viajantes de poltrona, seguindo Burton e Speke, Stanley e Livingstone pelas matas e floresta virgem.

3.

Não obstante, a intrincada rede da economia internacional permitia que até mesmo as áreas geograficamente mais remotas tivessem relações diretas e não apenas literárias com o resto do mundo. O que contava não era apenas a velocidade — embora uma crescente intensidade do tráfico também trouxesse uma forte exigência de rapidez —, mas o grau da repercussão. Isso pode ser vividamente ilustrado pelo exemplo de um acontecimento econômico que simultaneamente abriu nosso período e, como tem sido argumentado, determinou em grande parte a sua forma: a descoberta do ouro na Califórnia (e logo depois na Austrália).

Em janeiro de 1848, um indivíduo chamado James Marshall descobriu ouro no que parecia ser uma vasta jazida em Sutter's Mill, perto de Sacramento, na Califórnia, uma extensão ao norte do México que havia sido anexada aos Estados Unidos pouco tempo antes, sem significação econômica exceto para uns poucos fazendeiros e rancheiros mexicano-americanos, pescadores comuns e de baleias, que usavam o conveniente porto da Baía de San Francisco, onde florescia uma pequena cidade de 812 habitantes brancos. Como esse território ficava em frente ao Pacífico e estava separado do resto dos Estados Unidos por grandes cadeias de montanhas, pelo deserto e pela planície, suas atrações e evidente riqueza natural não eram de imediata relevância para as empresas capitalistas, sendo, porém, reconhecidas. A corrida do ouro mudou rapidamente essa situação. Notícias fragmentárias desse evento foram filtradas para o resto dos Estados Unidos em agosto e setembro daquele ano, despertando, porém, pouco interesse, até serem confirmadas pelo presidente Polk em sua mensagem presidencial de dezembro. A partir de então, a corrida do ouro passou a ser identificada com os "Forty-niners". Em fins de 1849, a população da Califórnia havia passado de 14 mil para aproximadamente 100 mil e, em 1852, para 500 mil; San Francisco já era então uma cidade de quase 35 mil. No final de 1849, cerca de 540 navios aportaram naquela cidade, oriundos de portos metade europeus, metade americanos, e, em 1850, 1.150 navios ali deixaram quase meio milhão de toneladas de mercadorias.

Os efeitos econômicos desse súbito desenvolvimento na Califórnia e, a partir de 1851, na Austrália foram muito debatidos, mas observadores da época não tinham dúvida sobre sua importância. Engels observou amargamente a Marx em 1852: "A Califórnia e a Austrália são dois casos não previstos no *Manifesto* [*comunista*]: a criação de grandes e novos mercados a partir do nada. Precisamos rever isso".[10] Até que ponto esses eventos foram responsáveis pela grande expansão norte-americana, pela *explosão econômica* mundial (veja o Capítulo 2) ou pela súbita explosão da emigração em massa (veja o Capítulo 11), não precisamos determinar aqui. O que está claro, de qualquer maneira, é que acontecimentos localizados a milhares de milhas da Europa tinham, na opinião de observadores competentes, um efeito quase imediato e de longo alcance naquele continente. A interdependência da economia mundial não poderia ser mais bem demonstrada.

Que essas corridas do ouro afetariam as metrópoles da Europa e a costa leste dos Estados Unidos, assim como os financistas, comerciantes e navegadores de visão global, não chega a ser surpreendente. Sua repercussão em outras partes do globo geograficamente remotas é, porém, mais inesperada, embora favorecida pelo fato de que, na prática, a Califórnia só era acessível por mar, onde as distâncias não são um obstáculo particularmente sério à comunicação. A febre do ouro espalhou-se rapidamente através dos oceanos. Os marinheiros dos navios da rota do Pacífico desertavam para tentar a sorte nos campos auríferos, e grande parte dos habitantes de San Francisco fez coisa semelhante assim que as notícias ali chegaram. Em agosto de 1849, duzentos navios, abandonados por suas tripulações, vagavam nas águas e seus cascos eram usados para a construção de casas. Nas Ilhas Sandwich (Havaí), na China e no Chile, marinheiros ouviram as notícias, capitães prudentes — como os ingleses que comercializavam na costa oeste da América do Sul — resistiram à lucrativa tentação de seguir para o norte, fretes e salários de marinheiros dispararam com os preços de qualquer coisa exportável para a Califórnia: e nada era não exportável. Por volta do final de 1849, o Congresso chileno, observando que a maior parte do transporte marítimo nacional estava sendo dirigida para a Califórnia, onde era então imobilizada por deserções, autorizou navios estrangeiros a praticar temporariamente o tráfico costeiro de cabotagem. A Califórnia, pela primeira vez, criou uma rede de comércio ligando as costas do Pacífico, através do qual cereais chilenos, café e cacau mexicano, batatas e outros alimentos da Austrália, açúcar e arroz da China e mesmo (depois de 1854) algumas importações do Japão foram transportados para os Estados Unidos. Não era à toa que o *Bankers Magazine* de Boston predissera em 1850 que "não seria nada temerário antecipar uma extensão parcial dessa influência [do espírito empreendedor e do comércio] até ao Japão".[11]

De nosso ponto de vista, mais significativas que o comércio eram as pessoas. A imigração de chilenos, peruanos e nativos das diferentes ilhas do Pacífico,[12] apesar de chamar a atenção no estágio inicial, não era de maior importância numérica. (Em 1860, a Califórnia tinha cerca de 2.400 latino-americanos, além dos mexicanos, e menos de 350 oriundos das ilhas do Pacífico.) Por outro lado, "um dos resultados mais extraordinários dessa descoberta maravilhosa é o impulso que deu às empresas do Celeste Império. Os chineses, até então as mais impassíveis e domésticas criaturas do universo, haviam começado uma nova vida nas minas da Califórnia e para lá se dirigiram aos milhares".[13] Em 1849 havia ali 76 chineses; no final de 1850, 4 mil; em 1852, não menos de 20 mil e, por volta de 1876, cerca de 111 mil, ou seja, 25% de todos os habitantes não californianos do Estado. Eles trouxeram consigo seu preparo, inteligência e espírito empreendedor e, incidentalmente, introduziram na civilização ocidental um dos mais poderosos produtos culturais do leste, o restaurante chinês, que já florescia em 1850. Oprimidos, odiados, ridicularizados e, ocasionalmente, linchados — 88 foram assassinados na Depressão de 1862 —, eles mostraram a capacidade usual desse grande povo de sobreviver e prosperar, até que o Chinese Restriction Act de

1882, clímax de uma longa agitação racial, pôs um fim naquilo que tinha sido o primeiro exemplo na história de uma imigração em massa, voluntária e motivada por razões econômicas, de uma sociedade oriental para uma sociedade ocidental.

Aliás, o estímulo da corrida do ouro atingiria apenas as fontes tradicionais de imigrantes para a costa oeste, entre elas a britânica, a irlandesa e a alemã, que formavam a grande maioria, além dos mexicanos. Eles vieram sobretudo pelo mar, exceto alguns norte-americanos (especialmente os do Texas, Arkansas, Missouri, Wisconsin e Iowa — Estados com uma migração para a Califórnia desproporcionalmente intensa), que presumivelmente vieram por terra, numa viagem incômoda que levava de três a quatro meses de costa a costa. A rota mais importante afetada pela corrida do ouro levava a leste ao longo de 16 ou 17 mil milhas de mar que ligavam a Europa a San Francisco por um lado, e a costa leste dos Estados Unidos a San Francisco via Cabo Horn, por outro. Londres, Liverpool, Hamburgo, Bremen, Le Havre e Bordéus já tinham linhas marítimas diretas na década de 1850. O interesse em diminuir essa viagem de quatro ou cinco meses, assim como de fazê-la mais segura, era prioritário. Os veleiros construídos pelos armadores de Boston e Nova York para o tráfico de chá entre Cantão e Londres podiam agora carregar uma mercadoria diferente. Apenas dois destes haviam dobrado o Cabo Horn antes da corrida do ouro, mas, na segunda metade de 1851, 24 (ou 34 mil toneladas) atingiram San Francisco, diminuindo o tempo da viagem de Boston à Costa Oeste para menos de cem dias, ou mesmo, em alguns casos, para oitenta. Inevitavelmente, uma rota potencial mais curta precisava ser desenvolvida. O istmo do Panamá, mais uma vez, tornou-se aquilo que já havia sido nos tempos coloniais espanhóis: o ponto principal de transporte entre navios, pelo menos até que fosse construído um canal, hipótese que foi imediatamente considerada pelo tratado anglo-americano de Bulwer-Clayton, de 1850, e que começou — contra a oposição americana — a ser planejado pelo dissidente sansimonista francês F. M. de Lesseps, que acabava de triunfar em Suez, na década de 1870. O governo dos Estados Unidos incrementou um serviço postal através do istmo do Panamá, possibilitando o estabelecimento de um serviço de vapor regular mensal entre Nova York e o lado do Caribe, e da cidade do Panamá para San Francisco e Oregon. O esquema, iniciado em 1848 essencialmente por motivos políticos e imperialistas, tornou-se comercialmente mais que viável com a corrida do ouro. A Cidade do Panamá veio a ser o que continua até hoje, um centro de expansão ianque, onde futuros *robber barons* como C. Vanderbilt e W. Ralston (1828-1889), fundador do banco da Califórnia, faziam suas negociatas. A economia de tempo era tão grande que o istmo logo se transformou num ponto vital na navegação internacional: através dele, Southampon podia ser ligada a Sydney em 58 dias, e o ouro descoberto no começo da década de 1850, naquele outro grande centro aurífero, a Austrália (para não mencionar os metais preciosos mais antigos do México e do Peru), passava por ali em seu caminho para a Europa e a costa leste norte-americana. Somado ao ouro californiano, cerca de 60 milhões de dólares anuais devem ter sido transportados pelo Panamá. Não admira que a primeira estrada de ferro tenha atravessado o istmo já em 1855. Ela havia sido planejada por uma companhia francesa mas, o que é característico, acabou sendo construída por uma empresa americana.

Estes eram os resultados visíveis e quase imediatos de acontecimentos ocorridos num dos mais remotos cantos do mundo. Não causa admiração que os observadores vissem o mundo econômico não apenas como um complexo único interligado, onde cada parte era sensível ao que acontecia nas outras e através do qual dinheiro, mercadorias e homens moviam-se silenciosamente e com crescente rapidez, obedecendo ao irresistível estímulo da oferta e da procura, dos ganhos e perdas, e com a ajuda da moderna tecnologia. Se mesmo os mais preguiçosos (porque menos "econômicos") desses homens respondiam a tais estímulos *en masse* — a imigração britânica para a Austrália saltou de 20 mil para quase 90 mil em um ano, depois que o ouro foi descoberto ali —, então nada nem ninguém poderia resistir. Obviamente ainda havia muitas partes do globo, mesmo na Europa, mais ou menos isoladas dessa movimentação. Mas havia alguma dúvida de que, cedo ou tarde, elas seriam arrastadas para dentro do torvelinho?

4.

Hoje estamos mais familiarizados do que os homens de meados do século XIX com essa contração do planeta em um único mundo. Mas há uma diferença substancial entre o processo que vivenciamos hoje e o do período que este livro abarca. O que é mais impressionante nesse aspecto, na segunda metade do século XX, é a padronização internacional, que vai bem além da puramente econômica e tecnológica. Neste particular, nosso mundo é bem mais maciçamente padronizado que o de Phileas Fogg, mas apenas porque há mais máquinas, instalações produtivas e negócios. As estradas de ferro, os telégrafos e navios de 1870 não eram menos identificáveis como "modelos" internacionais, onde quer que ocorressem, do que os automóveis e aeroportos de 1970. O que quase não ocorria então era a padronização internacional e interlinguística da cultura, que hoje distribui num breve lapso de tempo os mesmos filmes, estilos de música popular, programas de televisão e mesmo estilos de vida pelo mundo. Tal padronização afetou as classes médias numericamente modestas e alguns dos ricos até o ponto ou na medida em que não se chocava com as barreiras de linguagem. Os "modelos" do mundo desenvolvido eram copiados pelos países mais atrasados em um punhado de versões dominantes — os ingleses, por intermédio de seu império, nos Estados

Unidos e, com menos ênfase, no continente europeu; os franceses, na América Latina, no Levante e em partes da Europa oriental; os alemães e austríacos, via Europa central e oriental, na Escandinávia e um pouco nos Estados Unidos. Um certo estilo comum visual, o interior burguês abarrotado, o barroco público dos teatros e óperas podiam ser discernidos, embora, por razões práticas, apenas nos lugares onde europeus ou colonos descendentes de europeus se tivessem estabelecido (veja adiante no Capítulo 13). Entretanto, com exceção dos Estados Unidos (e da Austrália), onde os altos salários democratizaram o mercado e, portanto, elevaram o estilo de vida das classes economicamente mais modestas, essa característica permaneceu confinada a uns poucos.

Não há dúvida de que os profetas burgueses de meados do século XIX pensavam num mundo futuro único e mais ou menos padronizado, onde todos os governos reconheceriam as verdades da economia política e do liberalismo, levadas através do planeta por missionários impessoais mais poderosos que os da cristandade ou do islamismo; um mundo refeito à imagem da burguesia, onde talvez mesmo as diferenças nacionais acabassem por desaparecer. O desenvolvimento das comunicações já pedia novas formas de coordenação internacionais e organismos padronizados — a International Telegraph Union de 1865, a Universal Postal Union de 1875, a International Metereological Organization de 1878, todas existentes ainda hoje. Já apresentava também — para fins limitados e resolvido pelo International Signals Code de 1871 — o problema de uma "linguagem" padronizada internacional. Em poucos anos, as tentativas de criar línguas cosmopolitas artificiais viraram moda, iniciada com a língua curiosamente chamada de *Volapük* (*world-speak*) engendrada por um alemão em 1880. (Nenhuma delas vingou, nem mesmo a mais promissora, o *esperanto,* outro produto da década de 1880.) O movimento trabalhista também se encontrava no processo de estabelecer uma organização global, que tiraria conclusões políticas da crescente unificação do planeta — a Internacional (veja adiante no Capítulo 6).*

Mesmo assim, a padronização e a unificação internacionais, nesse sentido, permaneceram frágeis e parciais. De certa forma, o nascimento de novas nações e novas culturas com base democrática, isto é, usando linguagens separadas em vez de idiomas internacionais de minorias cultas, tornava essa padronização mais difícil, ou melhor, mais tortuosa. Escritores de reputação europeia ou mundial alcançaram essa dimensão graças a traduções. E embora fosse significativo que, por volta de 1875, leitores de alemão, francês, sueco, holandês, espanhol, dinamarquês, italiano, português, tcheco e húngaro fossem capazes de desfrutar de algumas ou de todas as obras de Dickens (assim como búlgaros, russos, finlandeses, servo-croatas, armênios e leitores de iídiche o foram antes do final do século), era também significativo que esse processo resultasse numa crescente divisão linguística. Fossem quais fossem as perspectivas de longo prazo, era aceito pelos observadores liberais contemporâneos que, no curto ou médio prazo, o desenvolvimento terminaria por criar nações diferentes e rivais (veja adiante no Capítulo 5). O máximo que se poderia então desejar é que essas nações comungassem no mesmo tipo de instituições, economia e credos. A unidade do mundo implicava a sua divisão. O sistema mundial do capitalismo era uma estrutura de "economias nacionais" rivais. O triunfo mundial do liberalismo repousava na conversão de todos os povos, pelo menos os que eram vistos como "civilizados". Não havia dúvida de que os paladinos do progresso do período aqui estudado estavam confiantes em que isso viria a acontecer, mais cedo ou mais tarde. Mas essa confiança repousava em bases inseguras.

---

* Que a Cruz Vermelha Internacional (1860), filha também de nosso período, pertença a este grupo é mais duvidoso, pois ela se baseava na mais extrema forma de falta de internacionalismo, isto é, guerra entre Estados.

Eles tinham boas razões quando apontavam para a rede cada vez mais estreita de comunicações globais, cujo resultado mais tangível era um vasto aumento no tráfico de trocas internacionais, mercadorias e pessoas — comércio e migração, que serão considerados separadamente (veja adiante no Capítulo 11). Mas, mesmo no plano internacional de negócios, a unificação global não era uma vantagem indiscutível. Afinal, ela criava uma economia mundial cujas partes eram de tal modo dependentes umas das outras que um empurrão numa delas ameaçava inevitavelmente pôr todas as outras em movimento. Disto era ilustração clássica a crise internacional.

Como foi sugerido, dois tipos maiores de flutuação econômica afetavam a sorte do mundo na década de 1840: o antigo ciclo agrário, apoiado nos azares das colheitas e do gado, e o novo "ciclo do comércio", parte essencial do mecanismo da economia capitalista. Em 1840, o primeiro destes ainda era dominante no mundo, embora seus efeitos tendessem a ser mais regionais que globais, pois mesmo as mais amplas formas de uniformização — o clima, as epidemias humanas, de animais ou plantas — raro ocorriam simultaneamente em todas as partes do mundo. Economias industrializadas já eram dominadas pelo ciclo do comércio, pelo menos a partir do final das guerras napoleônicas, mas isso afetava na prática apenas a Inglaterra, talvez a Bélgica e os pequenos setores de outras economias ligadas ao sistema internacional. Crises não relacionadas com distúrbios agrários, por exemplo, as de 1826, 1837 ou 1839 a 1842, abalaram a Inglaterra e os negócios da costa leste dos Estados Unidos ou de Hamburgo, deixando, porém, a maior parte da Europa relativamente sem problemas.

Dois fatos ocorridos depois de 1848 vieram mudar esse estado de coisas. Em primeiro lugar, a crise do ciclo do comércio tornou-se genuinamente mundial. A de 1857, que começou com um colapso bancário em Nova York, era provavelmente a primeira crise mundial do tipo moderno.

(Isso talvez não fosse acidental: Karl Marx observara que as comunicações haviam trazido as duas maiores fontes de distúrbios comerciais, Índia e América, para bem mais perto da Europa.) Dos Estados Unidos a crise passou para a Inglaterra, depois para a Alemanha do norte, para a Escandinávia e de novo para Hamburgo, deixando uma trilha de bancarrotas e desemprego enquanto atravessava oceanos em direção à América do Sul. A Depressão de 1873, que começou em Viena, espalhou-se na direção oposta com muito maior amplitude. Seus efeitos no longo prazo viriam a ser, como veremos, muito mais profundos — como era de esperar. Em segundo lugar, pelo menos nos países em via de industrialização, as antigas flutuações agrárias tinham perdido bastante do seu efeito, tanto pelo transporte em massa de alimentos, que diminuía as carências locais e tendia a igualar os preços, quanto porque os efeitos sociais de tais carências estavam agora contornados pela oferta suficiente de empregos gerados pelo setor industrial da economia. Uma série de más colheitas ainda poderia afetar a agricultura, mas não necessariamente o resto do país. Além disso, com a economia mundial estreitando seu cerco, mesmo os azares da agricultura dependiam muito menos das flutuações da natureza que dos preços do mercado mundial — como as grandes depressões agrárias das décadas de 1870 e 1880 viriam a demonstrar.

Todas essas manifestações afetavam apenas aquele setor do mundo que já estava mergulhado na economia internacional. Como vastas áreas e populações — virtualmente toda a Ásia e África, a maior parte da América Latina e mesmo partes substanciais da Europa — ainda existiam fora de qualquer economia que não fosse a da pura troca local e longe de portos, estradas de ferro e telégrafo, não devemos exagerar a unificação do mundo completada no período de 1848 a 1875. Afinal, como escreveu um eminente cronista da época, "a *economia mundial* está apenas nos seus primórdios"; mas como ele também acrescentou com toda correção, "mesmo esses primórdios nos permitem imaginar sua futura importância, visto que esse estágio atual representa uma transformação genuinamente espantosa da produtividade da humanidade".[14]

Se fôssemos considerar, por exemplo, apenas uma região tão próxima da Europa quanto a costa sul do Mediterrâneo ou o norte da África em 1870, tudo o que dissemos só poderia aplicar-se ao Egito e às modestas porções da Argélia colonizada pelos franceses. O Marrocos só veio a conceder a estrangeiros a liberdade de comerciar pelo seu território em 1862; a Tunísia nem sequer pensava na ideia, quase tão desastrosa quanto no Egito, de acelerar seu lento progresso por meio de empréstimos antes de 1865. Foi por essa época que um produto do crescimento do comércio mundial, o chá, foi encontrado ao sul da cordilheira do Atlas em Ouargla, Timbuctu e Tafilet, apesar de ser ainda um artigo de alto luxo: trinta gramas custavam o equivalente ao salário mensal de um soldado marroquino. Até a segunda metade do século, não se viu o crescimento característico da população do mundo moderno ocorrendo nos países islâmicos, enquanto, ao contrário, nos países saarianos, assim como na Espanha, a combinação tradicional de fome e epidemias de 1867 a 1869 (que devastou a Índia no mesmo período) foi de importância econômica, social e política maior que qualquer manifestação associada com a ascensão do capitalismo mundial, embora talvez — como na Argélia — tenha sido intensificada por ele.

4. CONFLITOS E GUERRA

"E a história inglesa assim fala alto para reis:
Se caminhardes à frente das ideias de vosso século, essas ideias vos acompanharão e sustentarão.
Se caminhardes atrás delas, elas vos arrastarão.
Se caminhardes contra elas, elas vos derrubarão."

Napoleão III[1]

"A velocidade com a qual o instinto militar se desenvolveu nesta nação de proprietários de navios, mercadores e comerciantes (...) é bem conhecida. [O Baltimore Gun Club] tinha apenas um interesse: a destruição da humanidade por motivos filantrópicos e o desenvolvimento dos armamentos, que eles encaravam como instrumentos de civilização."

Júlio Verne, 1865[2]

1.

Para o historiador, a grande expansão da década de 1850 marca a fundação de uma economia industrial global e de uma História Mundial única. Para os dirigentes de meados do século XIX na Europa, como vimos, ela proporcionou um período de fôlego durante o qual os problemas (que nem as revoluções de 1848, nem a sua supressão resolveram) chegaram a ser esquecidos ou mesmo mitigados pela prosperidade e administração sadia. De fato, os problemas sociais pareciam agora mais contornáveis em virtude da grande expansão, da adoção de políticas e instituições adequadas ao desenvolvimento capitalista irrestrito e da abertura de válvulas de escape — pleno emprego e migração — suficientemente amplas para reduzir as pressões da massa descontente. Mas os problemas políticos permaneceram e, no final da década de 1850, estava claro que não poderiam ser evitados por muito mais tempo. Esses problemas eram, para cada governo, essencialmente questões de política doméstica, mas, devido à natureza peculiar dos sistemas de Estado europeus a leste da linha da Holanda à Suíça, as questões domésticas e internacionais apresentavam-se inextricavelmente interligadas. Liberalismo e democracia radical, ou pelo menos a demanda por direitos e representação, não podiam ser separados, na Alemanha ou Itália, no Império dos Habsburgos ou mesmo no Império Otomano e nas fronteiras do Império Russo, das exigências de autonomia nacional, independência ou unificação. E isso poderia (como efetivamente viria a ocorrer nos casos da Alemanha, Itália ou do Império dos Habsburgos) produzir conflitos internacionais.

Afinal, bem longe dos interesses de outras potências em qualquer modificação substancial nas fronteiras do continente, a unificação da Itália implicava a expulsão do Império dos Habsburgos, ao qual a maior parte do norte da Itália pertencia. A unificação da Alemanha levantava três questões: que a Alemanha exatamente deveria ser unificada,* como se jamais as duas maiores potências que eram membros da Confederação Germânica, a Prússia e a Áustria, devessem integrá-la, e o que aconteceria com os numerosos outros principados, que iam de médios reinos a pequenos territórios de ópera-bufa. E ambas, como vimos, implicavam

* A Confederação Germânica incluía a menor parte do Império dos Habsburgos, a maior parte da Prússia e Holstein-Lauenburg, que também pertencia à Dinamarca e Luxemburgo e que também tinha raízes não germânicas. Não incluía o então Schleswig dinamarquês. Por outro lado, a união alfandegária alemã (Zollverein), originalmente formada em 1834, por volta de meados da década de 1850, incluía toda a Prússia, mas nenhuma parte da Áustria. Também deixava de fora Hamburgo, Bremen e grande parte da Alemanha do norte (Mecklenburg e Holstein-Lauenburg, assim como o Schleswig). As complicações de tal situação podem ser imaginadas.

diretamente a natureza e as fronteiras do Império dos Habsburgos. Na prática, ambas as unificações implicavam, enfim, guerras.

Felizmente para os dirigentes europeus, essa mistura de problemas domésticos e internacionais tinha cessado de ser explosiva; ou melhor, a derrota da revolução, seguida pela grande expansão, havia-lhes tirado a força. Em termos gerais, a partir da década de 1850 esses governos encontraram-se novamente diante da agitação política doméstica, provocada por uma classe média liberal e alguns democratas radicais, e eventualmente mesmo por alguma força recém-emergente do movimento operário. Alguns deles — especialmente quando, como a Rússia na Guerra da Crimeia (1854-1856) e o Império dos Habsburgos na Guerra Italiana de 1859 e 1860, vieram a ser derrotados — eram agora mais vulneráveis do que antes para fazer face ao descontentamento interno. Entretanto, essas novas agitações não eram revolucionárias, exceto em um ou dois lugares onde puderam ser isoladas ou contidas. O episódio característico desses anos foi a confrontação entre um Parlamento prussiano fortemente liberal, eleito em 1861, e o rei da Prússia com sua aristocracia, que não tinham a mais remota intenção de abdicar de seus propósitos. O governo da Prússia, sabendo perfeitamente que a ameaça liberal era apenas retórica, provocou uma confrontação e simplesmente chamou o mais implacável conservador disponível — Otto von Bismarck — para o cargo de primeiro-ministro, para governar desafiando a recusa do Parlamento em votar taxas. Ele o fez sem dificuldades.

No entanto, a coisa mais significativa ocorrida na década de 1860 foi que não apenas os governos mantinham quase sempre a iniciativa e quase nunca perdiam (senão momentaneamente) o controle de uma situação que podiam sempre manipular, mas também que podiam sempre atender às reivindicações de suas oposições populares em todos os acontecimentos a oeste da Rússia. Essa foi uma década de reformas, liberalização política e até mesmo de algumas concessões ao que era chamado "as forças da democracia". Na Inglaterra, na Escandinávia e nos Países Baixos, onde havia constituições parlamentares, o eleitorado estava ampliado, para não mencionar uma safra de reformas a elas associadas. O British Reform Act de 1867 fazia acreditar que havia colocado o poder eleitoral nas mãos dos eleitores da classe operária. Na França, onde o governo de Napoleão III tinha visivelmente perdido seu voto urbano em 1863 — conseguiu eleger apenas um dos 15 deputados de Paris —, mais e mais tentativas eram feitas para "liberalizar" o sistema imperial. Mas essa mudança de temperamento é ainda mais espantosa nas monarquias não parlamentares.

A monarquia dos Habsburgos, depois de 1860, simplesmente desistiu de tentar governar como se seus governados não tivessem opiniões políticas. Daí em diante, concentrou seus esforços em operar uma coalizão de forças entre suas numerosas e díspares nacionalidades que fosse bastante forte para manter o resto politicamente imóvel, apesar de todas agora receberem certas concessões educacionais e linguísticas (veja adiante no Capítulo 5). Até 1879 foi-lhe fácil encontrar sua base mais conveniente entre os liberais da classe média de sua fatia da população de língua alemã. Mas a monarquia não foi capaz de manter um controle eficiente sobre os húngaros, que conseguiram algo não muito distante de uma independência, o "Compromisso" de 1867, que transformou o Império na Monarquia Dual Austro-Húngara. Mas ainda mais surpreendente foi o que aconteceu na Alemanha. Em 1862, Bismarck tornou-se primeiro-ministro da Prússia, em um programa de manutenção da tradicional monarquia prussiana e sua aristocracia contra o liberalismo, a democracia e o nacionalismo germânico. Em 1871, o mesmo chefe de Estado aparecia como chanceler do Império Germânico unido por suas próprias forças, com um Parlamento (confessadamente de pouca importância) eleito por voto masculino universal e repousando no entusiástico apoio dos liberais (moderados) alemães. Bismarck não era de forma alguma um liberal e estava longe de ser um nacionalista alemão, no sentido político (veja adiante no Capítulo 5). Era apenas suficientemente inteligente para perceber que o mundo dos *junkers* prussianos já não poderia ser preservado apenas com a manutenção do conflito contra o liberalismo e o nacionalismo, mas precisava trazê-los a ambos para o seu próprio lado. Isto implicava repetir o que o líder conservador inglês Benjamin Disraeli (1804-1881), ao introduzir o Reform Act de 1867, descrevia como "surpreender os *whigs* no banho e fugir com suas roupas".

A política dos dirigentes da década de 1860 estava, portanto, determinada por três considerações. Primeiro, eles se encontravam numa situação de mudança política e econômica que não podiam controlar, mas à qual precisavam se adaptar. A única escolha — e os chefes de Estado reconheciam-na bem claramente — era seguir na direção do vento ou utilizar seus conhecimentos de navegação para pôr seus navios em outra direção. O vento em si era um fato da natureza. Segundo, eles precisavam determinar que concessões às novas forças poderiam ser feitas sem ameaçar o sistema social — ou, em casos especiais, as estruturas políticas cuja defesa era de responsabilidade desses governantes — e o ponto além do qual eles não podiam mais seguir com segurança. Mas, em terceiro lugar, eles tinham a sorte de poder tomar ambas as decisões em circunstâncias que lhes permitiam uma considerável iniciativa, campo para manipulação e que os tornavam capazes, em alguns casos, até de agir com virtual liberdade para controlar o curso dos acontecimentos.

Os chefes de Estado que figuram com maior proeminência nas histórias tradicionais da Europa desse período, por conseguinte, são os que de forma mais sistemática combinavam controle político com diplomacia e controle da máquina do governo, como Bismarck na Prússia, o conde Camillo Cavour (1810-1861) no Piemonte e Napoleão III, ou os mais capazes de manejar o difícil processo de abertura controlada de um sistema de dominação de classe alta, como, por exemplo, o liberal W. E. Gladstone (1809-1898) e o conservador Disraeli na Inglaterra. E os mais bem-sucedidos foram os que souberam tirar proveito das novas e antigas forças políticas não oficiais, quer aprovassem ou não a política desses governantes. Napoleão III caiu em 1870 porque não conseguiu fazê-lo. Mas dois homens mostraram-se incomumente eficientes nessa difícil operação: o moderado liberal Cavour e o conservador Bismarck.

Ambos eram políticos extraordinariamente lúcidos, fato refletido na despretensiosa clareza do estilo de Cavour e no impressionante domínio da prosa germânica por Bismarck, personalidade extremamente grandiosa e complexa. Ambos eram profundamente antirrevolucionários e sem nenhuma simpatia pelas forças políticas, cujos programas, entretanto, eles seguiram e cumpriram na Itália e na Alemanha, exceto em suas implicações democráticas e revolucionárias. Ambos tiveram o cuidado de separar unidade nacional e influência popular: Cavour, pela insistência em transformar o novo reino italiano num prolongamento do Piemonte, a ponto de recusar renumerar o título do rei Vitório Emanuel II (da Savoia) para Vitório Emanuel I (da Itália); Bismarck, pela construção do novo Império Germânico através da supremacia da Prússia. Ambos eram suficientemente flexíveis para integrar a oposição em seus respectivos sistemas, garantindo, porém, a impossibilidade de que essas oposições viessem a ganhar controle.

Ambos enfrentaram problemas imensamente complexos de tática internacional e (no caso de Cavour) de política nacional. Bismarck, que não precisava de ajuda externa e não se preocupava com a oposição interna, só podia considerar uma Alemanha unificada que não fosse nem tão democrática nem tão grande que não pudesse ser dominada pela Prússia. Isso implicava a exclusão da Áustria, que ele obteve por meio de duas rápidas guerras brilhantemente conduzidas em 1864 e 1866, e a paralisia da Áustria como força política alemã, que ele conseguiu fomentando e alimentando a autonomia da Hungria dentro do Império dos Habsburgos (1867) e simultaneamente a preservação da Áustria, à qual dali em diante ele dedicaria alguns belos presentes diplomáticos.* Isso também implicava tornar a supremacia da Prússia mais digerível que a austríaca para os Estados menos germânicos e mais antiprussianos, o que Bismarck conseguiu com uma guerra igualmente brilhante provocada e dirigida contra a França, em 1870 e 1871. Cavour, por seu turno, precisava mobilizar um aliado (a França) para expulsar a Áustria da Itália, mas terminou por ser imobilizado por essa iniciativa quando o processo de unificação foi muito além do que Napoleão III esperava. Mais grave, Cavour encontrou-se diante de uma Itália dividida, parcialmente unificada acima pelo controle do Estado e abaixo pela guerra revolucionária, conduzida pelas forças da oposição democrática republicana, lideradas militarmente por aquele Fidel Castro frustrado da metade do século XIX, o chefe guerrilheiro de camisa vermelha Giuseppe Garibaldi (1807-1882). Pensamento rápido, conversação veloz e brilhantes manobras foram necessários para persuadir Garibaldi a entregar o poder ao rei, o que ele veio a fazer em 1860.

As operações desses chefes de Estado ainda inspiram admiração por seu grande brilhantismo técnico. Entretanto, o que os fazia tão surpreendentes era não apenas o talento pessoal, mas a amplitude inusitada de ação de que dispunham, graças à falta de um sério perigo revolucionário e à rivalidade internacional incontrolável. As ações de movimentos não oficiais ou

* Isso porque, se a monarquia dos Habsburgos ruísse com todas as suas nacionalidades, seria impossível evitar que os austríacos alemães viessem a se unir com a Alemanha, abalando, portanto, a supremacia da Prússia, tão cuidadosamente construída. Foi, de fato, o que aconteceu depois de 1918, e um dos resultados mais duradouros da "grande Alemanha" de Hitler (1938-1945) foi o total desaparecimento da Prússia. Hoje, nem sequer seu nome sobreviveu, exceto nos livros de história.

populares, demasiado fracos para conseguir alguma coisa por si próprios, ou fracassaram ou ficaram subordinadas a mudanças decididas de cima. Os liberais alemães, os radicais democratas e os revolucionários sociais contribuíram pouco, exceto para aplaudir ou condenar o processo de unificação germânica. A esquerda italiana, como já vimos, teve um papel maior. A expedição siciliana de Garibaldi, que rapidamente conquistou o sul da Itália, perturbou Cavour, mas, embra fosse uma conquista significativa, teria sido impossível não fosse a situação criada por Cavour e Napoleão. Em nenhum momento a esquerda italiana logrou concretizar a república democrática italiana, que era vista como o complemento essencial à unidade. A pequena nobreza húngara moderada conseguiu autonomia para seu país sob a proteção de Bismarck, mas os radicais ficaram desapontados. Kossuth continuou a viver no exílio e no exílio morreu. As rebeliões dos povos balcânicos na década de 1870 resultaram numa espécie de independência para a Bulgária (1878), mas apenas na medida em que isso interessava às grandes potências: os bosnianos, que começaram suas insurreições em 1875 e 1876, apenas trocaram a dominação turca por uma administração provavelmente superior dos Habsburgos. Por outro lado, como veremos, as revoluções independentes terminaram mal (veja adiante no Capítulo 9). Mesmo a revolução espanhola de 1868, que em 1873 chegou a produzir uma fugaz república radical, terminou com um rápido retorno à monarquia.

Não diminuímos os méritos dos grandes dirigentes políticos da década de 1860 ao dizer que suas respectivas tarefas foram grandemente facilitadas, porque podiam introduzir mudanças constitucionais de maior magnitude sem drásticas consequências políticas e, mais ainda, porque podiam iniciar e terminar guerras quase que segundo a sua vontade. Nesse período, tanto a ordem doméstica quanto a ordem internacional podiam ser consideravelmente modificadas com um risco político comparativamente pequeno.

2.

Eis por que os trinta anos que se sucederam a 1848 foram um período de mudanças mais espetaculares no âmbito das relações internacionais do que no das relações domésticas. Na era das revoluções, ou melhor, depois da derrota de Napoleão (veja *A era das revoluções,* Capítulo 5), os governos das grandes potências tiveram o maior cuidado em evitar conflitos de maior importância entre si, pois a experiência havia mostrado que as grandes guerras e as revoluções caminham juntas. Agora que as revoluções de 1848 tinham vindo e partido, esse motivo de constrangimento diplomático ficara mais fraco. A geração posterior a 1848 foi uma era de guerras e não de revoluções. Algumas delas foram, de fato, o produto de tensões internas ou de fenômenos revolucionários ou quase revolucionários. Estes — as grandes guerras civis da China (1851-1864) e dos Estados Unidos (1861-1865) — não fazem parte exatamente da presente discussão, salvo no que diz respeito aos aspectos técnicos e diplomáticos das guerras desse período. Vamos considerá-las separadamente (veja adiante nos Capítulos 7 e 8). Aqui estamos interessados principalmente nas tensões e mudanças internas dentro do sistema de relações internacionais, sem esquecer o curioso intercâmbio entre as políticas internacional e doméstica.

Se interrogássemos um especialista remanescente do sistema internacional pré-1848 sobre problemas de política externa — vamos dizer, o visconde de Palmerston, que foi secretário de Estado britânico bem antes das revoluções e continuou a dirigir os assuntos externos, com algumas interrupções, até sua morte em 1865 —, ele os teria explicado da seguinte forma: as únicas questões internacionais que contavam eram as relações entre as cinco grandes potências europeias, cujos conflitos pudessem resultar em guerras de maior importância, ou seja, Inglaterra, Rússia,

França, Áustria e Prússia (veja *A era das revoluções,* Capítulo 5). O único Estado além desses com suficiente ambição e poder para ser levado em conta, os Estados Unidos, era desprezível, pois confinava seus interesses a outros continentes e nenhuma potência europeia tinha ambições ativas nas Américas que não fossem econômicas — e estas eram do interesse de empresários privados, não de governos. De fato, em 1867 a Rússia vendeu o Alasca aos Estados Unidos por meros 7 milhões de dólares mais o suborno de alguns congressistas americanos para convencer o Congresso a aceitar o que era universalmente considerado uma coleção de rochas, geleiras e tundra ártica. As potências europeias, ou melhor, as que contavam — a Inglaterra, por sua riqueza e marinha; a Rússia, por sua extensão e seu exército; e a França, por seu tamanho, exército e reconhecida e respeitada história militar —, tinham ambições e razões para desconfiança mútua, mas não além da linha do compromisso diplomático. Por mais de trinta anos depois da derrota de Napoleão em 1815, nenhuma das grandes potências havia usado armas entre si, limitando suas operações militares à supressão da subversão doméstica ou internacional e a vários conflitos locais, assim como para a expansão pelo mundo atrasado.

Havia, entretanto, uma fonte de atrito bastante constante, surgida sobretudo da combinação entre uma lenta desintegração do Império Otomano, do qual vários elementos não turcos estavam aptos a se libertar, e das ambições conflitantes da Rússia e da Inglaterra no Mediterrâneo oriental, o atual Oriente Médio e a área entre a fronteira leste da Rússia e a fronteira oeste do Império Britânico da Índia. Apesar de os ministros das Relações Exteriores dos países decisivos não estarem preocupados com nenhum perigo grave de quebra do sistema internacional em virtude de revoluções, preocupava-os constantemente aquilo que era chamado de a "Questão Oriental". Mesmo assim, ainda não se havia perdido o controle. As revoluções de 1848 provaram-no, pois ainda que três entre as cinco grandes potências tivessem sido convulsionadas por elas, o sistema internacional emergiu praticamente ileso como tal. Aliás, com a exceção parcial da França, o mesmo ocorreu com os sistemas políticos internos de todos.

As décadas subsequentes viriam a ser bastante diferentes. Em primeiro lugar, o poder considerado (pelo menos pelos britânicos) potencialmente como o mais instável, a França, ressurgiu da revolução como um império populista sob outro Napoleão, e, o que era mais estranho, o medo de um retorno ao jacobinismo de 1793 não o limitava. Napoleão, apesar de divulgar ocasionalmente que "império significa paz", especializou-se em intervenções internacionais: expedições militares à Síria (1860), em conjunto com a Inglaterra, à China (1860), a conquista da parte sul da Indochina (1858-1865) e mesmo — enquanto os Estados Unidos estavam ocupados noutras coisas — uma aventura no México (1861-1867), onde o satélite francês que foi o imperador Maximiliano (1864-1867) não sobreviveu por muito mais tempo ao fim da Guerra Civil Americana. Não havia nada particularmente francês nesses exercícios de banditismo, exceto talvez o reconhecimento por parte de Napoleão do valor eleitoral da glória imperial. A França era apenas suficientemente forte para tomar parte nessa *vitimização geral* do mundo não europeu, enquanto a Espanha, por exemplo, não o era mais, apesar de suas grandiosas ambições de recuperar parte de sua influência imperial perdida na América Latina durante a Guerra Civil Americana. Enquanto as ambições francesas estivessem situadas no além-mar, não afetariam particularmente o sistema de poder europeu; mas quando se voltavam para os lugares onde as potências europeias estavam exercitando sua rivalidade, elas vinham perturbar o que já era um equilíbrio bastante delicado.

O primeiro dos mais importantes resultados dessa perturbação foi a Guerra da Crimeia (1854-1856), o acontecimento mais próximo de uma guerra geral europeia entre 1815 e 1914. Não havia nada de novo ou inesperado na situação, que se transformou numa grande carnificina internacional e notoriamente incompetente, entre a Rússia de um lado, a Inglaterra, a França e a Turquia do outro, e na qual se estima que mais de 600 mil pessoas tenham perecido, 500 mil delas por doença: 22% das tropas inglesas, 30% das francesas e cerca de metade das russas. Nem antes nem depois disso se pode dizer que a política russa de dividir a Turquia ou de transformá-la num satélite (neste caso prevalece a primeira hipótese) tenha procurado, exigido ou levado a uma guerra entre as potências. Mas antes e durante a fase seguinte da desintegração turca, na década de 1870, o conflito entre potências deu-se essencialmente como um jogo entre dois poderosos e velhos contendores, Inglaterra e Rússia, pois os outros não desejavam ou não podiam intervir de outra forma que não fosse simbólica. Mas na década de 1850 havia outro contendor, a França, cujos estilos e estratégia eram, acima de tudo, imprevisíveis. Há pouca dúvida de que alguém quisesse realmente tal guerra, que foi liquidada sem ter resultado em nenhuma modificação substancial na "Questão Oriental", assim que as potências puderam desvencilhar-se dela. O que ocorreu foi que o mecanismo de diplomacia da "Questão Oriental", criado para pequenas confrontações, ruiu temporariamente — e ao custo de algumas centenas de milhares de vidas.

Os resultados diplomáticos diretos da guerra foram temporários ou insignificantes, embora a Romênia (formada pela união de dois principados do Danúbio e nominalmente sob suserania turca até 1878) se tenha tornado de fato independente. Os resultados políticos de longo alcance foram mais sérios. Na Rússia, a rígida crosta da autocracia czarista de Nicolau I (1825-1855), já sob pressão crescente, fendeu-se. Uma era de crise, reformas e mudanças começara ali, culminando na emancipação dos servos (1861) e na emergência de um movimento revolucionário russo no final da década de 1860. O mapa político do resto da Europa viria em breve a ser transformado, processo esse facilitado, se não possibilitado, pelas alterações do sistema de poder internacional precipitadas pelo episódio da Crimeia. Como já assinalamos, um reino unido da Itália surgiu entre 1858 e 1870 e uma Alemanha unida, entre 1862 e 1871, incidentalmente levando à queda do Segundo Império de Napoleão na França e da Comuna de Paris (1870-1871). A Áustria foi excluída da Alemanha e profundamente reestruturada. Em resumo, com exceção da Inglaterra, todas as "potências" europeias foram substancialmente — em muitos casos até territorialmente — modificadas entre 1856 e 1871, e um novo grande Estado, como logo se viria a reconhecer, foi fundado: a Itália.

Muitas dessas alterações derivavam direta ou indiretamente das unificações políticas da Alemanha e da Itália. Fosse qual fosse o ímpeto original desses movimentos pela unificação, o processo viria a ser levado a cabo por governos constituídos, em outras palavras, pela força militar. Como na famosa frase de Bismarck, a questão da unificação tinha sido solucionada "a sangue e ferro". Em 12 anos, a Europa passou por quatro guerras importantes: a França, a Savoia e os italianos contra a Áustria (1858-1859); a Prússia e a Áustria contra a Dinamarca (1864); a Prússia e a Itália contra a Áustria (1866); a Prússia e os Estados germânicos contra a França (1871). Todas foram relativamente breves e, pelos padrões das grandes carnificinas na Crimeia e nos Estados Unidos, nenhuma excepcionalmente custosa, apesar de cerca de 160 mil terem perecido na Guerra Franco-Prussiana, a maior parte do lado francês. Mas todas ajudaram a fazer do período da história europeia de que trata este volume um interlúdio de guerras, naquele que de outra forma seria um século incomumente pacífico, entre 1815 e 1914. Mesmo assim, apesar de a guerra ter sido bastante comum nesse mundo entre 1848 e 1871, o medo de uma guerra *geral,* medo que o século XX viveu praticamente sem interrupção desde a primeira década do século, ainda não assustava os cidadãos do mundo burguês. Isso só começou a ocorrer, lentamente, depois de 1871. As guerras entre Estados ainda podiam ser deliberadamente iniciadas e terminadas por governos, situação brilhantemente explorada por Bismarck. Apenas sobre as guerras civis e sobre relativamente poucos conflitos que degeneraram em guerras genuínas entre povos não se tinha esse controle, como a guerra entre o Paraguai e seus vizinhos (1864-1870), transformada num desses episódios de carnificina e destruição incontroláveis com os quais o nosso próprio século está tão familiarizado. Ninguém sabe ao certo a extensão das perdas nas guerras de Taiping, mas tem-se dito que algumas províncias chinesas até hoje não conseguiram recuperar sua população de antes dos conflitos. A Guerra Civil Americana matou mais de 630 mil soldados, e o total de mortos, feridos e desaparecidos ficou entre 33% e 40% do conjunto de forças unionistas e confederadas. A Guerra do Paraguai matou 330 mil (na medida em que as estatísticas latino-americanas possam ter algum significado), reduzindo a população de sua vítima principal para cerca de 200 mil, dos quais 30 mil eram homens. Onde quer que se observe, a década de 1860 foi uma década de sangue.

O que fez que este período da História fosse tão sangrento? Em primeiro lugar, o próprio processo de expansão capitalista global que multiplicava as tensões no mundo não europeu, as ambições do mundo industrial e os conflitos diretos e indiretos dele surgidos. Assim foi a Guerra Civil Americana, sejam quais forem suas origens políticas, quando o Norte industrializado venceu o Sul agrário, ou, como se poderia dizer, a passagem do Sul americano, do império informal da Inglaterra (da qual a indústria do algodão era o complemento econômico) para a nova e importante economia industrial dos Estados Unidos. Pode-se considerar essa transferência como um passo precoce mas gigantesco no caminho que, no século XX, levaria a totalidade das Américas a passar da dependência econômica britânica para a dependência econômica americana. A Guerra do Paraguai pode ser vista como parte da integração da bacia do Prata na economia mundial da Inglaterra: Argentina, Uruguai e Brasil, com suas faces e economias voltadas para o Atlântico, forçaram o Paraguai a perder a autossuficiência, conseguida na única área na América Latina onde os indígenas resistiram ao estabelecimento de brancos de forma eficaz, graças talvez à original dominação jesuítica (veja adiante no Capítulo 7).* A rebelião de Taiping e sua supressão são inseparáveis da rápida penetração de armas e capital ocidental no Império Celeste, desde a primeira Guerra do Ópio (1839-1842) (veja adiante no Capítulo 7).

Em segundo lugar, como já vimos — especialmente na Europa —, isso se deveu à reversão da guerra como instrumento normal de política de governos que não mais acreditavam que as guerras deviam ser evitadas por medo de subsequentes revoluções, e que estavam também corretamente convencidos de que os mecanismos de poder eram capazes de mantê-las nos limites desejados. A rivalidade econômica dificilmente levava a algo além de atritos locais numa era de expansão em que parecia haver lugar para todos. Mais ainda, nessa era clássica de liberalismo econômico, a competição comercial estava mais próxima da independência em relação a qualquer apoio governamental do que jamais esteve antes ou depois. Ninguém nesse período — nem mesmo Marx, contrariamente a uma suposição corrente — entendeu as guerras europeias como basicamente econômicas na sua origem.

Em terceiro lugar, essas guerras podiam agora ser promovidas com a nova tecnologia do capitalismo, pois essa, por meio da câmera e do telégrafo, também havia transformado a cobertura das guerras na imprensa, trazendo sua realidade mais vividamente até o público alfabetizado; mas, excetuada a fundação da Cruz Vermelha Internacional em 1860, reconhecida pela Convenção de Genebra de 1864, isso resultou em pouca

---

* O restante dos indígenas que resistiram à conquista branca foi empurrado para a fronteira dessa conquista. Apenas no norte da bacia do Prata os povoados indígenas permaneceram sólidos, e o guarani, em vez do português ou do espanhol, permaneceu como o idioma de fato para a comunicação entre nativos e colonos.

coisa. O século XX não viria a produzir melhores controles sobre suas horríveis matanças. As guerras asiáticas e latino-americanas permaneceram substancialmente pré-tecnológicas, exceção feita às pequenas incursões de forças europeias. A Guerra da Crimeia, com sua incompetência característica, não soube usar adequadamente a tecnologia já existente. Mas as guerras da década de 1860 já empregariam a estrada de ferro para mobilização e transporte adequados, tinham o telégrafo disponível para comunicações rápidas, desenvolveram os navios de guerra blindados e seus complementos, a artilharia pesada, as armas de guerra produzidas em massa, incluindo a metralhadora Gatling (1861), assim como os modernos explosivos (a dinamite foi inventada em 1866), com consequências significativas para o desenvolvimento das economias industriais. Portanto, elas estavam mais próximas das guerras modernas do que qualquer coisa que as tenha precedido. A Guerra Civil Americana mobilizou 2,5 milhões de homens de uma população de, digamos, 33 milhões. O restante das guerras do mundo industrial permaneceu como conflitos de pequenas proporções, pois mesmo o 1,7 milhão mobilizado em 1870 e 1871 na Guerra Franco-Prussiana, representou menos de 2,5% dos 77 (ou mais) milhões de habitantes dos dois países, ou seja, 8% dos 22 milhões capazes de empunhar armas. Ainda é importante notar que, de meados da década de 1860 em diante, as gigantescas batalhas envolvendo mais de 300 mil homens deixaram de ser incomuns (Sadowa em 1866, Gravelotte e Sedan em 1870). Apenas uma batalha desse tipo ocorreu durante todo o período das guerras napoleônicas (Leipzig, em 1813). Mesmo a batalha de Solferino, na Guerra Italiana de 1859, foi maior que qualquer das batalhas napoleônicas (com exceção de uma).

Já observamos os subprodutos domésticos dessas iniciativas e guerras entre governos. Mas no longo prazo suas consequências internacionais ainda viriam a ser mais drásticas. Afinal, no período que estudamos, o sistema internacional foi fundamentalmente alterado — muito mais profundamente do que os observadores da época chegaram a reconhecer. Apenas um aspecto disso permaneceu inalterado — a extraordinária superioridade do mundo desenvolvido sobre o subdesenvolvido, que era sublinhada (veja adiante no Capítulo 8) pela carreira do único país não branco que nesse período conseguiu imitar o Ocidente, ou seja, o Japão. A tecnologia moderna colocava qualquer governo que dela não dispusesse à mercê de qualquer outro que a possuísse.

Por outro lado, as relações entre as potências foram transformadas. Durante meio século depois da derrota de Napoleão I, apenas um país era essencialmente industrial e capitalista, dispondo de uma genuína política global, isto é, uma marinha global: a Inglaterra. Na Europa, havia dois países com exércitos potencialmente decisivos, apesar de que sua força era essencialmente não capitalista: a Rússia, com sua vasta e fisicamente vigorosa população, e a França, com a possibilidade e a tradição de mobilização revolucionária em massa. A Áustria e a Prússia não eram de importância político-militar comparável. Nas Américas havia apenas um poder sem rival, os Estados Unidos, que, como já vimos, não se aventurava na área da real rivalidade entre potências. (Essa área não incluía, antes da década de 1850, o Extremo Oriente.) Mas entre 1848 e 1871, ou mais precisamente durante a década de 1860, três fatos ocorreram. Primeiro, a expansão da industrialização produziu outras potências essencialmente industriais e capitalistas além da Inglaterra: os Estados Unidos, a Prússia (Alemanha) e, muito antes disso, a França, tendo o Japão se somado mais tarde. Segundo, o progresso da industrialização fez com que, de forma crescente, a riqueza e a capacidade viessem a ser os fatores decisivos no poderio internacional, diminuindo, assim, a posição relativa da Rússia e da França e aumentando a da Prússia (Alemanha). Terceiro, a emergência como potências independentes de dois Estados extraeuropeus, os Estados Unidos (unidos sob o norte na Guerra Civil) e o Japão (sistematicamente embarcando na "modernização" da Restauração Meiji de 1868), criava pela primeira vez a possibilidade de um conflito global entre potências. A tendência crescente de homens de negócios e governos europeus de expandirem suas atividades até o além-mar e de envolverem-se facilmente com outros poderes, em áreas como o Extremo Oriente e o Oriente Médio (Egito), reforçava essa possibilidade.

Fora da Europa, essas mudanças na estrutura de poder não produziam ainda grandes consequências. Mas dentro da Europa elas se fizeram imediatamente sentir. A Rússia, como a Guerra da Crimeia mostrara, tinha cessado de ser potencialmente decisiva no continente europeu. O mesmo valia para a França, o que havia sido demonstrado pela Guerra Franco-Prussiana. Por outro lado, a Alemanha, um novo poder que combinava uma impressionante força industrial e tecnológica com uma população substancialmente maior que a de qualquer outro Estado europeu, exceto a da Rússia, tornou-se a nova força decisiva nessa parte do mundo, e assim permaneceria até 1945. A Áustria, na nova versão de uma Monarquia Dual Austro-Húngara (1867), permaneceu aquilo que fora durante tanto tempo, uma "grande potência" apenas no tamanho e na conveniência internacional, apesar de mais forte que a recém-unificada Itália, cuja grande população e ambições diplomáticas davam também direito a exigir que fosse tratada como participante no jogo do poder.

Assim, a estrutura formal internacional passou a divergir da estrutura real. A política internacional tornou-se política mundial, na qual pelo menos duas potências não europeias intervieram de fato, embora isso não fosse evidente até o século XX. Mais ainda, esses países tornaram-se uma espécie de oligopólio de potências capitalistas industriais, exercendo um monopólio sobre o mundo, mas competindo entre si, embora isso não fosse evidente até a era do "imperialismo", depois do fim de nosso período. Por volta de 1875, tudo isso era dificilmente discernível. Mas as bases da nova estrutura de poder foram estabelecidas na década de

1860, incluindo o medo de uma guerra geral europeia, que começava a preocupar os observadores da cena internacional na década de 1870. De fato, tal guerra não aconteceria nos quarenta anos seguintes, um período mais longo do que o que o século XX jamais conseguiu. Nossa própria geração, que pode olhar para trás no momento em que escrevemos e ver quase trinta anos sem guerras entre as grandes ou mesmo médias potências,* sabe melhor do que ninguém que a ausência de guerra pode ser muito bem combinada com o seu temor permanente. Apesar dos conflitos, a era do triunfo liberal tinha sido estável. Não mais o seria depois de 1875.

* Com exceção do conflito entre os Estados Unidos e a China na Coreia de 1950 a 1953, em um tempo em que a China ainda não era considerada uma potência de maior envergadura.

5. A CONSTRUÇÃO DAS NAÇÕES

"Mas o que (...) é uma nação? Por que a Holanda é uma nação, enquanto Hannover e o Grão-Ducado de Parma não o são?"

Ernest Renan, 1882[1]

"O que é nacional? Quando ninguém entende uma palavra da língua que você fala."

Johann Nestroy, 1862[2]

"Se um grande povo não acredita que a verdade se encontra nele mesmo (...) se não acredita que ele sozinho está apto e destinado a levantar-se e salvar todo o resto pela sua verdade, transforma-se de uma vez em material etnográfico, e não mais em um grande povo (...). Uma nação que perde essa fé deixa de ser uma nação."

F. Dostoievski, 1871-1872[3]

"*NATIONS. Réunir ici tous les peuples(?)*"

Gustave Flaubert, *c.* 1852[4]

1.

Se as políticas doméstica e internacional estavam intimamente ligadas entre si nesse período, o laço que as unia mais obviamente era o que chamamos de "nacionalismo" — mas que em meados do século XIX ainda conheciam como "o princípio de nacionalidade". Em torno de que girava a política internacional entre os anos de 1848 e 1870? A historiografia ocidental tradicional tem pouca dúvida a esse respeito: era em torno da criação de uma Europa de Estados-nação. Podia haver considerável dúvida sobre a relação entre essa faceta da era e outras que estavam evidentemente em conexão com ela, tais como o progresso econômico, o liberalismo e talvez até a democracia, mas nenhuma sobre o papel central da nacionalidade.

E, de fato, como poderia haver? Mesmo significando outras coisas, 1848, a "primavera dos povos", foi claramente, e sobretudo em termos internacionais, uma afirmação de nacionalidade, ou melhor, de nacionalidades rivais. Alemães, italianos, húngaros, poloneses, romenos e o resto afirmaram seu direito de serem Estados independentes e unidos, envolvendo todos os membros de suas nações contra governos opressores, como fizeram os tchecos, croatas, dinamarqueses e outros, embora com crescente apreensão quanto às aspirações revolucionárias por parte das nações maiores, que pareciam excessivamente dispostas a sacrificar as suas próprias. A França já era um Estado independente nacional, mas nem por isso menos nacionalista.

As revoluções haviam fracassado, mas a política europeia dos 25 anos seguintes continuaria a ser dominada pelas mesmas aspirações. Como vimos anteriormente, esses objetivos já haviam sido atingidos, de uma forma ou de outra, fosse por meios não revolucionários ou apenas marginalmente revolucionários. A França retornou à caricatura de uma "grande nação" sob a caricatura de um grande Napoleão; a Itália e a Alemanha foram unificadas sob os reinos da Savoia e da Prússia: a Hungria atingiu virtualmente um governo doméstico pelo Compromisso de 1867; a Romênia tornou-se um Estado pela fusão de dois "principados danubianos". Somente a Polônia, que não teve uma adequada participação na Revolução de 1848, não alcançou a independência ou a autonomia através da insurreição de 1863.

No extremo oeste da Europa, como no extremo sudeste, o problema nacional se impôs. Os fenianos na Irlanda levantaram-se sob a forma de uma insurreição radical, apoiados pelos milhões de compatriotas impelidos para os Estados Unidos pela fome e pelo ódio aos ingleses. A crise endêmica do multinacional Império Otomano tomou a forma de revoltas por parte dos diversos povos cristãos que haviam sido dominados por tanto tempo nos Bálcãs. A Grécia e a Sérvia já eram independentes, apesar de serem muito menores do que achavam que deveriam ser. A Romênia conseguiu uma espécie de independência pelo final da década de 1850. As insurreições populares, no início da década de 1870, precipitaram ainda uma outra crise turca nacional e internacional, que viria a fazer da Bulgária um país independente no final da década, acelerando a "balcanização" dos Bálcãs. A chamada "Questão Oriental", aquela permanente preocupação dos ministros das Relações Exteriores, agora seria basicamente uma questão de como redesenhar o mapa da Turquia europeia entre um número incerto de Estados de tamanho duvidoso, que se acreditava representarem "nações", estatuto que reclamavam. E um pouco mais ao norte os problemas internos do Império dos Habsburgos eram de forma cada vez mais patente as questões de suas nacionalidades constituintes, muitas das quais — e potencialmente todas — suscitavam pedidos que iam de uma tênue autonomia cultural à secessão.

Mesmo fora da Europa, a construção de nações era drasticamente visível. O que era a Guerra Civil Americana senão a tentativa de manter a unidade da nação americana em face da destruição? O que era a Restauração Meiji senão o aparecimento de uma nova e orgulhosa "nação" no Japão? Parecia quase impossível negar que o "*nation-making*", como Walter Bagehot (1826-1877) chamou esse processo, estava ocorrendo no mundo inteiro e era uma característica dominante da época.

Tão evidente que a natureza do fenômeno praticamente não foi investigada. "A nação" era dada como coisa óbvia. Como escreveu Bagehot:

"Não podemos imaginar aqueles para os quais isto é uma dificuldade: 'sabemos do que se trata quando vocês não nos perguntam, mas não conseguimos explicá-la ou defini-la rapidamente'",[5] e poucos pensavam que precisavam. Certamente os ingleses sabiam o que era ser inglês, os franceses, alemães ou russos certamente não tinham dúvidas do que fosse sua identidade coletiva. Talvez não, mas na era da construção de nações acreditava-se que isso implicava a lógica necessária assim como a desejada transformação de "nações" em Estados-nação soberanos, com um território coerente, definido pela área ocupada pelos membros da "nação", que por sua vez era definida por sua história, cultura comum, composição étnica e, com crescente importância, a *língua*. Mas não há nada de lógico nessa implicação. Se por um lado é inegável, e tão velho quanto a história, o fato de existirem grupos distintos de homens que se diferenciam de outros grupos por uma variedade de critérios, que esses mesmos critérios fossem aquilo que o século XIX entendia por "nacionalidade" não o é. O fato de estarem organizados em Estados territoriais do tipo do século XIX coincidia menos ainda com o conceito de "nação". Estas eram fenômenos históricos recentes, embora alguns Estados territorialmente mais antigos — Inglaterra, França, Espanha, Portugal e talvez até a Rússia — pudessem ser definidos como "Estados-nação" sem que isso fosse totalmente absurdo. Mesmo como um programa geral, as aspirações de formar Estados-nação a partir de Estados que não fossem nações era um produto da Revolução Francesa. Precisamos, portanto, distinguir bem claramente a formação de nações e "nacionalismos", na medida em que isso ocorreu durante nosso período, da criação de Estados-nação.

O problema era não apenas analítico mas também prático. Pois a Europa, deixando-se de lado o resto do mundo, estava dividida evidentemente em "nações" cujos Estados ou cujas aspirações em fundar Estados não deixavam, certa ou erradamente, nenhuma dúvida, e em "nações" acerca das quais havia uma boa dose de incerteza. O melhor guia para o primeiro tipo era o fato político, a história institucional ou a história cultural dos letrados. A França, a Inglaterra, a Espanha e a Rússia eram inegavelmente "nações", porque possuíam Estados identificados com os franceses, os ingleses etc. A Hungria e a Polônia eram nações porque havia existido um reino húngaro como entidade separada, mesmo quando dentro do Império dos Habsburgos, e um Estado polonês acabou sendo destruído, no final do século XVIII. A Alemanha era uma nação pelo fato de que seus numerosos principados (apesar de nunca se terem unido em um único Estado territorial) constituíram outrora o então chamado "Sacro Império Romano da Nação Germânica" e ainda formavam a Federação Germânica, e também porque todos os alemães instruídos partilhavam a mesma língua escrita e literatura. A Itália, apesar de nunca ter sido uma entidade política enquanto tal, possuía talvez a mais antiga das culturas literárias comum à sua própria elite.* E assim por diante.

O critério "histórico" de nacionalidade implicava portanto a importância decisiva das instituições e da cultura das classes dominantes ou elites de educação elevada, supondo-as identificadas, ou pelo menos não muito obviamente incompatíveis, com as do povo comum. Mas o argumento ideológico para o nacionalismo era bem diferente e muito mais radical, democrático e revolucionário. Apoiava-se no fato de que o que quer que a história ou a cultura pudessem dizer, os irlandeses eram irlandeses e não ingleses, os tchecos eram tchecos e não alemães, os finlandeses não eram russos e nenhum povo deveria ser explorado ou dirigido por outro. Argumentos históricos poderiam ser encontrados ou inventados para explicar essa afirmação — sempre se pode encontrá-los —, mas essencialmente o movimento tcheco não ficou apenas na aspiração de restaurar a Coroa de São Venceslau, assim como o movimento irlandês

* Nenhum inglês, alemão ou francês moderno pode ler as obras do século XIV escritas nos seus países sem estudar antes boa parte de uma língua diferente. Mas todos os italianos hoje podem ler Dante com menos dificuldade que pessoas de língua inglesa moderna em relação a Shakespeare.

não ficou fixado na Revogação da União de 1801. A base desse senso de separatismo não era necessariamente "étnica", no sentido de diferenças rapidamente identificáveis como aparência física ou mesmo de idioma. Durante o nosso período, os movimentos dos irlandeses (muitos dos quais já falavam inglês), dos noruegueses (cuja língua culta não era muito diferente do dinamarquês) ou dos finlandeses (cujos nacionalistas eram bilíngues que falavam sueco e finlandês) não criaram um caso fundamentalmente linguístico para si mesmos. Se chegava a ser cultural, não se tratava da "alta cultura", que muitos desses povos não chegavam a ter em grande quantidade, mas sim da cultura oral — "canções, baladas, épicos etc., os hábitos e formas de vida do *folk*", do povo comum — em outras palavras —, para um entendimento prático do campesinato. O primeiro estágio desse "renascimento nacional" era invariavelmente o de encontrar, recuperar e sentir orgulho dessa herança de folclore (veja *A era das revoluções*, Capítulo 14). Mas isso não era propriamente político. Aqueles que iniciaram esse movimento eram, frequentemente, membros cultos da classe dirigente ou elite estrangeira, como os pastores luteranos alemães ou os senhores com preocupações intelectuais no Báltico, que compilavam o folclore e as antiguidades do campesinato letão ou estoniano. Os irlandeses não eram nacionalistas só porque acreditavam em duendes.

Por que eles eram nacionalistas, e até onde o eram, é o que vamos discutir mais adiante. O ponto significativo aqui é que a típica nação "a-histórica" ou "semi-histórica" era também uma nação pequena, e isto colocava o nacionalismo do século XIX diante de um dilema que raramente tem sido reconhecido. Pois os grandes defensores do "Estado-nação" entendiam-no não apenas como nacional, mas também como "progressista", isto é, capaz de desenvolver uma economia, tecnologia, organização de Estado e força militar viáveis, ou seja, como algo que precisava ser pelo menos territorialmente grande. Acabava sendo, na realidade, a unidade "natural" do desenvolvimento da sociedade burguesa, moderna, liberal e progressista. A "unificação", assim como a "independência", era o seu princípio, e onde não havia argumentos históricos para unificação — como eram os casos da Alemanha e da Itália — esta era, quando possível, formulada como um programa. Não havia evidência de que os eslavos balcânicos tivessem se considerado algum dia parte de uma mesma nação, mas os ideólogos nacionalistas que apareceram na primeira metade do século pensavam em termos de uma "Ilíria" dificilmente mais real que a de Shakespeare, um Estado "iugoslavo" que uniria sérvios, croatas, eslovenos, bósnios, macedônios e outros, que até hoje demonstram que seu nacionalismo iugoslavo está, para dizer o mínimo, em conflito com seus sentimentos como croatas, eslovenos etc.

O mais eloquente e típico dos defensores da "Europa das nacionalidades", Giuseppe Mazzini (1805-1872), propôs um mapa de sua Europa ideal em 1857:[6] ela consistia em 11 uniões desse tipo. Claramente, sua concepção de "Estado-nação" era bem diferente da de Woodrow Wilson, que presidiu o único desenho sistemático de um mapa europeu seguindo princípios nacionais em Versalhes, 1919-1920. Sua Europa consistia em 26 ou (incluindo a Irlanda) 27 Estados soberanos e, pelo critério wilsoniano, pelo menos alguns casos poderiam ser questionados. Que aconteceria com as pequenas nações? Elas deveriam ser integradas completamente, de forma federal ou outra qualquer, com autonomia ou com um grau de autonomia ainda indeterminado, aos Estados-nação viáveis, embora Mazzini não parecesse perceber que um homem que propusesse unir a Suíça à Savoia, ao Tirol alemão, à Caríntia e à Eslovênia ficava numa posição difícil para criticar, por exemplo, o Império dos Habsburgos, por passar por cima do princípio nacional.

O argumento mais simples dos que identificavam os Estados-nação com o progresso era negar o caráter de "nações reais" aos povos pequenos e atrasados, ou então afirmar que o progresso reduziria a meras idiossincrasias provinciais dentro das grandes "nações reais" ou mesmo levá-los ao desaparecimento por assimilação a algum *Kulturvolk*. Isso não parecia fora da realidade. Afinal, a participação como membros da Alemanha não impedia os mecklenburgers de falarem em seu dialeto, que era mais próximo do holandês que do alto alemão e que nenhum bávaro conseguia entender, como também não evitava que os eslavos lusatianos não aceitassem (como ainda não aceitam) um Estado basicamente alemão. A existência dos bretões, e uma parte dos bascos, catalães e flamengos, para não mencionar os que se comunicam em provençal ou na *langue d'oc*, parecia perfeitamente compatível com a nação francesa da qual faziam parte, e os alsacianos criaram um problema apenas porque um ou outro grande Estado-nação — a Alemanha — os disputava. Além disso, havia exemplos de grupos linguísticos tão pequenos que as elites cultas ansiavam sem remorsos pelo desaparecimento de seus próprios idiomas. Muitos gauleses em meados do século XIX estavam resignados a isso, e alguns viam até com prazer esse processo, na medida em que facilitasse a entrada do progresso numa região atrasada.

Havia um forte elemento não igualitário e talvez um elemento mais forte de patrocínio especial em tais argumentos. Algumas nações — as maiores, as "avançadas", as estabelecidas, incluindo certamente a própria nação do ideólogo — estavam destinadas pela história a prevalecer ou (se o ideólogo preferisse uma conceituação darwinista) a triunfar na luta pela existência; outras, não. Todavia isso não deve ser interpretado simplesmente como uma conspiração de algumas nações para oprimir outras, embora os porta-vozes das nações não reconhecidas não devessem ser culpados por pensarem assim. Pois o argumento era dirigido não apenas contra as línguas e culturas regionais das nações como também contra os intrusos; também não pretendia seu desaparecimento, mas apenas seu "rebaixamento" da qualidade de "língua" para a de "dialeto". Cavour não negou aos habitantes da Savoia o direito de falar sua própria língua (mais próxima do francês que do italiano) numa Itália unificada: ele mesmo falava-a por razões domésticas. Ele e outros italianos nacionalistas apenas insistiam em que deveria haver somente uma língua e um meio de instrução oficiais, o italiano, e que as outras deveriam afundar ou nadar da melhor forma que pudessem. Da maneira como iam as coisas, nem os sicilianos nem os sardos insistiram na sua nacionalidade separada, e portanto seus problemas poderiam ser redefinidos, na melhor das hipóteses, como "regionalismo". Esse fenômeno só se tornou politicamente significativo porque um pequeno povo reivindicou sua nacionalidade, como os tchecos o fizeram em 1848, quando seus porta-vozes recusaram o convite dos liberais alemães para tomar parte no Parlamento de Frankfurt. Os alemães não negaram que eles fossem tchecos. Apenas entenderam, o que era correto, que todos os tchecos instruídos liam e escreviam alemão, partilhavam da alta cultura alemã e, portanto (incorretamente), eram alemães. O fato de a elite tcheca também falar tcheco e partilhar da cultura do povo local parecia ser politicamente irrelevante, como as atitudes do povo em geral e do campesinato em particular.

Diante das aspirações nacionais de povos pequenos, os ideólogos de uma "Europa nacional" tinham, portanto, três escolhas: podiam negar legitimidade ou existência a tais movimentos, podiam reduzi-los a movimentos de autonomia regional ou podiam aceitá-los como fatos inegáveis e incontroláveis. Os alemães tenderam para a primeira hipótese com povos como os eslovenos, e os húngaros com os eslovacos.* Cavour e Mazzini assumiram a segunda postura com respeito ao movimento

* Essa atitude precisa ser diferenciada da dos revolucionários sociais que não deram maior importância ao nacionalismo — pelo menos em nosso período e que, portanto, tiveram uma visão puramente operacional do fenômeno. Para Marx, os nacionalismos húngaro e polonês eram bons porque se mobilizavam do lado da revolução, e os nacionalismos tcheco e croata ruins, porque objetivamente estavam do lado da contrarrevolução. Mas não podemos negar que havia um elemento de nacionalismo de grande nação nesses pontos de vista, o que se evidenciava entre os revolucionários altamente chauvinistas franceses (como os blanquistas) e difícil de ser negado mesmo em Friedrich Engels.

irlandês. Nada pode ser mais paradoxal do que a incapacidade de ambos de adaptar o modelo nacionalista ao movimento nacional, cuja base maciça era evidente. Políticos de todas as correntes foram constrangidos a assumir a terceira postura com respeito aos tchecos, cujo movimento nacional, apesar de não pretender a independência total, já não podia mais ser posto de lado após 1848. Quando possível, evidentemente, não se dava nenhuma importância a tais movimentos. Nenhum estrangeiro se preocuparia com o fato de que a maioria dos velhos Estados "nacionais" não fosse outra coisa senão Estados multinacionais (por exemplo, Inglaterra, França ou Espanha), pois os gauleses, escoceses, bretões, catalães etc. não ofereciam nenhum problema internacional e (com a possível exceção dos catalães) nenhum problema significativo nas políticas de seus próprios países.

2.

Havia uma diferença fundamental entre o movimento para fundar Estados-nação e o "nacionalismo". O primeiro era um programa para construir um artifício político que dizia basear-se no segundo. Não há dúvida de que muitos daqueles que se consideravam "alemães" por alguma razão achavam que isso não implicava necessariamente um Estado alemão único, um Estado alemão de algum tipo específico ou mesmo um Estado onde todos os alemães vivessem dentro de uma área determinada, como dizia uma canção nacional, entre os rios Mosa a oeste e Nieman a leste, dos estreitos da Dinamarca (o cinturão) ao norte e o Rio Adige ao sul. Bismarck, por exemplo, teria negado que sua rejeição a esse programa da "grande Alemanha" significasse que ele não era menos alemão que um *junker* prussiano e funcionário do Estado. Ele era alemão, mas não um alemão nacionalista, provavelmente nem mesmo um nacionalista "pequeno alemão" por convicção, embora tenha unificado o país (excluindo as áreas do Império Austríaco que tivessem pertencido ao Sacro Império Romano, mas incluindo as áreas tomadas pela Prússia aos poloneses, que nunca tinham feito parte do Império Romano). Um caso extremo de divergência entre nacionalismo e Estado-nação era a Itália, a maior parte da qual tinha sido unificada sob o rei da Savoia em 1859-1860, 1866 e 1870. Não havia precedente histórico posterior à Roma antiga para uma única administração de toda a área compreendida entre os Alpes e a Sicília, que Metternich descrevera com grande precisão como uma "mera expressão geográfica". No momento da unificação, em 1860, estimou-se que não mais de 2,5% de seus habitantes falavam a língua italiana no dia a dia, o resto falava idiomas tão diferentes que os professores enviados pelo Estado italiano à Sicília, na década de 1860, foram confundidos com ingleses.[7] Provavelmente uma porcentagem bem maior, mas ainda uma modesta minoria, teria se sentido naquela data como italianos. Não é de admirar que Massimo d'Azeglio (1792-1866) exclamasse em 1860: "Fizemos a Itália; agora precisamos fazer os italianos".

No entanto, fosse qual fosse sua natureza ou programa, os movimentos que representavam a "ideia nacional" cresceram e multiplicaram-se. Eles não representavam frequentemente — ou normalmente — aquilo que o século XX viria a entender como a versão-padrão (e extrema) de um programa nacional, ou seja, a necessidade para cada povo de um Estado totalmente independente, homogêneo territorial e linguisticamente, laico, provavelmente republicano/parlamentar.* Entretanto, todos implicavam algumas modificações políticas mais ou menos ambiciosas, o que os fazia "nacionalistas". Precisamos agora examinar estes últimos com cuidado, para evitar tanto o anacronismo de uma compreensão tardia dos

---

* O sionismo, pelo extremismo mesmo de suas reivindicações, ilustra de forma clara esse fato, pois implicava tomar um território, inventar uma língua e laicizar as estruturas de um povo cuja unidade histórica consistia exclusivamente na prática de uma religião comum.

fatos como a tentação de confundir as ideias dos líderes nacionalistas mais vociferantes com as ideias de seus seguidores.

Não devemos tampouco ignorar a substancial diferença entre velhos e novos nacionalismos, os primeiros incluindo não apenas as nações "históricas" que ainda não possuíam seu próprio Estado mas também as que havia longo tempo o possuíam. Quão britânicos os britânicos se sentiam? Não muito, apesar da inexistência, nessa época, de qualquer movimento autonomista gaulês ou escocês. Havia nacionalismo inglês, mas não era compartilhado pelas menores nações das ilhas britânicas. Os imigrantes ingleses para os Estados Unidos tinham orgulho de sua nacionalidade, sentindo, portanto, certa relutância em se tornarem cidadãos americanos, mas os imigrantes escoceses ou gauleses não tinham tal lealdade. Continuavam sendo orgulhosos escoceses ou gauleses escolhendo a cidadania inglesa ou americana, e naturalizavam-se sem maiores problemas. Em que medida os franceses sentiam-se membros de *la grande nation?* Não sabemos, mas estatísticas referentes à evasão ao serviço militar no início do século sugerem que certas regiões a oeste e ao sul (para não mencionar o caso especial dos corsos) viam o serviço militar compulsório mais como uma imposição desagradável do que como um dever nacional do cidadão francês. Os alemães, como sabemos, tinham opiniões diferentes quanto ao tamanho, natureza e estrutura do futuro Estado unificado alemão, mas quantos entre eles estavam decididamente interessados na unificação alemã? Pelo menos não os camponeses alemães, nem mesmo na Revolução de 1848, quando a questão nacional dominou a política. Tratava-se de regiões onde o nacionalismo de massa e o patriotismo não podiam ter sua existência negada, e eles demonstravam de forma clara como era imprudente dar como certa a sua universalidade e homogeneidade.

Na maioria das outras nações, especialmente as emergentes, só o mito e a propaganda os tomariam por certos em meados do século XIX. Nelas, o movimento "nacional" tendia a tornar-se político após sua fase sentimental e folclórica, com a emergência de grupos mais ou menos expressivos dedicados à "ideia nacional", publicando jornais nacionais e literatura, organizando sociedades nacionais, tentando estabelecer instituições educacionais e culturais e engajando-se em várias atividades francamente políticas. Mas, neste ponto o movimento ainda carecia de um apoio decisivo por parte da massa da população. Consistia basicamente em um estrato social intermediário entre as massas e a burguesia ou a aristocracia existentes (se tanto), especialmente os letrados: professores, camadas mais baixas do clero, alguns pequenos comerciantes e artesãos urbanos e aquela espécie de homens que tinham conseguido subir ao ponto máximo possível para os filhos de um campesinato subordinado numa sociedade hierárquica. Finalmente os estudantes — de algumas faculdades, seminários ou colégios com orientação nacional — forneciam a esses grupos um ativo corpo de militantes. Evidentemente, nas nações "históricas" que pediam apenas o fim da dominação estrangeira para surgirem como Estados, a elite local — pequena nobreza na Hungria e Polônia, burocratas da classe média na Noruega — proporcionava quadros mais imediatamente políticos e às vezes uma base maior para a emergência do nacionalismo (veja *A era das revoluções,* Capítulo 7). No todo, essa fase de nacionalismo termina entre 1848 e a década de 1860 na Europa central, ocidental e setentrional, embora muitos dos pequenos povos bálticos e eslavos estivessem apenas começando a conhecê-la.

Por razões óbvias, as camadas mais tradicionais, atrasadas ou pobres de cada povo eram as últimas a se envolver em tais movimentos: trabalhadores, empregados e camponeses que seguiam o caminho traçado pela elite instruída. A fase do nacionalismo de massa, que sobrevinha normalmente sob a influência de organizações da camada média de nacionalistas liberais-democratas — exceto quando contrabalançada pela influência de partidos independentes trabalhistas e socialistas —, estava de alguma forma relacionada com o desenvolvimento econômico e político. Nas terras tchecas, essa movimentação começou com a Revolução de 1848, diminuiu nos anos absolutistas da década de 1850, mas cresceu enormemente durante o rápido progresso econômico da década de 1860, quando as condições políticas passaram a ser mais favoráveis. Uma burguesia nativa tcheca tinha então adquirido suficiente força econômica para fundar um banco nacional tcheco e mesmo instituições dispendiosas como o Teatro Nacional de Praga (inaugurado provisoriamente em 1862). Mais próximo do que nos interessa, organizações culturais de massa como os clubes de ginástica *Sokol* (1862) cobriam então os campos, e as campanhas políticas depois do Compromisso Austro-Húngaro foram conduzidas por meio de uma série de grandes comícios ao ar livre — uns 140, com uma estimativa de participação em torno de 1,5 milhão no período 1868-1871[8] — que, aliás, ilustram tanto a novidade como o "internacionalismo" cultural dos movimentos de massa nacionais. Percebendo a falta de um nome adequado para tais atividades, os tchecos inicialmente tomaram emprestado o termo *meeting* do movimento irlandês, que tentaram imitar.* Logo um nome adequadamente tradicional viria a ser encontrado, recuando-se no tempo até os hussitas do século XV (um exemplo natural da militância nacional tcheca), o "tabor"; e, por sua vez, esse nome viria a ser adotado pelos nacionalistas croatas para suas reuniões de massa, embora os hussitas não tivessem nenhuma relevância histórica para eles.

Esse tipo de nacionalismo de massa era novo, e bem diferente do nacionalismo de elite ou de classe média dos movimentos italianos e alemão. E existia ainda, havia tempos, outra forma de nacionalismo de massa: mais tradicional, revolucionário e independente das classes médias locais, mesmo que a razão disso fosse a pouca importância econômica

* O termo *meeting* também seria tomado de empréstimo para reuniões de massa da classe trabalhadora pelos franceses e espanhóis, mas a esta altura provavelmente por influência inglesa.

e política destas últimas. Mas poderíamos chamar de "nacionalistas" as rebeliões dos camponeses e montanheses contra a lei do estrangeiro, quando os revoltosos eram unidos apenas pela consciência da opressão, xenofobia e uma ligação profunda com a tradição antiga, com a verdadeira fé e um vago senso de identidade étnica? Somente quando essas rebeliões mostravam de uma ou outra forma alguma conexão com movimentos nacionalistas modernos. Se essa ligação existiu no sudeste europeu, onde tais movimentos destruíram grande parte do Império Turco, particularmente na década de 1870 (Bósnia, Bulgária), é um problema a ser debatido; é indiscutível que elas produziram Estados independentes (Romênia, Bulgária) que afirmavam ser nacionais. Na melhor das hipóteses, podemos falar de um protonacionalismo, como entre os romenos, conscientes da diferença de sua língua em relação à dos vizinhos eslavos, alemães e húngaros, e cônscios de um certo "eslavismo" que muitos intelectuais e políticos tentaram desenvolver entre eles, sob a forma de uma ideologia de pan-eslavismo nesse período; e mesmo entre eles é provável que o sentimento de solidariedade dos cristãos ortodoxos com o grande Império Ortodoxo da Rússia fosse a força que o tornou real, nesse período.*

Um desses movimentos, entretanto, era indiscutivelmente nacional: o irlandês. A Irmandade Republicana Irlandesa ("Fenians"), com o ainda sobrevivente Exército Republicano Irlandês (IRA), era o descendente linear das fraternidades do período pré-1848 e a organização mais duradoura desse tipo de fraternidade. O apoio rural em massa a políticos nacionalistas não era em si nada de novo, pois a combinação irlandesa de conquista estrangeira, pobreza, opressão e uma classe senhorial na sua

* O pan-eslavismo atraía tanto os políticos conservadores e imperiais da Rússia, para a qual oferecia uma extensão da sua influência, quanto os povos eslavos do Império dos Habsburgos, oferecendo-lhes como um poderoso aliado e talvez uma remota esperança de formar uma grande nação, em vez de várias pequenas nações aparentemente inviáveis. (O pan-eslavismo revolucionário e democrático do anarquista Bakunin pode ser desconsiderado como utópico.) Esse pan-eslavismo era combatido fortemente pela esquerda, que via a Rússia como centro da reação internacional.

grande maioria inglesa protestante, imposta sobre um campesinato irlandês católico, mobilizava até os menos politizados. Na primeira metade do século, os líderes desse movimento de massa pertenciam à (pequena) classe média irlandesa, e seus objetivos — apoiados pela única organização efetiva de caráter nacional, a Igreja — eram conseguir uma moderada conciliação com os ingleses. A novidade em relação aos fenianos, que apareceram como tais no final da década de 1850, era que eles eram completamente independentes dos moderados da classe média e que seu apoio vinha inteiramente das classes populares — até mesmo, apesar da aberta hostilidade da Igreja, de partes do campesinato —, assim como eram os primeiros a apresentar um programa de total independência da Inglaterra, a ser obtida por meio da insurreição armada. Embora o nome da organização derivasse da heroica mitologia da antiga Irlanda, sua ideologia era bem pouco tradicional, embora seu nacionalismo laico e anticlerical não pudesse esconder que, para a massa dos fenianos irlandeses, o critério de nacionalidade fosse (e ainda seja) a fé católica. A sua concentração exclusiva no objetivo de conseguir uma República Irlandesa por meio da luta armada substituiu um programa social, econômico e mesmo de política doméstica, e até hoje a lenda heroica de rebeldes armados e mártires tem sido muito grande para os que desejassem formular tais programas. Esta é a "tradição republicana" que sobrevive na década de 1970 e que reapareceu na guerra civil do Ulster, no IRA "provisório". A rapidez com que os fenianos aliaram-se com revolucionários socialistas, e com que estes reconheceram o caráter revolucionário do fenianismo, não deveria encorajar ilusões sobre essa questão.*

Mas não devemos também subestimar a novidade e a significação histórica de um movimento cujo suporte financeiro vinha da massa dos trabalhadores irlandeses levados para os Estados Unidos pela fome e pelo

* Marx apoiou-os decididamente e mantinha correspondência com líderes fenianos.

ódio aos ingleses, e cujos recrutas vinham dos proletários imigrantes para a América e a Inglaterra — não havia quase trabalhadores industriais no que é hoje a República Irlandesa — e de jovens camponeses e lavradores vindos dos antigos baluartes do "terrorismo agrário" irlandês, cuja estrutura era formada por esses homens e pelo estrato mais baixo da elite urbana dos trabalhadores, cujos líderes dedicaram a vida à insurreição. Tudo isso antecipa os movimentos revolucionários nacionais dos países subdesenvolvidos no século XX. Faltava-lhes o melhor da organização do trabalhismo-socialista, ou talvez apenas a inspiração de uma ideologia socialista, que viria a transformar a combinação de liberação nacional e transformação social numa força formidável no século XX. Não havia socialismo em nenhuma parte, muito menos uma organização socialista na Irlanda, e os fenianos que também eram revolucionários sociais, especialmente Michael Davitt (1846-1906), conseguiram apenas tornar explícito diante da *Land League* o que fora sempre implícito, ou seja, a relação entre nacionalismo de massa e descontentamento agrário de massa; e isto somente após o fim de nosso período, durante a Grande Depressão Agrária do final da década de 1870 e na década seguinte. O fenianismo era o nacionalismo de massa na época do liberalismo triunfante. Podia fazer pouco, exceto rejeitar a Inglaterra e reclamar total independência por meio da revolução para um povo oprimido, esperando que isso viesse a resolver todos os problemas de pobreza e exploração. Isso não foi sequer conseguido efetivamente, pois apesar da abnegação e do heroísmo dos fenianos, suas ocasionais insurreições (1867) e invasões (por exemplo, do Canadá a partir dos Estados Unidos) foram realizadas com notória ineficácia, e os dramáticos *coups* conseguiram, como ocorre em tais operações, pouco mais do que uma publicidade temporária; em alguns casos, má publicidade. Eles geraram a força que iria obter a independência para a maior parte da Irlanda católica, mas, a partir do momento em que não geraram mais nada além disso, deixaram o futuro da Irlanda para os moderados da classe média, os fazendeiros ricos e os mercadores das pequenas cidades de um pequeno país agrário, que se apoderariam da herança dos fenianos.

Embora o caso irlandês fosse único, não há dúvida de que em nosso período o nacionalismo tornou-se uma força de massa, pelo menos nos países povoados por brancos. Ainda que o *Manifesto comunista* fosse mais realista do que se costuma considerar, ao dizer que "os trabalhadores não têm pátria" o nacionalismo penetrou na classe operária *pari passu* com a consciência política, fosse porque a tradição revolucionária era em si nacional (como na França), fosse porque os líderes e ideólogos dos novos movimentos trabalhistas estivessem profundamente envolvidos na questão nacional (como em todos os lugares em 1848). A alternativa para a consciência política "nacional" não era, na prática, o "internacionalismo proletário", mas uma consciência subpolítica que operava numa escala ainda menor que, ou mais irrelevante, a do Estado-nação. Eram poucos os homens e mulheres da esquerda política que escolheram claramente entre lealdades nacionais ou supranacionais como a causa internacional do proletariado. O "internacionalismo" da esquerda, na prática, significava solidariedade e apoio para aqueles que lutavam pela mesma causa em outras nações e, no caso de refugiados políticos, a presteza em participar na luta no lugar onde se encontrassem. Contudo, como os exemplos de Garibaldi, Cluseret e da Comuna de Paris (que ajudou os fenianos na América) e de inúmeros guerreiros poloneses provaram, isso não era incompatível com as apaixonadas profissões de fé nacionalista.

Também podia significar uma recusa em aceitar as definições do "interesse nacional" impostas por governos ou outras instâncias. Mesmo os socialistas franceses e alemães, que em 1870 juntaram-se ao protesto contra a "fratricida" Guerra Franco-Prussiana, não eram insensíveis ao nacionalismo da maneira como *eles* o viam. A Comuna de Paris apoiava-se tanto no patriotismo jacobino de Paris como nos *slogans* de emancipação social, assim como os marxistas alemães sociais-democratas de Liebknecht e Bebel tinham se apoiado no apelo ao nacionalismo radical-democrático de 1848, contra a versão prussiana do programa nacional. Os trabalhadores alemães se ressentiam mais da reação do que do patriotismo alemão; e um dos aspectos mais inaceitáveis da reação era chamar os sociais-democratas de *vaterlandlose Gesellen* (companheiros sem pátria), negando-lhes assim o direito de serem tanto trabalhadores como bons alemães. Evidentemente, era quase impossível para a consciência política não estar de uma forma ou de outra definida nacionalmente. O proletariado, como a burguesia, existia apenas conceitualmente como um fato internacional. Na realidade existia como um agregado de grupos definidos pelos seus Estados nacionais ou diferenças linguísticas/étnicas; ingleses, franceses ou, em Estados multinacionais, alemães, húngaros ou eslavos. E, na medida em que "Estado" e "nação" coincidiam na ideologia dos que estabeleciam instituições e dominavam a sociedade civil, a política em termos de Estado implicava a política em termos de nação.

3.

Mesmo assim, malgrado poderosos sentimentos e lealdades nacionais (na medida em que as nações transformavam-se em Estados), a "nação" não era algo de crescimento espontâneo, mas um artefato. Também não era historicamente nova, embora incorporasse características que membros de grupos humanos muito antigos tinham ou pensavam ter em comum, ou aquilo que os unia contra os "estrangeiros". Precisava realmente ser construída. Daí a importância crucial das instituições que podiam *impor* a uniformidade nacional, que eram principalmente o Estado, especialmente a educação do Estado, emprego do Estado e nos países que adotavam serviço militar obrigatório.* Os sistemas educacionais dos países desenvolvidos expandiram-se substancialmente durante esse período, em todos os níveis. O número de estudantes universitários permaneceu bastante modesto pelos parâmetros atuais. Omitindo-se os estudantes de teologia, a Alemanha tinha a dianteira no final da década de 1870, com quase 17 mil, seguida de longe por Itália e França, com 9 mil a 10 mil cada, e Áustria com 8 mil.[9] Essas universidades cresceram sob pressão nacionalista, e nos Estados Unidos tais instituições de educação superior estavam num processo de multiplicação. Das 18 novas universidades fundadas entre 1849 e 1875, nove eram fora da Europa (cinco nos Estados Unidos, duas na Austrália, uma em Argel e outra em Tóquio), cinco eram na Europa oriental (Jassy, Bucareste, Odessa, Zagreb e Czernowitz). Duas modestas fundações encontravam-se na Inglaterra. A educação secundária cresceu com as classes médias, embora (como a alta burguesia para a qual esta educação estava destinada) tenham permanecido muito mais instituições de elite, exceto novamente nos Estados Unidos, onde a *high school* pública começou sua carreira de triunfo democrático. (Em 1850 havia apenas cem delas na nação inteira.) Na França, a proporção de alunos na educação secundária cresceu de 1 em 35 (1842) para 1 em 20 (1864), mas os graduados secundários formavam apenas 1 em 55 ou 60 em 1860, embora fosse bem melhor que os 1 para 93 de 1840.[10] A maioria dos países estava situada entre os totalmente pré-educacionais ou os totalmente limitados como a Inglaterra, com seus 25 mil garotos em 225 estabelecimentos completamente privados, chamados erroneamente de "escolas públicas", e os alemães famintos por educação cujos ginásios possuíam talvez 250 mil alunos na década de 1880.

* Esse recrutamento operava na França, Alemanha, Itália, Bélgica e Áustria-Hungria.

Mas o maior avanço ocorreu nas escolas primárias, cujo objetivo era não apenas o de transmitir rudimentos da língua ou da aritmética mas, talvez mais do que isso, impor os valores da sociedade (moral, patriotismo etc.) a seus alunos. Este era o setor da educação que fora previamente negligenciado pelo Estado laico, e seu crescimento estava ligado de forma íntima ao avanço das massas na política, como testemunham a instalação do sistema de educação primária estatal na Inglaterra, três anos depois do *Reform Act* de 1867, e a vasta expansão do sistema na primeira década da Terceira República na França. O progresso era realmente espantoso: entre 1840 e 1880 a população da Europa cresceu em 33%, mas o número de seus filhos na escola cresceu em 145%. Mesmo na Prússia, com numerosas escolas, o número de escolas primárias cresceu mais de 50%, entre 1843 e 1871. Mas não foi apenas devido ao atraso da Itália que o mais rápido crescimento de população escolar ocorreu ali: 460%. Nos 15 anos que se seguiram à unificação, o número de crianças em escolas primárias dobrou.

De fato, para os novos Estados-nação, essas instituições eram de importância crucial, pois apenas através delas a "língua nacional" (geralmente construída antes por esforços privados) podia transformar-se na língua escrita e falada do povo, pelo menos para algumas finalidades. Os meios de comunicação de massa — nesse momento a imprensa — só podiam transformar-se em tal quando uma massa alfabetizada na linguagem-padrão fosse criada. Era portanto também de importância crucial a luta dos movimentos nacionais para obter a "autonomia cultural", isto é, controlar a parte relativa nas instituições do Estado, por exemplo, conseguir instrução escolar e uso administrativo para suas respectivas línguas. A disputa não era tal que afetasse os analfabetos, que aprendiam seus dialetos de qualquer modo com suas mães, nem as minorias que assimilavam *en bloc* a língua dominante da classe dirigente. Os judeus europeus estavam satisfeitos em guardar suas línguas nativas — o iídiche derivado do alemão medieval e o ladino derivado do espanhol medieval — como uma *Mame-Loschen* (língua materna) para uso doméstico, comunicando-se com seus vizinhos em qualquer língua que fosse necessário e, no caso de se transformarem em burgueses, abandonando sua velha língua por aquela que fosse usada pela aristocracia e classe média contíguas, fosse ela inglesa, francesa, polonesa, russa, húngara, mas especialmente alemã.* Mas os judeus nesse momento não eram nacionalistas, e seu fracasso em dar importância a uma língua "nacional", assim como o fracasso em possuir um território nacional, levou muitos a duvidar se realmente deveriam se constituir numa "nação". Por outro lado, a disputa era vital para as classes médias e elites instruídas emergentes de povos atrasados ou subalternos. Eram elas que particularmente sentiam o acesso privilegiado a postos importantes e de prestígio que tinham os nativos da língua "oficial", mesmo quando (como no caso dos tchecos) seu bilinguismo compulsório lhes dava vantagem em termos de carreira sobre os alemães monoglotas da Boêmia. Por que deveria um croata aprender italiano, língua de uma pequena minoria, para tornar-se um oficial da marinha austríaca?

Assim, à medida que os Estados-nação eram formados, postos públicos e profissões da civilização progressista se multiplicavam, a educação escolar se tornava mais geral e, acima de tudo, a migração urbanizava populações rurais, todos esses ressentimentos encontravam uma ressonância geral crescente. Pois escolas e instituições, ao imporem uma língua de instrução, impunham também uma cultura, uma nacionalidade. Em áreas de povoamento homogêneo, isso não tinha importância: a Constituição austríaca de 1867 reconhecia a educação elementar na "língua do país". Mas por que deveriam os eslovenos ou tchecos, que haviam

* Um movimento para desenvolver tanto o iídiche como o ladino em uma língua literária padrão desenvolveu-se a partir do meio do século e foi mais tarde retomado pelos movimentos revolucionários (marxistas) judeus, e não pelo nacionalismo judeu-sionista.

imigrado para cidades alemãs, tornar-se alemães ao preço de serem alfabetizados? Eles reclamavam o direito a escolas próprias, mesmo quando fossem minorias. E por que deveriam os tchecos e eslovenos de Praga ou Ljubljana (Laibach), tendo reduzido os alemães de uma maioria a uma pequena minoria, confrontar nomes de ruas e regulamentos municipais numa língua estrangeira? A política da metade austríaca do Império dos Habsburgos era demasiado complexa para que o governo tivesse tempo para pensar multinacionalmente. Mas o que pensar se outros governos usavam a educação, a poderosa arma, para formar as nações que pretendiam hungarizar, germanizar ou italianizar sistematicamente? O paradoxo do nacionalismo era que, ao formar sua própria nação, automaticamente criava contranacionalismos para aqueles que, a partir de então, eram forçados à escolha entre assimilação ou inferioridade.

A era do liberalismo não entendeu esse paradoxo. Realmente, não entendia esse "princípio de nacionalidade" que aprovava, considerava mesmo personificar e, em vários casos, apoiava ativamente. Os observadores contemporâneos estavam certos em supor ou agir como se supusessem que nações e nacionalismo eram ainda malformados e maleáveis. A nação americana, por exemplo, baseava-se na ideia de que, ao migrar através do oceano, muitos milhões de europeus fácil e rapidamente abandonariam qualquer lealdade política a suas pátrias e qualquer exigência de *status* oficial para suas línguas ou culturas nativas. Os Estados Unidos (ou o Brasil, ou a Argentina) não viriam a ser multinacionais mas, pelo contrário, absorveriam os imigrantes na própria nação. No nosso período exatamente isso veio a acontecer, mesmo quando as comunidades imigrantes não perderam sua identidade nacional no *caldeirão de raças* do Novo Mundo, mas permaneceram ou tornaram-se mesmo conscientes e orgulhosos irlandeses, alemães, suecos, italianos etc. As comunidades de imigrantes podiam ser forças nacionais importantes nos seus países de origem, como os irlandeses americanos o eram na política da Irlanda;

mas nos Estados Unidos eles eram de maior importância apenas para as eleições municipais. Os alemães de Praga, somente por sua existência, levantaram os mais importantes problemas políticos para o Império dos Habsburgos; nada disso ocorreu em relação aos alemães de Cincinnati ou aos de Milwaukee nos Estados Unidos.

O nacionalismo, portanto, parecia facilmente manejável dentro da estrutura do liberalismo burguês e compatível com ele. Um mundo de nações viria a ser, acreditava-se, um mundo liberal, e um mundo liberal seria feito de nações. O futuro viria a mostrar que a relação entre os dois não era tão simples assim.

6. AS FORÇAS DA DEMOCRACIA

> "A burguesia deveria saber que, junto com ela, as forças da democracia cresceram durante o Segundo Império. Ela encontrará essas forças (...) tão solidamente estabelecidas que seria loucura recomeçar uma guerra contra elas."
>
> Henri Allain Targé, 1868[1]

> "Assim como o progresso da democracia é o resultado do desenvolvimento geral social, uma sociedade avançada, ao mesmo tempo que detém uma grande parte de poder político, deve proteger o Estado dos excessos democráticos. Se estes últimos predominarem em algum momento, deverão ser prontamente reprimidos."
>
> *Sir* T. Erskine May, 1877[2]

1.

Se o nacionalismo era uma força histórica reconhecida por governos, a "democracia", ou a crescente participação do homem comum nas questões do Estado, era outra. Os dois eram uma única coisa, uma vez que movimentos nacionalistas nesse período tornaram-se movimentos de massa, e certamente a essa altura praticamente todos os líderes radicais nacionalistas supunham esses dois conceitos como sendo idênticos. Entretanto, como já vimos, na prática a grande parte do povo comum, como os camponeses, ainda não havia sido atingida pelo nacionalismo, mesmo em países onde sua participação na política era levada a sério, enquanto outras, principalmente as novas classes trabalhadoras, eram impelidas a seguir movimentos que, pelo menos em teoria, punham um interesse de classe internacional acima de filiações nacionais. Em todos esses casos, do ponto de vista das classes dirigentes, o fato importante era não aquele em que acreditavam as "massas", mas que seus credos agora contavam na política. Elas eram por definição numerosas, ignorantes e perigosas; muito perigosas, precisamente por causa de sua ignorante tendência para acreditar em seus próprios olhos, dizendo-lhes que aqueles que os governavam davam muito pouca atenção a suas misérias, e a simples lógica sugerindo-lhes que, como elas formavam a grande maioria do povo, o governo deveria basicamente servir-lhes em seus interesses.

Assim, cada dia ficava mais claro, nos países desenvolvidos e industrializados do Ocidente, que mais cedo ou mais tarde os sistemas políticos teriam de abrir espaço para essas forças. Além disso, também ficava claro que o liberalismo que formava a ideologia básica do mundo burguês não tinha defesas teóricas contra essa contingência. Sua forma característica de organização política era o governo apoiado nas assembleias eleitas representando não (como nos Estados feudais) interesses sociais ou coletividades, mas agregados de indivíduos de *status* legalmente iguais. Interesse próprio, cautela ou mesmo um certo senso comum diziam àqueles que se encontravam no topo que nem todos os homens eram igualmente capazes de decidir as grandes questões do governo, os analfabetos menos que os graduados em universidades, os supersticiosos menos que os esclarecidos, os incapazes pobres menos que aqueles que haviam provado sua capacidade de comportamento racional pela acumulação de propriedade. Entretanto, bem longe da falta de convicção que tais argumentos levaram para os que estavam por baixo, com a exceção dos mais conservadores, eles tinham duas grandes fraquezas. A igualdade legal não podia fazer tais distinções em teoria. O que era consideravelmente mais importante ficava mais e mais difícil de realizar na prática, pois a mobilidade social e o progresso educacional, ambos essenciais à sociedade burguesa, obscureciam a divisão entre as camadas médias e as camadas sociais inferiores. Onde deveria ser traçada a linha entre a grande e crescente massa de "respeitáveis" trabalhadores e as baixas classes médias que adotavam muito dos valores e, se seus meios permitissem, grande parte do comportamento da burguesia? Por onde passasse essa linha, ao incluir um grande número deles, era possível que assimilasse um corpo substancial de cidadãos que não apoiavam várias das ideias que o liberalismo burguês encarava como essenciais ao progresso da sociedade, e que poderiam opor-se a elas de forma passional. Além disso, e de maneira mais decisiva, as revoluções de 1848 tinham mostrado como as massas podiam irromper no círculo fechado de seus governantes, e como o progresso da sociedade industrial tornou a sua pressão constantemente maior mesmo em períodos não revolucionários.

A década de 1850 deu a muitos dos dirigentes um espaço para respirar. Por mais de uma década eles não tiveram seriamente que se preocupar com tais problemas na Europa. Entretanto, havia um país em que os relógios políticos e constitucionais não podiam ser simplesmente atrasados. Na França, onde três revoluções já haviam ocorrido, a exclusão das massas da política parecia uma tarefa utópica: elas deveriam então ser "dirigidas". O chamado Segundo Império de Luís Napoleão (Napoleão III) tornou-se então uma espécie de laboratório de um tipo de política mais moderna, embora as peculiaridades de seu caráter tenham algumas vezes obscurecido suas expectativas por formas de controle político. Tal experimento atendia ao gosto, embora talvez menos ao talento, do personagem enigmático que estava à sua frente.

Napoleão III foi extremamente sem sorte nas suas relações públicas. Foi suficientemente infeliz para unir contra si os mais poderosos talentos polêmicos de seu tempo, e as investidas combinadas de Karl Marx e Victor Hugo são suficientes, sozinhas, para enterrar sua memória, sem contar o espírito não menos mordaz de alguns talentosos jornalistas. Além disso, ele foi notoriamente malsucedido nos seus empreendimentos políticos internacionais e mesmo domésticos. Um Hitler pôde sobreviver à unânime reprovação da opinião mundial, já que é inegável que esse homem terrível e psicopata realizou coisas extraordinárias no caminho de uma catástrofe provavelmente inevitável; ao menos conseguiu manter o apoio de seu povo até o fim. Napoleão III não era nem tão extraordinário e nem mesmo louco. O homem que era superado estrategicamente por Cavour e Bismarck, o homem cujo apoio político tinha afundado perigosamente mesmo antes que seu império se desintegrasse após algumas semanas de guerra, o homem que transformou o "bonapartismo", de uma força política de maior importância na França, em uma anedota histórica entrou inevitavelmente na História como "Napoleão, o Pequeno". Ele nem sequer representou bem seu papel. Aquela figura reticente, sóbria mas frequentemente charmosa, com grandes bigodes engraxados, doentio, horrorizado pelas batalhas que ele mesmo e a grandeza francesa detonariam, só parecia imperial *ex officio.*

Ele era essencialmente um político, político de segundo escalão e, como se veria mais tarde, malsucedido. Mas o destino e seu passado viriam trazer-lhe um papel inteiramente novo para representar. Como pretendente imperial antes de 1848 — embora sua pretensão genealógica em ser um Bonaparte levantasse dúvidas —, teve de pensar em termos não tradicionais. Cresceu em um mundo de agitadores nacionalistas (ele mesmo ligando-se aos carbonários) e de sansimonistas. Dessa experiência tirou uma crença segura, talvez excessiva, na inevitabilidade de forças históricas tais como nacionalismo e democracia, e uma certa heterodoxia acerca de problemas sociais e métodos políticos que vieram a ajudá-lo muito mais tarde. A revolução deu-lhe a chance de apresentar o nome de Bonaparte para a Presidência, sendo eleito por uma maioria esmagadora, mas por uma imensa variedade de motivos. Ele não precisou de votos para permanecer no poder nem (depois do golpe de Estado de 1851) para se declarar imperador, mas se não tivesse sido eleito antes, nem toda a sua capacidade para intriga teria persuadido os generais, ou quem quer que tivesse poder e ambição, a apoiá-lo. Era, portanto, o primeiro dirigente de um grande país, com a exceção dos Estados Unidos, a chegar ao poder pelo sufrágio (masculino) universal, e nunca o esqueceu. Continuou a operar dessa forma, primeiro como um césar plebiscitário, mais ou menos como o general De Gaulle (a assembleia representativa eleita sendo bem insignificante) e, depois de 1860, com a parafernália usual do parlamentarismo. Sendo um indivíduo persuadido das verdades históricas de seu tempo, provavelmente não acreditou que ele mesmo também pudesse resistir à "força da história".

A atitude de Napoleão III em relação à política eleitoral era ambígua, e é isso que a faz interessante. Como "parlamentarista", ele fez aquilo que era então o jogo normal da política, quer dizer, obteve maioria suficiente de uma assembleia de indivíduos eleitos, agrupados em alianças frouxas e mutáveis, com etiquetas vagamente ideológicas, que não devem ser confundidas com os modernos partidos políticos. Portanto, políticos sobreviventes da Monarquia de Julho (1830-1848), como Adolphe Thiers (1797-1877), e futuros luminares da Terceira República, como Jules Favre (1809-1880), Jules Ferry (1832-1893) e Gambetta (1838-1882), recuperaram ou fizeram seus nomes na década de 1860. Ele não foi muito bem-sucedido nesse jogo, especialmente quando decidiu afrouxar o firme controle burocrático sobre as eleições e a imprensa. Por outro lado, como candidato eleitoral, guardava de reserva (outra vez como o general De Gaulle, só que este último talvez com maior sucesso) a arma do plebiscito. Ratificou seu triunfo em 1852, com uma esmagadora vitória plebiscitária provavelmente autêntica (apesar do considerável "controle") de 7,8 milhões de votos contra 240 mil, com 2 milhões de abstenções, e mesmo em 1870, às vésperas de sua queda, podia ainda recuperar-se de uma situação parlamentar em deterioração, com uma maioria de 7,4 milhões contra 1,6 milhão.

Esse apoio popular era politicamente desorganizado (exceto, é claro, quando através de pressões burocráticas). Diferentemente dos líderes populares modernos, Napoleão III não teve nenhum "movimento" mas, evidentemente, como chefe do Estado ele dificilmente precisaria de um. O apoio de que dispunha também não era homogêneo. Pessoalmente talvez tivesse preferido o apoio dos "progressistas" — o voto jacobino republicano, que sempre ficou de fora de todos os eventos nas cidades — e o das classes trabalhadoras, cujo significado social e político ele apreciava mais que os liberais ortodoxos. Entretanto, embora recebesse de quando em quando o apoio de importantes porta-vozes desse grupo, como o anarquista Pierre-Joseph Proudhon (1809-1865), e tenha-se esforçado seriamente para conciliar e domesticar o crescimento do movimento trabalhista na década de 1860 — tendo legalizado as greves em 1864 —, não conseguiu quebrar a tradicional e lógica afinidade que o movimento trabalhista tinha com a esquerda. Na prática, apoiou-se no elemento conservador e especialmente no campesinato, principalmente nos dois terços do oeste do país. Para estes, ele era um Napoleão, um governo estável e antirrevolucionário, seguro contra as ameaças à propriedade; e (se eram católicos), o defensor do papa em Roma, uma situação da qual Napoleão teria gostado de se desvencilhar por razões diplomáticas, mas não podia fazer por razões domésticas.

Entretanto, sua forma de governar era ainda mais significativa. Karl Marx observou com a argúcia habitual a natureza de sua relação com o campesinato francês:

> incapazes de impor seu interesse de classe em nome próprio, fosse através de um Parlamento ou de uma convenção. Não podiam se representar, precisavam ser representados. Seu representante precisa ao mesmo tempo aparecer como seu mestre, uma autoridade sobre eles, e como um poder governamental ilimitado que os protege de outras classes e lhes envia o sol e a chuva de cima. A influência política dos pequenos camponeses, portanto, encontra sua expressão final no Poder Executivo, subordinando a sociedade a si mesmo.[3]

Napoleão era o Poder Executivo. Muitos políticos do século XX — nacionalistas, populistas e, no sentido mais perigoso, fascistas — iriam redescobrir a forma de relação que ele inaugurou com as massas incapazes de "impor seu interesse de classe em nome próprio". Ainda descobririam que havia outras camadas da população similares, neste aspecto, ao campesinato pós-revolucionário francês.

Com exceção da Suíça, cuja Constituição revolucionária permaneceu em vigor, nenhum outro Estado europeu operava na base do sufrágio universal (masculino) na década de 1850.* (Deve-se assinalar que mesmo nos Estados Unidos, nominalmente democráticos, a participação eleitoral era bem inferior à francesa: em 1860, Lincoln foi eleito por menos da metade dos 4,7 milhões de eleitores de uma população incomparavelmente maior. Algumas assembleias representativas, geralmente sem grande poder ou influência, exceto na Inglaterra, Escandinávia, Holanda, Bélgica, Espanha e Savoia, eram bem comuns mas invariavelmente elegiam de forma bastante indireta, com restrições ou com qualificações mais ou menos rigorosas relativas à idade ou propriedade, tanto para votantes como para candidatos. Quase invariavelmente, as assembleias eleitas desse modo eram flanqueadas e cerceadas em sua ação por câmaras mais conservadoras, a maioria delas indicadas ou compostas de membros

* O *Nationalrat* suíço era escolhido por todos os homens maiores de 20 anos sem qualificação de propriedade, mas a segunda Câmara era escolhida pelos cantões.

hereditários ou *ex officio*. A Inglaterra, com mais ou menos 1 milhão de eleitores entre 27,5 milhões de habitantes, era, sem dúvida, bem menos restritiva que, por exemplo, a Bélgica, com aproximadamente 60 mil de 4,7 milhões, mas nenhuma delas era, nem pretendia ser, democrática.

O reaparecimento da pressão popular na década de 1860 tornou impossível manter uma política do tipo isolada. No final de nosso período, somente a Rússia czarista e a Turquia imperial mantinham-se como simples autocracias na Europa, enquanto, por outro lado, o sufrágio universal já não era prerrogativa de regimes surgidos de revoluções. O novo Império Alemão usou-o para eleger seu *Reichstag*, embora mais por razões decorativas. Poucos Estados, nessa década, escaparam de alguma forma de aumentar suas franquias, e os problemas que tinham preocupado apenas a minoria de países nos quais o voto tinha real significado — a escolha entre votar por listas ou por candidatos, a "geometria eleitoral" ou a divisão arbitrária de zonas eleitorais sociais ou geográficas, os controles que as câmaras maiores poderiam exercer sobre as câmaras menores, os direitos reservados ao Executivo etc. — preocupavam agora todos os governos. Mas ainda eram pouco agudos. O Second Reform Act na Inglaterra, mesmo duplicando o número de eleitores, ainda os deixava como 8% da população, enquanto no recém-unificado Reino da Itália era apenas 1%. (Nesse período, no mundo, o voto poderia conferir direitos a 20% ou 25% da população, a julgar pelas eleições francesas, alemãs e americanas, nos meados da década de 1870.) Mesmo assim ocorreram mudanças, e outras podiam apenas ser adiadas.

Esses avanços em direção a governos representativos levantaram dois problemas bastante diferentes em política: o das "classes" e "massas", para usar o jargão inglês da época, isto é, o das classes altas e médias, e o problema do pobre, que por longo tempo havia permanecido alienado do processo oficial da política. Entre eles estava a camada intermediária — pequenos comerciantes, artesãos e outros "pequeno-burgueses", proprietários camponeses etc. — que na qualidade de proprietários já estavam, pelo menos em parte, envolvidos na política representativa tal como ela havia existido até então. Nem as velhas aristocracias da terra ou hereditárias, nem a nova burguesia tinham a força dos números, mas, diferentemente da aristocracia, a burguesia precisava delas. Pois enquanto ambas tinham (pelo menos nas suas camadas mais elevadas) riqueza e um tipo de poder pessoal e influência nas suas comunidades que fazia de seus membros, automaticamente, pelo menos "pessoas importantes" em potencial, isto é, pessoas de consequência política, somente as aristocracias estavam firmemente entrincheiradas em instituições que as salvaguardavam do voto: nas Câmaras dos Lordes ou nas Câmaras Altas similares, ou por meio de representação mais ou menos desproporcional, como no caso do "sufrágio de classe" das Dietas da Prússia e da Áustria, ou por meio do sobrevivente voto por propriedades, em via de desaparição. Além disso, nas monarquias, que eram ainda a forma dominante de governo, a aristocracia encontrava apoio político sistemático como classe.

As burguesias, por outro lado, escoravam-se na sua riqueza, na sua indispensabilidade e no destino histórico que fazia delas e de suas ideias as bases dos Estados "modernos" desse período. Entretanto, o que as transformava em força, no interior dos sistemas políticos, era a habilidade para mobilizar o apoio dos não burgueses que possuíam número e, portanto, votos. Tirar-lhes isso, como aconteceu na Suécia no final da década de 1860, e que mais tarde ocorreria em todos os lugares com o crescimento de uma verdadeira política de massa, reduzia-os a uma minoria eleitoralmente impotente, pelo menos na política de âmbito nacional. (Em políticas municipais se manteriam melhor.) Daí a importância crucial, para a burguesia, de conservar o apoio da pequena burguesia, das classes trabalhadoras e, mais raramente, do campesinato — ou, ao menos, a hegemonia sobre eles. Falando de forma ampla, nesse período da História ela foi bem-sucedida. Em sistemas políticos representativos, os liberais (normalmente o clássico partido das classes urbanas e industriais) mantinham-se geralmente no poder com apenas algumas interrupções ocasionais. Na Inglaterra, assim ocorreu entre 1846 e 1874; na Holanda, durante pelo menos vinte anos depois de 1848; na Bélgica, de 1857 a 1870; na Dinamarca, mais ou menos até o choque da derrota em 1864. Na Áustria e na Alemanha, eles eram o maior apoio formal dos governos entre a metade da década de 1860 até o final da década de 1870.

Entretanto, como a pressão vinda de baixo cresceu, uma ala radical mais democrática (progressista, republicana) tendia a se separar deles ali onde já não fosse mais ou menos independente. Na Escandinávia, os partidos camponeses separaram-se como "a esquerda" (*Venstre*) em 1848 (Dinamarca) e durante a década de 1860 (Noruega), ou como um grupo de pressão agrário anticidade (Suécia, 1867). Na Prússia (Alemanha), os remanescentes democratas radicais, com sua base no sudoeste não industrial, recusaram-se a seguir os nacionais-liberais burgueses em sua aliança com Bismarck depois de 1866, embora alguns deles tendessem a se aliar aos sociais-democratas marxistas anti-Prússia. Na Itália, os republicanos permaneceram na oposição, enquanto os moderados foram dominantes no novo reino unificado. Na França, a burguesia havia muito já não conseguia governar sozinha, ou mesmo sob a bandeira liberal, e seus candidatos buscavam apoio popular por meio de rótulos cada vez mais inflamados. "Reforma" e "progressista" davam lugar a "republicano", e este a "radical", e, na Terceira República, a "radical-socialista", cada qual ocultando uma nova geração dos mesmos barbados Sólons, de sobrecasaca, com línguas de ouro e frequentemente recheados de ouro também, rapidamente mudando para posições moderadas depois de seus triunfos eleitorais com a esquerda. Somente na Inglaterra os radicais permaneceram uma ala permanente do Partido Liberal; provavelmente porque aí praticamente não existiam, como classe, os camponeses e a pequena burguesia, que permitiram aos radicais estabelecer sua independência política alhures.

De qualquer forma, por razões práticas o liberalismo permaneceu no poder porque representava a única política econômica que se acreditava fazer sentido para o desenvolvimento ("manchesterismo", como os alemães a chamavam), assim como se aceitava, quase que universalmente, ser o representante da ciência, razão, história e do progresso para os que tivessem qualquer ideia que fosse sobre esses assuntos. Nesse sentido, quase todo chefe de Estado e funcionário público, nas décadas de 1850 e 1860, era um liberal, fosse qual fosse sua filiação ideológica, assim como hoje ninguém o é mais. Os próprios radicais não tinham alternativa viável para o liberalismo. Em qualquer situação, juntar-se com a oposição genuína contra o liberalismo era impensável para eles, talvez mesmo politicamente impossível. Ambos faziam parte da "esquerda" .

A oposição genuína (a "direita") veio daqueles que resistiam às "forças da História". Na Europa, poucos realmente desejavam um retorno ao passado, como nos dias dos românticos reacionários de depois de 1815. Tudo o que queriam era interromper, ou pelo menos desacelerar, o ameaçador progresso do presente, um objetivo racionalizado por intelectuais que viam a necessidade de fatores como "movimento" e "estabilidade", "ordem" e "progresso". Assim, o conservadorismo era capaz de atrair de vez em quando alguns grupos da burguesia liberal, que sentia que mais progresso podia trazer a revolução mais perigosamente para perto. Naturalmente tais partidos conservadores atraíam o apoio de grupos particulares, cujos interesses imediatos iam ao encontro da política liberal dominante (por exemplo, agrários e protecionistas), ou grupos que se opunham aos liberais por razões que não diziam respeito ao seu liberalismo, como os belgas flamengos, que se ressentiam de uma burguesia essencialmente Walloon e de sua predominância cultural. Sem dúvida também, especialmente na sociedade rural, as rivalidades locais ou de família eram naturalmente assimiladas dentro de uma dicotomia ideológica que lhes dizia respeito. O coronel Aureliano Buendía, no romance de García Márquez *Cem anos de solidão*, organizou o primeiro dos seus 32 levantes liberais no interior da Colômbia não porque fosse um liberal ou soubesse o significado de tal palavra, mas porque se sentia ultrajado por um oficial local, que por acaso representava um governo conservador. Talvez haja uma razão lógica ou histórica para que os açougueiros vitorianos fossem predominantemente conservadores (uma ligação com a agricultura?) e os donos de armazém em grande parte liberais (uma ligação com o comércio exterior?), mas nada disso foi estabelecido, e talvez o que precisa de explicação não sejam esses fatos, mas por que esses dois tipos onipresentes de comerciantes se tenham recusado sistematicamente a partilhar as mesmas opiniões, fossem elas quais fossem.

Mas o conservantismo estava essencialmente com aqueles que preconizavam a tradição, a velha e ordeira sociedade, costumes e nenhuma mudança, em oposição a tudo que fosse novo. Daí a importância crucial da posição das Igrejas oficiais, organizações ameaçadas por tudo o que o liberalismo defendia e ainda capazes de mobilizar forças imensas contra ele, por exemplo a inserção de uma quinta coluna no centro do poder burguês através da piedade e do tradicionalismo das viúvas e filhas, a permanência de um controle clerical sobre as cerimônias de nascimento, casamento e morte, e um controle sobre um grande setor da educação. Esses controles eram vigorosamente contestados e forneceram as maiores razões para a disputa política entre conservadores e liberais em vários países.

Todas as Igrejas oficiais eram *ipso facto* conservadoras, embora apenas a maior delas, a Católica Romana, tenha formulado sua posição de aberta hostilidade à crescente tendência liberal. Em 1864, o papa Pio IX definiu suas posições no *Sílabo dos Erros*. Essa encíclica condenou, de maneira igualmente implacável, oitenta erros, incluindo o "naturalismo" (que negava a ação de Deus sobre os homens e o mundo), o "racionalismo" (o uso da razão sem referência a Deus), o "racionalismo moderado" (a recusa de supervisão eclesiástica por parte da ciência e da filosofia), o "indiferentismo" (escolha livre de religião ou mesmo ausência dela), a educação laica, a separação da Igreja e do Estado e, em geral (erro nº 80), a ideia de que o "Pontífice Romano pode e deve reconciliar-se e chegar a bom termo com o progresso, o liberalismo e a civilização moderna". Inevitavelmente, a linha entre direita e esquerda tornou-se em grande parte a linha divisória entre clericais e anticlericais, sendo os últimos na maior parte francamente descrentes nos países católicos, mas também — principalmente na Inglaterra — crentes de religiões minoritárias ou independentes da Igreja e do Estado (veja adiante no Capítulo 14).*

O que era novo em política de "classe" nesse período era sobretudo a emergência da burguesia liberal como uma força no contexto de uma política mais ou menos constitucionalista, com o declínio do absolutismo, principalmente na Alemanha, Áustria-Hungria e Itália — área que abrangia cerca de um terço da população da Europa. (Aproximadamente um terço da população do continente ainda vivia sob governos nos quais não tinha participação.) O progresso da imprensa periódica — fora da Inglaterra e dos Estados Unidos ela ainda se dirigia sobretudo a leitores

* A posição das Igrejas de Estado, onde fossem religiões minoritárias, era anômala. Os católicos holandeses encontravam-se do lado liberal contra os calvinistas predominantes, e os alemães católicos, incapazes de se aliarem fosse com a direita protestante, fosse com a esquerda liberal do Império Bismarckiano, formaram um "Partido de Centro", na década de 1870.

burgueses — ilustra essa mudança de forma significativa: entre 1862 e 1873, o número de periódicos na Áustria (sem a Hungria) aumentou de 345 para 866. Eles traziam um pouco do que não era familiar para as assembleias eleitorais, nominais ou genuínas, do período anterior a 1848.

O direito de voto permanecia de tal forma restrito, na maioria dos casos, que não se colocava a moderna questão de política de massa. De fato, frequentemente os representantes da classe média podiam tomar o lugar do "povo" real, que diziam representar. Poucos casos chegaram a ser tão extremos como os de Nápoles ou Palermo no começo da década de 1870, quando 37,5% e 44% dos eleitores estavam nas listas porque eram graduados de algum modo. Mas mesmo na Prússia o triunfo dos liberais em 1863 parece menos impressionante se for lembrado que 67% dos votos da cidade que os elegeu representavam realmente apenas 25% do voto urbano, visto que dois terços do eleitorado não se deu ao trabalho de ir às urnas nas cidades.[4] Representaram esses esplêndidos triunfos do liberalismo na década de 1860, nesses países de franquias limitadas e apatia popular, algo além da opinião de uma minoria de respeitáveis burgueses citadinos?

Na Prússia, Bismarck pelo menos pensava que não, e consequentemente resolveu o conflito constitucional entre a Dieta Liberal e a monarquia (que surgiu em 1862 devido a planos de reforma no exército) simplesmente governando sem referência ao Parlamento. Como ninguém sustentava os liberais exceto a burguesia, e esta era incapaz ou não desejava mobilizar nenhuma força genuína, armada ou política, toda a conversa sobre o Grande Parlamento de 1640 ou os Estados Gerais de 1789 não passava de quimera.* Bismarck percebia que, no sentido mais

* Por outro lado, o que deu aos liberais poder real em alguns países atrasados, apesar de sua posição minoritária, era a existência de liberais proprietários de terras que dominavam suas respectivas regiões virtualmente sem controle governamental, ou de funcionários prontos a fazer "pronunciamentos" no interesse liberal. Era o caso de diversos países ibéricos.

literal da palavra, uma "revolução burguesa" era uma impossibilidade, pois seria uma revolução de verdade apenas se outras camadas além da burguesia fossem mobilizadas, e em nenhum caso os homens de negócios ou os professores pareciam estar inclinados a levantar barricadas. Isso não o impediu, porém, de aplicar o programa econômico, legal e ideológico da burguesia liberal desde que pudesse ser combinado com a predominância da aristocracia agrária numa monarquia prussiana protestante. Não quis arrastar os liberais a uma aliança de desespero com as massas, e de qualquer forma o programa da burguesia era o programa óbvio para um Estado europeu moderno, ou pelo menos parecia inevitável. Como sabemos, ele foi brilhantemente bem-sucedido. A maior parte da burguesia liberal aceitou a oferta do programa sem o poder político — não tinha muita opção — e transferiu-se, em 1866, para o Partido Liberal Nacional, que foi a base para as manobras políticas domésticas de Bismarck durante todo o resto de nosso período.

Bismarck e outros conservadores sabiam que as massas, fossem o que fossem, não eram certamente liberais no sentido em que os homens de negócios urbanos o eram. Consequentemente, eles sentiram que às vezes podiam conter os liberais mediante a ameaça de aumentar as franquias. Podiam mesmo terminar por fazê-lo, como Benjamin Disraeli o fez em 1867 e os católicos belgas o fizeram mais modestamente em 1870. O erro foi supor que as massas eram conservadoras no sentido que eles atribuíam à palavra. Não há dúvida de que a maioria dos camponeses na maior parte da Europa ainda era tradicionalista, prontos para apoiar a Igreja, o rei ou o imperador e seus superiores hierárquicos de forma automática, especialmente contra os malignos desígnios dos homens da cidade. Mesmo na França, grandes regiões do oeste e do sul continuaram a votar, durante a Terceira República, nos que apoiavam a dinastia dos Bourbons. Sem dúvida também, como Walter Bagehot, teórico da democracia inócua, destacou depois do Reform Act de 1867, havia muitos, incluindo trabalhadores, cujo comportamento político era dirigido pelo respeito a seus "superiores". Mas a partir do momento em que as massas entraram na cena política, inevitavelmente passaram a agir, mais cedo ou mais tarde, como atores, e não mais como extras ao fundo de um belo quadro de multidão. E enquanto se podia confiar nos camponeses atrasados em muitos lugares, isso já não era possível nos crescentes setores industriais e urbanos. O que estes últimos queriam não era o liberalismo clássico, o que tampouco significava acolher dirigentes conservadores, especialmente aqueles crescentemente devotados a uma política econômica e social essencialmente liberal. Isso ficaria evidente durante a era de depressão econômica e incerteza que acompanharam o fim da expansão liberal em 1873.

2.

O primeiro e mais perigoso grupo a estabelecer sua identidade separada e definir seu papel na política foi o novo proletariado, cujo número fora multiplicado por vinte anos de industrialização.

O movimento trabalhista não tinha sido tão destruído ou decapitado pelo fracasso das revoluções de 1848 e pela subsequente década de expansão econômica. Os vários teóricos de um novo futuro social, que haviam transformado a agitação da década de 1840 no "espectro do comunismo", tendo fornecido ao proletariado uma perspectiva política alternativa tanto para os conservadores como para os liberais ou radicais, estavam na prisão, como Auguste Blanqui; no exílio, como Karl Marx e

Louis Blanc; esquecidos, como Constantin Pecqueur (1801-1887); ou como Étienne Cabet (1788-1857), nessas três situações. Alguns haviam feito as pazes com o novo regime, como P. J. Proudhon fez com Napoleão III. O período não era muito propício para os que acreditavam na iminente derrocada do socialismo. Marx e Engels, que mantiveram alguma esperança no renascimento revolucionário por um ou dois anos depois de 1849, transferiram depois essas esperanças para a grande crise econômica seguinte (a de 1857) e resignaram-se aos despojos. Embora talvez seja exagero dizer que o socialismo tenha desaparecido por completo, mesmo na Inglaterra, onde os socialistas durante os anos de 1860 e 1870 poderiam ter-se acomodado, provavelmente quase ninguém era socialista em 1860 que não o tivesse sido em 1848. Podemos talvez ser gratos a esse intervalo de isolamento forçado da política, que permitiu a Karl Marx amadurecer suas teorias e estabelecer as bases de *O capital*, mas ele mesmo não pensava assim. Nesse meio-tempo, as organizações políticas sobreviventes da (ou dedicadas à) classe operária tinham entrado em colapso, como a Liga Comunista em 1852, ou se tornaram gradualmente insignificantes, como o cartismo inglês.

Entretanto, no nível mais modesto da luta econômica e da autodefesa, as organizações da classe operária persistiram, e só podiam crescer. Isso apesar de que, com a notável embora parcial exceção da Inglaterra, os sindicatos e as greves eram legalmente proibidos em quase toda a Europa, embora as Sociedades de Amizade (Sociedades de Ajuda Mútua) e as cooperativas — no continente geralmente para a produção, na Inglaterra geralmente para lojas — fossem consideradas aceitáveis. Não se pode dizer que tivessem florescido muito: na Itália (1862), a média de membros dessas Sociedades de Ajuda Mútua no Piemonte, onde eram mais fortes, era um pouco inferior a cinquenta.[5] Somente na Inglaterra, na Austrália e — curiosamente — nos Estados Unidos os sindicatos de trabalhadores tinham significado real, sendo que nos dois últimos casos geralmente chegavam na bagagem dos imigrantes ingleses com organização e consciência de classe.

Na Inglaterra, não apenas os artesãos qualificados das indústrias produtoras de máquinas como também os artesãos de ocupações mais antigas e até trabalhadores do algodão — graças aos núcleos de fiandeiros adultos altamente especializados — mantinham poderosos sindicatos locais, ligados de modo mais ou menos efetivo em nível nacional e, em um ou dois casos (a Amalgamated Society of Engineers, 1852, e a Amalgamated Society of Carpenters and Joiners, 1860), tendo coordenado financeiramente, senão estrategicamente, várias sociedades nacionais. Formavam uma minoria, mas uma minoria não negligenciável e, entre os especializados, em alguns casos uma maioria. Além disso, forneciam uma base sobre a qual o sindicalismo podia ser rapidamente expandido. Nos Estados Unidos eram talvez mais poderosos, embora viessem a se mostrar incapazes de aguentar o impacto de uma industrialização realmente rápida no final do século. Entretanto, eram menos poderosos que no paraíso do trabalho organizado, as colônias australianas, onde os trabalhadores da construção civil conseguiram o dia de oito horas já em 1856, logo seguidos por outras profissões. Sem dúvida, em nenhum outro lugar era a posição de barganha do trabalhador mais forte que nessa economia subpovoada e dinâmica, em que as corridas ao ouro da década de 1850 envolveram milhares de pessoas, aumentando os salários dos não aventureiros que ficaram.

Observadores sensatos não esperavam que essa relativa insignificância do movimento trabalhista durasse. De fato, a partir de 1860 ficou claro que o proletariado estava voltando à cena como a outra *dramatis personae* da década de 1840, embora num estado de espírito menos turbulento. Emergiu com rapidez imprevista, para ser logo seguido pela ideologia a partir de então identificada com seus movimentos: o socialismo. Esse processo de emergência era um curioso amálgama de ação política e industrial, de vários tipos de radicalismo, do democrático ao anárquico, de lutas de classes, alianças de classe e concessões governamentais ou capitalistas. Mas acima de tudo era *internacional,* não apenas porque, como no recrudescimento do liberalismo, ocorresse em vários países simultaneamente, mas porque era inseparável da solidariedade internacional das classes trabalhadoras, da solidariedade internacional da esquerda radical (herança do período pré-1848). Era organizado pela Associação Internacional dos Trabalhadores, a Primeira Internacional de Karl Marx (1864-1872, nos moldes da própria associação. A afirmação de que "os trabalhadores não têm pátria", como o *Manifesto comunista* colocava, pode ser debatida: certamente os trabalhadores radicais organizados na França e Inglaterra eram patriotas à sua maneira — pois a tradição revolucionária francesa é notoriamente nacionalista (veja o Capítulo 5). Mas numa economia em que os fatores de produção moviam-se livremente, mesmo os sindicatos ingleses não ideológicos viam a necessidade de impedir os empregadores de importar fura-greves do exterior. Para todos os radicais, os triunfos e fracassos da esquerda em qualquer lugar pareciam ter um efeito direto e imediato sobre os seus próprios. Na Inglaterra, a Internacional surgiu de uma combinação de agitação para reforma eleitoral com uma série de campanhas por solidariedade internacional — com Garibaldi e a esquerda italiana em 1864, com Abraham Lincoln e o Norte na Guerra Civil Americana (1861-1865), com os infelizes poloneses em 1863, acreditando-se, corretamente, que todos esses reforçariam o movimento trabalhista, pelo menos na sua forma mais política, mais sindicalista. E o mero contato organizado entre trabalhadores de um país e de outro só podia ter repercussões nos seus respectivos movimentos, como Napoleão III verificaria depois de ter permitido que os trabalhadores franceses enviassem uma grande delegação a Londres ao ensejo de uma exposição internacional em 1862.

A Internacional, fundada em Londres e rapidamente passada às mãos capazes de Karl Marx, começou como uma curiosa combinação de líderes sindicalistas ingleses insulares e liberais-radicais, misturados ideologicamente com militantes sindicalistas franceses bem mais esquerdistas e um sombrio *staff* geral de velhos revolucionários do continente de visões bem variadas e incompatíveis. Suas batalhas ideológicas iriam por fim arruiná-la. Como foram suficientemente revistas por muitos outros historiadores, não há necessidade de nos determos muito neste aspecto. Falando de modo geral, a primeira grande luta entre os "puros" (isto é, os liberais ou radical-liberais) sindicalistas e aqueles com perspectivas mais ambiciosas de transformação social foi ganha pelos socialistas (embora Marx tivesse o cuidado de manter os ingleses como seu maior apoio fora das lutas do continente). Em seguida, Marx e seus seguidores confrontaram (e derrotaram) os seguidores do "mutualismo" de Proudhon, artesãos anti-intelectuais e com uma consciência de classe militante, para depois enfrentar o desafio de Mikhail Bakunin (1814-1876) e sua aliança anarquista, os mais formidáveis por atuarem com métodos altamente não anárquicos de organizações secretas disciplinadas, frações etc. (veja o Capítulo 9). Incapaz de manter o controle sobre a Internacional por mais tempo, Marx silenciosamente anulou-a em 1872 ao transferir seus escritórios para Nova York. Entretanto, por esse tempo a base da grande mobilização da classe trabalhadora, da qual a Internacional era parte e de certa forma coordenadora, já se desintegrara. Mesmo assim, como se veria, as ideias de Marx haviam triunfado.

Na década de 1860, tudo isso ainda não era imediatamente previsível. Havia apenas um movimento marxista de massa trabalhadora, ou pelo menos socialista, aquele que se tinha desenvolvido na Alemanha depois de 1863. (De fato, se executarmos a abortada National Labor Reform Party dos Estados Unidos [1872] — uma extensão política da ambiciosa National Labor Union [1866-1872], que era filiada ao IWMA, havia apenas um movimento político trabalhista operando em escala nacional, independente dos partidos "burgueses" ou "pequeno-burgueses".) Tal foi a realização de Ferdinand Lassalle (1825-1865), um agitador brilhante que caiu vítima de uma vida privada de excessos (morreu em consequência de ferimentos recebidos num duelo por causa de uma mulher) e que encarava a si mesmo como um seguidor de Karl Marx, na medida em que seguia qualquer um desde que não estivesse muito longe. A Associação Geral dos Trabalhadores Alemães (Allgemeiner Deutscher Arbeiterverein, em 1863) de Lassalle era oficialmente radical-democrata e não socialista, sendo seu *slogan* imediato o sufrágio universal, mas tinha uma apaixonada consciência de classe, era antiburguesa e, apesar de suas dimensões modestas no início, organizou-se como um partido de massa moderno. Marx não a recebeu muito bem de início, apoiando uma organização rival sob a liderança de dois discípulos mais chegados (ou pelo menos mais aceitáveis), o jornalista Wilhelm Liebknecht e o talentoso jovem August Bebel. Essa organização, baseada na Alemanha central, embora oficialmente mais socialista, paradoxalmente seguiu uma política menos intransigente de aliança com a esquerda democrática (anti-Prússia) dos velhos combatentes de 1848. Os lassallianos, um movimento quase que inteiramente prussiano, pensaram essencialmente em termos de uma solução prussiana para o problema alemão. Como essa solução era a que prevalecia claramente depois de 1866, tais diferenças, sentidas de forma passional na década da unificação alemã, cessaram de ser importantes. Os marxistas (juntamente com a ala lassalliana que insistia no caráter puramente proletário do movimento) formaram o Partido Social-Democrático em 1869 e fundiram-se definitivamente em 1875 com os lassallianos (mais tarde verificou-se que os lassallianos foram de fato absorvidos), formando o poderoso Partido Social-Democrata da Alemanha (SPD).

O importante é que ambos os movimentos estavam de alguma forma ligados a Marx, a quem olhavam (principalmente depois da morte de Lassalle) como fonte de inspiração teórica e *guru*. Ambos emanciparam-se da democracia radical-liberal e passaram a funcionar como movimentos da classe trabalhadora independentes. E ambos (com o sufrágio universal concedido por Bismarck ao norte da Alemanha em 1866 e a toda a Alemanha em 1871) ganharam apoio de massa imediato. Seus líderes foram eleitos para o Parlamento. Em Barmen, terra natal de Friedrich Engels, 34% votaram em socialistas em 1867, e 51% em 1871.

Mas se a Internacional não inspirava partidos operários significativos (os dois partidos alemães não eram sequer oficialmente a ela filiados), estava associada, por outro lado, ao aparecimento do trabalhismo em um razoável número de países, sob a forma de um maciço movimento industrial e sindical, que a Internacional ajudou sistematicamente a formar pelo menos a partir de 1866. Até que ponto essa ajuda foi realmente decisiva não está claro (a Internacional coincidiu com o primeiro surto de lutas trabalhistas, algumas das quais, como a dos trabalhadores de lã piemonteses de 1866-1967, não tinham nada a ver com ela). Entretanto, particularmente a partir de 1868, tais lutas começaram a convergir para a Internacional, visto que os líderes desses movimentos tendiam de forma crescente a se sentir atraídos por ela, inclusive para militar na organização. Uma onda de greves e agitação trabalhista varreu o continente, atingindo até a Espanha e a Rússia: em 1870 houve greves em São Petersburgo. As greves atingiram a Alemanha e a França em 1868, a Bélgica em 1869 (conservando sua força por alguns anos), a Áustria-Hungria logo depois, chegando finalmente à Itália em 1871 (onde alcançou seu ponto culminante em 1872-1874) e à Espanha no mesmo ano. Nesse mesmo período (1871-1873), a onda de greves estava no seu ponto máximo na Inglaterra.

Novos sindicatos surgiram. Eles deram à Internacional as suas massas: para ilustrar apenas com o exemplo austríaco, os que a apoiavam cresceram em número de 10 mil em Viena para 35 mil entre 1869 e 1872; de 5 mil nas terras tchecas para quase 17 mil; de 2 mil na Estíria e Carintia para quase 10 mil somente na Estíria.[6] Isso não parece muito, comparado a cifras posteriores, mas representava um poder ainda maior de mobilização — os sindicatos na Alemanha aprenderam a tomar decisões sobre greves somente em encontros de massa, representando também aqueles que não estavam organizados — que certamente assustava governos, especialmente em 1871, quando o auge do apelo popular da Internacional coincidiu com a Comuna de Paris (veja no Capítulo 9).

Alguns governos e pelo menos seções da burguesia ficaram cientes do crescimento do trabalhismo no início da década de 1860. O liberalismo estava demasiadamente comprometido com a ortodoxia do *laissez-faire* econômico para se preocupar seriamente com políticas de reforma social, embora alguns dos democratas radicais, alertados para o perigo de perderem o apoio do proletariado, estivessem preparados até para esse sacrifício e, em países onde o "manchesterismo" não tinha sido totalmente vitorioso, alguns funcionários e intelectuais viam tais reformas como mais e mais necessárias. Na Alemanha, sob o impacto do crescimento do movimento socialista, um grupo curiosamente chamado de "Professores Socialistas" (Kathedersozialisten) formou, em 1872, a influente Sociedade para a Política Social (Verein für Sozialpolitik), que advogava a reforma social como profilática contra a luta de classes marxista.*

---

* O termo "socialista", diferente do mais inflamado "comunista", ainda podia ser usado de forma vaga por quem quer que recomendasse ação econômica do Estado e reforma social, e foi muito utilizado neste sentido até o crescimento generalizado dos movimentos socialistas de trabalhadores na década de 1880.

Porém, mesmo os que viam a interferência pública no mecanismo do livre-mercado como a receita para a ruína estavam agora convencidos de que as atividades e as organizações trabalhistas deveriam ser reconhecidas para que fossem domesticadas. Como vimos, alguns dos mais demagógicos políticos, como Napoleão III ou Benjamin Disraeli, estavam bem cientes do potencial eleitoral da classe operária. Em toda a Europa, na década de 1860, a lei foi modificada para permitir uma certa e limitada organização trabalhista e greves; ou, para ser mais exato, para abrir espaço, na teoria do mercado livre, para a barganha livre e coletiva de trabalhadores. Entretanto, a posição legal dos sindicatos permanecia bastante incerta. Apenas na Inglaterra era grande o peso político da classe operária, e seus movimentos eram suficientemente fortes — ela formava a maior parte da população — para produzir, após alguns anos de transição (1867-1875), um sistema virtualmente completo de reconhecimento legal, de tal modo favorável ao sindicalismo que, desde então, tentativas periódicas ocorreram para lhes tirar a liberdade que haviam recebido.

O objetivo dessas reformas era diretamente prevenir o surgimento do trabalhismo como uma força política independente e ainda mais revolucionária. Essa tática foi bem-sucedida em países onde já estavam estabelecidos os movimentos trabalhistas não políticos ou liberais-radicais. Onde o poder do trabalhismo organizado já era forte, como na Inglaterra e na Austrália, os partidos trabalhistas independentes só viriam a aparecer muito mais tarde, e mesmo então permaneceriam essencialmente não socialistas. No entanto, como vimos, na maior parte da Europa o movimento sindicalista emergiu no período da Internacional, em grande parte sob a liderança dos socialistas, e o movimento trabalhista viria a ser politicamente identificado com ela, e mais especialmente com o marxismo. Na Dinamarca, onde a Associação Internacional dos

Trabalhadores havia sido fundada em 1871 com o objetivo de organizar greves e cooperativas de produtores, as partes desse órgão, depois que o governo a dissolveu em 1873, formaram sindicatos independentes, a maioria dos quais se reuniu mais tarde em uma "liga social-democrata". Esta foi a realização mais significativa da Internacional: havia tornado o trabalhismo independente e socialista.

Por outro lado, não o havia feito insurrecional. Apesar do terror que inspirava aos governos, a Internacional não planejou a revolução imediata. O próprio Marx, apesar de não menos revolucionário do que antes, não considerou a revolução como uma possibilidade séria. E mesmo sua atitude em relação à única tentativa de fazer uma revolução proletária, a Comuna de Paris, foi bastante cuidadosa. Não acreditou que ela tivesse a mínima chance de sucesso. O melhor que poderia fazer seria conseguir uma barganha com o governo de Versalhes. Depois de seu fim inevitável, ele escreveu seu obituário nos termos mais comoventes, mas o objetivo desse magnífico panfleto ("A Guerra Civil na França") era instruir os revolucionários do futuro, e nisso ele foi bem-sucedido. Entretanto, a Internacional, isto é, Marx, permaneceu em silêncio enquanto a Comuna ocorria. Durante a década de 1860, ele trabalhou pela perspectiva a longo prazo e permaneceu modesto quanto a outras de curto prazo. Teria ficado satisfeito com o estabelecimento, pelo menos nos países mais industrializados, de movimentos trabalhistas politicamente independentes (onde isso fosse legalmente possível) e organizados como movimentos de massa para a conquista do poder político, e também emancipados da influência intelectual do liberal-radicalismo (incluindo o simples "republicanismo" ou o nacionalismo), assim como da ideologia esquerdista (anarquismo, mutualismo etc.) que ele via, com certa razão, como uma "ressaca" da época anterior. Não pedia sequer que tais movimentos fossem "marxistas"; e mesmo, diante das circunstâncias, isso teria sido utópico, pois Marx não tinha virtualmente seguidores, exceto na Alemanha e entre alguns poucos velhos emigrados. Não esperava tampouco que o capitalismo fosse cair ou estivesse correndo o perigo imediato de ser derrubado. Esperava meramente dar os primeiros passos da organização dos exércitos que enfrentariam a longa campanha contra o bem entrincheirado inimigo.

No início da década de 1870, parecia que o movimento não lograra atingir nem mesmo esses modestos objetivos. O trabalhismo britânico permanecia firmemente nas mãos dos liberais; seus líderes, frágeis e corruptos, eram incapazes até mesmo de conseguir representação parlamentar suficiente a partir de sua força eleitoral agora decisiva. O movimento francês estava em ruínas, como consequência da derrota da Comuna de Paris, e entre essas ruínas não se discerniam sinais de nada melhor que os obsoletos blanquismo, sansculotismo e mutualismo. A grande onda de agitação trabalhista de 1873-1875 deixou atrás de si alguns sindicatos ligeiramente mais fortes, e em certos casos até mesmo mais fracos que os de 1866-1868. A própria Internacional cindiu-se, tendo sido incapaz de eliminar a influência da esquerda obsoleta, cujo fracasso era por demais evidente. A Comuna estava morta, e a outra única revolução europeia, a espanhola, chegava rapidamente ao seu final: em torno de 1874, os Bourbons estavam de volta à Espanha, adiando a próxima República Espanhola por quase sessenta anos. Somente na Alemanha havia ocorrido um avanço sensível. Uma nova perspectiva revolucionária, se bem que difícil ainda de entrever, podia ser discernida nos países subdesenvolvidos e, a partir de 1870, Marx passou a depositar algumas esperanças na Rússia. Mas o movimento desse tipo imediatamente mais interessante, porque o único capaz de perturbar a Inglaterra, o bastião do capitalismo mundial, também havia fracassado. O movimento feniano na Irlanda estava aparentemente em ruínas (veja o Capítulo 5).

Um estado de espírito de desistência e desapontamento permeia os últimos anos de vida de Marx. Ele escreveu comparativamente pouco* e permaneceu politicamente mais ou menos inativo; porém, agora podemos constatar que duas realizações da década de 1860 foram permanentes. Daquele momento em diante, os movimentos da massa trabalhadora se tornariam organizados, independentes, políticos e socialistas. A influência da esquerda socialista pré-marxista havia sido quebrada e, em consequência, a estrutura da política seria constantemente modificada.

A maioria dessas modificações não seria evidente até o final da década de 1880, quando a Internacional renasceu, agora como uma frente comum de partidos de massa, em grande parte marxista. Mas mesmo na década de 1870 pelo menos um Estado teve de enfrentar o novo problema: a Alemanha. Ali o voto socialista (102 mil em 1871) começou a crescer novamente com uma força aparentemente inexorável, depois de uma rápida queda: 340 mil em 1874 e meio milhão em 1877. Ninguém sabia o que fazer com essa força. As massas que não permaneciam passivas e não se prestavam a seguir a liderança dos "superiores" tradicionais da burguesia, cujos líderes não podiam ser assimilados, não se encaixavam no esquema da política. Bismarck, que fazia o jogo do parlamentarismo liberal para seus próprios fins, tão bem ou mesmo melhor do que qualquer outro, não podia pensar em outra coisa senão proibir a atividade socialista pela força da lei.

---

* A maior parte do material postumamente publicado por Engels como *O capital*, vols. II e III, e as "Teorias da mais-valia", na realidade, foram escritos antes da publicação do vol. I, em 1867. Dos escritos de Marx mais importantes, excetuando-se algumas cartas, apenas a "Crítica do Programa de Gotha" (1875) é posterior à queda da Comuna. [E também os *Randglossen zu Adolph Wagners Lehrbuch der politischen Okonomie* escritos em 1879-1880, publicados em Marx-Engels Werke, XIX, Berlim, 1962 e por Harper & Row, publ. Nova York, 1975, em Carver, Karl Marx: *Text on Method* (*N.T.*)]

7. PERDEDORES

"Uma imitação dos costumes europeus, incluindo a perigosa arte de emprestar, tem sido ultimamente modificada: mas, nas mãos dos dirigentes orientais, a civilização do Ocidente não frutifica; e em vez de restaurar um Estado vacilante, parece ameaçá-lo com uma ruína mais rápida."

Sir T. Erksine May, 1877[1]

"O mundo de Deus não dá autoridade para a moderna ternura pela vida humana (...). É necessário que em todas as terras orientais se estabeleça o medo e o terror ao governo. Então, e apenas então, seus benefícios serão apreciados."

J. W. Kaye, 1870[2]

1.

Na "luta pela existência" que forneceu a metáfora básica do pensamento econômico, político, social e biológico do mundo burguês, somente os "mais capazes" sobreviveriam, sendo sua "capacitação" comprovada não apenas por sua sobrevivência, mas também por sua dominação. A maior parte da população mundial tornou-se vítima daqueles cuja superioridade econômica, tecnológica e consequentemente militar era inconteste e parecia indestrutível: as economias e os Estados da Europa central e setentrional e os países estabelecidos alhures por seus imigrantes, especialmente os Estados Unidos. Com as três exceções mais importantes da Índia, Indonésia e partes da África do Norte, poucos deles eram ou se tornaram colônias formais no terceiro quartel do século XIX. (Podemos deixar de lado as áreas de colonização anglo-saxônica como Austrália, Nova Zelândia e Canadá, pois, embora ainda não fossem formalmente independentes, eram tratados de forma claramente diversa das áreas habitadas por "nativos", um termo em si neutro, mas que adquiriu forte conotação de inferioridade.) Essas exceções não eram negligenciáveis: a Índia sozinha possuía 14% da população mundial em 1871. Mesmo assim, a independência política dos demais países contava pouco. Economicamente, estavam à mercê do capitalismo desde que estivessem ao seu alcance. Do ponto de vista militar, sua inferioridade era gritante. O navio de guerra e a força expedicionária pareciam ser todo-poderosos.

Na realidade, não eram tão decisivos como pareciam quando os europeus chantageavam os governos fracos ou tradicionais. Havia muito daquilo que os administradores ingleses gostavam de chamar, não sem admiração, de "raças militares", capazes de derrotar forças europeias em batalhas campais, embora nunca no mar. Os turcos tinham merecida reputação de soldados, e de fato a habilidade destes últimos para derrotar e massacrar não apenas os que eram rebeldes ao sultão, mas para enfrentar o mais perigoso dos adversários, o exército russo, preservou o Império Otomano em face das rivalidades entre as potências europeias e pelo menos atrasou sua desintegração. Os soldados britânicos tratavam com respeito considerável os sikhs e pathans na Índia e os zulus na África, assim como os franceses os berberes do norte da África. Mais uma vez, a experiência mostrava que as forças expedicionárias eram severamente perturbadas pela guerra consistente irregular ou de guerrilhas, especialmente em áreas montanhosas, onde aos estrangeiros faltava apoio local. Os russos lutaram durante décadas contra esse tipo de resistência no Cáucaso, e os ingleses desistiram da tentativa de controlar o Afeganistão diretamente, contentando-se em supervisionar a fronteira noroeste com a Índia. Por último, a ocupação permanente de extensos países por uma pequena minoria de conquistadores estrangeiros era muito difícil e cara e, em virtude da capacidade dos países desenvolvidos de impor sua vontade e interesses sem precisar dessa ocupação, a tentativa não parecia ser compensadora. E ninguém acreditava que pudesse ser feita, mesmo se necessária.

A maior parte do mundo não estava, portanto, em condições de determinar seu próprio destino. Poderia, na melhor das hipóteses, reagir às forças externas que pressionavam com vigor cada vez maior. Esse mundo de vítimas consistia em quatro setores mais importantes. Primeiro, havia os impérios não europeus sobreviventes, ou grandes reinos independentes do mundo islâmico e da Ásia: o Império Otomano, a Pérsia, a China, o Japão e outros menores como Marrocos, Burma, Sião e Vietnã. Os maiores dentre estes sobreviveram — com a exceção do Japão, que será considerado separadamente (veja adiante no Capítulo 8) —, embora minados de forma crescente pelas novas forças do capitalismo do século XIX; os menores foram ocupados no final de nosso período, com exceção do Sião, que sobreviveu como um Estado-tampão entre zonas de influência inglesa e francesa. Segundo, havia as antigas colônias da Espanha e Portugal nas Américas, agora Estados nominalmente independentes. Em terceiro lugar, havia a África ao sul do Saara, sobre a qual não há muito o que dizer, pois não atraía a atenção nesse período. Finalmente, havia as vítimas já formalmente colonizadas ou ocupadas, sobretudo na Ásia.

Todos enfrentavam o problema fundamental de saber qual seria a atitude diante de uma conquista formal ou informal pelo Ocidente. Que os brancos eram demasiado fortes para serem meramente rejeitados, isso era evidente. Os indígenas maias das selvas do Yucatán tentaram expulsá-los em 1847, retornando ao antigo modo de vida como resultado da "Guerra Racial" que começara em 1847, até que, no século XX, o sisal e a goma de mascar os trouxeram de volta para a órbita da civilização ocidental. Mas o caso deles era excepcional, pois o Yucatán era isolado, o poder branco mais próximo era fraco (México) e os ingleses (dos quais uma colônia era fronteiriça aos maias) não os desencorajaram. A luta contra nômades e tribos montanhesas os mantinha acuados, e a raridade de suas aparições se devia à sua força e não ao seu atraso e ausência de interesse econômico. Mas para a maioria dos povos politicamente organizados do mundo não capitalista a questão não era saber se o mundo da civilização branca podia ser evitado, mas como seria a reação ao seu impacto: copiá-lo, resistir à sua influência ou uma combinação de ambos.

Dos setores dependentes do mundo, dois já haviam sofrido compulsoriamente a "ocidentalização" pela dominação europeia, ou estavam em pleno processo: as antigas colônias nas Américas e nas diversas partes do mundo.

A América Latina tinha emergido do *status* colonial espanhol e português como um agregado de Estados tecnicamente soberanos, nos quais as instituições e leis liberais de classe média do tipo conhecido no século XIX (inglês e francês) foram sobrepostas à herança institucional portuguesa e espanhola do passado, sobretudo um catolicismo romano com cores locais, passional e profundamente enraizado, característico da população indígena — que era índia, mesclada e, em grande parte da zona caraíba e da costa do Brasil, largamente africana.* O imperialismo do mundo capitalista não iria fazer uma tentativa sistemática para evangelizar suas vítimas. Estes eram países agrícolas e virtualmente inacessíveis para um remoto mercado mundial, na medida em que estivessem fora do alcance de rios, portos ou tropas de mulas. Deixando de lado a área de plantações escravas e as tribos do interior inacessível ou das remotas fronteiras do extremo norte e sul, esses países eram habitados principalmente por camponeses e vaqueiros de diferentes cores, em comunidades autônomas em relação direta de subserviência com os proprietários de vastas áreas de

* Cultos de origem africana sobreviveram nas regiões de escravidão, mais ou menos em sincretismo com o catolicismo, mas, com exceção do Haiti, não parecem ter competido com a religião dominante.

terra, ou mais raramente independentes. Esses países eram dominados pela riqueza de grandes proprietários de terras, cuja posição fora notavelmente reforçada pela abolição do colonialismo espanhol que havia tentado manter certo controle sobre eles, o que incluía a proteção de comunidades camponesas (principalmente indígenas). Eram também dominados pelos homens armados que os senhores da terra ou qualquer outro pudessem mobilizar. Estes formavam a base dos *caudillos* que, à frente de seus exércitos, tornaram-se tão familiares no cenário político latino-americano. Basicamente, os países do continente eram quase todos oligárquicos. Na prática, isto significava que o poder nacional e os Estados nacionais eram fracos, salvo se uma república fosse muito pequena ou um ditador suficientemente feroz para instilar, pelo menos, terror temporário nos mais remotos cidadãos. Esses países estavam em contato com a economia mundial através dos estrangeiros, que dominavam a importação e a exportação de seus produtos principais, assim como seu transporte marítimo (com a exceção do Chile, que tinha uma florescente frota própria). Em nosso período, esses estrangeiros eram principalmente os ingleses, embora houvesse também alguns franceses e americanos. As fortunas de seus governos dependiam da porcentagem que levavam sobre esse tráfico exterior e do sucesso em levantar empréstimos, mais uma vez sobretudo dos ingleses.

As primeiras décadas depois da independência viram uma regressão econômica e demográfica em muitas áreas, com exceções notáveis como o Brasil, que havia se separado pacificamente de Portugal sob um imperador local, evitando assim conflitos e guerra civil, e o Chile, isolado pelo Pacífico na sua faixa temperada. As reformas liberais instituídas pelos novos regimes — a maior acumulação de repúblicas no mundo — tinham enquanto tal pouca importância prática. Em alguns Estados maiores, e consequentemente mais importantes, como a Argentina sob o ditador Rosas (1835-1852), dominavam oligarcas educados no país, voltados para o país e hostis a inovações. Contudo, a impressionante expansão mundial do capitalismo no nosso período mudaria tudo isso.

Em primeiro lugar, ao norte do istmo do Panamá ela levaria a uma intervenção mais direta por parte dos poderes "desenvolvidos" desde o desaparecimento de Espanha e Portugal. O México, a vítima maior, perdeu vários territórios para os Estados Unidos como resultado da agressão americana de 1846. Em segundo lugar, a Europa (e em medida menor os Estados Unidos), descobriu mercadorias valiosas para importar da grande região subdesenvolvida — guano do Peru, tabaco de Cuba e de outras áreas, algodão do Brasil e de outros lugares (especialmente durante a Guerra Civil Americana), café (depois de 1840, sobretudo do Brasil), nitratos do Peru etc. Vários deles eram produtos de uma expansão temporária, passíveis de declínio tão rápido quanto fora sua ascensão: a era do guano no Peru tinha começado antes de 1848 e não sobreviveu à década de 1870. Somente após essa década a América Latina desenvolveu um padrão de produtos relativamente estáveis para exportação, que durariam como tais até as décadas intermediárias do século XX, ou mesmo até hoje. O investimento de capital estrangeiro começava a desenvolver a infraestrutura do continente — estradas de ferro, instalações portuárias, utilidades públicas; mesmo a imigração europeia aumentou substancialmente, principalmente em Cuba, no Brasil e sobretudo nas áreas temperadas do estuário do rio da Prata.*

Esse desenvolvimento fortaleceu as mãos da minoria de latino-americanos devotadas à modernização do continente, tão pobre no momento quanto rico em potencialidade e recursos; "um mendigo sentado sobre um monte de ouro", como um viajante italiano descreveu o Peru. Os estrangeiros, mesmo quando eram ameaçadores, como no México,

* Aproximadamente 250 mil europeus instalaram-se no Brasil entre 1855 e 1874, enquanto mais de 800 mil foram para a Argentina e Uruguai no mesmo período.

constituíam um perigo menor comparado ao formidável componente de inércia nativa, representado pelo campesinato tradicionalista, senhores da terra antiquados e sem visão e, sobretudo, a Igreja. Ou melhor, se essas características não fossem superadas em primeiro lugar, as chances de reagir aos estrangeiros seriam poucas. E elas não poderiam ser superadas por simples modernização ou "europeização".

As ideologias do "progresso" que envolviam os latino-americanos cultos não eram apenas aquelas do liberalismo dos franco-maçons ou benthamitas "iluminados", que foram tão populares no movimento de independência. Na década de 1840, várias formas de socialismo utópico tinham conquistado os intelectuais, prometendo não apenas perfeição social, mas desenvolvimento econômico, e de 1870 em diante, o positivismo de Auguste Comte penetrou profundamente no Brasil (cujo lema nacional ainda é o comtiano "Ordem e Progresso") e no México, em escala menor. Ainda assim, o "liberalismo" clássico prevalecia. A combinação da Revolução de 1848 com a expansão capitalista mundial deu aos liberais sua chance. Eles trouxeram a destruição real da antiga ordem legal colonial. As duas reformas mais significativas — e associadas — foram a liquidação sistemática de qualquer propriedade da terra que não fosse privada — compra e venda (como na lei brasileira e na remoção de limites na Colômbia para a divisão das terras indígenas, ambas em 1850) e sobretudo um feroz anticlericalismo, que chegou a abolir a propriedade de terras da Igreja. Os extremos desse anticlericalismo foram atingidos no México sob o presidente Benito Juarez (1806-1872) na Constituição de 1857, onde a Igreja e o Estado foram separados, os dízimos abolidos, os padres forçados a prestar um juramento de lealdade, os funcionários públicos proibidos de assistir a serviços religiosos e as terras eclesiásticas vendidas. Entretanto, outros países foram apenas um pouco menos militantes.

A tentativa de transformar a sociedade por via da modernização institucional imposta através do poder político fracassou, essencialmente, porque não tinha o suporte de uma independência econômica. Os liberais eram uma elite culta e urbana num continente rural e, na medida em que tinham um poder político genuíno, o qual repousava em generais não confiáveis e em clãs locais de famílias proprietárias de terras que, por razões que tinham apenas a mais remota das conexões com John Stuart Mill ou Darwin, escolheram a filiação daquele lado. Dos pontos de vista social e econômico, muito pouco havia mudado nos sertões da América Latina na década de 1870, exceto que o poder dos senhores de terras havia aumentado e o dos camponeses enfraquecido. E na medida em que se tinha transformado sob o impacto do intrusivo mercado mundial, o resultado era subordinar a velha economia à demanda do comércio de importação-exportação, operado através de alguns grandes portos ou capitais e controlado por estrangeiros ou colonos estrangeiros. A única exceção de importância eram as terras do Rio da Prata, onde a maciça imigração europeia produziria uma população inteiramente nova, com estrutura social inteiramente não tradicional. A América Latina, neste período sob estudo, tomou com grande zelo, e ocasionalmente com maior crueldade, o caminho da "ocidentalização" na sua forma burguês-liberal, mais que qualquer outro país do mundo, com exceção do Japão, mas os resultados foram desapontadores.

Deixando de lado as áreas habitadas por (normalmente recentes) colonos europeus e sem uma grande população nativa (Austrália, Canadá), os impérios coloniais das potências europeias consistiam em umas poucas regiões onde uma maioria ou minoria de colonos brancos coexistia com uma população indígena de razoável magnitude (África do Sul, Argélia, Nova Zelândia) e um grande número de regiões sem uma população europeia significativa ou permanente.* As colônias do "colono branco"

* A miscigenação não se desenvolveu em larga escala nessas áreas, diferentemente dos antigos impérios pré-industriais — parte dos quais ainda sobrevivia (por exemplo, Cuba, Porto Rico e Filipinas) —, e parece, pelo menos na Índia, ter sido cada vez mais desencorajada a partir de meados do século XIX. Esses grupos de mestiços, que não podiam ser simplesmente assimilados à raça de cor (como nos Esta-

viriam a criar o mais intrincado problema do colonialismo, embora nessa época não tivessem grande importância internacional. De qualquer forma, o problema das populações nativas era agora o de como resistir ao avanço dos colonos brancos e, embora os zulus, os maoris e os berberes tivessem bastantes armas, não conseguiam mais do que vitórias locais. As colônias de população indígena mais sólida levantavam problemas mais sérios, pois devido à escassez de brancos foi essencial usar nativos em grande número administrando-os e intimidando-os em benefício de seus governantes, e estes tinham de utilizar as instituições existentes para essa administração, pelo menos em nível local. Em outras palavras, os colonizadores estavam diante do duplo problema de criar um corpo de nativos assimilados para tomar o lugar do homem branco, e também de submeter as instituições tradicionais dos países, geralmente distantes de atender a seus propósitos. Por outro lado, os povos indígenas enfrentavam o desafio da ocidentalização como algo muito mais complexo do que a mera resistência.

2.

A Índia — de longe a maior colônia — ilustra as complexidades e os paradoxos dessa situação. A mera existência da dominação estrangeira não lhe colocava maiores problemas, pois as vastas regiões do subcontinente já haviam sido conquistadas e reconquistadas, no curso de sua história, por vários tipos de estrangeiros (a maioria da Ásia central), cuja legitimidade fora suficientemente estabelecida pelo poder efetivo. Que os dominadores atuais tivessem pele mais clara que os afeganes, e uma linguagem administrativa pouco mais incompreensível que o persa clássico, não chegou

dos Unidos) nem "passar por brancos", foram às vezes usados como uma casta de administradores ou técnicos subalternos, como na Indonésia ou na Índia, onde monopolizaram a administração das linhas férreas; mas em princípio a linha que dividia "branco" e "de cor" era nítida.

a levantar maiores problemas; que não procurassem conversões para sua religião peculiar com um zelo excessivo (para tristeza dos missionários) era uma conquista política. Entretanto, as mudanças que eles impuseram, deliberadamente ou em consequência de sua curiosa ideologia e atividade econômica sem precedentes, eram mais profundas e perturbadoras que qualquer outra coisa que tivesse atravessado o Passo de Khyber.

Eles eram simultaneamente revolucionários e limitados. Os ingleses esforçaram-se para ocidentalizar — em alguns casos mesmo assimilar — não apenas porque práticas locais como a cremação de viúvas (*suttee*) realmente ultrajavam muitos deles, mas sobretudo por causa das necessidades da administração e da economia. Ambas rompiam a estrutura social e econômica existentes, mesmo quando tal não era a sua intenção. Portanto, após longos debates, T. B. Macaulay (1800-1859) — em sua famosa *Minuta* (1835) — estabeleceu um sistema de educação puramente inglês para os poucos indianos por cuja educação e treinamento se interessava oficialmente o rajá britânico, ou seja, os administradores subalternos. Uma pequena elite anglicizada emergiu, às vezes tão distante das massas indianas a ponto de perder fluência em sua própria língua vernacular ou de anglicizar os próprios nomes, embora nem o mais assimilado dos indianos viesse a ser tratado como inglês pelos ingleses.* Por outro lado, os ingleses recusaram-se ou fracassaram na tentativa de ocidentalização tanto porque os indianos eram enfim um povo dominado, cuja função *não* era a de competir com o capitalismo inglês, pois havia sérios riscos políticos na excessiva interferência em práticas populares, quanto porque as diferenças entre os hábitos ingleses e os de aproximadamente 190 milhões de indianos (1871) pareciam ser tão grandes a ponto de serem virtualmente

* A esquerda inglesa, para seu mérito, era mais igualitária e finalmente um ou dois indianos foram eleitos de fato para o Parlamento inglês, o primeiro deles como membro radical de um distrito eleitoral de Londres em 1893.

insuperáveis, pelo menos por parte do pequeno número de administradores ingleses. A bibliografia de excelente qualidade produzida pelos homens que dominaram ou tiveram experiência com a Índia no século XIX — e que contribuíram decisivamente para o desenvolvimento de disciplinas como a Sociologia, a Antropologia Social e a História Comparativa (veja adiante no Capítulo 14) — faz parte de uma série de variações em torno do tema da incompatibilidade e da impotência.

A "ocidentalização" viria finalmente produzir a liderança, as ideologias e os programas da luta de libertação indiana, cujos líderes culturais e políticos surgiriam dos flancos dos que haviam colaborado com os ingleses, beneficiando-se dessa dominação na qualidade de uma burguesia compradora ou lançando-se à "sua modernização" pela imitação do Ocidente. Isso produziu o início de uma classe de industriais locais, cujos interesses os colocava em conflito com a política econômica metropolitana. É necessário ressaltar que, nesse período, a elite ocidentalizada apesar de seus descontentes via os britânicos como oferecendo um modelo e abrindo novas possibilidades. O nacionalista anônimo do *Mukherjee's Magazine* (Calcutá, 1873) era ainda uma figura isolada quando escreveu: "Maravilhados pelo brilho artificial em torno deles (...) os nativos aceitavam os pontos de vista de seus superiores [e] depositavam neles sua fé, como se fossem um Veda comercial. Mas dia após dia a luz da inteligência vai dissipando o nevoeiro de suas mentes".[3] Quando havia resistência aos britânicos enquanto britânicos, ela vinha dos tradicionalistas e era mesmo muda — com uma importante exceção —, numa época em que, como o nacionalista B. G. Tilak mais tarde lembraria, o povo

> estava primeiramente maravilhado pela disciplina dos britânicos. As estradas de ferro, o telégrafo, as rodovias, as escolas impressionavam o povo. Os distúrbios haviam cessado e o povo podia aproveitar a calma e a paz (...) o povo começou a dizer que até um cego podia viajar em segurança de Benares a Rameshwar com ouro amarrado numa bengala.[4]

A principal exceção foi o grande levante de 1857-1858 no norte da planície indiana, conhecido na tradição histórica inglesa como o "Motim indiano", um ponto crucial na história da administração britânica que tem sido apontado retrospectivamente como um prelúdio ao movimento nacional indiano. Era o último sinal de reação do norte da Índia contra a imposição do domínio inglês direto e que finalmente fez ruir a velha Companhia das Índias Orientais. Esse curioso sobrevivente do colonialismo de empresa privada, absorvido de forma crescente no aparato de Estado inglês, vinha enfim ser substituído definitivamente por ele. A política de anexação sistemática de territórios indianos meramente dependentes, associada ao regime do vice-rei *Lord* Dalhousie (1847-1856),* e especialmente a anexação em 1856 do Reino de Oudh, última relíquia do Império Mughal, terminou por provocar a explosão. A rapidez e a falta de tato das mudanças impostas, ou entendidas pelos nativos como iminentes, precipitaram-na. O pretexto foi a introdução de cartuchos de graxa, que os soldados do exército bengalês viam como uma deliberada provocação de sua sensibilidade religiosa. (Os estabelecimentos de missionários eram um dos principais motivos da fúria popular.) Embora o levante tenha começado como um motim do exército bengalês (os de Bombaim e Madras permaneceram quietos), transformou-se numa insurreição popular da maior importância na planície do norte, sob a liderança dos nobres e príncipes tradicionais, na tentativa de restaurar o Império Mughal. As tensões econômicas, como as oriundas das mudanças efetuadas pelos ingleses no imposto fundiário, a principal fonte de renda pública, tiveram certamente sua importância, mas não se sabe até que ponto esse fato isolado poderia produzir tal revolta. Os homens rebela-

---

* Entre 1848 e 1856 a Inglaterra anexou o Punjab, grande parte da Índia central, partes da costa ocidental e Oudh, acrescentando assim cerca de um terço ao território diretamente administrado pelos ingleses.

ram-se contra aquilo que eles acreditavam ser uma destruição rápida e rude de sua forma de vida por uma sociedade estrangeira.

O "motim" foi esmagado num banho de sangue, mas ensinou os ingleses a terem cuidado. Por razões práticas, a política de anexações cessou, exceto nas fronteiras ocidental e oriental do subcontinente. As grandes áreas da Índia ainda não ocupadas por administração direta foram deixadas para a administração de príncipes marionetes locais, controlados pelos ingleses, embora oficialmente respeitados e considerados, e estes, por seu turno, transformaram-se nos pilares do regime que lhes garantia riqueza, poder local e *status*. Desenvolveu-se uma tendência acentuada para buscar apoio nos elementos mais conservadores do país, os proprietários de terras e especialmente a poderosa minoria muçulmana, seguindo a antiga regra imperial "dividir para reinar". Com o passar do tempo, essa mudança de política tornou-se mais do que o reconhecimento da resistência da Índia tradicional à dominação estrangeira. Transformou-se em um contrapeso ao lento desenvolvimento da resistência da nova elite indiana de classe média — produtos da sociedade colonial, em alguns casos seus servidores.* Pois fossem quais fossem as políticas aplicadas ao Império Indiano, sua realidade econômica e política continuava a enfraquecer e alquebrar as forças da tradição e a reforçar as forças da inovação, intensificando o conflito entre estas últimas e os ingleses. Após o final do regime da Companhia, o crescimento de uma nova comunidade de ingleses expatriados, acompanhados de suas mulheres, que enfatizavam crescentemente seus sentimentos segregacionistas e de superioridade racial, aumentou a fricção social com a nova camada da classe média. As

---

* As primeiras críticas econômicas importantes ao imperialismo inglês na Índia, *Economic History of India* e *India in the Victorian Age*, de R. C. Dutts, foram escritas por um indiano cuja carreira na administração britânica foi a mais brilhante de seu tempo. De modo similar, o hino nacional da Índia foi escrito por um funcionário indiano dos ingleses, o romancista Bankin Chandra Chatterjee.

tensões econômicas dos últimos trinta anos do século XIX (veja adiante no Capítulo 16) multiplicaram argumentos anti-imperialistas. Pelo final da década de 1880, o Congresso Nacional Indiano — o principal veículo do nacionalismo indiano e partido dirigente da Índia independente — já existia. No século XX as massas indianas viriam a seguir a direção ideológica do novo nacionalismo.

3.

O levante indiano de 1857-1858 não foi a única rebelião colonial de massa do passado contra o presente. Dentro do Império Francês, o grande levante argelino de 1871, precipitado tanto pela retirada das tropas francesas durante a Guerra Franco-Prussiana como pela imigração em massa de alsacianos e lorenianos para a Argélia depois de 1871, constitui-se em um fenômeno análogo. Porém, a magnitude dessas rebeliões era limitada, pois as principais vítimas da sociedade ocidental capitalista não eram as colônias conquistadas, mas sociedades e Estados enfraquecidos, embora nominalmente independentes. O destino de dois deles pode ser incluído em nosso período de estudo: Egito e China.

O Egito, um principado virtualmente independente embora formalmente ainda dentro do Império Muçulmano, estava predestinado a ser vítima de sua riqueza agrária e de sua situação estratégica. A primeira o transformou em uma economia de exportação agrária, suprindo o mundo capitalista com trigo e especialmente algodão, cujas vendas cresceram drasticamente. Já no início da década de 1860, a exportação representava 70% da renda auferida pelo país, e durante a grande expansão da década de 1860 (quando os fornecimentos americanos foram interrompidos pela Guerra Civil) até os camponeses se beneficiaram, embora a metade deles tivesse contraído doenças parasitárias devido ao aumento da irrigação.

Essa vasta expansão levou o comércio egípcio decididamente para dentro do sistema internacional (britânico), atraindo levas de homens de negócios e aventureiros prontos a conceder crédito ao quediva Ismail. Dessa forma, o quediva esperava transformar o Egito numa potência moderna e imperial e reconstruir o Cairo, tendo como padrão as linhas imperiais da Paris de Napoleão III, que fornecia o modelo básico de paraíso para dirigentes desse tipo. O segundo fator, a situação estratégica, atraía os interesses das potências ocidentais e seus capitalistas, especialmente os ingleses, cuja posição como potência mundial passou a depender, de forma definitiva, da construção do Canal de Suez. A cultura mundial pode ficar modestamente agradecida ao quediva por ter encomendado a *Aída* de Verdi (1871), apresentada pela primeira vez na Nova Ópera do quediva, para celebrar a abertura do canal (1869), mas o custo de tudo isso para seus compatriotas foi excessivo.

O Egito estava, portanto, integrado na economia europeia como fornecedor de produtos agrários. Os banqueiros, através dos paxás, extorquiam o povo egípcio, e quando o quediva e seus paxás não mais podiam pagar os juros dos empréstimos que haviam aceitado com tanto entusiasmo — em 1876 eles totalizavam quase metade da receita para aquele ano —, os estrangeiros impuseram o seu controle.[5] Os europeus teriam talvez ficado contentes apenas em explorar um Egito independente, mas o fim da expansão econômica, assim como da estrutura política e administrativa do governo do quediva — minado pelas forças econômicas e tentações que os dirigentes egípcios não entendiam nem conseguiam administrar —, tornava tudo difícil. Os ingleses, cuja posição era mais forte e cujos interesses estavam envolvidos de forma muito mais crucial, emergiram como os novos dirigentes do país na década de 1880.

Entretanto, a inusitada abertura do Egito para o Ocidente criara uma nova elite de senhores da terra, intelectuais, funcionários civis e oficiais do exército que conduziriam o movimento nacional de 1879-1882 diretamente contra o quediva e os estrangeiros. No curso do século XIX, o velho grupo dirigente turco ou turco-circassiano havia sido egipcianizado, ao mesmo tempo que vários egípcios haviam galgado posições de riqueza e influência. O árabe substituiu o turco como língua oficial, reforçando a já poderosa posição do Egito como centro da vida intelectual islâmica. O notável pioneiro da ideologia islâmica moderna, o persa Jamal ad-din Al Afghani, encontrou um público entusiástico entre os intelectuais egípcios durante sua influente estada no país (1871-1879).* O ponto importante em Al Afghani, assim como em seus discípulos e pares egípcios, era que ele não advogava uma simples reação islâmica negativa contra o Ocidente. Sua própria ortodoxia religiosa fora questionada (ele tornou-se franco-maçom em 1875), embora fosse realista o bastante para saber que as convicções religiosas do mundo islâmico não deviam ser afrontadas e eram, na realidade, uma força política poderosa. Sua postura era por uma revitalização do Islã que permitisse ao mundo muçulmano absorver a ciência moderna e copiar o Ocidente, por demonstrar que o Islã de fato absorvia ciência moderna, parlamentos e exércitos nacionais.[6] O movimento anti-imperialista no Egito olhava para a frente e não para trás.

Enquanto os paxás do Egito imitavam o tentador exemplo da Paris de Napoleão III, a maior das revoluções do século XIX ocorria no maior dos impérios não europeus, a chamada rebelião Taiping da China (1850-1866). Ela tem sido ignorada pelos historiadores eurocentristas, embora ao menos Marx estivesse suficientemente bem informado sobre ela para escrever em 1853: "Talvez o próximo levante do povo europeu dependa muito mais do que agora ocorre no Celeste Império do que de qualquer outra causa política." Era a maior das revoluções não apenas porque a China (cuja metade do atual território era controlada pelos taipings) con-

* Al Afghani continuou a tradição cosmopolita dos intelectuais islâmicos ao longo de uma vida de migrações que o levou de sua terra natal, o Irã, à Índia, ao Afeganistão, ao Egito, à França, à Rússia e a outros lugares.

tinha uns 400 milhões de habitantes, de longe o Estado mais populoso do mundo, mas também por causa da extraordinária escala e ferocidade das guerras civis que ela iniciou. Provavelmente 20 milhões de chineses morreram nesse período. Essas convulsões eram, de várias formas, o produto direto do impacto ocidental sobre a China.

Provavelmente sozinha entre os grandes impérios tradicionais do mundo, a China possuía uma tradição revolucionária popular, ideológica e prática. Ideologicamente, seus intelectuais e seu povo davam por assentes a permanência e a centralização de seu império; existiria sempre, sob um imperador (salvo em alguns períodos ocasionais de divisão), administrado por burocratas intelectuais que haviam passado pelos grandes exames nacionais do serviço civil, introduzidos aproximadamente 2 mil anos antes — e somente abandonados quando o império estava próximo do desaparecimento definitivo em 1910. A história desse país era a de uma sucessão de dinastias, cada qual passando, acreditava-se, por um ciclo de ascensão, crise e transcendência: ganhando e perdendo o "mandato do Céu" que legitimava sua autoridade absoluta. Nesse processo de passagem de uma dinastia para a próxima, a insurreição popular derivada do banditismo social, os levantes camponeses, as atividades das sociedades secretas populares e até a rebelião de grande magnitude eram conhecidos e esperados para desempenhar um importante papel. De fato, seu sucesso era uma clara indicação de que o "mandato do Céu" estava por acabar. A permanência da China, centro da civilização mundial, era conseguida através da repetição contínua do ciclo de mudanças de dinastia, que incluía esse elemento revolucionário.

A dinastia Manchu, imposta por conquistadores do norte em meados do século XVII, tinha substituído a dinastia Ming, que havia, por seu turno (através de revolução popular), derrubado a dinastia mongol no século XIV. Embora na primeira metade do século XIX o regime Manchu ainda parecesse funcionar sem maiores problemas, com inteligência e eficácia — apesar de se dizer que havia muita corrupção —, já se percebiam sinais de crise e rebelião desde a década de 1790. Malgrado quaisquer outras razões que possam ser apontadas, parece claro que o extraordinário aumento da população do país no século precedente (cujas causas ainda não estão claramente elucidadas) havia começado a criar pressões econômicas agudas. O número de chineses parece haver subido de perto de 140 milhões em 1741 para cerca de 400 milhões em 1834. O novo elemento dramático na situação chinesa era a conquista ocidental, que havia derrotado completamente o império na primeira Guerra do Ópio (1839-1842). O choque dessa capitulação diante de uma modesta força naval inglesa foi enorme, pois revelara a fragilidade do sistema imperial, e mesmo setores da opinião pública fora das poucas áreas imediatamente afetadas devem ter tomado consciência do fato. Consequentemente, houve um aumento marcante e imediato nas atividades das várias forças de oposição, em especial as poderosas e profundamente enraizadas sociedades secretas, como a *Tríade* do sul da China, empenhada em derrubar a dinastia estrangeira Manchu e em restaurar a Ming. A administração imperial havia instituído forças de milícia contra os ingleses, ajudando assim a distribuir armas entre a população civil. Só faltava uma fagulha para produzir a explosão.

Essa fagulha apareceu sob a forma de um profeta obcecado, talvez psicopata e líder messiânico, Hung Hsiu Chuan (1813-1864), um dos reprovados no exame para o serviço civil imperial e que eram tão dados ao descontentamento político. Depois de sua reprovação no exame, ele certamente teve uma crise nervosa que se transformou em conversão religiosa. Por volta de 1847-1848, fundou uma "sociedade dos que veneram a Deus" na província de Kwangsi e logo obteve a adesão de camponeses e mineiros, homens da grande população chinesa de nômades empobrecidos, membros de várias minorias nacionais e de velhas sociedades secretas. Havia porém uma novidade significativa na sua pregação. Hung fora influenciado pela leitura de textos cristãos, tinha até convivido com um missionário americano em Cantão e, portanto, assimilado elementos ocidentais significativos, numa mistura, que de outro modo seria comum, de ideias anti-Manchu, herético-religiosas e revolucionárias. A rebelião estourou em 1850 em Kwangsi e espalhou-se tão rapidamente que um "Reino Celestial de Paz Universal" pôde ser proclamado no ano seguinte, tendo Hung como supremo "Rei Celestial". Era indubitavelmente um regime de revolução social, cujo maior apoio estava nas massas populares, e dominado por ideias igualitárias taoístas, budistas e cristãs. Teocraticamente organizado na base de uma pirâmide de unidades familiares, aboliu a propriedade privada (sendo a terra distribuída apenas para uso, e não para propriedade), estabeleceu a igualdade entre os sexos, proibiu o fumo, o ópio e o álcool, introduziu um novo calendário (incluindo a semana de sete dias) e várias outras reformas culturais, não se esquecendo de baixar os impostos. Pelo final de 1853 os taipings, com pelo menos um milhão de militantes ativos, controlavam a maior parte do sul e do leste chinês, tendo capturado Nanquim, embora sem conseguir adentrar pelo norte pela falta de cavalaria. A China estava dividida, e mesmo as partes que não se encontravam sob o regime de Taiping estavam sendo convulsionadas por graves insurreições, tais como as dos rebeldes camponeses no norte, os Nien, não suprimida até 1868, além da rebelião da minoria nacional Miao em Kweichow, e de outras minorias no sudoeste e no noroeste.

A Revolução Taiping não se susteve, e realmente não se esperava que se sustivesse. Suas inovações radicais alienavam moderados, tradicionalistas e aqueles que tinham propriedades a perder — não apenas os ricos. O fracasso de seus líderes em guiar-se pelas suas próprias regras puritanas enfraqueceu seu apelo popular, e profundas divisões desenvolveram-se rapidamente na liderança. Após 1856 encontrava-se na defensiva e, em 1864, a capital taiping de Nanquim era recapturada. O governo imperial recuperou-se, mas o preço que pagou por tal recuperação era pesado e viria a revelar-se fatal. Isso também ilustrava as complexidades do impacto do Ocidente.

Paradoxalmente, os dirigentes da China eram menos propensos a adotar inovações ocidentais que os rebeldes plebeus, de há muito habituados a viver num mundo ideológico onde as ideias não oficiais que vinham de fontes estrangeiras (como o budismo) eram aceitáveis. Para os intelectuais burocratas confucianos que governavam o Império, o que não fosse chinês era bárbaro. Havia mesmo resistência à tecnologia, que obviamente fazia os bárbaros invencíveis. Mesmo em 1867, o grande secretário Wo Jen alertou o trono de que o estabelecimento de um colégio para ensinar astronomia e matemática iria "fazer do povo prosélito do estrangeirismo" e resultar "no fim da retidão e na difusão da iniquidade",[7] e a resistência à construção de estradas de ferro e coisas semelhantes permaneceu considerável. Por razões óbvias, um partido "modernizador" desenvolveu-se, mas pode-se adivinhar que eles prefeririam manter a China inalterada, meramente acrescentando a capacidade de produzir armamentos ocidentais. (Suas tentativas para desenvolver tal produção na década de 1860 não foram, por esta razão, muito bem-sucedidas.) A enfraquecida administração imperial via-se diante da escolha entre diferentes graus de concessão ao Ocidente. Ante uma revolução social de magnitude, relutava até em mobilizar a enorme força da xenofobia popular chinesa contra os invasores. Realmente, a derrubada do governo taiping parecia politicamente ao Império seu problema mais urgente, e para esse objetivo a ajuda dos estrangeiros era, se não essencial, pelo menos desejável; sua boa vontade era indispensável. Portanto, a China imperial viu-se rapidamente na completa dependência de estrangeiros. Um triunvirato anglo-franco-americano já controlava a alfândega de Xangai desde 1854, mas depois da segunda Guerra do Ópio (1856-1858) e do saque de Pequim (1860), que terminou em completa capitulação,* um inglês foi indicado

* Dessa vez, não apenas a Inglaterra mas também a França, a Rússia e os Estados Unidos receberam concessões. Vários portos foram abertos, mercadores estrangeiros receberam liberdade de movimento e imunidades perante a lei chinesa, havia liberdade de ação para os missionários estrangeiros, mercado livre, incluindo navegação livre nas águas fluviais, pesadas indenizações de guerra etc.

para "ajudar" na administração de toda a receita da alfândega chinesa. Na prática, Robert Hart, que foi inspetor-geral da alfândega chinesa de 1863 até 1909, era o chefe da economia chinesa, e embora chegasse a inspirar confiança aos governos chineses e a identificar-se com o país, na realidade o arranjo implicava a total subordinação do governo imperial aos interesses dos ocidentais.

De fato, quando chegou o momento apropriado os ocidentais preferiram sustentar os manchus em sua queda, que teria produzido ou um regime militante nacionalista revolucionário ou, o que é mais provável, anarquia e um vazio político que o Ocidente relutava em preencher. (A simpatia inicial da parte de alguns estrangeiros pelos elementos aparentemente cristãos dos taipings evaporou-se rapidamente.) Por outro lado, o Império Chinês recuperou-se da crise taiping através de uma combinação de concessões ao Ocidente, um retorno ao conservadorismo e uma erosão fatal de seu poder central. Os verdadeiros vitoriosos na China foram os velhos intelectuais burocratas. Diante do perigo mortal, a dinastia Manchu e a aristocracia aproximaram-se da elite chinesa, concedendo-lhe grande parte de seu antigo poder. Os melhores dentre os intelectuais administradores — homens como Li Hung-Chang (1823-1901) — salvaram o Império quando Pequim estava sem poder, instituindo exércitos provinciais a partir de recursos provinciais. Agindo assim, eles anteciparam a ruína da China em várias regiões governadas por "senhores da guerra" independentes. Doravante o grande e antigo Império da China estava com os dias contados.

De uma forma ou de outra, portanto, as sociedades e os Estados vítimas do mundo capitalista, com exceção do Japão (que será considerado separadamente; veja adiante no Capítulo 8), não conseguiram chegar a um bom entendimento com este último. Seus dirigentes e elites logo se convenceram de que uma simples recusa em aceitar o estilo dos brancos ocidentais era impraticável e, se praticável, teria meramente perpetuado sua fraqueza. Os que viviam nas colônias conquistadas, dominadas ou administradas pelo Ocidente não tinham muita escolha: seu destino era determinado por seus conquistadores. Os outros estavam divididos entre seguir uma política de resistência e colaboração ou concessão, entre uma sincera ocidentalização ou algum tipo de reforma que lhes permitisse adquirir a ciência e a tecnologia do Ocidente sem perder suas próprias culturas e instituições. No todo, as antigas colônias dos Estados europeus nas Américas optaram por uma incondicional imitação do Ocidente; a cadeia das antigas monarquias independentes, que ia do Marrocos no Atlântico à China no Pacífico, era partidária de alguma versão de reforma, quando elas não podiam isolar-se completamente da expansão ocidental.

Os casos da China e do Egito são, nas suas particularidades, típicos desta segunda escolha. Ambos eram Estados independentes com base em antigas civilizações e numa cultura não europeia, minados pela penetração do comércio e das finanças ocidentais (aceitos com boa ou má vontade) e sem capacidade para resistir às forças militares e navais do Ocidente, mesmo que modestamente mobilizadas. As potências capitalistas nessa fase não estavam interessadas particularmente em ocupação e administração, na medida em que seus cidadãos tivessem total liberdade para fazer o que bem entendessem, incluindo os privilégios extraterritoriais. Tais cidadãos se viram envolvidos, de forma crescente, nas questões desses países quando os governos locais começaram a se desintegrar diante do impacto ocidental, assim como devido à rivalidade entre as potências ocidentais. Os dirigentes da China e do Egito rejeitaram uma política de resistência nacional, preferindo — onde tivessem a opção — uma dependência do Ocidente, que mantinha o poder político próprio. Nesse período, um número relativamente pequeno daqueles que, nesses países, queriam a resistência por meio da regeneração nacional favorecia a ocidentalização. Em vez disso, optavam por um tipo de reforma ideológica que lhes permitisse encarnar em seus próprios sistemas culturais qualquer coisa que tivesse tornado o Ocidente tão formidável.

4.

Tais políticas fracassaram. O Egito ficaria cedo sob controle direto de seus conquistadores, e a China tornou-se ainda mais sem saída na via da desintegração. Como os regimes existentes e seus dirigentes tinham optado pela dependência em relação ao Ocidente, era improvável que os reformadores nacionais pudessem ser bem-sucedidos, pois a revolução era a precondição para o sucesso.* Mas sua hora ainda não havia chegado.

Portanto, o que é hoje chamado de "Terceiro Mundo" ou "os países subdesenvolvidos" está à mercê do Ocidente, vítimas indefesas. Mas esta subordinação não trouxe nenhuma compensação para esses países? Como já vimos, havia os que, nos países atrasados, acreditavam que sim. A ocidentalização era a única solução, e se isso implicasse não apenas aprender e copiar os estrangeiros, mas aceitar sua aliança contra as forças locais do tradicionalismo — isto é, sua dominação —, então o preço deveria ser pago. É um engano ver esses "modernizadores" apaixonados à luz dos movimentos nacionalistas posteriores, considerando-os como simples traidores ou agentes do imperialismo estrangeiro. Eles podiam apenas sustentar o ponto de vista de que os estrangeiros, longe da invencibilidade, ajudariam a quebrar as amarras da tradição e assim permitiriam uma sociedade capaz de fazer frente ao Ocidente. A elite mexicana da década de 1860 era pró-estrangeira porque havia perdido as esperanças

* De fato, os maiores entre os velhos impérios independentes não ocidentais viriam a ser derrubados ou transformados por revoluções no começo do século XX — Turquia, Irã e China.

no seu país.[8] Tais argumentos eram também usados por revolucionários ocidentais. O próprio Marx saudou a vitória americana sobre o México na guerra de 1846-1848, porque ela trazia consigo o progresso histórico e criava as condições para o desenvolvimento do capitalismo, quer dizer, para a derrubada do próprio capitalismo. Sua posição no que toca à "missão" britânica na Índia, expressa em 1853, é conhecida. Considerava-a com uma dupla missão: "o aniquilamento da antiga sociedade asiática e o estabelecimento das fundações materiais da sociedade ocidental na Índia". Realmente, ele acreditava que "os indianos não colherão os frutos dos novos elementos da sociedade espalhados entre eles pela burguesia inglesa, enquanto as atuais classes dominantes da Grã-Bretanha não tiverem sido suplantadas pelo proletariado industrial, ou enquanto os hindus não se tiverem fortalecido o suficiente para livrar-se totalmente do jugo inglês". No entanto, apesar do "sangue e da sujeira (...) da miséria e da degradação" pelos quais a burguesia arrastava os povos do mundo, ele via essas conquistas como positivas e progressistas.

Portanto, sejam quais forem as perspectivas finais (e os historiadores modernos são menos otimistas do que Marx na década de 1850), os resultados mais evidentes da conquista ocidental foram "a perda de um velho mundo sem o ganho de um novo", que acrescentou uma "forma peculiar de melancolia à miséria presente dos hindus",[9] assim como para outros povos vítimas do Ocidente. Os ganhos eram difíceis de discernir nesse período, e as perdas, demasiado evidentes. Do lado positivo havia os navios a vapor, as estradas de ferro e os telégrafos, além de pequenos focos de intelectuais educados no Ocidente e focos ainda menores de proprietários de terras e homens de negócios locais que acumulavam enormes fortunas devido ao controle das fontes de exportação e ao uso de empréstimos estrangeiros, como os fazendeiros da América Latina, os intermediários para negócios estrangeiros ou os milionários *Parsi de Bombaim*. Havia comunicação — material e cultural. Havia também crescimento na produção para exportação em algumas áreas, embora não ainda em larga escala. Havia talvez uma substituição da ordem pela desordem pública, da segurança por insegurança em algumas áreas que ficaram sob o controle colonial direto. Mas apenas o otimismo congênito afirmaria que esses benefícios contrabalançavam o lado negativo no balanço final desse período.

O contraste mais óbvio entre os mundos desenvolvidos e subdesenvolvidos era, e ainda é, aquele entre pobreza e riqueza. No primeiro, as pessoas ainda morriam de fome, mas agora, segundo o que o século XIX considerava, em número mais reduzido: digamos, uma média de quinhentos por ano no Reino Unido. Na Índia, eles morriam aos milhões — um em dez na população de Orissa durante a grande epidemia de fome de 1865-1866, algo entre uma quarta parte e uma terça parte da população de Rajputana em 1868-1870, 3,5 milhões (ou 15% da população) em Madras, 1 milhão (ou 20% da população) em Misore durante a grande fome de 1876-1888, a pior de todas na triste história da Índia do século XIX.[10] Na China, não é fácil separar a fome de numerosas outras catástrofes do período, mas a de 1849 parece ter custado 14 milhões de vidas, enquanto outros 20 milhões devem ter morrido entre 1854 e 1864.[11] Partes de Java foram varridas por uma terrível fome em 1848-1850. O final da década de 1860 e princípios da de 1870 viram uma epidemia de fome no cinturão dos países que ia do leste da Índia ao oeste da Espanha.[12] A população muçulmana da Argélia caiu 20% entre 1861 e 1872.[13] A Pérsia, cuja população total era estimada entre 6 e 7 milhões em meados da década de 1870, parece ter perdido entre 1,5 e 2 milhões na grande epidemia de fome de 1871-1873.[14] É difícil dizer se a situação era pior na primeira metade do século (e talvez o fosse na Índia e na China) ou meramente a mesma. Em todo caso, o contraste com os países desenvolvidos no mesmo período era drástico, mesmo se concedermos que (como parece ser verdade para o mundo islâmico) a era dos movimentos demográficos tradicionais e dos catastróficos já dava lugar, lentamente, a um novo modelo populacional na segunda metade do século.

Em resumo, a maior parte dos povos do Terceiro Mundo não parecia beneficiar-se de forma significativa do progresso extraordinário e sem precedentes do Ocidente. Se eles percebiam esse fato como sendo algo mais do que uma mera quebra de seus antigos modos de vida, era mais como um exemplo possível do que como uma realidade; algo realizado por e para homens com faces vermelhas ou pálidas, com estranhos chapéus e calças cilíndricas que vinham de países distantes ou que viviam em grandes cidades. O progresso não pertencia ao mundo que conheciam, e a maioria duvidava se o desejava. Mas os que resistiram em nome da tradição foram derrotados. O dia dos que resistiriam com as próprias armas do progresso ainda não havia chegado.

8. VENCEDORES

"Que classes e camadas da sociedade serão agora os verdadeiros representantes da cultura, que nos darão nossos intelectuais, artistas e poetas, nossas personalidades criativas?
Ou será que tudo vai se transformar em um grande negócio, como na América?"

Jacob Burckhardt, 1868-1871[1]

"A administração do Japão tornou-se esclarecida e progressista: a experiência europeia ali é aceita como um guia: estrangeiros são empregados em seu serviço: e os hábitos e ideias orientais estão cedendo ante a civilização ocidental."

Sir T. Erskine May, 1877[2]

1.

Nunca, portanto, os europeus dominaram o mundo de forma tão completa e inquestionável como em nosso período de estudo, de 1848 a 1875. Para ser mais preciso, nunca brancos de origem europeia dominaram com menos oposição, pois o mundo da economia e do poder capitalista incluía pelo menos um Estado não europeu, ou melhor, uma federação, os Estados Unidos da América. Os Estados Unidos ainda não tinham uma participação maior nas questões mundiais, e portanto os estadistas europeus davam-lhes apenas atenção intermitente, salvo se tivessem seus interesses nas duas regiões do mundo nas quais os norte-

-americanos estavam diretamente interessados, ou seja, os continentes americanos e o Oceano Pacífico; mas, com exceção da Inglaterra, cujas perspectivas eram consistentemente globais, nenhum outro Estado estava constantemente envolvido nessas duas áreas. A libertação da América Latina havia eliminado todas as colônias europeias continentais da América Central e do Sul, exceção feita às Guianas, que davam aos ingleses algum açúcar, aos franceses uma colônia penal para criminosos perigosos e aos holandeses uma lembrança de seus antigos laços com o Brasil. As ilhas do Caribe, excetuando-se a de Hispaniola (que consistia na república negra do Haiti e na República Dominicana, finalmente emancipada da dominação espanhola e da preponderância haitiana), permaneciam como possessões coloniais da Espanha (Cuba e Porto Rico), Inglaterra, França, Holanda e Dinamarca. Excetuada a Espanha, que desejava uma restauração parcial de seu Império Americano, nenhum dos Estados europeus dava muita importância a suas possessões no Caribe. Somente no continente norte-americano uma presença europeia considerável permaneceu até 1875, a vasta mas subdesenvolvida e grandemente vazia dependência britânica do Canadá, separado dos Estados Unidos por uma longa fronteira aberta que se estendia em uma linha reta das margens do Lago Ontário ao Oceano Pacífico. As áreas em disputa de cada lado dessa linha foram ajustadas pacificamente — se bem que através de complicadas barganhas diplomáticas —, na maioria das vezes em favor dos Estados Unidos, no decorrer do século. Não fosse a construção da estrada de ferro canadense, a Colúmbia Britânica teria sido incapaz de resistir à atração exercida pelos Estados Unidos nos estados do Pacífico. Quanto às margens asiáticas desse oceano, somente o extremo oriente russo da Sibéria, a colônia britânica de Hong Kong e a base na Malásia marcavam a presença direta das grandes potências europeias, embora os franceses estivessem começando a empreender a ocupação da Indochina. As relíquias do colonialismo espanhol e português — e holandês, no que é hoje a Indonésia — não levantavam problemas internacionais.

A expansão territorial dos Estados Unidos não causava, portanto, maior alvoroço nas chancelarias europeias. Uma grande parte do sudoeste do continente — Califórnia, Arizona, Utah e partes do Colorado e Novo México — foi cedida pelo México em 1848-1853, depois de uma guerra desastrosa. A Rússia vendeu o Alasca em 1867 — estes e outros antigos territórios do oeste foram transformados em estados da União à medida que se tomaram acessíveis ou suficientemente interessantes do ponto de vista econômico: a Califórnia em 1850, o Oregon em 1859, Nevada em 1864, enquanto, no centro do país, Minnesota, Kansas, Wisconsin e Nebraska adquiriram o estatuto de estado entre 1858 e 1867. Além disso, as ambições territoriais americanas não iam além desse ponto, embora os estados escravistas do sul desejassem uma extensão da sociedade escrava às grandes ilhas do Caribe e expressassem mesmo ambições maiores em relação à América Latina. O tipo básico de dominação americana era o de controle indireto, visto que nenhuma potência estrangeira aparecia como um efetivo desafiante direto: eram governos fracos e apenas nominalmente independentes, e sabiam que precisavam ficar do lado do gigante do norte. Somente no final do século, durante a moda internacional do imperialismo formal, os Estados Unidos romperiam por algum tempo com essa tradição estabelecida. "Pobre México", suspirou o presidente Porfirio Díaz (1828-1915), "tão longe de Deus e tão perto dos Estados Unidos", e mesmo os Estados latino-americanos que se achavam mais perto do país todo-poderoso verificaram de modo cada vez mais consciente que, nesse mundo, era sobre Washington que eles deveriam manter o olho alerta. O ocasional aventureirismo norte-americano tentou estabelecer poder direto nas estreitas pontes de terra que separavam o Oceano Atlântico do Oceano Pacífico, mas nada realmente ocorreu até que o Canal do Panamá viesse a ser construído, sendo ocupado por forças americanas em uma pequena república independente destacada, para essa finalidade, de um grande Estado sul-americano, a Colômbia. Mas isso seria mais tarde.

A maior parte do mundo, e especialmente a Europa, estava atenta aos Estados Unidos, porque nesse período (1848-1875) vários milhões de europeus haviam emigrado para lá e porque sua grande extensão territorial e seu extraordinário progresso fizeram-no rapidamente o milagre técnico do planeta. Tratava-se, como os americanos foram os primeiros a reconhecer, da terra dos superlativos. Onde mais se poderia encontrar uma cidade como Chicago, que tinha modestos 30 mil habitantes em 1850 e veio a se tornar o sexto maior centro urbano do mundo, com mais de um milhão de habitantes, em apenas quarenta anos? Não havia ali as maiores estradas de ferro do mundo atravessando inigualáveis distâncias em suas rotas transcontinentais, e nenhum outro país excedia o total em milhas construídas (49.168, em 1870). Nenhum milionário era ou parecia ser mais drasticamente *self-made* que os dos Estados Unidos, e se ainda não eram os mais ricos — embora logo viessem a ser —, eram certamente em maior número. Em nenhum lugar os jornais eram mais aventurosamente jornalísticos, os políticos mais corruptos, nenhum país era mais ilimitado em suas possibilidades.

A "América" ainda era o Novo Mundo, a sociedade aberta num país aberto onde o imigrante sem um centavo podia, segundo se acreditava, fazer-se a si mesmo (o *self-made man*) e dessa forma construir uma república igualitária e democrática, a única desse tamanho e importância no mundo até 1870. A imagem dos Estados Unidos como uma alternativa política revolucionária às monarquias do Velho Mundo, com sua aristocracia e sujeição, era mais viva que nunca, pelo menos fora de suas fronteiras. A imagem da América como um lugar onde a pobreza não tivesse lugar, de esperança pessoal através do enriquecimento individual, substituiu a velha imagem europeia. O Novo Mundo confrontava cada vez mais a Europa não como a nova sociedade, mas a sociedade dos novos ricos.

Ainda assim, dentro dos Estados Unidos o sonho revolucionário estava longe de desaparecer. A imagem da república permanecia a de uma terra de igualdade, democracia e, talvez acima de tudo, de liberdade anárquica sem obstáculos, de oportunidade ilimitada, tudo isso mais tarde sendo chamado de "destino manifesto" da nação.* Ninguém pode ter uma ideia correta dos Estados Unidos no século XIX ou, em relação a essa questão específica no século XX, sem apreciar esse componente utópico, embora obscurecido de forma cada vez maior e transformado num dinamismo econômico e tecnológico complacente, exceto em momentos de crise. Era, por origem, uma utopia agrária de fazendeiros livres e independentes numa terra livre. Nunca chegou a bons termos com o mundo das grandes cidades e da grande indústria, e não se reconciliava com a dominação de ambos em nosso período. Mesmo num centro tão típico da indústria americana como a cidade têxtil de Paterson, New Jersey, o *ethos* dos negócios ainda não era dominante. Durante a greve dos tecelões de fita de 1877, os donos das empresas de fiação reclamaram amargamente, e com razão, de que o prefeito republicano, os políticos democráticos, a imprensa, os tribunais e a opinião pública não os haviam apoiado.[4]

A grande maioria dos americanos ainda era rural: em 1860 apenas 16% viviam em cidades de 8 mil habitantes ou mais. A utopia rural na sua forma mais literal — o pequeno proprietário livre em solo livre — podia mobilizar mais poder político do que nunca, principalmente no seio da população crescente do Meio-Oeste. Ela contribuiu para a formação do Partido Republicano e para sua orientação antiescravista (pois embora o programa de uma república sem classes, de fazendeiros livres, não tivesse nada a ver com a escravidão e dedicasse pouco interesse ao negro, ele excluía a escravidão). Atingiu seu maior triunfo com o Homestead Act de 1862, que oferecia a qualquer filho de família americana, maior de 21 anos, 160 acres gratuitos depois de cinco anos de residência

* Os Estados do Atlântico "estão renovando firmemente os governos e as Constituições sociais da Europa e da África. Os Estados do Pacífico devem necessariamente exercer as mesmas funções, sublimes e benéficas, na Ásia" (William H. Seward, 1850).[3]

contínua ou compra por US$ 1,25 por acre, depois de seis meses. Não é preciso acrescentar que essa utopia fracassou. Entre 1862 e 1890, menos de 400 mil famílias se beneficiaram do Homestead Act, enquanto a população como um todo cresceu em 32 milhões, sendo que os estados da costa do Pacífico em mais de 10 milhões. Somente as estradas de ferro (que receberam somas enormes de terras públicas para poder recuperar as perdas de construção e operação com os lucros do desenvolvimento e especulação imobiliários) venderam mais terras a cinco dólares do que tudo o que havia sido transferido sob o Act. Os verdadeiros beneficiários da terra livre eram os especuladores, financistas e empresários capitalistas. Nas últimas décadas do século pouco se ouvia falar do bucólico sonho de liberdade da terra.

Seja qual for a forma que escolhermos para analisar a transformação dos Estados Unidos, se o final de um sonho revolucionário ou o início de uma era, o fato é que isso aconteceu no período de 1848-1875. A mitologia em si mesma testemunha a importância dessa época, com os dois temas mais profundos e duradouros da história americana localizados na cultura popular: a Guerra Civil e o oeste. Ambos estão intimamente interligados, visto que foi a abertura do oeste (ou mais exatamente suas partes sul e central) que precipitou o conflito entre os estados da República, entre os que representavam os colonos livres e o despontar do capitalismo do norte, e os da sociedade escravista do Sul. Foi o conflito Kansas-Nebraska, em 1854, sobre a introdução do escravismo no centro do país, que viria a precipitar a formação do Partido Republicano. Este elegeria Abraham Lincoln (1809-1865) presidente em 1860, acontecimento que levaria à secessão dos Estados Confederados do Sul em 1861.*

* Virgínia, Carolinas do Norte e do Sul, Geórgia, Alabama, Flórida, Mississippi, Louisiana, Tennessee, Arkansas, Texas. Alguns estados fronteiriços hesitaram, mas não se separaram da União: Maryland, West Virgínia, Kentucky, Missouri e Kansas.

A expansão da colonização para o Oeste não era coisa nova. Tinha apenas sido drasticamente acelerada em nosso período pelas estradas de ferro — a primeira delas tendo chegado e atravessado o Mississippi em 1854-1856 — e pelo desenvolvimento da Califórnia (veja o Capítulo 3). Depois de 1849, "o Oeste" cessou de ser uma espécie de fronteira do infinito e passou a ser um espaço vazio de planície, deserto e montanha suspensos entre duas áreas em rápido desenvolvimento, o leste e a costa do Pacífico. As primeiras linhas transcontinentais foram construídas simultaneamente para o leste, a partir do Pacífico, e para o oeste a partir do Mississippi, encontrando-se em certo ponto do Utah, para onde a seita mórmon havia transferido de Iowa seu "reino dos céus" em 1847, sob a equivocada impressão de que estariam fora do alcance dos pagãos. De fato, a região entre o Mississippi e a Califórnia (o "Oeste Selvagem") permaneceu bastante vazia em nosso período, diferindo do "Oeste dócil" ou central, já bastante populoso, cultivado e mesmo industrializado. Estimava-se que o total de trabalho para a instalação de fazendas na vasta área da planície, no período entre 1850 e 1880, era pouco mais que o despendido para tal fim no mesmo período no sudoeste ou nos estados do Atlântico.[5]

As pradarias a oeste do Mississippi estavam sendo lentamente colonizadas por fazendeiros, o que implicava a remoção (por transferência forçada) dos indígenas, incluindo os já transferidos por legislação precedente e pelo massacre dos búfalos, dos quais viviam os indígenas. O extermínio dessa população começou em 1867, no mesmo ano em que o Congresso estabeleceu as mais importantes reservas. Por volta de 1883, 13 milhões foram mortos. As montanhas nunca se transformaram em uma área importante de colonização agrícola. Elas eram e permaneceram uma fronteira dos garimpeiros e mineiros, e assim permaneceram, com uma série de corridas por metais preciosos — sobretudo prata —, das quais Comstock Lode em Nevada (1859) veio a ser a maior. Produziu 300 milhões de dólares em vinte anos, fez fortunas espetaculares para uma meia dúzia de homens, uma quantidade semelhante de milionários, um número um pouco maior de pequenas mas expressivas acumulações de riqueza para os padrões da época, antes de desaparecer, deixando atrás de si uma Virginia City vazia, povoada pelos fantasmas dos mineiros córnicos e irlandeses que assombravam o Union Hall e a Opera House. Corridas semelhantes ocorreram no Colorado, Idaho e Montana.[6] Demograficamente não tinham muita importância. Em 1870, o Colorado (admitido como estado em 1876) tinha menos de 40 mil habitantes.

O sudoeste permanecia essencialmente pecuário, isto é, rural e agrário. Os grandes rebanhos de bois — uns 4 milhões entre 1865 e 1879 — eram levadas para pontos de embarque e estações ferroviárias em direção aos grandes matadouros de Chicago. O tráfego deu origem portanto a estabelecimentos em Missouri, Kansas e Nebraska, como Abilene e Dodge City, cuja reputação vive em milhares de *westerns* e que não foi superada pela retidão bíblica e fervor populista dos fazendeiros.[7]

O "Oeste Selvagem" é um mito tão poderoso que fica difícil analisá-lo com realismo. O único fato histórico mais ou menos preciso sobre ele de conhecimento geral é que durou pouco tempo, entre a Guerra Civil e o fim da exploração mineira e da expansão dos rebanhos em 1880. A designação "selvagem" não era devido aos indígenas, que estavam prontos a viver em paz com os brancos, exceto talvez no extremo sudoeste, onde tribos como os Apaches (1871-1886) e os (mexicanos) Yaquis (1875-1926) travaram as últimas de várias guerras centenárias para manter suas respectivas independências em relação ao homem branco. O "Oeste Selvagem" devia-se às instituições, ou melhor, à falta de instituições efetivas, de governo e de lei nos Estados Unidos. Não havia "Oeste Selvagem" no Canadá, onde até as corridas do ouro eram menos anárquicas e onde os Sioux que combateram e derrotaram Custer nos Estados Unidos antes de serem massacrados viviam tranquilamente. A anarquia (ou, para usar um termo mais neutro, a paixão pela autodefesa armada) era talvez exagerada pelo sonho de liberdade e do ouro que arrastava os homens para o Oeste. Para além da fronteira das fazendas de colonos e cidades, não havia famílias: em 1870, Virginia City tinha dois homens para cada mulher e apenas 10% de crianças. É verdade que o mito do Oeste degradou até mesmo esse sonho. Seus heróis são frequentemente os criminosos e pistoleiros de bar, como o selvagem Bill Hickok, que nunca tiveram muita coisa em seu favor, e não os mineiros imigrantes e sindicalizados. Ainda assim, o Oeste não deve ser idealizado. O sonho de liberdade não se aplicava aos indígenas ou aos chineses (que eram aproximadamente um terço da população de Idaho em 1870). No sudoeste racista — o Texas pertencia à Confederação —, certamente não se aplicava aos negros. E embora muito daquilo que vemos hoje como sendo do "Oeste", da roupa dos *cowboys* aos hábitos espanhóis da Califórnia que se tornaram a lei dos mineiros nas montanhas americanas, derivasse dos mexicanos, que talvez tenham fornecido mais *cowboys* que qualquer outro grupo,[8] também não se aplicava a estes. Era um sonho de brancos pobres que esperavam substituir a empresa privada do mundo burguês pelo jogo, ouro e armas.

Se não há nada de muito obscuro sobre a "abertura do Oeste", a natureza e as origens da Guerra Civil Americana (1861-1865) têm levado a uma discussão sem fim entre os historiadores. Essa disputa gira em torno da natureza da sociedade escravista dos estados do sul e sua possível compatibilidade com o capitalismo dinâmico e em expansão do norte. Seria de fato uma sociedade escravista, dado que os negros eram sempre uma minoria mesmo no Deep South* (exceto em alguns lugares) e considerando-se que a maioria dos escravos trabalhava não na clássica plantação de grandes dimensões, mas num pequeno número de fazendas

* Termo genérico norte-americano que identifica a região constituída pelos estados secessionistas durante a Guerra Civil. (*N.T.*)

brancas ou então como criados? Não se pode negar que a escravidão era a instituição central da sociedade do sul, ou que essa questão fosse a causa principal da disputa e do rompimento entre os estados do norte e do sul. A verdadeira questão é saber por que isso levou à secessão e à Guerra Civil e não a alguma forma de coexistência. Apesar de tudo, embora não houvesse dúvida de que grande parte da população do norte detestava a escravidão, o abolicionismo militante por si só não era suficientemente forte para determinar a política da União. E o capitalismo do norte, quaisquer que fossem os sentimentos privados dos homens de negócios, bem poderia ter achado possível e conveniente chegar a bons termos com o sul escravista e explorá-lo, como depois os negócios internacionais fizeram com o *apartheid* da África do Sul.

Evidentemente as sociedades escravistas, incluindo a do sul, estavam com os dias contados. Nenhuma delas sobreviveu ao período de 1848 a 1890 — nem mesmo Cuba e Brasil (veja adiante no Capítulo 10). Elas estavam isoladas fisicamente, devido à abolição do tráfico negreiro, que era muito eficiente na década de 1850, e também isoladas moralmente, devido ao liberalismo burguês, que as olhava como contrárias à marcha da História, moralmente indesejáveis e economicamente ineficientes. É difícil imaginar a sobrevivência do sul como uma sociedade escravista no século XX, assim como a sobrevivência da servidão na Europa oriental, mesmo se (como acreditam algumas escolas de historiadores) considerarmos ambas economicamente viáveis como sistemas de produção. Mas o que levou o sul a uma situação de crise na década de 1850 foi um problema específico: a dificuldade de coexistência com um capitalismo dinâmico no norte e um dilúvio de migração para o oeste.

Em termos puramente econômicos, o norte não estava muito preocupado com o sul, uma região agrária praticamente não envolvida na industrialização. Época, população, recursos e produção estavam do lado do norte. Os principais empecilhos eram políticos. O sul, uma virtual semicolônia dos ingleses, para os quais supria a maior parte do algodão de que a indústria inglesa necessitava, achava vantajoso o mercado livre, enquanto a indústria do norte estava firme e militantemente comprometida, de longa data, com tarifas protecionistas, e era incapaz de impô-las de forma adequada por causa dos estados do sul (que representavam, é preciso lembrar, quase metade dos estados em 1850). A indústria do norte estava certamente mais preocupada com uma nação, do ponto de vista do comércio, metade livre e metade protecionista, do que metade escrava e metade livre. O Sul fez o que pôde para compensar as vantagens do Norte ao privá-lo de sua hinterlândia, tentando desse modo estabelecer uma área de tráfego e comunicações voltada para o Sul e apoiada no sistema fluvial do Mississippi, em vez de voltada para o Atlântico a leste, enfraquecendo assim a expansão para o Oeste. Isso era bastante natural, pois seus brancos pobres haviam de longa data explorado e aberto o oeste.

Mas a própria superioridade econômica do norte significava que o sul precisava insistir com rigidez redobrada na sua força política — impor suas reivindicações nos termos mais formais (por exemplo, insistindo na aceitação oficial da escravidão nos novos territórios do oeste), enfatizar a autonomia dos estados (direitos dos estados) contra o governo nacional, exercer seu veto na política nacional, desencorajar o desenvolvimento econômico do norte etc. De fato, o sul devia ser um obstáculo ao norte enquanto prosseguia com sua política expansionista em direção ao oeste. Os únicos objetivos dos sulistas eram políticos. Afinal, dado que não iria ou não poderia derrotar o norte no jogo próprio do desenvolvimento capitalista, a corrente da história estava contra eles. Toda melhoria em transporte reforçava as ligações do oeste com o Atlântico. Basicamente, o sistema de estradas de ferro corria de leste a oeste sem nenhuma linha importante entre o norte e sul. Além disso, os homens que povoavam o oeste, viessem do norte ou do sul, não eram proprietários de escravos, mas brancos pobres e livres, atraídos pelo solo livre, ouro e aventura. A extensão formal da escravidão aos novos territórios e estados era portanto crucial para o sul, e os conflitos crescentes entre os dois lados na década de 1850 giravam sobretudo em torno dessa questão. Ao mesmo tempo, a escravidão era irrelevante para o oeste, e de fato a expansão para o oeste talvez tenha enfraquecido o sistema escravista. Não lhes dava maior força do que os líderes do sul esperavam quando planejaram a anexação de Cuba e a criação de um império de plantação sulista-caraíba. Em resumo, o norte estava numa posição de unificar o continente que o sul não tinha. Agressivos em postura, o recurso real dos sulistas estava em abandonar a luta e separar-se da União, e foi o que fizeram quando a eleição de Abraham Lincoln desde Illinois, em 1860, demonstrou que haviam perdido o "meio-oeste".

Por quatro anos a Guerra Civil devastou o país. Em termos de destruição e mortes, era de longe a maior guerra em que qualquer país "desenvolvido" havia se envolvido nesse período, embora relativamente perca um pouco de brilho diante da mais ou menos contemporânea Guerra do Paraguai na América do Sul e fique muito atrás das Guerras Taiping na China. Os estados do norte, embora notoriamente inferiores em desempenho militar, venceram por causa de sua vasta superioridade em homens, capacidade de produção e tecnologia. Afinal, eles tinham mais de 70% da população total dos Estados Unidos, mais de 80% dos homens em idade militar e mais de 90% da produção industrial. O triunfo do norte também era o triunfo do capitalismo americano e dos Estados Unidos modernos. Porém, mesmo a escravidão sendo abolida, não era o triunfo do negro, fosse ele escravo ou livre. Depois de alguns anos de "Reconstrução" (isto é, democratização forçada), o sul voltou ao controle dos brancos conservadores sulistas, isto é, racistas. As tropas de ocupação do norte foram finalmente retiradas em 1877. Em certo sentido, os sulistas haviam atingido seus objetivos: os republicanos do norte (que mantiveram o controle da Presidência pela maior parte do tempo de 1860 a 1932) não podiam ganhar no sul solidamente democrata, que dessa forma guardou uma autonomia substancial. O sul, por outro lado, por meio de seu voto em bloco, podia exercer alguma influência nacional, pois seu apoio era essencial para o sucesso do outro grande partido, o Democrata. De fato, o sul permaneceu agrário, pobre, atrasado e ressentido; os brancos ressentindo-se da nunca esquecida derrota, os negros vivendo a privação de direitos civis e a rudeza da subordinação reimposta pelos brancos.

O capitalismo americano desenvolveu-se com impressionante e drástica rapidez depois da Guerra Civil, que talvez tenha atrasado temporariamente seu crescimento, embora isso também tenha fornecido consideráveis oportunidades para os grandes empresários corretamente apelidados de *robber barons*. Esse avanço extraordinário forma a terceira grande corrente da história dos Estados Unidos em nosso período. Diferentemente da Guerra Civil e do Oeste Selvagem, a era dos *robber barons* não se tornou parte da mitologia americana, exceto como componente da demonologia dos democratas e populistas, mas ainda hoje é parte da realidade americana. Os *robber barons* ainda são uma parte identificável no cenário dos negócios. Várias tentativas têm sido feitas para defender ou reabilitar os homens que mudaram o vocabulário da língua inglesa: quando a Guerra Civil eclodiu, a palavra *milionário* ainda era escrita em caracteres italicizados, mas quando o maior *robber* da primeira geração, Cornelius Vanderbilt, morreu em 1877, sua fortuna de 100 milhões de dólares requereu a cunhagem de um novo termo, *multimilionário*. Tem-se afirmado que muitos dos grandes capitalistas americanos foram, na realidade, inovadores criativos, sem os quais os triunfos da industrialização americana, que eram realmente expressivos, não teriam sido obtidos tão rapidamente. A riqueza destes não era, portanto, conseguida a partir de banditismo econômico, mas graças à generosidade com que a sociedade reconhecia os seus benfeitores. Tais argumentos não podem ser aplicados a todos os *robber barons*, pois até a consciência dos apologistas recua diante de escroques como Jim Fisk ou Jay Gould, mas seria insensatez negar que um bom número de magnatas desse período fez contribuições positivas, algumas vezes importantes, para o desenvolvimento da economia industrial moderna ou (o que não é exatamente a mesma coisa) para as operações de um sistema de empresas capitalistas.

Mas tais argumentos são irrelevantes. Eles meramente encontram outra maneira de dizer o óbvio, ou melhor, que os Estados Unidos do século XIX eram uma economia capitalista na qual o dinheiro — uma enorme quantidade de dinheiro — iria ser criado, entre outras formas, pelo desenvolvimento e racionalização dos recursos produtivos de um país, vasto e em rápido crescimento, inserido numa economia mundial em acelerada expansão. Três coisas distinguem a era dos *robber barons* americanos das outras florescentes economias capitalistas do mesmo período, que também produziram suas gerações de milionários, às vezes igualmente ávidos.

A primeira era a total falta de qualquer forma de controle sobre trocas comerciais feitas de modo implacável e com desonestidade, assim como as possibilidades realmente espetaculares de corrupção em âmbito local e nacional — especialmente nos anos imediatamente posteriores à Guerra Civil. Praticamente não havia nos Estados Unidos aquilo que se poderia chamar de governo, segundo os padrões europeus, e a margem de ação para os ricos poderosos e inescrupulosos era praticamente ilimitada. De fato, a expressão *robber barons* deveria ter sua ênfase na segunda palavra e não na primeira, pois como num reino medieval fraco, os homens não olhavam para a lei, mas para a sua própria força — e quem era mais forte numa sociedade capitalista do que os ricos? Os Estados Unidos, sozinho entre os Estados do mundo burguês, eram um país de Justiça privada e Forças Armadas privadas como nunca antes ou depois daquele período.

Entre 1850 e 1889, esquadrões de Vigilantes autonomeados mataram 530 transgressores da lei ou acusados de tal, ou seja, seis em cada sete de todas as vítimas da história completa desse fenômeno caracteristicamente americano, que vai de 1760 a 1909.[9*] Em 1865 e 1866, toda estrada de ferro, mina de carvão, grande forno ou laminadora da Pensilvânia recebeu autorização para empregar quantos homens armados quisesse para agir conforme julgasse necessário, embora em outros estados xerifes e outros oficiais locais devessem indicar formalmente os membros dessas polícias privadas. E foi durante esse período que a mais notória dessas forças particulares de detetives e pistoleiros, os "Pinkertons", ganhou sua sombria reputação, primeiro na luta contra criminosos e depois, de maneira crescente, contra o trabalhismo.

A segunda característica específica dessa era pioneira do *big business, big money* e *big power* americano era que a maior parte dos que o praticavam, diferentemente da maioria dos grandes empresários do Velho Mundo, parecia estar sempre obcecado pela construção tecnológica em si mesma, sem se julgar aparentemente comprometido com nenhuma forma especial de fazer dinheiro. Tudo o que queria era maximizar os lucros; mas ocorreu que a maioria deles terminou por consegui-lo por meio do grande fazedor de dinheiro dessa época, as estradas de ferro. Cornelius Vanderbilt tinha apenas uns 10 ou 20 milhões de dólares antes de entrar no negócio das estradas de ferro, que lhe trouxe cerca de 80 ou 90 milhões de dólares em 16 anos. Isso não é tão surpreendente, visto que homens do grupo da Califórnia — Collins P. Huntington (1821-1900), Leland Stanford (1824-1893), Charles Crocker (1822-1888) e Mark Hopkins (1813-1878) — podiam, sem modéstia, pagar o triplo do custo da construção da Central Pacific Railroad, e escroques como Fisk e Gould podiam amealhar milhões com transações fraudulentas e

* Dos 326 movimentos Vigilantes registrados, 230 atuaram nesse período.

saques abertos, sem colocar um único vagão-dormitório sobre trilhos ou preparar a partida de uma única locomotiva.

Poucos dos milionários da primeira geração fizeram suas carreiras em um único ramo de atividade. Huntington começou vendendo material pesado para mineiros na época da corrida do ouro em Sacramento. Talvez seus fregueses incluíssem o magnata da carne Philip Armour (1832-1901), que tentou a sorte nas minas antes de entrar no negócio de armazéns em Milwaukee, o que lhe permitiu fazer fortuna no decorrer da Guerra Civil. Jim Fisk trabalhou em circo, como garçom de hotel, mascate e vendedor ambulante antes de descobrir as possibilidades de contratos de guerra e, depois, a Bolsa de Valores. Jay Gould foi, por seu turno, cartógrafo e mercador de couro antes de descobrir o que se podia fazer com as estradas de ferro. Andrew Carnegie (1835-1919) não concentrou suas energias no ferro até completar 40 anos. Começou como telegrafista, continuou como executivo de estradas de ferro — sua renda já feita por meio de investimentos cujo valor crescia rapidamente — e entrou no ramo do petróleo (que viria a ser o campo escolhido por John D. Rockefeller, que começou a vida como atendente e guarda-livros em Ohio), enquanto gradualmente seguia em direção à indústria que dominaria. Todos esses homens eram especuladores e estavam prontos para ir ao encontro do dinheiro grosso onde quer que ele se encontrasse. Nenhum deles tinha ou poderia ter escrúpulos excessivos, numa era e numa economia onde a fraude, o suborno, a calúnia e, se necessário, os revólveres eram aspectos normais da competição. Todos eram homens duros, e todos encarariam a questão de "se eram honrados" como consideravelmente menos relevante para seus negócios do que a de "se eram espertos". Não era por acaso que o "darwinismo social", o dogma de que aqueles que subiam ao topo de tudo eram os melhores porque mais capazes de sobreviver na selva humana, se transformou na teologia nacional do final do século XIX nos Estados Unidos.

A terceira característica dos *robber barons* será bem óbvia, mas tem sido supervalorizada pela mitologia do capitalismo americano: uma proporção considerável deles eram *self-made men* e não possuíam competidores em riqueza e posição social. Claro, apesar da proeminência de vários *self-made* multimilionários, apenas 42% dos homens de negócios desse período, que entraram no *Dictionary of American Biography*, vinham das classes médias ou baixas.* Muitos vinham de famílias de comerciantes ou de profissionais liberais. Apenas 8% da "elite industrial da década de 1870" eram filhos de pais da classe operária.[10] Ainda para efeitos de comparação, é interessante recordar que, dos 189 milionários ingleses que morreram entre 1858 e 1879, aproximadamente 70% vinham de uma descendência de pelo menos uma geração e provavelmente várias de riqueza, sendo mais de 50% deles proprietários de terras.[11] Evidentemente, a América possuía seus Astors e Vanderbilts, herdeiros de dinheiro antigo, e o maior de seus financistas, J. P. Morgan (1837-1913), era um banqueiro de segunda geração, cuja família enriquecera na qualidade de uma das maiores intermediárias em trazer capital inglês para os Estados Unidos. Mas o que atraía a atenção eram, fato aliás bem compreensível, as carreiras dos jovens que simplesmente viam a oportunidade, agarravam-na e enfrentavam todos os desafios: homens que estavam imbuídos acima de tudo do imperativo capitalista da acumulação. As oportunidades eram realmente colossais para homens preparados para seguir a lógica da obtenção do lucro em lugar da lógica de viver, e que possuíam competência suficiente, energia, implacabilidade e ambição. As distrações eram mínimas. Não havia uma velha nobreza para seduzir os homens com títulos, ou com a vida descontraída de uma aristocracia agrária, e a política era antes algo para se comprar do que para se praticar, exceto, evidentemente, como outro meio de fazer dinheiro.

* Os nascidos entre 1820 e 1849 estão incluídos. Os cálculos são de C. Wright Mills.

Em certo sentido, portanto, os *robber barons* sentiam-se representantes da América como nenhum outro grupo ou pessoa. E não estavam enganados. Os nomes dos maiores multimilionários — Morgan, Rockefeller — entraram no domínio do mito, e esta era a razão por que, ao lado de mitos de origem bem diferente — pistoleiros e xerifes do oeste —, eles eram provavelmente os únicos nomes de indivíduos americanos desse período (com a exceção de Abraham Lincoln) bem conhecidos no exterior, exceto entre os que diziam ter especial interesse na história dos Estados Unidos. E os grandes capitalistas impuseram seu selo ao país. "Antigamente", escreveu o *National Labor Tribune* em 1874, "os homens da América podiam ser seus próprios dirigentes. Ninguém podia ou devia tornar-se dominador". Mas agora "esses sonhos não se realizam (...). A classe trabalhadora deste país (...) descobriu repentinamente que o capital é tão rígido como uma monarquia absoluta".[12]

2.

De todos os países não europeus, apenas um conseguiu encontrar e derrotar o Ocidente no terreno inimigo. Esse país foi o Japão, para certa surpresa dos contemporâneos. Para eles, era talvez o menos conhecido de todos os países desenvolvidos, pois no século XVII fora virtualmente fechado ao contato direto com o oeste, mantendo apenas um único ponto de mútua observação, por onde os holandeses haviam recebido permissão para manter um comércio em escala restrita. Em meados do século XIX, aos olhos do Ocidente, o país não parecia diferente de qualquer outro país oriental, ou pelo menos afigurava-se igualmente destinado ao atraso econômico e à inferioridade militar para tornar-se vítima do capitalismo. O comodoro Perry, dos Estados Unidos, cujas ambições no Pacífico iam bem mais longe dos interesses de seus navios caçadores de baleias (que em

1851 foram objeto de uma grande obra de criação artística da América do século XIX, o *Moby Dick* de Herman Melville), forçou os japoneses à abertura de alguns portos em 1853-1854 com o método usual das ameaças navais. Os ingleses, e mais tarde, em 1862, as forças unidas ocidentais, bombardearam o Japão com a frivolidade e a impunidade habituais: a cidade de Kagoshima foi atacada como retaliação pelo assassinato de um único inglês. Não parecia de forma alguma que em apenas meio século o Japão se tornaria uma potência mundial, capaz de derrotar uma potência europeia numa guerra de maiores proporções usando apenas uma das mãos, e que em três quartos de século estaria perto de rivalizar com a marinha inglesa; menos ainda, que na década de 1970 alguns observadores previssem que o Japão ultrapassaria a economia dos Estados Unidos dali a alguns anos.

Os historiadores, com o conhecimento que a percepção futura traz, talvez se tenham surpreendido menos diante das realizações japonesas do que deveriam. Eles apontaram para o fato de que, de muitos ângulos, o Japão, embora inteiramente diferente na sua tradição cultural, era surpreendentemente análogo ao Ocidente na estrutura social. O país possuía algo muito próximo de uma ordem feudal da Europa medieval, uma nobreza agrária hereditária, camponeses semisservis e um corpo de mercadores-empresários e financistas cercado por um corpo incomumente ativo de artífices, todos assentados numa crescente urbanização. Diferentemente da Europa, as cidades não eram independentes nem os mercadores livres, mas a crescente concentração da nobreza (os samurais) nas cidades fazia-os depender de forma crescente do setor não agrário da população, e o desenvolvimento sistemático de uma economia nacional fechada, fora do mercado externo, criou um corpo de empresários essencial para a formação de um mercado nacional intimamente ligado ao governo. Os Mitsui, por exemplo — ainda hoje uma das maiores forças no capitalismo japonês —, começaram como produtores de saquê (aguardente de arroz) no início do século XVII, tornaram-se financistas e em 1673 estabeleceram-se em Edo (Tóquio) como lojistas, fundando filiais em Kyoto e Osaka. Por volta de 1680 eles estavam ativamente entregues àquilo que a Europa teria chamado de mercado de ações, tornando-se logo depois agentes financeiros da família imperial e do xogunato (os dirigentes *de facto* do país), assim como de diversos clãs feudais mais importantes. Os Sumitomo, também ainda proeminentes, começaram no comércio de drogas e equipamentos pesados em Kyoto e logo se transformaram em grandes mercadores e refinadores no comércio do cobre. No final do século XVIII, eles agiam como administradores regionais do monopólio do cobre e exploravam minas.

Não é impossível que o Japão, deixado a si mesmo, tivesse evoluído por si só na direção da economia capitalista, embora a questão não possa ser jamais resolvida. O que está além de qualquer dúvida é que o Japão estava mais disposto a imitar o Ocidente do que muitos outros países não europeus, e era também o mais capaz de fazê-lo. A China era plenamente capaz de derrotar os ocidentais no próprio terreno deles, pelo menos na medida em que possuía o conhecimento técnico, a sofisticação intelectual, a educação, a experiência administrativa e a habilidade para os negócios requerida para a tarefa. Mas a China era demasiado gigantesca, demasiado autossuficiente, demasiado acostumada a se considerar o centro da civilização, para que a incursão de uma leva de perigosos e narigudos bárbaros, por mais avançados tecnicamente que fossem, viesse a surgir imediatamente após o completo abandono de seus antigos meios. A China não queria imitar o Ocidente. Os homens cultos do México queriam imitar o capitalismo liberal tal como este exemplificado pelos Estados Unidos, mesmo que fosse apenas para obter um meio de resistir ao vizinho do norte. Mas o peso de uma tradição que eles eram demasiadamente fracos para romper ou destruir tornava impossível tal propósito. Igreja e campesinato, indígena ou hispanizado num modelo medieval, tudo isso era muito para eles, e eles eram muito poucos. A vontade era maior que a capacidade. Mas o Japão possuía ambas. A elite japonesa sabia que seu país era um entre muitos que se confrontavam com os perigos da conquista ou sujeição, com os quais já havia deparado no curso de sua longa história. Era mais (para usar a fraseologia europeia da época) uma "nação" potencial do que um império ecumênico. Ao mesmo tempo, possuía a capacidade técnica e outras, além do pessoal necessário para uma economia do século XIX. E, o que talvez fosse mais importante, a elite japonesa possuía um aparato de Estado e uma estrutura social capazes de controlar o movimento de uma sociedade inteira. Transformar o país de cima sem se arriscar a uma resistência passiva, desintegração ou revolução é extremamente difícil. Os dirigentes japoneses estavam na posição histórica excepcional de serem capazes de mobilizar o mecanismo tradicional da obediência social para os propósitos de uma repentina, radical mas controlada "ocidentalização", sem maior resistência que as ocasionais dissidências dos samurais e as rebeliões camponesas.

O problema de enfrentar o Ocidente havia preocupado os japoneses por algumas décadas — e a vitória inglesa sobre a China na primeira Guerra do Ópio (1839-1842) demonstrou a capacidade e a possibilidade dos métodos do Ocidente. Se a própria China não lhes podia resistir, não estariam os ocidentais predestinados a vencer em todas as partes? A descoberta do ouro na Califórnia, aquele evento crucial na história do mundo, no período que nos ocupa, levou os Estados Unidos de forma definitiva ao Pacífico, colocando o Japão diretamente no centro das investidas ocidentais, visando a "abrir" seus mercados, do mesmo modo que as Guerras do Ópio haviam "aberto" os da China. A resistência direta era inócua, como o demonstraram as fracas tentativas de organizá-la. Meras concessões e evasões diplomáticas não eram senão expedientes temporários. A necessidade de reforma, tanto pela adoção das técnicas relevantes do Ocidente como pela restauração (ou criação) da vontade de afirmação nacional, era vigorosamente debatida pelos funcionários superiores e pelos intelectuais, mas o que veio a ser a "Restauração Meiji" de 1868, isto é, uma drástica "revolução de cima", foi o evidente fracasso do sistema militar feudal-burocrático dos xoguns em resolver a crise. Em 1853-1854, os dirigentes do país estavam divididos e incertos quanto ao que fazer. Pela primeira vez o governo pediu formalmente a opinião e o conselho dos *daimyo*, ou senhores feudais, a maioria dos quais foi a favor da resistência ou da contemporização. Desse modo eles demonstravam sua incapacidade para agir de forma eficaz, e suas contramedidas militares foram ineficientes e custaram o bastante para examinar as finanças e confundir o sistema administrativo do país. Enquanto a burocracia revelava sua incompetência e as frações dos nobres se desentendiam dentro do xogunato, a segunda derrota da China em mais uma Guerra do Ópio (1857-1858) sublinhou a fraqueza do Japão diante do Ocidente. Mas as novas concessões aos estrangeiros e a crescente desintegração da estrutura política doméstica produziam uma contrarreação entre os jovens intelectuais samurais, que em 1860-1863 iniciaram, contra os estrangeiros e os líderes impopulares, uma dessas ondas de terror e assassinatos que abundam na história japonesa. Desde a década de 1840, ativistas patrióticos haviam iniciado estudos militares e ideológicos nas províncias e em algumas escolas de esgrima em Edo (Tóquio), onde passaram a sofrer a influência de alguns filósofos, voltando depois para suas províncias feudais (*han*) com os dois *slogans*: "expulsar os bárbaros" e "venerar o imperador". Os *slogans* eram lógicos: o Japão precisava evitar cair vítima dos estrangeiros e, em razão do fracasso do xogunato, era natural que a atenção conservadora se voltasse para a alternativa política tradicional sobrevivente, o teoricamente todo-poderoso mas praticamente impotente Trono Imperial. A reforma conservadora (ou revolução de cima) teria praticamente que tomar a forma de uma restauração do poder imperial contra o xogunato. A reação estrangeira ao terrorismo dos extremistas, como o bombardeio de Kagoshima pelos ingleses, apenas intensificou a crise doméstica e minou o já desgastado regime. Em janeiro de 1868 (após a morte do velho imperador e a indicação do novo xogum), a restauração imperial foi finalmente proclamada, com as forças de algumas poderosas prefeituras dissidentes, e estabelecida após uma curta Guerra Civil. A "Restauração Meiji" estava concretizada.

Se isso tivesse consistido apenas em uma reação conservadora xenófoba, teria sido comparativamente insignificante. As grandes forças feudais do Japão ocidental, especialmente Satsuma e Choshu, que derrubaram o velho sistema, hostilizavam tradicionalmente a Casa de Tokugawa, que monopolizava o xogunato. Nem o seu poderio nem o tradicionalismo militante dos jovens extremistas eram um programa em si, e os homens que então dominavam as fortunas do Japão, predominantemente jovens samurais (em média 30 anos, em 1868), não representavam as forças sociais da revolução social, embora tivessem claramente chegado ao poder numa época em que as tensões econômicas e sociais eram especialmente agudas e se refletiam tanto em um número de levantes camponeses localizados e não muito marcadamente políticos como na ascensão de ativistas camponeses e da classe média. Mas entre 1853 e 1868 o núcleo principal dos jovens samurais ativistas sobreviventes (muitos dos mais xenófobos morreram em ações terroristas) tinha reconhecido que seu objetivo, salvar o país, exigia uma ocidentalização sistemática. Muitos deles, em 1868, entraram em contato com os estrangeiros; muitos haviam viajado ao exterior. Todos reconheciam que a preservação implicava a transformação.

O paralelismo entre o Japão e a Prússia tem sido frequentemente evocado. Em ambos os países o capitalismo havia sido formalmente instituído não pela revolução burguesa, mas por uma revolução de cima, efetuada por uma velha ordem aristocrático-burocrática, que reconhecia que sua sobrevivência não podia ser assegurada de outra forma. Em ambos os países os regimes econômicos e políticos subsequentes conservaram importantes características da velha ordem: uma ética de disciplina obediente e respeito que estava presente nas classes médias e mesmo no novo proletariado que finalmente ajudou o capitalismo a resolver os problemas da disciplina do trabalho; uma forte dependência da economia de iniciativa privada em relação à ajuda e supervisão do Estado burocrático; e um não menos persistente militarismo, que se tornaria mais tarde um formidável poder na guerra, encarnando um passional e mesmo patológico extremismo da direita política. Mas há diferenças. Na Alemanha, a burguesia liberal era forte, consciente de si mesma como classe e uma força política independente. Como as Revoluções de 1848 tinham demonstrado, a "revolução burguesa" era uma possibilidade genuína. O caminho prussiano para o capitalismo passava por uma burguesia relutante em fazer uma revolução burguesa e por um Estado *junker* preparado para dar-lhe muito do que ela queria sem uma revolução, ao preço da preservação do controle político nas mãos da aristocracia agrária e da monarquia burocrática. Os *junkers* não iniciaram essa mudança. Eles meramente (graças a Bismarck) asseguraram-se de que não seriam engolidos no processo. No Japão, por outro lado, a iniciativa, a direção e o pessoal da "revolução de cima" vieram dos próprios setores feudais. A burguesia japonesa (ou seu equivalente) teve uma participação apenas na medida em que a existência de uma camada de homens de negócios e empresários possibilitava a instalação de uma economia capitalista nos termos ocidentais. A Restauração Meiji não pode ser vista em nenhum sentido real como uma "revolução burguesa", ainda que abortada, embora possa ser vista como equivalente funcional de parte de uma tal revolução.

Isso faz com que o radicalismo das mudanças introduzidas apareça de forma ainda mais notável. As velhas províncias feudais foram abolidas e substituídas por uma administração centralizada estatal, que então adquiriu uma nova moeda decimal e definiu uma base financeira por meio da inflação, de empréstimos públicos a partir de um sistema bancário inspirado pelo americano e (em 1873) de um imposto adequado sobre a terra. (Deve-se lembrar que, em 1868, o Governo Central não possuía nenhuma renda independente, baseando-se temporariamente na ajuda das províncias feudais, que logo seriam abolidas, em empréstimos forçados e na dependência dos ex-xoguns Tokugawa.) Essa reforma financeira implicava uma reforma social radical, o Regulamento da Propriedade da Terra (1873), que estabelecia compromisso individual e não comunal em relação aos impostos, definindo portanto direitos de propriedade individuais, com o consequente direito de venda. Os antigos direitos feudais, já em declínio no que dizia respeito à terra cultivada, caíram ainda mais em importância. Enquanto a alta nobreza e uns poucos samurais eminentes conservavam alguma terra em montanhas e florestas, o governo tomou posse da propriedade comunal, os camponeses tornaram-se inquilinos de ricos proprietários de terras — e os nobres e samurais perderam sua base econômica. Em troca, receberam compensação e ajuda governamental, mas, mesmo antes que estas se revelassem inadequadas, para muitos deles a mudança de situação fora demasiado profunda. Iria tornar-se ainda mais drástica pela Lei do Serviço Militar de 1873, que, igual ao modelo prussiano, introduziu o serviço militar obrigatório. Sua consequência maior foi de fundo igualitário, na medida em que abolia os últimos vestígios de separação e distinção de *status* dos samurais como classe. Entretanto, a resistência tanto dos camponeses como dos samurais diante das novas medidas — houve uma média de uns trinta levantes camponeses por ano, entre 1869 e 1874, e uma importante rebelião samurai em 1877 — foi aniquilada sem maiores dificuldades.

Não era objetivo do novo regime abolir a aristocracia e as distinções de classe, embora estas últimas fossem simplificadas e modernizadas. Uma nova aristocracia tinha mesmo sido estabelecida. Ao mesmo tempo, a ocidentalização implicava a abolição das antigas posições, uma sociedade na qual a riqueza, a cultura e a influência política determinavam o *status* mais do que o nascimento, trazendo portanto genuínas tendências igualitárias: desfavoráveis para o samurai mais pobre, que recusava o trabalho comum, favoráveis para o povo simples, que passava a ser (a partir de 1870) autorizado a usar nomes de família e a escolher livremente tanto a profissão como o lugar de residência. Para os dirigentes japoneses, diferentemente da sociedade ocidental burguesa, tais questões constituíam não um programa em si, mas instrumentos para atingir o programa de renascimento nacional. Eles eram necessários e portanto precisavam ser criados. E eram também aceitáveis para os quadros da velha sociedade, em parte por causa do enorme poder da ideologia tradicional a serviço do Estado (mais concretamente, a necessidade de "fortalecer o Estado"), e menos aceitáveis pelas aberturas nas carreiras militar, administrativa, política e de negócios, que o novo Japão trazia para muitos. Eles não eram bem-vindos aos camponeses tradicionalistas e samurais, especialmente aqueles para os quais o novo Japão na realidade não trazia um futuro brilhante. Entretanto, o radicalismo das mudanças introduzidas no espaço de alguns anos por homens formados na velha sociedade e pertencentes à orgulhosa classe da aristocracia militar ainda é um fenômeno único e extraordinário.

A força motriz era a ocidentalização. O Ocidente possuía claramente o segredo do sucesso e, portanto, precisava ser imitado a todo custo. A perspectiva de levar de roldão todos os valores e instituições de uma outra sociedade era talvez menos impensável para os japoneses do que para muitas outras civilizações, pois eles já a haviam experimentado uma vez — com a China —, mas mesmo assim ainda era uma ideia assustadora, traumática e problemática. Pois ela não podia ser realizada apenas com empréstimos superficiais, seletivos ou controlados, especialmente tratando-se de uma sociedade tão diferente da japonesa em termos culturais como a ocidental. Daí a exagerada paixão com a qual muitos dos partidários da ocidentalização se atiraram à tarefa. Para alguns parecia implicar o abandono de tudo que fosse japonês, visto que todo o passado era necessariamente atrasado e bárbaro: a simplificação ou talvez mesmo o abandono da língua japonesa, a renovação da origem genética inferior japonesa pela miscigenação com a origem genética ocidental superior — uma sugestão, com base na recém-digerida teoria do racismo social-darwinista, que aliás tinha apoio nas altas esferas do país.[13] Surgiam costumes e cortes de cabelo ocidentais, hábitos alimentares (os japoneses não comiam carne até então) eram adotados com o mesmo zelo que a tecnologia, estilos arquitetônicos e ideias ocidentais.[14] A ocidentalização não implicaria até mesmo a adoção de ideologias que eram fundamentais para o progresso ocidental, incluindo o cristianismo? Não implicaria também o abandono de todas as antigas instituições, incluindo o imperador?

Por outro lado, a ocidentalização, diferentemente da anterior adoção de valores chineses, provocaria um dilema ainda maior. O Ocidente não era um sistema único e coerente, mas um complexo de ideias e instituições rivais. Quais delas os japoneses escolheriam? Em termos práticos, a escolha não era difícil. O modelo inglês servia naturalmente como um guia para estradas de ferro, telégrafo, obras públicas, indústria têxtil e muito dos métodos de comércio. O modelo francês inspirava a reforma legal, e inicialmente a reforma militar, até que o modelo prussiano veio a prevalecer (a marinha evidentemente seguiu o exemplo inglês). As universidades deviam muito aos exemplos alemão e americano, e a educação primária, a inovação na agricultura e os serviços postais aos Estados Unidos. Por volta de 1875-1876, cerca de quinhentos a seiscentos especialistas estrangeiros, e mais tarde, em 1890, 3 mil aproximadamente, estavam empregados sob supervisão japonesa. Mas política e ideologicamente a escolha era mais difícil. Como o Japão escolheria entre os sistemas rivais dos Estados burgueses-liberais — França e Inglaterra — e a monarquia prussiano-germânica, mais autoritária? Acima de tudo, como escolheria entre o Ocidente intelectual, representado pelos missionários (que exerciam uma grande e surpreendente atração entre os desorientados e desclassificados samurais, prontos para transferir sua lealdade tradicional de um senhor terreno para um senhor nos Céus), e o Ocidente representado pela ciência agnóstica — Herbert Spencer e Charles Darwin? Ou entre as escolas religiosas e laicas rivais?

No lapso de duas décadas surgiu uma reação contra os extremos da ocidentalização e do liberalismo, parcialmente com a ajuda da tradição crítica ocidental do liberalismo, como a alemã, que ajudou a inspirar a Constituição de 1889, em grande parte uma reação neotradicionalista que virtualmente inventaria uma nova religião do Estado, centrada no culto ao imperador, o culto Xinto. Foi essa combinação de neotradicionalismo e modernização seletiva (tal como ela é exemplificada pelo Edito Imperial Educacional de 1890) que prevaleceu. Mas as tensões entre aqueles para os quais a ocidentalização implicava revolução fundamental e os outros para quem ela significava apenas um Japão forte permaneceram. A revolução não viria a ocorrer, mas a transformação do Japão num formidável poder moderno tornou-se realidade. Economicamente, as realizações do Japão permaneceram modestas na década de 1870, fundamentadas quase inteiramente em uma economia de mercantilismo de Estado, que contrastava estranhamente com a ideologia oficial de liberalismo econômico. As atividades militares do novo exército eram ainda dirigidas inteiramente contra os recalcitrantes inimigos do velho Japão, e, em 1873, planejou-se uma guerra contra a Coreia, só evitada porque os membros mais sensatos do Meiji acreditavam que a transformação interna deveria preceder a aventura externa. Portanto, o Ocidente continuava a subestimar o significado da transformação do Japão.

Os observadores ocidentais não conseguiam entender esse estranho país. Alguns quase nada viam nele além de um esteticismo exótico e cativante, e mulheres elegantes e subservientes que confirmavam tão diretamente a superioridade masculina e (assim se pensava) ocidental: a terra de Pinkerton e Madame Butterfly. Outros estavam tão convencidos da inferioridade não ocidental que simplesmente não viam nada de relevante. "Os japoneses são uma raça alegre e, contentando-se com pouco, não parece que conseguirão muito", escreveu o *Japan Herald* em 1881.[15] Até o final da Segunda Guerra Mundial, a crença de que, do ponto de vista tecnológico, os japoneses só podiam produzir imitações baratas dos produtos ocidentais fazia parte da mitologia ocidental. Porém já havia alguns observadores mais capazes, muitos deles americanos, que observavam a impressionante eficiência da agricultura japonesa,* as técnicas dos artesãos, a potencialidade dos soldados. Já em 1878, um general americano previu que graças a eles o país "estava destinado a assumir uma parte importante da história mundial".[17] Logo que os japoneses provaram que podiam vencer guerras, as ideias dos ocidentais sobre eles ficaram bem menos enfatuadas. Mas no final de nosso período eles ainda eram vistos como a prova viva de que a civilização ocidental burguesa estava triunfante e era superior a todas as outras; e, nessa época, nem mesmo os japoneses mais instruídos teriam discordado.

---

* Por "parcimônia, economia e habilidade na agricultura, sem gado para transformar a vegetação exuberante da terra desocupada em esterco, para seus campos cultivados pelo sistema de *rotação de culturas* (...) e sem o auxílio de máquinas de qualquer tipo, o fazendeiro japonês produz anualmente em um acre de terra a colheita que necessita de quatro estações pelo sistema dos Estados Unidos".[16]

9. A SOCIEDADE EM PROCESSO DE MUDANÇA

"De acordo com [os comunistas]: "De cada um de acordo com suas capacidades: a cada um de acordo com suas necessidades". Em outras palavras, ninguém deve lucrar por sua própria força, capacidade ou indústria, mas deve submeter-se às vontades dos fracos, estúpidos e vadios."

Sir Thomas Erskine May, 1877.[1]

"O governo está passando das mãos dos que possuem alguma coisa para as mãos dos que não possuem nada, das mãos dos que têm um interesse material na preservação da sociedade para os que não se preocupam de nenhuma maneira com a ordem, a estabilidade e a conservação (...). Talvez, na grande lei da mudança terrestre, os trabalhadores sejam para nossas sociedades modernas o que os bárbaros foram para as sociedades da Antiguidade, os agentes convulsivos da dissolução e da destruição?"

Os Goncourts durante a Comuna de Paris.[2]

Assim como o capitalismo e a sociedade burguesa triunfaram, os projetos que lhes eram alternativos recuaram, apesar do aparecimento da política popular e dos movimentos trabalhistas. Esses projetos não poderiam parecer menos promissores do que em, digamos, 1872-1873. Porém, em poucos anos, o futuro daquela sociedade que havia triunfado tão espetacularmente mais uma vez parecia incerto e obscuro, e movimentos destinados a substituí-la ou derrubá-la precisavam novamente ser levados a sério. Agora portanto devemos considerar esses movimentos por mudança social e política radicais na forma em que eles existiram no terço final do século XIX. Isso não é apenas escrever história com a faculdade de saber o que ocorreu mais tarde, embora não haja uma boa razão para que o historiador deva despojar-se de seu trunfo mais importante, pelo qual qualquer apostador ou investidor daria tudo, ou seja, o conhecimento do que de fato aconteceu depois. É também escrever história como os contemporâneos a viam. Os ricos e poderosos raramente são tão confiantes em si mesmos que não temam um fim da sua dominação. E, o que é mais importante, a lembrança da revolução ainda estava fresca e forte. Qualquer pessoa de 40 anos em 1868 tinha vivido a maior das revoluções europeias ainda adolescente. Qualquer pessoa com 50 anos havia vivido as revoluções de 1830 como criança e as de 1848 como adulto. Italianos, espanhóis, poloneses e outros haviam vivido insurreições, revoluções ou eventos com um forte componente insurrecional, como o movimento de liberação de Garibaldi do sul da Itália no decorrer dos últimos 15 anos. Não nos deve surpreender que o medo ou a esperança da revolução fossem vívidos e fortes.

Sabemos agora que não seriam de maior consequência nos anos após 1848. De fato, escrever sobre a revolução social nessas décadas é semelhante a escrever sobre serpentes na Inglaterra: elas existem, mas não como uma parcela muito significativa da fauna. A revolução europeia, tão próxima — talvez tão real — no grande ano de esperança e desapontamento, desapareceu de vista. Marx e Engels tinham, como sabemos, depositado esperanças no seu reaparecimento nos anos imediatamente subsequentes. Esperavam seriamente por uma nova explosão geral em sequência à (e em consequência da) Grande Depressão econômica mundial de 1857. Quando isso não aconteceu, deixaram de esperá-la num futuro previsível, e certamente não mais na forma de outro 1848. É naturalmente bastante errôneo supor que Marx transformara-se numa espécie de social-democrata gradualista (no sentido moderno do termo), ou mesmo que esperasse que a transição para o socialismo, quando viesse a ocorrer, se desse pacificamente. Mesmo nos países onde os trabalhadores pudessem tornar-se capazes de tomar o poder pacificamente por meio da vitória eleitoral (ele mencionou os Estados Unidos, a Inglaterra e talvez a Holanda), sua tomada do poder, e a subsequente destruição da velha política e das instituições, que ele via como essencial, provavelmente, levariam a uma violenta resistência por parte dos antigos dirigentes. E nisso ele era sem dúvida bastante realista. Os governos e as classes dirigentes poderiam estar prontos para aceitar um movimento trabalhista que não ameaçasse sua dominação, mas não havia nenhuma razão para supor, especialmente depois da sanguinária supressão da Comuna de Paris, que eles estivessem preparados a aceitar um que o fizesse.

Entretanto, as perspectivas de revolução, e não apenas a socialista, nos países desenvolvidos da Europa já não eram um assunto da prática política e, como já vimos, Marx as descartava, mesmo na França. O futuro imediato dos países capitalistas europeus residia na organização de partidos da classe operária independentes e de massa, cujas reivindicações políticas de curto prazo não eram revolucionárias. Quando Marx ditou o programa dos sociais-democratas alemães (*Gotha,* 1875) para um entrevistador americano, ele deixou de lado a única cláusula que permitia entrever um futuro socialista ("o estabelecimento de cooperativas de produção socialista (...) sob o controle democrático dos trabalhadores"), como mera concessão tática aos lassallianos. O socialismo, observou ele, "será o resultado do movimento. Mas isto será uma questão de tempo, de educação e do desenvolvimento de novas formas de sociedade".[3]

Esse futuro remoto e imprevisível poderia ser adiantado significativamente mais pelos desenvolvimentos nas margens do que no centro da sociedade burguesa. A partir do final da década de 1860, Marx começou a conceber seriamente a estratégia de uma aproximação indireta para a derrubada da sociedade burguesa por três vias, duas das quais se tornariam proféticas e uma errada: revolução colonial, Rússia e Estados Unidos. A primeira delas fez parte de seus cálculos através do surgimento do movimento revolucionário irlandês (veja o Capítulo 5). A Inglaterra era, então, decisiva para o futuro da revolução proletária porque constituía a metrópole do capital, o dono do mercado mundial e, ao mesmo tempo, o "*único* país onde as condições materiais de tal revolução tinham-se desenvolvido até alcançar certo grau de maturidade".[4] Portanto o objetivo principal da Internacional devia ser o de acelerar a revolução inglesa, e a única forma de fazê-lo era conseguir a independência irlandesa. A revolução irlandesa (ou, de modo mais geral, a revolução dos povos oprimidos) era vista não apenas por si mesma mas como um possível impulsionador da revolução nos países burgueses centrais, como o calcanhar de aquiles do capitalismo metropolitano.

O papel reservado à Rússia era talvez mais ambicioso. A partir da década de 1860, como veremos, uma revolução russa não era apenas uma possibilidade, mas uma probabilidade, talvez mesmo uma certeza. Mas, enquanto em 1848 tal contingência seria bem recebida apenas na medida em que removesse uma grande pedra no caminho da vitória de uma revolução ocidental, agora seria significativa por si mesma. Uma revolução russa poderia de fato "dar o sinal para uma revolução proletária no Ocidente, de tal forma que ambas se complementariam" (como Marx e Engels afirmaram no prefácio de uma nova edição russa do *Manifesto comunista*).[5] Mais ainda: poderia concebivelmente — embora Marx nunca se tenha comprometido claramente com essa hipótese — levar a uma transição direta na Rússia de um comunalismo de aldeias a um desenvolvimento comunista, passando por cima do desenvolvimento de um capitalismo maduro. Como Marx previu de forma correta, uma Rússia revolucionária mudaria as perspectivas de revolução em todos os lugares.

O papel dos Estados Unidos seria menos central. Seu maior efeito era negativo: alquebrar, por força de seu desenvolvimento maciço, o monopólio industrial da Europa ocidental, e em particular da Inglaterra, e abalar, por força também de sua exportação agrícola, as bases da grande e pequena propriedade agrária na Europa. Esta era sem dúvida uma afirmação correta. Mas contribuiria positivamente para o triunfo da revolução?

Na década de 1870, Marx e Engels esperavam realisticamente uma crise no sistema político dos Estados Unidos, pois a crise agrária enfraqueceria os fazendeiros, "a base de toda a Constituição", e o crescente domínio da política por parte dos especuladores e grandes empresários provocaria um sentimento de repulsa entre os cidadãos. Também sublinhavam as tendências para a formação de um movimento proletário de massa. Talvez não esperassem muito dessas tendências, embora Marx expressasse algum otimismo: nos Estados Unidos, "o povo é mais resoluto que na Europa (...) tudo amadurece mais rapidamente".[6] Mas estavam enganados ao considerar os Estados Unidos e a Rússia como os dois grandes países que haviam sido omitidos do *Manifesto comunista:* o desenvolvimento futuro de ambos seria bem diferente.

As ideias de Marx trazem o peso de seus triunfos póstumos. No seu tempo, elas não representavam uma força política séria, embora por volta de 1875 dois sintomas de sua subsequente influência já fossem visíveis: um poderoso Partido Social-Democrata alemão e uma penetração drástica de suas ideias — inesperada para ele, mas não surpreendente em retrospectiva — na *intelligentsia* russa (veja mais adiante neste mesmo capítulo). No final da década de 1860 e começo da de 1870, o "doutor vermelho" era algumas vezes acusado de ser responsável pelas atividades da Internacional (veja o Capítulo 6), da qual ele era sem dúvida a figura mais formidável e a eminência parda. Entretanto, como já vimos, a Internacional não era de forma alguma um movimento marxista, ou mesmo um movimento que contivesse mais do que um punhado de seguidores de Marx, a maioria deles alemães *émigrés* de sua própria geração. Consistia numa série de grupos esquerdistas unidos basicamente, e talvez exclusivamente, pelo fato de todos pretenderem organizar "os trabalhadores", e com substancial sucesso, embora nem sempre. Suas ideias representavam os remanescentes de 1848 (ou mesmo de 1789, transformadas entre 1830 e 1848), algumas antecipações do movimento reformista trabalhista e uma subvariedade peculiar de sonho revolucionário, o anarquismo.

Em certo sentido, todas as teorias de revolução eram, naquele tempo, e tinham de ser, tentativas de se chegar a bons termos com a experiência de 1848. Isso se aplica tanto a Marx como a Bakunin, à Comuna de Paris e aos populistas russos, que discutiremos mais adiante. Alguém poderia dizer que todos vinham do fermento dos anos 1830-1848, não tivesse uma das cores pré-48 desaparecido para sempre do espectro da esquerda: o socialismo utópico. As grandes correntes utópicas haviam cessado de existir enquanto tais. O sansimonismo tinha cortado seus laços com a esquerda. Havia-se transformado no "positivismo" de Auguste Comte (1798-1857) e numa juvenil experiência levada a termo por um grupo de capitalistas aventureiros, na maioria franceses. Os seguidores de Robert Owen (1771-1858) haviam voltado suas energias intelectuais para o espiritualismo e o laicismo, e suas energias práticas para o modesto campo das lojas cooperativas. Fourier, Cabet e outros inspiradores das comunidades comunistas, sobretudo na terra da liberdade e das oportunidades extraordinárias, foram esquecidos. O *slogan* de Horace Greeley (1811-1872) "Vá para o Oeste, jovem" veio a ser mais bem-sucedido que seus anteriores *slogans* fourieristas. O socialismo utópico não sobreviveu a 1848.

Por outro lado, o produto da Grande Revolução Francesa sobreviveu. Esse produto ia dos republicanos radicais democratas (ora enfatizando a libertação nacional, ora o interesse nos problemas sociais) aos jacobinos comunistas com o selo de L. A. Blanqui. Essa esquerda tradicional não havia aprendido nada. Alguns de seus extremistas da Comuna de Paris não podiam pensar em nada de melhor do que reproduzir exatamente os acontecimentos da Grande Revolução. O blanquismo, organizado de forma determinada e conspiratória, sobreviveu na França e teve um papel crucial na Comuna, mas seria seu canto do cisne. Nunca mais teria um papel independente de importância significativa e se perderia nas tendências contraditórias do novo movimento socialista francês.

O radicalismo democrático era mais resistente porque seu programa apresentava tanto uma expressão genuína das aspirações do "homem

A SOCIEDADE

1. Símbolo, criado em 1867, da ordem social do "país mais rico do mundo".

2. (*acima, à esquerda*) A nobreza em ascensão: Alfred Krupp, industrial.
3. (*à esquerda*) A nobreza decadente: Alfred, príncipe de Windischgrätz, aristocrata da casa dos Habsburgos.
4. (*acima, à direita*) *O homem que cultivava os alimentos, Camponês com pá*, por J.-F. Millet.
5. (*abaixo*) A classe média: o Dr. e a Sra. Worsley em sua sala de visitas em Downing College, Cambridge.

6. (*acima*) A aristocracia trabalhista na Exposição Internacional de 1862.
7. (*à esquerda*) Criados (*c.* de 1860).
8. (*abaixo*) O operário: "o engenhoso guincho a vapor do sr. Ashton" (1862).

9. (*acima*) A classe média presta homenagem ao patrimônio e à arte. Exposição da Primavera na Escola de Arte de Exeter (1857).

10. (*abaixo*) O representante dos valores aristocráticos: o artista G. F. Watts em seu ateliê (1860).

OS EXTERIORES

11. (*à esquerda*) Comentário musical à reconstrução urbana e ao surto das construções: a "Polca da Demolição", de Johann Strauss.

12. (*abaixo*) Escavadeira, transportadora, carroça e guindaste: a construção da ferrovia subterrânea em Londres (1869).

13. (*acima*) O orgulho burguês: a propriedade particular Scarisbrick Hall, Lancashire.
14. (*à esquerda*) O orgulho burguês: a propriedade municipal (a prefeitura de Halifax).

15. (*acima*) A faceta particular da cidade: *Sobre Londres de trem*, de Gustave Doré (1872).
16. (*abaixo*) A faceta particular da cidade: Manchester vista do Rio Irwell (1859).

17. (*acima*) A nova face pública da cidade: Paris, Boulevard Sébastopol.
18. (*à esquerda*) O simbolismo no exterior: a Praça da Ópera, no Cairo.
19. (*abaixo*) O símbolo do capital: a Ópera de Paris (1860).

20. A vida em uma rua pública: o Boulevard des Italiens, Paris (1864).

OS INTERIORES

21. (*página anterior, à direita*) Decoração da riqueza de homens: o Castelo de Cardiff.
22. (*página anterior, à esquerda*) Decoração da riqueza de mulheres: residência da cortesã La Païva, em Paris.
23. (*página anterior, abaixo*) A vida em torno de objetos: a sala de estar particular da rainha Vitória, no Castelo de Windsor.
24. (*à direita*) Imagem familiar da classe média: "Cortando o assado" (*c.* 1860).
25. (*abaixo*) Imagem familiar do proletariado em 1861: a sala da casa de Lincoln Court onde foi encontrada a criança perdida (Illustrated Times).

26. (*acima*) A catedral da burguesia: interior da Ópera de Paris durante o Segundo Império.

27. (*abaixo*) Os salões do triunfo: a Exposição Internacional de Paris, 1867.

28. (*acima*) A vida social elegante: um salão em Paris, 1867.
29. (*abaixo*) Escola: a Academia do Sr. Williams – a última escola particular em Deptford, antes do ato de 1870 para a educação.

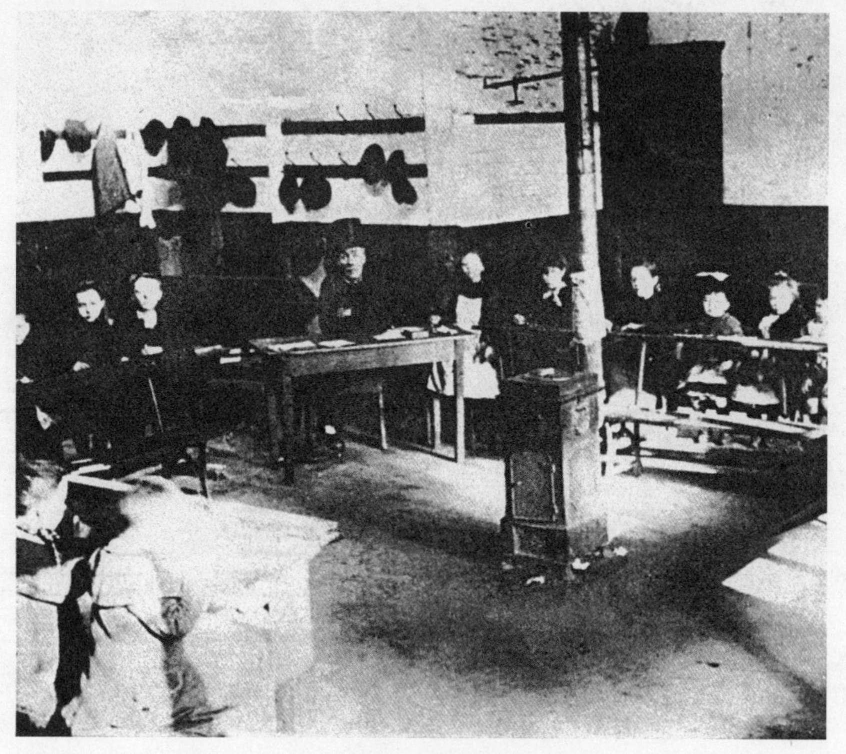

30. (*à esquerda*) O vagão-dormitório do trem Pullman da Estrada de Ferro Union Pacific (1869).
31. (*abaixo*) Interiores públicos: a estação de Charing Cross (1864).

OS INTERIORES

32. (*à esquerda*) A intimidade: a árvore de Natal familiar no Castelo de Windsor em 1848.

33. (*abaixo*) Em público: o canhão gigante da Krupp na Exposição Internacional de Paris, em 1867.

34. (*à esquerda*) A adolescência – o ideal burguês: uma jovem lendo (*c.* 1865).
35. (*abaixo*) A adolescência – a realidade dos pobres: *Os irmãos Corrie, os três irmãos King, acompanhados de Brown e de Woodruff.*
36. (*página seguinte, acima*) *Déjeuner sur l'Herbe* – a vida: reunião no jardim, para o chá (*c.* 1865).
37. (*página seguinte, abaixo*) *Déjeuner sur l'herbe* – a arte, por Édouard Manet (1836).

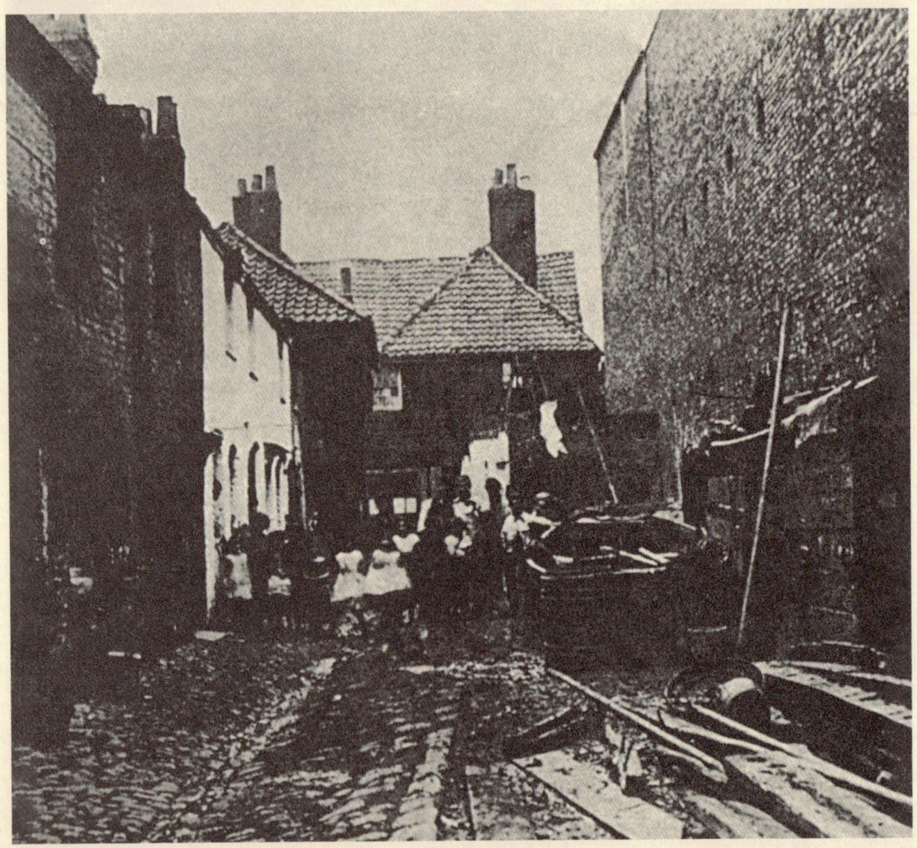

38. (*página anterior, acima*) A vida do proletariado idealizada: *A hora do jantar em Wigan*, de Eyre Crowe (1874).
39. (*página anterior, abaixo*) A vida do proletariado: vista de Fore Street, Lambeth (*c.* 1860).
40. (*acima*) A Índia vista de cima: um oficial britânico repousando (*c.* 1870).
41. (*abaixo*) A Índia vista de baixo: a fome em Madras (1876/1878).

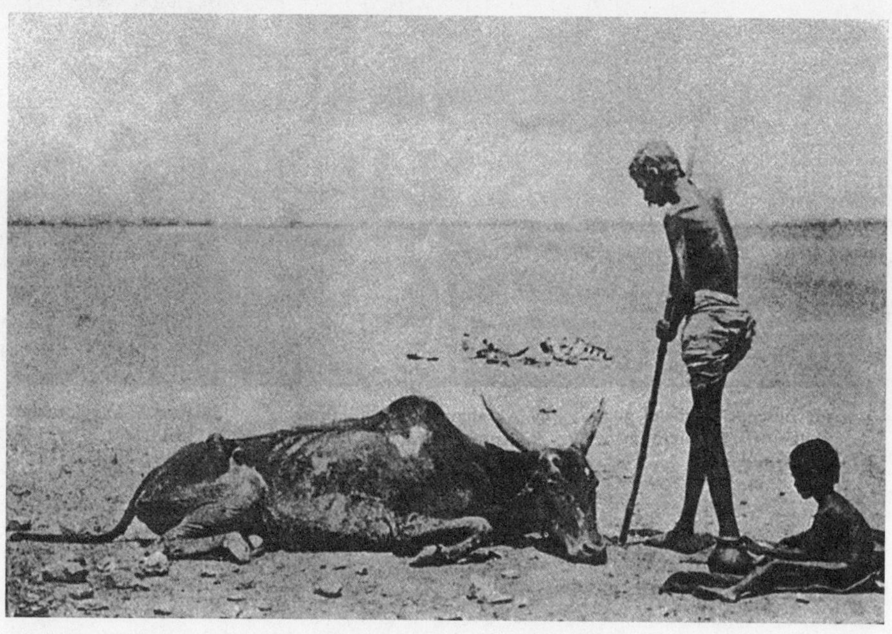

RETRATOS

42. O imperador Napoleão III, governante.

43. Charles Darwin, cientista.

44. O príncipe Otto von Bismarck, estadista.

48. Giuseppe Garibaldi, guerrilheiro revolucionário e libertador.

49. Abraham Lincoln, presidente dos Estados Unidos, de 1860 a 1865.

50. Karl Marx, pensador revolucionário.

45. Léon Nikolaievitch Tolstói, escritor.

46. Gustave Courbet, pintor.

47. Fiodor Mikhailovitch Dostoiévski, escritor.

51. Honoré Daumier, pintor.

52. Charles Dickens, escritor, lendo para suas filhas.

53. Richard Wagner, compositor.

UM MUNDO CONQUISTADO

McCORMICK'S
PATENT
VIRGINIA REAPER.

D. W. BROWN,

OF ASHLAND, OHIO,

Having been duly appointed Agent for the sale of the above valuable labor-saving machine (manufactured by C. H. McCormick & Co., in Chicago, Ill.) for the Counties of Seneca, Sandusky, Erie, Huron, Richland, Ashland and Wayne, would respectfully inform the farmers of those counties, that he is prepared to furnish them with the above Reapers on very liberal terms.

The Wheat portions of the above territory will be visited, and the Agent will be ready to give any information relative to said Reaper, by addressing him at Ashland, Ashland County, Ohio.

Ashland, March, 1850.

54. (*página anterior, acima*) Movimentos de pessoas: emigrantes chegando a Cork para seguirem para a América (1851).

55. (*página anterior, abaixo*) Movimento de mercadorias: carga em Calcutá.

56. (*à esquerda*) Os pioneiros: a máquina que abriu o oeste.

57. (*abaixo*) Os pioneiros: uma cabana de colonos.

58. (*acima, à esquerda*) Os construtores de ferrovias: *coolies* hindus colocando os trilhos.
59. (*à direita*) Os construtores de ferrovias: Thomas Brassey, o maior dos empreiteiros (desenho de Ape).
60. (*abaixo*) Os construtores de ferrovias: a ponte de Devil's Gate durante a construção da Estrada de Ferro Union Pacific.

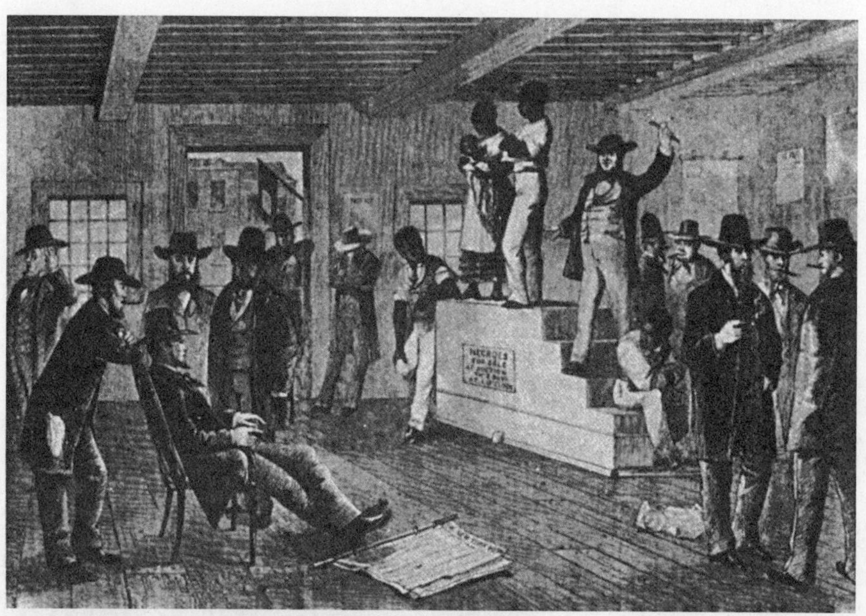

61. (*acima*) Leilão de escravizados na Virgínia (*c.* 1860).

62. (*à esquerda*) Engenho de açúcar na Guiana, visto pelos olhos de trabalhadores asiáticos contratados.

63. (*abaixo*) O Oriente observa o Ocidente: o porto de Londres visto na série do pintor japonês Yoshitora.

64. O norte observa o sul: a chegada de Henry Morton Stanley a uma aldeia africana (desenhada por ele mesmo).

DA REVOLUÇÃO AO TRIUNFO DO CAPITAL

REPUBLIQUE FRANÇAISE.

Combat du peuple de Paris. — Grande barricade du Château-d'Eau, le 24 Février 1848.

65. (*acima*) 1848: a vitória sobre a monarquia francesa nas barricadas.
66. (*abaixo*) 1848: cena de barricada, vista por Jules David.

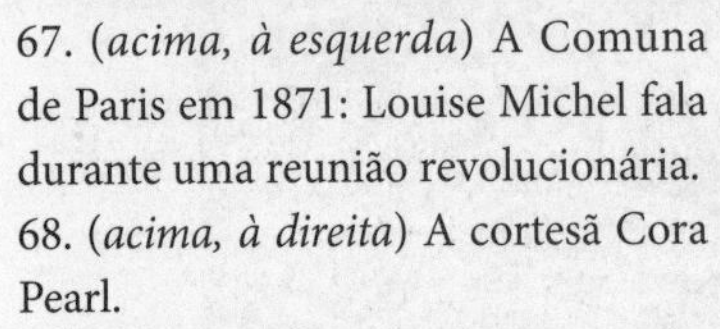

67. (*acima, à esquerda*) A Comuna de Paris em 1871: Louise Michel fala durante uma reunião revolucionária.
68. (*acima, à direita*) A cortesã Cora Pearl.
69. (*à direita*) A Comuna de Paris em 1871: ataque à barricada na esquina da rua Huchette, no Quartier Latin.
70. (*abaixo*) Relações industriais: greve na fábrica Le Creusot (1870).

71. (*acima*) O mundo do capital – a fábrica Iron & Steel, em Barrow.
72. (*abaixo, à esquerda*) Relações industriais: o emblema da Amalgamated Society of Engineers.
73. (*abaixo, à direita*) O mundo do capital – a máquina: a impressora do jornal *Daily Telegraph*.

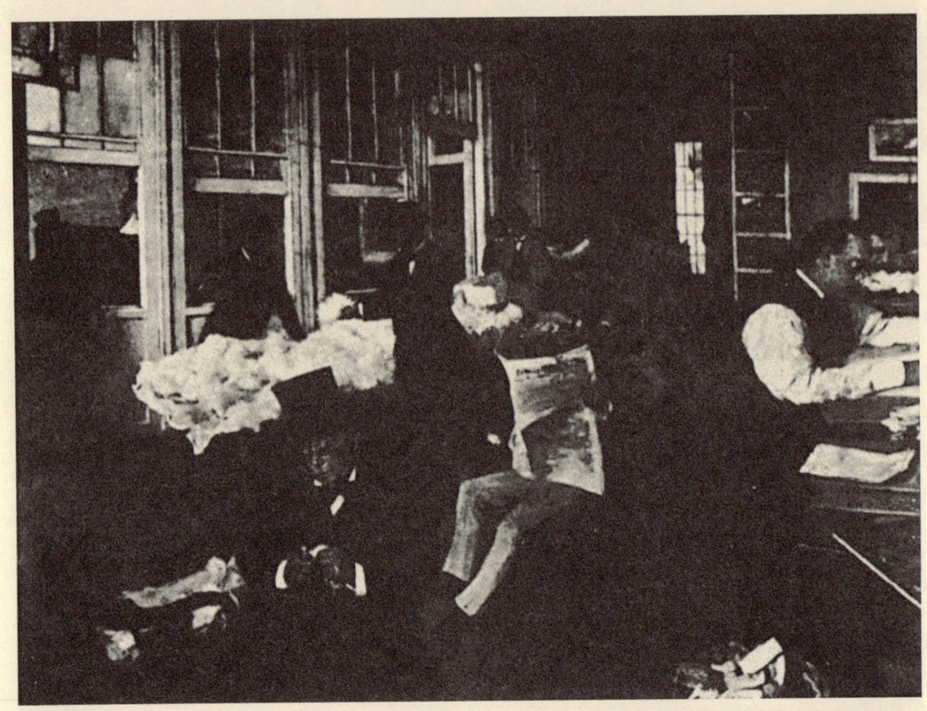

OR MINDEN&L

74. (*página anterior, acima*) O mundo do capital – os empresários: *Le Bureau de coton à la Nouvelle Orléans*, de Edgar Degas (1873).
75. (*página anterior, abaixo*) O mundo do capital – o comércio: Porto de New Orleans (*c.* 1870).
76. (*acima*) A realidade: a Guerra da Secessão vista por um dos primeiros repórteres fotográficos de guerra, William Brady.
77. (*abaixo*) O sétimo regimento de cavalaria atacando indígenas (do *Harper's Weekly*, 1868).

THE HOMELESS POOR

"AH! WE'RE BADLY OFF – BUT JUST THINK OF THE POOL MIDDLE CLASSES, WHO ARE OBLIGED TO EAT ROAST MUTTON AND BOILED FOWL EVERY DAY!"

78. Coda: desenho da revista *Punch*, 1859.

comum" por toda parte (lojistas, professores, camponeses), componente essencial das aspirações dos trabalhadores, como um *apelo* conveniente para os políticos liberais que pediam seus votos. Liberdade, igualdade e fraternidade podem não ser *slogans* muito precisos, mas as pessoas pobres e modestas confrontadas com os ricos e poderosos sabiam seu significado. Mesmo quando o programa oficial do radicalismo democrático foi realizado, em uma república com base no sufrágio universal, igual e incondicional, como nos Estados Unidos,* a necessidade do "povo" de exercer um poder real contra os ricos e corruptos manteve a paixão democrática bem viva. Mas, é claro, o radicalismo democrático era uma realidade em poucos lugares, mesmo no campo modesto do governo local.

Nesse período, contudo, a democracia radical já não era um *slogan* revolucionário em si, mas um meio (não automático) para atingir um fim. A república revolucionária era a "república social", a democracia revolucionária era a "democracia social" — título adotado de forma crescente pelos partidos marxistas. Isto não era tão óbvio entre os nacionalistas revolucionários, como os mazzinistas na Itália, visto que o vencedor da independência e da unificação (numa base de republicanismo democrático) iria, acreditavam eles, resolver de algum modo todos os outros problemas. O nacionalismo real era automaticamente democrático e social, e se não o fosse não era real. Mas nem mesmo os mazzinistas não negavam a libertação social, e Garibaldi declarava-se um socialista, qualquer que fosse o seu entendimento do termo. Depois dos desapontamentos da unificação ou do republicanismo, os dirigentes do novo movimento socialista surgiriam dentre os antigos republicanos radicais.

O anarquismo, embora sua origem possa ser remontada ao fermento revolucionário da década de 1840, é muito mais claramente um produto do

---

* Sufrágio masculino: nenhum país ainda considerava seriamente os direitos civis para as mulheres, embora militantes dos Estados Unidos, onde Victoria Woodhull concorrera para presidente em 1872, já começassem a fazer campanha nesse sentido.

período posterior a 1848, ou mais precisamente da década de 1860. Seus dois fundadores políticos foram P. J. Proudhon, francês, tipógrafo autodidata e escritor prolífico que praticamente não tomou parte em nenhuma agitação política, e Mikhail Bakunin, peripatético aristocrata russo que se lançava na agitação em todas as oportunidades que aparecessem.* Ambos, desde cedo, atraíram a desfavorável atenção de Marx e, embora o admirando, retribuíram-lhe a hostilidade. A teoria assistemática, preconceituosa e profundamente não liberal de Proudhon — ele era antifeminista e antissemita, tendo seguidores na extrema direita — não tem grande interesse em si mesma, mas contribuiu com dois temas do pensamento anarquista: uma crença em pequenos grupos de ajuda mútua formados de produtores, em vez de fábricas desumanizadas, e um ódio ao governo enquanto tal, a *qualquer* governo. Isso constituía um apelo profundo para os pequenos artesãos independentes, trabalhadores especializados relativamente autônomos que resistiam à proletarização, homens que não haviam esquecido uma infância camponesa ou provinciana em cidades em crescimento e em regiões às margens do industrialismo desenvolvido. Era nesses homens e nessas regiões que o anarquismo tinha força de apelo mais forte: entre os relojoeiros suíços da "Federação do Jura" encontrariam as origens dos mais devotados anarquistas da Primeira Internacional.

Bakunin acrescentou pouco a Proudhon como pensador, excetuada uma indiscutível paixão pela revolução imediata — "a paixão da destruição", dizia, "é simultaneamente uma paixão criadora" —, um imprudente entusiasmo pelo potencial de criminosos e marginais da sociedade, um senso real do campesinato e de algumas poderosas instituições. Não era um grande pensador, mas um profeta, agitador e — apesar do descrédito por parte dos anarquistas em relação à organização e disciplina,

* Um *pedigree* intelectual para o anarquismo poderia ser realmente esboçado, mas tem pouca coisa a ver com o desenvolvimento do atual movimento anarquista.

onde viam o prenúncio da tirania do Estado — formidável organizador conspiratório. Nessa qualidade ele espalhou o anarquismo pela Itália, Suíça e (através de discípulos) Espanha, organizando também o que viria a ser a divisão da Internacional em 1870-1872. Ainda nessa qualidade ele virtualmente criou um movimento anarquista para os proudhonistas franceses, como um corpo onde se encontrava uma modalidade pouco desenvolvida de sindicalismo, ajuda mútua e cooperativismo, sendo em si politicamente não muito revolucionário. Não que o anarquismo fosse uma força maior durante o final de nosso período. Mas havia estabelecido alguma base na França e na Suíça francesa, alguns núcleos de influência na Itália e, acima de tudo, fizera progressos notáveis na Espanha, onde os artesãos e trabalhadores da Catalunha e os trabalhadores rurais da Andaluzia receberam de bom grado o novo evangelho. Ali ele se mesclou com a crença nativa de que pequenas cidades e oficinas poderiam ser perfeitamente geridas se a superestrutura do Estado e os ricos fossem simplesmente removidos, e de que o ideal de um país constituído de cidades autônomas era facilmente realizável. De fato, o movimento "cantonista", durante a República Espanhola de 1873-1874, tentou efetivamente realizá-lo, e seu principal ideólogo, F. Pi y Margall (1824-1901), foi adotado no panteão anarquista juntamente com Bakunin, Proudhon — e Herbert Spencer.

O anarquismo era tanto uma revolta do passado pré-industrial contra o presente quanto filho do mesmo presente. Rejeitava a tradição, embora a natureza intuitiva e espontânea tanto do pensamento como do movimento forçassem a conservá-la — talvez mesmo enfatizá-la —, assim como um número de elementos tradicionais, tais como o antissemitismo ou, mais precisamente, a xenofobia. Ambos ocorreram em Proudhon e Bakunin. Simultaneamente, o anarquismo detestava de forma passional a religião e as igrejas e defendia as causas do progresso, incluindo a ciência e a tecnologia, da razão e talvez, acima de tudo, do esclarecimento e da educação. Como rejeitava qualquer autoridade, encontrava-se curiosamente convergindo para um ponto comum com o ultraindividualismo do *laissez-faire* burguês. Ideologicamente, Spencer (que escreveria *Man against the State*) era tão anarquista quanto Bakunin. A única coisa que o anarquismo não representava era o futuro, sobre o qual nada tinha a dizer, salvo que só podia acontecer depois da revolução.

O anarquismo não tem grande importância política (fora da Espanha) e nos diz respeito apenas como uma imagem distorcida do período. O movimento revolucionário mais interessante da época seria outro bem diferente: o populismo russo. Não era e nunca foi um movimento de massa, e seus atos de terrorismo mais dramáticos, culminando no assassinato do czar Alexandre II (1881), ocorreram após o fim de nosso período. Mas é o ancestral tanto de uma importante família de movimentos nos países atrasados do século XX como do bolchevismo russo. Oferece também uma ligação direta entre o revolucionarismo das décadas de 1830 e 1840 e o de 1917 — uma ligação bem mais direta, poder-se-ia dizer, do que a da Comuna de Paris. Além disso, como era um movimento composto quase que inteiramente de intelectuais, num país onde praticamente toda a vida intelectual séria era política, se projetaria imediatamente no cenário da literatura global através dos geniais escritores russos seus contemporâneos: Turgueniev (1789-1871) e Dostoievski (1821-1881). Até mesmo os contemporâneos ocidentais ouviram falar dos "nihilistas" e os confundiram com o anarquismo de Bakunin. Isso era compreensível, pois este último dedicava-se ao movimento russo, assim como a todos os outros movimentos revolucionários, e temporariamente foi confundido com uma personagem tipicamente dostoievskiana (pois vida e literatura estão muito próximas na Rússia), o jovem advogado de crença quase patológica no terror e na violência Sergei Gennadevitch Nechaev. Mas o populismo russo não era de modo algum anarquista.

Que a Rússia "deveria ter" uma revolução não era questionado seriamente por ninguém na Europa, desde os liberais mais moderados até a esquerda. O regime político do país, uma autocracia direta sob Nicolau I (1825-1855), era de forma patente um anacronismo e não podia resistir no longo prazo. Mantinha-se no poder pela falta de algo como uma classe média forte e, acima de tudo, pela existência de uma tradicional lealdade ou passividade de um campesinato atrasado e em grande parte servil, que aceitava o domínio da pequena nobreza porque esta era a vontade de Deus, porque o czar representava a Santa Rússia e também porque eles eram deixados bastante à vontade e em paz para conduzir seus próprios modestos negócios através das poderosas comunidades de aldeias, cuja existência atraiu a atenção de observadores russos e estrangeiros desde a década de 1840. Não estavam, porém, satisfeitos. À parte sua pobreza e a coerção dos senhores, nunca aceitaram o direito da nobreza à terra: o camponês pertencia ao senhor, mas a terra pertencia aos camponeses, pois apenas eles a cultivavam. Eles eram somente inativos ou impotentes. Se abandonassem a passividade e se insurgissem, as coisas ficariam difíceis para o czar e as classes dominantes na Rússia. E se sua rebelião fosse capitalizada pela esquerda ideológica e política, o resultado não seria certamente uma simples repetição dos grandes levantes dos séculos XVII e XVIII — os *Pugachevshchina* que assustaram os governantes russos —, mas uma revolução social.

Depois da Guerra da Crimeia, uma revolução russa parecia não mais apenas desejável mas cada vez mais provável. Esta era a maior inovação da década de 1860. O regime que, por mais reacionário e ineficiente que fosse, tinha aparecido até então como internamente estável e poderoso externamente, imune tanto à revolução continental de 1848 como capaz de fazer marchar seus exércitos contra ela em 1849, revelava-se agora internamente instável e externamente mais fraco do que parecia. Suas maiores fraquezas eram políticas e econômicas, e as reformas de Alexandre II (1855-1881) poderiam ser vistas mais como um sintoma do que como um remédio para essas fraquezas. Na realidade, como veremos no capítulo seguinte, a emancipação dos servos (1861) criara as condições para um campesinato revolucionário, enquanto as reformas administrativas, jurídicas e outras do czar (1864-1870) não lograram eliminar as fraquezas da autocracia czarista, ou mesmo compensar a aceitação tradicional, que agora se encontrava ameaçada. A revolução na Rússia deixava de ser um projeto utópico.

Em virtude da fraqueza da burguesia e (naquele momento) do novo proletariado industrial, apenas uma camada social exígua mas articulada existia que pudesse "conduzir" a agitação política, e na década de 1860 veio a adquirir consciência própria, uma associação com radicalismo político e um nome: a *intelligentsia*. Sua própria exiguidade talvez tenha ajudado esse grupo de pessoas de formação superior a se sentir uma força coerente: mesmo em 1897, os "instruídos" consistiam em não mais que uns 100 mil homens e algo acima de 6 mil mulheres em toda a Rússia.[7] Os números eram pequenos, mas cresciam rapidamente. Moscou, em 1840, possuía pouco mais que 1.200 educadores, doutores, advogados e pessoas ativas nas artes em geral, mas por volta de 1882 já contava com 5 mil professores, 2 mil doutores, quinhentos advogados e 1.500 nas "artes". Mas o que é significativo em relação a eles é que não se juntavam nem à classe dos negócios, que no século XIX praticamente não requeria qualificação acadêmica (exceto na Alemanha), talvez apenas um certificado de promoção social, nem ao maior empregador de intelectuais, a burocracia. Dos 333 graduados de São Petersburgo em 1848-1850, apenas 96 entraram no serviço civil.

Duas coisas distinguiam a *intelligentsia* russa das outras camadas de intelectuais: o reconhecimento como grupo social especial e um radicalismo político orientado mais socialmente que nacionalmente. A primeira distinguia-os dos intelectuais ocidentais que eram rapidamente absorvidos na classe média predominante e na ideologia liberal ou democrática vigente. Excetuando-se a boêmia literária e artística (veja adiante no Capítulo 15), que era uma subcultura aceita ou pelo menos tolerada, não havia nenhum grupo significativo de dissidentes, e a boêmia dissidente era política apenas marginalmente. Mesmo as universidades, tão revolucionárias em 1848, tornaram-se politicamente conformistas. Por que deveriam ser diferentes os intelectuais na era do triunfo burguês? A segunda característica distintiva era a diferença em relação aos intelectuais dos povos emergentes europeus, cujas energias políticas estavam ligadas quase exclusivamente ao nacionalismo, isto é, à luta para a construção de uma sociedade liberal burguesa própria, na qual pudessem ser integrados. A *intelligentsia* russa não podia seguir a primeira alternativa, pois a Rússia não era, de forma patente, uma sociedade burguesa, e o sistema czarista havia feito mesmo do mais moderado liberalismo um *slogan* de revolução política. As reformas do czar Alexandre II na década de 1860 — libertação dos servos, mudanças educacionais e jurídicas e estabelecimento de um certo governo local para a nobreza (os *zemstvos* de 1864) e para as cidades (1870) — eram todas demasiadamente hesitantes e limitadas para mobilizar o entusiasmo potencial dos reformistas de modo permanente, e de qualquer maneira essa fase de reformas durou pouco. Também não seguiu a segunda alternativa, não tanto porque a Rússia já fosse uma nação independente ou lhe faltasse orgulho nacional, mas porque os *slogans* do nacionalismo russo — Santa Rússia, pan-eslavismo etc. — eram usados pelo czar, pela Igreja e por tudo o que era reacionário. O personagem de Tolstoi (1828-1910) em *Guerra e paz*, Pierre Bezuhov, de certa forma o mais russo dos personagens do romance, era obrigado a procurar ideias cosmopolitas, e mesmo a defender Napoleão, o invasor, porque não estava contente com a Rússia tal como ela era; e seus sobrinhos e netos espirituais, a *intelligentsia* das décadas de 1850 e 1860, seriam forçados a fazer o mesmo.

Eles eram — como nativos do que era *par excellence* o país atrasado da Europa, não poderiam ser outra coisa — modernizadores, isto é, "ocidentalizadores". Mas, por outro lado, não podiam ser apenas "ocidentalizadores", pois o liberalismo ocidental e o capitalismo da época não ofereciam um modelo viável para a Rússia seguir e porque a única força de massa potencialmente revolucionária na Rússia era o campesinato. O resultado veio a ser o "populismo", que equilibrava esta contradição numa balança tensa. Visto dessa forma, o "populismo" lança muita luz sobre os movimentos revolucionários do Terceiro Mundo de meados do século XX. O rápido progresso do capitalismo na Rússia, posterior ao período que analisamos, que implicava o rápido crescimento de um proletariado industrial organizado, ultrapassaria as incertezas da era populista e o fim da fase heroica do populismo — de 1868 a 1881 — e encorajaria reconsiderações teóricas. Os marxistas, que surgiam das ruínas do populismo, eram, pelo menos em teoria, ocidentalizadores puros. A Rússia, argumentavam, seguiria o mesmo caminho do Ocidente, gerando as mesmas forças de mudança política e social — uma burguesia que estabeleceria uma república democrática, um proletariado que cavaria a cova daquela. Mas mesmo alguns marxistas cedo se tornaram conscientes — durante a Revolução de 1905 — de que esta perspectiva era irreal. A burguesia russa seria muito fraca para assumir seu papel histórico, e o proletariado, com o apoio da força irresistível do campesinato, derrubaria igualmente o czarismo e o capitalismo russo imaturo, tudo isso dirigido pelos "revolucionários profissionais".

Os populistas eram modernizantes. A Rússia de seus sonhos era nova — uma Rússia de progresso, ciência, educação e produção revolucionária —, mas socialista e não capitalista. Seria apoiada na mais antiga e tradicional das instituições russas, a *obshchina* ou vila comunal, que se tornaria ancestral direto e modelo da sociedade socialista. Repetidamente os intelectuais populistas da década de 1870 perguntaram a Marx, cujas teorias haviam assimilado, se ele pensava que isso fosse possível, e Marx relutou diante dessa atraente mas, de acordo com suas teorias, implausível proposição, concluindo hesitantemente que talvez sim. Por outro lado, a Rússia precisava rejeitar as tradições da Europa ocidental — incluindo as formas de seu liberalismo e doutrinas liberais —, porque o país não possuía tais tradições. Pois mesmo aquele aspecto do populismo que tinha as ligações aparentemente mais diretas com o espírito revolucionário de 1789-1848 era, em certo sentido, diferente e novo.

Os homens e mulheres que agora se juntavam em conspirações secretas para derrubar o czarismo por meio da insurreição e do terror eram mais do que os herdeiros dos jacobinos ou dos revolucionários profissionais que deles descenderam. Quebrariam todas as ligações com a sociedade existente para se dedicar totalmente ao "povo" e à sua revolução, para penetrar no seio do povo e expressar sua vontade. Havia uma intensidade não romântica, uma totalidade de autossacrifício nessa dedicação que não tinha paralelo no Ocidente. Eles estavam mais próximos de Lenin que de Buonarroti. E vieram encontrar a maior parte de seus membros (como em muitos dos movimentos similares posteriores) entre os estudantes, especialmente os mais novos e pobres que estavam entrando na universidade, não mais restrita aos filhos da nobreza.

Os ativistas do novo movimento revolucionário eram de fato antes gente "nova" que filhos da nobreza. De 924 pessoas presas ou exiladas entre 1873 e 1877, apenas 279 vinham de famílias nobres, 117 de funcionários não nobres, 33 de comerciantes, 68 eram judeus, 92 vinham daquilo que poderia ser mais bem descrito como pequena burguesia urbana (*meshchane*) ou gente comum da cidade, 138 eram nominalmente camponeses — presumivelmente de meios urbanos similares — e não menos de 197 eram filhos de sacerdotes. O número de mulheres entre eles era particularmente surpreendente. Não menos de 15% dos aproximadamente 1.600 propagandistas presos no período acima eram mulheres.[8] O movimento oscilou inicialmente entre um terrorismo anárquico de pequenos grupos (sob influência de Bakunin e Nechaev) e os defensores da educação política de massa do "povo". Mas o que veio finalmente a prevalecer foi a organização conspiratória secreta, centralizada e rigidamente disciplinada, de afinidade jacobino-blanquista, elitista na prática fosse qual fosse a teoria, e que antecipou os bolcheviques.

O populismo é significativo não pelo que tenha realizado, que foi praticamente nada, nem pelos números que veio a mobilizar, que pouco excederam alguns milhares: sua importância reside no fato de marcar o início de uma história contínua de agitação revolucionária russa que, dali a cinquenta anos, derrubaria o czarismo e instalaria o primeiro regime dedicado à construção do socialismo na história mundial. Eram sintomas da crise que, entre 1848 e 1870, rapidamente — e para a maioria dos observadores ocidentais inesperadamente — transformou a Rússia czarista de um dos pilares do reacionarismo mundial num gigante com pés de barro, certamente a ser derrubado revolucionariamente. Mas eram mais do que isso. Formaram o laboratório químico no qual as mais importantes ideias revolucionárias do século XIX seriam testadas, combinadas e desenvolvidas. Não há dúvida de que isto se deve, em certa medida, à boa sorte — cujas razões são bem misteriosas — de o populismo ter coincidido com uma das mais brilhantes e impressionantes explosões de criação cultural e intelectual da história do mundo. Os países atrasados que procuram entrar na modernidade são geralmente copiadores e sem originalidade nas suas ideias, embora não tanto na sua prática. Frequentemente eles têm poucos critérios quanto ao que tomam emprestado: intelectuais brasileiros e mexicanos assimilaram de forma não crítica Auguste Comte;[9] intelectuais espanhóis voltaram-se nesse mesmo período para um obscuro filósofo alemão de segunda categoria do início do século XIX, Karl Krause, a quem transformaram num aríete do iluminismo anticlerical. A esquerda russa não estava apenas em contato com o que de melhor e mais avançado havia no pensamento da época, assimilando-o — estudantes de Kazan liam *O capital* mesmo antes de o livro ser traduzido para o russo —, mas adaptava quase que imediatamente o pensamento social dos países avançados e era reconhecidamente capaz de fazê-lo. Alguns de seus maiores nomes conservam uma reputação basicamente nacional — N. Chernishevski (1828-1889), V. Belinski (1811-1848), N. Dobrolyubov (1836-1861) e mesmo, de certa forma, o esplêndido Alexandre Herzen (1812-1870). Outros apenas transformaram — o que talvez tenha ocorrido uma ou duas décadas depois — a Sociologia, a Antropologia e a Historiografia dos países ocidentais, como P. Vinogradov (1854-1925) na Inglaterra, V. Lutchiski (1877-1949) e N. Kareiev (1850-1936) na França. O próprio Marx apreciou imediatamente as realizações intelectuais de seus leitores russos, e não apenas porque eram o seu primeiro público intelectual.

Até agora temos considerado os revolucionários sociais. E as revoluções? A maior delas em nosso período era virtualmente desconhecida pela maioria dos observadores, e certamente sem conexão com as ideologias do Ocidente: a Revolução Taiping (veja o Capítulo 7). As mais frequentes, as da América Latina, pareciam consistir, na maioria das vezes, em *pronunciamentos* (golpes militares) ou secessões regionais que não modificavam o modelo do país, pois o componente social em algumas delas era geralmente desprezado. As europeias ou eram fracassos, como a insurreição polonesa de 1863, absorvida por um liberalismo moderado, ou como a conquista revolucionária da Sicília e do sul da Itália por Garibaldi em 1860, ou então de significado puramente nacional, como as revoluções espanholas de 1854 e 1868-1874. A primeira dessas revoluções espanholas foi, como a revolução colombiana do início da década de 1850, um efeito retardado dos acontecimentos de 1848. O mundo ibérico estava geralmente fora do ritmo do resto da Europa. A segunda pareceu aos nervosos contemporâneos, em meio à agitação política e à Internacional, pressagiar um novo *round* de revoluções europeias. Mas não haveria um novo 1848. Haveria apenas a Comuna de Paris em 1871.

A Comuna de Paris foi, como a maior parte da história revolucionária de nosso período, importante não tanto pelo que realizou como pelo que anunciou; era mais formidável como um símbolo do que como um fato. Sua verdadeira história é obscurecida pelo mito enormemente poderoso que gerou, tanto na França quanto (por meio de Karl Marx) no movimento socialista internacional; um mito que reverbera até hoje, principalmente na República Popular da China.[10] Ela foi extraordinária, heroica, dramática e trágica, mas em termos concretos foi breve e, na opinião da maioria dos observadores mais sérios, condenada, um governo insurrecional de trabalhadores em uma única cidade, cuja realização maior foi o fato de ser realmente um *governo,* ainda que tenha durado menos de dois meses. Lenin, depois de outubro de 1917, contaria os dias até a data em que pôde triunfantemente dizer: já duramos mais do que a Comuna. Porém os historiadores deveriam resistir à tentação de diminuí-la em retrospectiva. Se não chegou a ameaçar seriamente a ordem burguesa, pelo menos aterrorizou a todos pela sua mera existência. Se sua vida e morte foram cercadas por pânico e histeria, especialmente na imprensa internacional, que a acusava de instituir o comunismo, expropriar os ricos e partilhar suas mulheres, de terror, massacre generalizado, caos, anarquia ou o que mais provocasse pesadelos nas classes respeitáveis — tudo, não é necessário dizer, arquitetado pela Internacional. Mais importante, os próprios governos sentiram a necessidade de entrar em ação contra a ameaça internacional à ordem e à civilização. Excetuando-se a colaboração internacional entre policiais e uma tendência (vista como mais escandalosa ontem do que seria hoje) a negar aos membros da Comuna fugitivos o *status* protetor de refugiados políticos, o chanceler austríaco — apoiado por Bismarck, homem não dado a reações de pânico — sugeriu a formação da Contra-Internacional Capitalista. O medo da revolução era um fato maior na Constituição da Liga dos Três Imperadores de 1873 (Alemanha, Áustria, Rússia), vista como uma nova Santa Aliança "contra o radicalismo europeu que tem ameaçado todos os tronos e instituições",[11] embora o rápido declínio da Internacional tivesse tornado esse objetivo menos urgente na época em que foi finalmente instituída. O fato significativo nesse nervosismo foi que os governos temiam agora não a revolução social em geral, mas a revolução *proletária*. Os marxistas, que viam a Comuna essencialmente como um movimento proletário, estavam na berlinda dos governos e da opinião pública "respeitável" da época.

E, de fato, a Comuna foi uma insurreição *operária* — e se uma palavra descreve homens e mulheres "a meio caminho entre *povo* e *proletariado*" em vez de trabalhadores de fábricas, essa palavra também serviria para os ativistas dos movimentos trabalhistas em outros lugares nesse período.[12] Os 36 mil membros da Comuna aprisionados eram um corte transversal na população trabalhadora de Paris: 8% de empregados de escritório, 7% de funcionários, 10% de pequenos lojistas e similares, mas o resto se compunha esmagadoramente de operários — da construção civil, metalurgia, mão de obra em geral, seguidos pelos mais tradicionalmente especializados (carpintaria, artigos de luxo, impressão, tecidos), que também forneciam um número desproporcional ao pessoal dirigente;*

* 32% dos tipógrafos presos na Guarda Nacional eram oficiais ou oficiais não comissionados, mas apenas 7% eram trabalhadores de construção.

e evidentemente os eternos radicais sapateiros. Mas podia-se dizer que a Comuna era uma revolução *socialista*? Quase que certamente sim, embora seu socialismo fosse essencialmente o sonho pré-1848 de cooperativas autônomas ou unidades corporativas de produtores, reclamando agora uma intervenção governamental radical e sistemática. Seus resultados práticos foram mais modestos; mas isso quase foi culpa sua.

A Comuna foi um regime sitiado, junto da guerra e do cerco de Paris, a resposta à capitulação. O avanço dos prussianos em 1870 pôs termo ao império de Napoleão III. Os moderados republicanos que o derrubaram continuaram a guerra sem vontade, e desistiram ao perceber que a única resistência possível implicava a mobilização revolucionária das massas, uma outra república social jacobina. Em Paris, sitiada e abandonada pelo governo e pela burguesia, o poder de fato havia caído nas mãos dos prefeitos dos *arrondissements* (distritos) e da Guarda Nacional, isto é, os setores populares e operários. A tentativa de desarmar a Guarda Nacional depois da capitulação que provocara a revolução tomou a forma de uma organização municipal independente de Paris (a "Comuna"). Mas a Comuna foi quase imediatamente sitiada pelo Governo Nacional (então localizado em Versalhes) — o exército vitorioso alemão, que cercava Paris contendo-se para não intervir. Os dois meses da Comuna foram um período praticamente de guerra contínua contra as esmagadoras forças de Versalhes: quase duas semanas depois de sua proclamação, em 18 de março, havia perdido a iniciativa. Por volta de 21 de maio, o inimigo havia entrado em Paris e a semana final meramente demonstrou que o povo trabalhador de Paris podia morrer tão arduamente como havia vivido. Os de Versalhes talvez tenham perdido 1.100 em mortos e desaparecidos, e a Comuna talvez tenha executado uma centena de reféns.

Quem saberá dizer quantos membros da Comuna foram mortos durante a luta? Milhares foram massacrados posteriormente: os de Versalhes admitiram 17 mil, mas esse número não pode ser mais do que a metade da verdade. Mais de 43 mil foram feitos prisioneiros, 10 mil foram sentenciados, dos quais pelo menos metade foi enviada para o exílio penal na Nova Caledônia e o resto para a prisão. Essa foi a vingança do "povo respeitável". Daquele momento em diante, um rio de sangue correu entre os trabalhadores de Paris e seus superiores. E daí em diante, também, os revolucionários sociais sabiam o que os esperava se não conseguissem manter-se no poder.

TERCEIRA PARTE
RESULTADOS

10. A TERRA

"Assim que o índio passar a ganhar três reales por dia, não trabalhará mais do que a metade da semana, para receber os mesmos nove reales que recebe atualmente. Quando você tiver mudado tudo, terá voltado à estaca zero: para a liberdade, aquela verdadeira liberdade que não quer nem impostos, nem regulamentos, nem medidas para desenvolver a agricultura: aquele maravilhoso laissez-faire que é a última palavra em economia política."

Um proprietário de terras mexicano, 1865[1]

"O preconceito que existia contra todas as classes populares ainda existe em relação aos camponeses. Eles não recebem a educação da classe média: daí suas diferenças, a falta de consideração pelos compatriotas, seu vigoroso desejo de escapar da opressão desse desdém geral. Daí, portanto, a decadência dos velhos costumes, a corrupção e a deterioração de nossa raça."

Um jornal de Mântua, 1856[2]

1.

Em 1848, a população do mundo, mesmo na Europa, ainda consistia sobretudo de homens do campo. Até na Inglaterra, primeira economia industrial, os moradores da cidade só excederam os do campo em 1851, ano em que passaram a constituir 51% da população. Em nenhum outro lugar, exceto França, Bélgica, Saxônia, Prússia e Estados Unidos, mais de um em dez habitantes vivia em cidades de 10 mil ou mais habitantes.

Em meados e final da década de 1870, a situação havia-se modificado substancialmente, mas com algumas poucas exceções a população rural ainda prevalecia em grande número sobre a urbana. Portanto, de longe, a maior parte da humanidade e os destinos da vida ainda dependiam do que acontecesse na e com a terra.

O que acontecia na terra era questão de fatores econômicos, técnicos e demográficos que, consideradas todas as peculiaridades locais, operavam em escala mundial, ou pelo menos em grandes zonas geográfico-climáticas, assim como de fatores institucionais (sociais, políticos, legais etc.) que diferiam de forma ainda mais profunda, mesmo quando as tendências gerais do desenvolvimento mundial operavam através deles. Geograficamente, as planícies norte-americanas, os pampas sul-americanos, as estepes do sul da Rússia e da Hungria eram passíveis de comparação: grandes campos em zonas mais ou menos temperadas, adequadas ao cultivo em larga escala de cereais. Todas elas desenvolveram o que era, do ponto de vista da economia mundial, o mesmo tipo de agricultura, tornando-se grandes exportadoras de grãos. Mas do ponto de vista social, político e legal, havia uma grande diferença entre as planícies norte-americanas, desocupadas em grande parte (exceção feita a algumas tribos indígenas que viviam da caça) e as europeias, já ocupadas em pequena escala por uma população voltada para a agricultura; entre os fazendeiros livres do Novo Mundo e os camponeses servos do Velho Mundo, entre as formas de libertação camponesa depois de 1848 na Hungria e as que ocorreram depois de 1861 na Rússia, entre os grandes rancheiros ou donos de terra da Argentina e os nobres senhores da terra na Europa oriental, entre os sistemas legais, a administração e as políticas da terra dos vários países em questão. Para o historiador é tão ilegítimo não notar o que tinham em comum quanto negligenciar suas diferenças.

O que uma parte crescente da agricultura tinha em comum por todo o mundo era a sujeição à economia industrial mundial. Suas demandas multiplicavam o mercado comercial para produtos agrícolas — a maior parte alimentos e matérias-primas para a indústria têxtil, assim como alguns produtos industriais de menor importância — tanto internamente, graças ao rápido crescimento das cidades, como internacionalmente. Sua tecnologia tornava possível trazer regiões outrora inacessíveis de modo efetivo para a esfera do mercado mundial, por meio da ferrovia e do vapor. As convulsões sociais que sucederam à transferência da agricultura para um modelo capitalista, ou pelo menos um padrão de comércio em larga escala, afrouxaram os laços tradicionais entre os homens e a terra de seus ancestrais, especialmente quando descobriram que não possuíam praticamente nada dela, ou pelo menos muito pouco para manterem suas famílias. Simultaneamente, a demanda insaciável de trabalho por parte das novas indústrias e ocupações urbanas, a lacuna crescente entre o campo atrasado e obscuro e a cidade avançada com seus estabelecimentos industriais atraíam-nos de qualquer maneira. Durante nosso período, vemos o crescimento enorme e simultâneo do comércio dos produtores agrícolas, uma extensão impressionante das áreas sob uso agrícola e — pelo menos nos países afetados diretamente pelo desenvolvimento capitalista mundial — uma grande "fuga da terra".

Por duas razões esse processo foi particularmente maciço durante os penúltimos 25 anos do século XIX. Ambos são aspectos do extraordinário crescimento e aprofundamento da economia mundial, que forma o tema básico da história dessa época. A tecnologia tornou possível a abertura de áreas geograficamente remotas ou inacessíveis à produção para exportação, mais especialmente as planícies do centro dos Estados Unidos e do sudoeste russo. Em 1844-1853, a Rússia exportou anualmente cerca de 11,5 milhões de hectolitros de grãos por ano, e na segunda metade da década de 1870, entre 47 e 89 milhões. Os Estados Unidos, que haviam exportado pouco na década de 1840 — uns 5 milhões de hectolitros —, agora vendiam para o exterior mais de 100 milhões.[3] Simultaneamente, encontramos as primeiras tentativas para desenvolver algumas áreas de além-mar como produtoras especializadas em certos produtos para o mundo "desenvolvido" — índigo e juta em Bengala, tabaco na Colômbia, café no Brasil e Venezuela, sem falar no algodão do Egito. Estes substituíam ou suplementavam os produtos de exportação tradicional do mesmo tipo — o açúcar em declínio no Caribe e no Brasil, o algodão dos estados sulistas da América, cuja comercialização fora paralisada pela Guerra Civil de 1861-1865. No todo, com algumas exceções — como o algodão egípcio e a juta indiana —, essas especializações econômicas revelaram-se provisórias, ou então, onde permanentes, não se desenvolveram em escala comparável à do século XX. Esse último modelo de agricultura de mercado mundial não se estabeleceu antes do período de economia mundial imperialista de 1870-1930. Produtos de rápida expansão subiam e caíam; as áreas que forneciam o grosso dessas exportações em nosso período mais tarde estagnariam ou seriam abandonadas. Assim, se o Brasil já era o maior produtor de café, o estado de São Paulo, identificado de forma predominante com esse produto em nosso século, colhera apenas o equivalente a uma quarta parte da produção do Rio de Janeiro e a uma quinta parte de todo o país: cerca de metade da produção da Indonésia e apenas o dobro da do Ceilão, onde o desenvolvimento da cultura do chá era tão pequeno que as exportações não foram registradas em separado até a segunda metade da década de 1870, e mesmo então em pequenas quantidades.

Portanto, o comércio internacional de produtos agrícolas estava agora sendo normalmente — por razões óbvias — levado a especializações extremas ou mesmo à monocultura nas regiões exportadoras. A tecnologia tornava-o possível, pois afinal os grandes meios de transporte de enormes quantidades ao longo de imensas distâncias praticamente não existiam antes da década de 1840. Ao mesmo tempo, a tecnologia acompanhava visivelmente a demanda, ou procurava antecipá-la. Isso era mais evidente nas amplas planícies do sudoeste americano e em vários lugares da América do Sul, onde o gado multiplicava-se virtualmente sem esforço humano, acompanhado por *gaúchos, llaneros e vaqueiros* atraindo a atenção de todos os "fazedores de dinheiro", que viam nisso um meio de enriquecer. O Texas enviou alguns animais para New Orleans e, depois de 1849, para a Califórnia, mas era a promessa do grande mercado do noroeste que apressava os donos de ranchos a explorar essas longas rotas, que se tornaram parte do heroico romance do "Oeste Selvagem", ligando o remoto sudoeste com as pontas de ferrovia mais próximas e, por meio delas, com o gigantesco centro de transporte que era Chicago, cujos currais foram abertos em 1865. Os animais eram transportados às dezenas de milhares antes da Guerra Civil, às centenas de milhares nos vinte anos seguintes, até que a inauguração da rede ferroviária completa e o avanço do cultivo nas pradarias puseram fim ao clássico período do "Oeste Selvagem" (que era essencialmente uma economia de pecuária), na década de 1880. Entretanto, um outro método de utilizar a pecuária já era explorado: a preservação da carne, pelos métodos tradicionais de salgar e secar, por alguma forma de concentração (os extratos de Liebig começaram a ser produzidos na região do Prata em 1863), por enlatamento e finalmente pela solução decisiva da refrigeração. No entanto, embora Boston recebesse alguma carne congelada no final da década de 1860, e Londres alguma da Austrália a partir de 1865, esse tipo de comércio não se desenvolveu de fato até o final de nosso período. Não é acidental que os dois grandes pioneiros americanos, os magnatas da embalagem Swift e Armour, só se tenham estabelecido em Chicago depois de 1875.

O elemento dinâmico no desenvolvimento agrícola era portanto a demanda: a crescente demanda de alimentos por parte das regiões urbanas e industriais do mundo, a crescente demanda desses mesmos setores por trabalho e, unindo os dois, a economia de rápida expansão que fez crescer o padrão de consumo das massas e, portanto, sua demanda *per capita*. Pois, com a construção de uma genuína economia global capitalista, novos mercados surgiram do nada (como notaram Marx e Engels) enquanto os mais antigos cresceram vigorosamente. Pela primeira vez desde a revolução industrial, a capacidade da nova economia capitalista de proporcionar emprego emparelhou-se com a capacidade de multiplicar a produção (veja adiante no Capítulo 12). Em consequência, para dar um exemplo, o consumo de chá *per capita* na Inglaterra triplicou entre 1844 e 1876, e o consumo de açúcar *per capita* cresceu de 17 para sessenta libras nesse mesmo período.[4]

A agricultura mundial cada vez mais se dividia em duas partes, uma dominada pelo mercado capitalista, nacional ou internacional, a outra amplamente independente dela. Isso não significa que nada fosse comprado ou vendido no setor independente, menos ainda que os agricultores produtores fossem autossuficientes, embora seja provável que boa parte do produto da agricultura camponesa fosse consumida pelos próprios camponeses, ou comerciada dentro dos estreitos limites de um sistema local de trocas, mesmo porque a demanda por alimento de pequenas cidades podia ser atendida no raio de uma ou duas dúzias de milhas. Porém, há uma diferença substancial entre o tipo de economia agrícola na qual as vendas para fora são marginais ou opcionais e o tipo em que as riquezas dependem desse mercado externo; em outras palavras, entre os perseguidos pelo espectro de uma má colheita e o subsequente surto de fome, e os perseguidos pela condição oposta, a superprodução ou a súbita competição mais o colapso nos preços. Na década de 1870, uma parte suficiente da agricultura mundial estava na segunda posição, e portanto capaz de provocar depressão agrária em dimensões mundiais, de forma politicamente explosiva.

Do ponto de vista econômico, o setor tradicional da agricultura era uma força negativa: estava imune às flutuações dos grandes mercados ou resistia a seu impacto da melhor maneira possível. Onde fosse forte, mantinha homens e mulheres ligados à terra, até onde esta pudesse dar--lhes um meio de vida, ou se desfazia do excesso de população por meio das migrações sazonais, como as que partiam do centro da França para os canteiros de obras de Paris e de lá regressavam. Em casos extremos estava mesmo além do conhecimento dos habitantes da cidade. As secas assassinas do sertão no Nordeste brasileiro provocavam um êxodo periódico de homens famintos, tão esqueléticos quanto suas reses; e a notícia de que a seca havia terminado trazia-os de volta para a paisagem agreste e cheia de cactus onde nenhum brasileiro "civilizado" se aventurava, salvo em alguma expedição militar contra algum messias de olhar selvagem do interior. Havia áreas nos Cárpatos, nos Bálcãs, no oeste russo, na Escandinávia e na Espanha — para ficarmos apenas no mais desenvolvido dos continentes — onde a economia mundial, portanto o resto do mundo moderno, fosse sob forma material ou mental, não significava muito. Em 1931, os habitantes da Polésia, quando indagados pelos censores poloneses acerca de sua nacionalidade, não entenderam direito a pergunta. Eles responderam "somos daqui de perto" ou "somos daqui".[5]

O setor de mercado era mais complexo, pois sua fortuna dependia tanto da natureza do mercado, em alguns casos do mecanismo de distribuição, quanto do grau de especialização dos produtores e da estrutura social da agricultura. Num extremo, poderia haver a virtual monocultura das novas áreas agrícolas, imposta pela orientação em direção a um remoto mercado mundial e intensificada, se não mesmo criada, pelo mecanismo característico de empresas comerciais estrangeiras, nas grandes cidades portuárias, que controlavam esse comércio de exportação — os tradicionais gregos que dirigiam o comércio do milho russo através de Odessa, os Bunges & Borns de Hamburgo, que estavam para preencher a mesma função nos países da Bacia do Prata a partir de Buenos Aires e Montevidéu. Onde tais exportações eram produzidas por grandes fazendas, como era usual nas plantações tropicais (açúcar, algodão etc.), quase invariavelmente com gado e ovelhas, embora menos comum em terras cultivadas, o tipo de especialização era completo. Geralmente, em tais casos, a identidade de interesses produzia uma estreita simbiose entre os grandes produtores — quando nativos e não estrangeiros —, as grandes empresas comerciais e os compradores de interesses dos portos de exportação-importação, e também a política dos Estados, representando os mercados europeus e seus fornecedores. A aristocracia escravista do sul dos Estados Unidos, os *estancieros* da Argentina e os grandes ranchos de carneiros da Austrália eram tão entusiasticamente devotados ao livre-comércio e à empresa estrangeira como os ingleses dos quais dependiam, pois suas rendas baseavam-se exclusivamente na venda livre do produto de suas terras, estando mais do que prontos a receber em troca qualquer produto não agrícola que seus fregueses exportassem. Onde as colheitas eram vendidas tanto por grandes fazendas quanto por pequenos fazendeiros e camponeses, a situação era mais complexa, embora, por razões óbvias, em economias camponesas a proporção da colheita que chegava ao mercado mundial — isto é, que não era consumida por seus produtores —, vinda de grandes fazendas, fosse normalmente muito maior do que a proveniente das terras dos camponeses.

No outro extremo, o crescimento das áreas urbanas multiplicou a demanda de uma variedade de alimentos para cuja produção as imensas dimensões das unidades agrárias não proporcionavam nenhuma vantagem especial, ao menos em comparação com as proporcionadas pelo cultivo intensivo, a proteção natural de altos custos de transporte e a tecnologia falha. Os que produziam alimentos mais duráveis tinham de se preocupar mais com a concorrência dos mercados nacional e mundial do que com aqueles que vendiam produtos perecíveis como ovos, legumes, frutas ou mesmo carne fresca — ou qualquer outro alimento perecível que não pudesse ser transportado por grandes distâncias. A Grande Depressão agrária das décadas de 1870 e 1880 foi, portanto, uma depressão de produtos duráveis e de plantações internacionais de alimentos. Fazendas mistas e agricultura camponesa, especialmente a dos camponeses ricos com espírito comercial, floresciam em tais situações.

Tal a razão por que as previsões de ruína que tinham sido feitas para o campesinato falharam até mesmo em parecerem viáveis, nesse estágio, em alguns dos países mais industrializados e desenvolvidos. Era fácil assegurar que uma unidade camponesa seria inviável quando inferior em dimensões e quantidade de recursos, que variavam com o solo, clima e tipo de produção. Muito mais difícil, porém, era mostrar que a economia de grandes unidades era superior à das médias ou mesmo pequenas, especialmente quando a maior parte da demanda de trabalho de tais unidades podia ser suprida pelo trabalho virtualmente gratuito de grandes famílias camponesas. O campesinato sofria uma constante erosão devido à proletarização daqueles cujos rendimentos eram demasiado pequenos para sustentá-los, ou pela imigração daquelas bocas adicionais que o crescimento demográfico multiplicava e que não poderiam ser alimentadas pela terra da família. Grande parte do campesinato era pobre, e o setor de pequenos proprietários ou camponeses sem dúvida tendia a crescer. Mas, qualquer que fosse sua importância em termos econômicos, o número de propriedades camponesas não apenas se manteve como até mesmo aumentou.*

O crescimento da economia capitalista transformou a agricultura com sua demanda maciça. Não é, portanto, surpreendente que nosso período

* Na Renânia e Vestfália, onde o número de pequenas propriedades caiu drasticamente e o de propriedades ainda menores (1,25 - 7,5 hectares) também, notadamente entre 1858 e 1878, o número de grandes camponeses cresceu um pouco. Devido ao desaparecimento de tantos camponeses pequenos proprietários — provavelmente indo para a indústria — eles agora formavam mais que a metade do total, quando antes compunham apenas um terço. Na Bélgica o número de propriedades cresceu a partir de 1846 até a crise da década de 1870, mas mesmo em 1880 estimava-se que 60% da área de uso agrícola era cultivada por camponeses (propriedades de 2 a 50 hectares), enquanto o empreendimento em larga escala e as pequenas propriedades dividiam o restante em proporções iguais. Nesses países caracteristicamente industriais, a agricultura camponesa simplesmente se manteve.[6]

tenha visto um aumento da quantidade de terra arável, sem mencionar o aumento ainda maior na produção através de melhor produtividade. O que não é geralmente reconhecido é quão vasta era a extensão da terra agrícola. Tomando as estatísticas disponíveis do mundo como um todo, entre 1840 e 1880 a área de cultivo cresceu em 50%, de 500 para 750 milhões de acres.[7] Metade desse aumento ocorreu na América, onde a área agrícola triplicou no período (quintuplicou na Austrália e cresceu duas vezes e meia no Canadá). Ali tomou sobretudo a forma de um simples avanço geográfico da agricultura pelo interior. Entre 1849 e 1877, a produção de trigo avançou nove graus de longitude nos Estados Unidos, sobretudo na década de 1860. É importante lembrar, porém, que a região a oeste do Mississippi ainda era comparativamente subdesenvolvida. O próprio fato de a "cabana de madeira" ter-se tornado o símbolo do pioneiro fazendeiro indica isso; nas grandes pradarias, não havia tanta madeira.

Entretanto, embora menos imediatamente visíveis porque distribuídos dentro e em volta da área cultivada, os números para a Europa são igualmente impressionantes. A Suécia dobrou sua área de produção entre 1840 e 1880, a Itália e a Dinamarca expandiram-na em mais da metade, a Rússia, a Alemanha e a Hungria em uma terça parte.[8] Muito dessa área veio da abolição da terra de pousio, outro tanto do que foram terrenos de charnecas, urzais ou pântanos e muito, infelizmente, da destruição das matas. Na Itália do sul e em suas ilhas, cerca de 600 mil hectares de árvores (um terço do modesto total que ainda resta conservado) desapareceram entre 1860 e 1911.[9] Numas poucas regiões privilegiadas, incluindo o Egito e a Índia, a irrigação em larga escala também foi significativa, embora uma fé simplista e ardente na tecnologia tenha produzido efeitos secundários desastrosos e imprevistos na época e também agora.[10] Somente na Inglaterra a agricultura havia conquistado todo o país. Ali a área cresceu quase 5%.

Seria tedioso multiplicar as estatísticas da crescente produtividade e produção agrícolas. Mais interessante é descobrir até onde elas se deviam à industrialização, e se usavam os mesmos métodos e tecnologia que estavam transformando a indústria. Antes da década de 1840 a resposta teria sido: numa escala bem pequena. Mesmo durante nosso período, uma grande parte da agricultura estava sendo conduzida por meios que eram familiares havia cem ou talvez duzentos anos, o que era bastante natural, pois grandes resultados podiam ser conseguidos pela generalização dos melhores métodos conhecidos pelas fazendas pré-industriais. As terras virgens da América foram limpas a machado e fogo, como na Idade Média; explosivos usados para retirar troncos de árvore; os diques para drenagem foram cavados com pás; os arados puxados por cavalos e bois. Para fins de produtividade, a substituição do arado de madeira pelo de aço e a segadeira pela foice foi mais importante que a aplicação da força do vapor, que nunca se adaptou à vida da fazenda, por ser basicamente imóvel. As colheitas foram a grande exceção, pois consistiam em uma série de operações-padrão que requeriam um grande número de trabalhadores temporários — e com a crescente falta de trabalhadores, seu custo, já alto, aumentou. Debulhadoras espalharam-se quando o grão era colhido em países subdesenvolvidos. A maior inovação — máquinas que colhiam, debulhavam e moíam — estava restrita quase exclusivamente aos Estados Unidos, onde a mão de obra era escassa e os campos, extensos. Mas em geral a aplicação da criatividade e engenhosidade à agricultura aumentou sensivelmente. Entre 1849 e 1851, uma média anual de 191 patentes agrícolas foi pedida nos Estados Unidos; em 1859-1861, 1.282; em 1869-1871, não menos de 3.217.[11]

No entanto, de um modo geral, as fazendas e o cultivo permaneceram visivelmente o que sempre foram na maior parte do mundo: mais prósperos nas áreas desenvolvidas, onde se investia mais em melhorias, prédios etc., mais voltados para os negócios em certos lugares, mas nunca transformados de modo a não mais serem reconhecidos. Mesmo a indústria e sua tecnologia eram simples fora do Novo Mundo. As manilhas produzidas em massa, talvez a mais importante contribuição à agricultura, foram esquecidas, a tela de arame e o arame farpado que substituíam muros, sebes e cercas de madeira ficaram restritos à Austrália e aos Estados Unidos, o ferro corrugado só há pouco utilizado fora das linhas férreas para as quais fora inicialmente desenvolvido. Ainda assim, a produção industrial agora contribuía de modo importante para o capital na agricultura, assim como a ciência moderna por meio da química orgânica (de origem alemã). Fertilizantes industriais (potássio, nitratos) não eram ainda usados em larga escala: as importações da Inglaterra de nitrato chileno ainda não tinham atingido a soma de 60 mil toneladas em 1870. Por outro lado, um extenso comércio desenvolveu-se, para benefício temporário das finanças peruanas e lucro permanente de algumas companhias inglesas e francesas, com o fertilizante natural guano; 12 milhões de toneladas foram exportadas entre 1850 e 1880, quando então o *boom* do guano entrou em colapso: um tráfico impossível de se imaginar antes da era do transporte de massa global.[12]*

2.

As forças econômicas que moviam a agricultura faziam-no naquelas áreas que eram acessíveis à mudança — eram as forças da expansão. Mas em grande parte do mundo chocaram-se contra obstáculos sociais ou institucionais que as impediam ou inibiam, ficando também no caminho de

---

* A exportação de guano começou em 1841 e chegou a 600 mil libras em 1848. Em média exportaram-se 2,1 milhões de libras por ano na década de 1850, 26 milhões na de 1860, entrando em declínio a partir de então.

outra importante tarefa do capitalismo: o desenvolvimento industrial do setor agrário. Pois sua função na economia moderna não era apenas a de suprir alimentos e matéria-prima em quantidades crescentes, mas também a de proporcionar o mais importante reservatório de força de trabalho para ocupações não agrícolas. Sua terceira grande função, a de proporcionar o capital para o desenvolvimento urbano e industrial, dificilmente poderia ocorrer em países agrários, onde as outras fontes de renda para governos e ricos eram escassas, embora pudesse supri-la, ainda que de forma ineficiente e inadequada.

Os obstáculos vinham de três fontes: os próprios camponeses, seus superiores econômicos, políticos e sociais, e o peso inteiro das sociedades tradicionais institucionalizadas, onde a agricultura pré-industrial era o coração e o corpo da sociedade. Todos os três obstáculos estavam destinados a ser vítimas do capitalismo, embora, como já vimos, nem o campesinato nem a hierarquia social baseada no campo que se apoiava nos seus ombros corresse perigo imediato de colapso. Na realidade, os três fenômenos interligados eram teoricamente incompatíveis com o capitalismo, e portanto tendentes a entrar em conflito com ele.

Para o capitalismo, a terra era um fator de produção e uma mercadoria peculiar apenas pela sua imobilidade e quantidade limitada, embora as grandes aberturas de novas terras desse período fizessem que tais limitações parecessem insignificantes com o passar do tempo. O problema do que fazer com aqueles que detinham esse "monopólio natural" e, portanto, mantinham uma espécie de pedágio sobre o resto da economia parecia relativamente superável. A agricultura era uma "indústria" como qualquer outra, a ser conduzida segundo princípios de maximização de lucro, e o fazendeiro, um empresário. O mundo rural como um todo era um mercado, uma fonte de trabalho, uma fonte de capital. Até então seu tradicionalismo obstinado o impedira de fazer o que a economia política demandava e que tinha de ser feito.

Não havia meio de reconciliar essa visão com a dos camponeses ou proprietários, para os quais a terra não era apenas uma fonte de renda, mas a própria estrutura de vida; com a visão de sistemas sociais para os quais as relações entre os homens e a terra, e entre si em termos da terra, não eram opcionais, mas obrigatórias. Mesmo no âmbito do governo e do pensamento político, onde as "leis da economia" poderiam ser mais aceitas, o conflito era grande. A propriedade tradicional da terra podia ser economicamente indesejável, mas não era ela o cimento da estrutura social que desabaria em anarquia e revolução, caso desaparecesse? (A política fundiária inglesa na Índia enfrentou graves problemas diante deste dilema.) Economicamente, talvez fosse mais simples não haver campesinato, mas não era seu inflexível conservadorismo uma garantia de estabilidade social, assim como sua inflexível e numerosa progenitura era a espinha dorsal dos exércitos de muitos governos? Num tempo em que o capitalismo estava arruinando suas classes trabalhadoras de modo tão evidente, podia um Estado prescindir de um reservatório de saudáveis homens do campo para recrutá-los às cidades?*

Não obstante, o capitalismo poderia somente vir a minar as bases agrárias da estabilidade política, especialmente às margens ou dentro da periferia dependente do Ocidente desenvolvido. Economicamente, como vimos, a transição para a produção de mercado, e especialmente a exportação de monocultura, rompia as relações sociais tradicionais e desestabilizava a economia. Politicamente, a "modernização" implicava,

---

* "O (...) campesinato [Bauernstand] forma fisicamente a mais sadia e forte parte da população da qual as cidades, em particular, devem sempre ser recrutadas", escreveu J. Conrad, expressando uma opinião europeia corrente. "Ele forma o coração do exército (...) politicamente seu caráter determinado e ligação ao solo faz a fundação de uma próspera comunidade rural (...) O campesinato tem sempre sido o elemento mais conservador do Estado (...) Seu apreço pela propriedade, seu amor pelo solo nativo o transforma no inimigo das ideias revolucionárias urbanas e um firme baluarte contra esforços sociais-democratas. Por isso ele tem sido corretamente descrito como o mais firme pilar de todo Estado são, e com o rápido crescimento das grandes cidades, também cresce sua importância".[13]

para aqueles que desejavam promover esse processo, uma colisão frontal com o principal apoio do tradicionalismo, a sociedade agrária (veja os Capítulos 7 e 8). As classes dirigentes da Inglaterra, onde senhores da terra e camponeses pré-capitalistas haviam desaparecido, e as da Alemanha e França, onde um *modus vivendi* com o campesinato fora estabelecido na base de um florescente (e, onde necessário, protegido) mercado interno, podiam, portanto, confiar na lealdade do campo. Mas em outros lugares não o podiam. A Itália e a Espanha, a Rússia e os Estados Unidos, a China e a América Latina talvez se transformassem em regiões de fermento social e explosão ocasional.

Por uma ou outra razão, três tipos de empreendimento agrário estavam sob particular pressão: a plantação escrava, a propriedade servil e a economia camponesa tradicional não capitalista. O primeiro foi liquidado dentro de nosso período pela abolição da escravidão nos Estados Unidos e na maior parte da América Latina, com a exceção do Brasil e de Cuba, onde estava com os dias contados. Foi nestes abolida oficialmente em 1889. Na prática, pelo final do nosso período, a escravidão havia recuado para as partes mais atrasadas do Oriente Médio e da Ásia, onde não tinha mais um papel significativo na agricultura. O estado servil foi formalmente liquidado na Europa entre 1848 e 1868, embora a situação do campesinato empobrecido e especialmente sem-terra nas grandes propriedades da Europa do sul e do leste tivesse permanecido semisservil, visto que permaneceu sujeito a uma esmagadora coerção não econômica. Onde os camponeses tenham direitos legais ou civis inferiores aos usufruídos pelos ricos e poderosos, qualquer que seja a teoria, podem sofrer coerção não econômica, como na Valáquia, Andaluzia e Sicília. Serviços de trabalho compulsório não haviam sido abolidos em muitos países sul-americanos, mas pelo contrário, intensificados, de modo que mal se pode falar em extinção geral da servidão naquele continente.* Contudo, a servidão parece ter sido restrita de forma crescente aos camponeses indígenas, explorados por senhores não indígenas. O terceiro tipo manteve-se, como já vimos.

As razões para essa liquidação geral das formas pré-capitalistas (isto é, não econômicas) de dependência agrária são complexas. Em alguns casos, fatores políticos foram obviamente decisivos. No Império dos Habsburgos em 1848, e na Rússia em 1861, não foi tanto a impopularidade da servidão dentro do campesinato que determinou a emancipação, embora tivesse sido um dos fatores, mas o medo de uma revolução não camponesa que viesse adquirir uma força decisiva através da mobilização do descontentamento camponês. A rebelião camponesa era uma possibilidade constante, como demonstrada pelos levantes agrários na Galícia em 1846, na Itália do sul em 1848, na Sicília em 1860 e na Rússia nos anos subsequentes à Guerra da Crimeia. Mas não eram as rebeliões cegas dos camponeses que assustavam os governos — elas duravam pouco, e seriam aniquiladas a ferro e fogo mesmo pelos liberais, como na Sicília[14] —, e sim a mobilização do descontentamento camponês, reforçando um desafio político à autoridade central. Os Habsburgos tentaram, portanto, isolar os vários movimentos de autonomia nacional de suas bases camponesas, e o czar russo fez o mesmo na Polônia. Sem apoio do campesinato, os movimentos liberais-radicais eram insignificantes nos países agrários, ou pelo menos contornáveis. Tanto os Habsburgos como os Romanovs sabiam bem disso, e agiram de acordo.

Contudo, insurreição e revolução, por camponeses ou outros, explicam pouca coisa sobre a emancipação dos servos, e nada sobre a aboli-

* A persistência de tais obrigações — descritas em termos locais como *yanaconas*, *huasipungos* etc. — não deve ser confundida com arranjos funcionalmente similares como servidão por dívida, da mesma forma que a importação de trabalho onde o trabalhador deve o transporte ao senhor não deve ser confundida com a escravidão. Ambas formas aceitam a abolição da escravidão e servidão formais como dadas, e procuram recriá-las dentro da estrutura de um contrato tecnicamente "livre".

ção da escravidão. Pois, à diferença da insurreição dos servos, a rebelião escrava era relativamente incomum — mais circunscrita aos Estados Unidos[15] — e nunca no século XIX foi considerada uma ameaça política muito séria. Seria a pressão para abolir-se a servidão e a escravidão de origem econômica? Certamente, em alguma medida. É bem sabido que historiadores econométricos argumentam retrospectivamente que a agricultura servil ou escrava era, de fato, mais proveitosa ou até mais eficiente que a agricultura orientada pelo trabalho livre.* Isso é perfeitamente possível, e os argumentos são realmente fortes, embora o problema seja tema de debates apaixonados entre historiadores voltados à matemática e outros. Porém, é inegável que os contemporâneos, operando com métodos da época e critérios de contabilidade, concluíssem que era inferior, embora evidentemente não possamos dizer até que ponto o justificável horror em relação à escravidão e à servidão os levou a fazer seus cálculos de maneira tendenciosa. Thomas Brassey, o empresário das estradas de ferro, falando segundo o senso comum dos negócios, observou sobre a servidão que a produção na Rússia servil era a metade da inglesa e da saxônica e inferior à de qualquer outro país europeu, e sobre a escravidão, que esta era "obviamente" menos produtiva que o trabalho livre e mais cara do que se pensava, tendo em vista o preço de compra, educação e manutenção do escravo.[17] O cônsul britânico em Pernambuco (admite-se que fazia um relatório para um governo apaixonadamente antiescravagista) assinalou que o senhor de escravos perdia 12% de juros do capital que poderia empregar em outros investimentos. Erradas ou não, essas opiniões eram comuns fora dos ambientes de senhores de escravos.

Na realidade, a escravidão estava de forma patente em declínio, e não apenas por razões humanitárias, embora o final efetivo do tráfico escravo se desse por pressão da Inglaterra (o Brasil resignou-se à abolição em

* O argumento tem sido elaborado para a escravidão, mas não na mesma medida para a servidão.[16]

1850), que cortou de fato o suprimento de escravos, o que aumentou seu preço. A importação de africanos para o Brasil caiu de 54 mil em 1849 para virtualmente zero em meados da década de 1850. O tráfico interno negreiro, embora muito usado em argumentos abolicionistas, parece não ter tido um papel importante. Mas a mudança do trabalho escravo para o não escravo era espantosa. Em 1872, a população livre negra no Brasil era três vezes mais numerosa do que a população escrava, e mesmo entre negros puros os dois grupos eram quase iguais em número. Em Cuba, por volta de 1877, o número de escravos havia caído de 400 mil para 200 mil.[18] Possivelmente, mesmo nas áreas mais tradicionais do cultivo escravo, a mecanização de moinhos de açúcar a partir de meados do século diminuísse a demanda por trabalho no processamento do produto, embora nas crescentes economias açucareiras, como Cuba, produzisse um correspondente crescimento na necessidade de braços no campo. Entretanto, dada a crescente concorrência do açúcar de beterraba europeu e o potencial extremamente alto do componente de trabalho manual na produção de cana-de-açúcar, a pressão para abaixar os custos do trabalho era considerável. Mas poderia a economia de plantação escrava aguentar o duplo custo de investir pesadamente na mecanização e nas despesas com os escravos? Tais cálculos encorajaram a substituição (pelo menos em Cuba) de escravos não exatamente por trabalhadores livres, mas por trabalhadores endividados,* sendo esses trabalhadores recolhidos entre os indígenas maias do Yucatán, vítimas da Guerra Racial (veja o Capítulo 7), ou trazidos da então "recém-aberta" China. Porém, parecia não haver dúvida de que a escravidão como modo de exploração estava em declínio na América Latina, mesmo antes de ser abolida, e que o problema econômico em relação a essa forma de trabalho apareceu de maneira cada vez mais forte a partir de 1850.

* Trabalhadores que devem ao senhor o preço de seu transporte. (*N.T.*)

Quanto à servidão, o problema econômico em relação a ela era simultaneamente geral e específico. Em termos gerais, parecia claro que a permanência de camponeses imobilizados inibia o desenvolvimento da indústria, que era vista como demandando trabalho livre. A abolição da servidão seria, portanto, uma precondição necessária para a mobilidade da mão de obra livre. Além disso, como poderia a agricultura servil ser economicamente racional se, para citar um defensor russo da servidão na década de 1850, "ela impedia a possibilidade de estabelecer o custo de produção com alguma precisão"?[19] A agricultura servil também impedia o ajuste racional adequado ao mercado.

Mais especificamente, tanto o desenvolvimento de um mercado interno para uma variedade de alimentos e matérias-primas agrícolas quanto o de um mercado externo — sobretudo para os grãos — minaram a servidão. Na parte norte da Rússia, que nunca foi muito adequada ao cultivo extensivo de grãos, fazendas de camponeses deslocaram a produção de cânhamo, fibras e outras lavouras intensivas, enquanto manufaturas proporcionaram outro tipo de mercado para o campesinato. O número de servos efetuando outros serviços, sempre uma minoria, caiu. Servia para que os proprietários trocassem empréstimos nos serviços. No sul despovoado, onde as estepes virgens transformavam-se em áreas pecuárias e depois em campos de trigo, a servidão não era de grande importância. O que os senhores da terra precisavam para a expansão da economia de exportação era de melhores transportes, crédito, trabalho livre e máquinas. A servidão sobreviveu na Rússia, como na Romênia, sobretudo nas áreas de produção de grãos com densa população camponesa, onde os senhores podiam compensar sua fraqueza competitiva com o aumento da mão de obra, ou esperar baixar pelo mesmo método, mesmo que temporariamente, os preços no mercado de exportação de grãos.

Entretanto, a abolição do trabalho não livre não pode ser analisada simplesmente em termos de cálculo econômico. As forças da sociedade burguesa opunham-se à escravidão e à servidão não apenas porque acreditavam que essas fossem economicamente indesejáveis, ou por razões morais, mas também porque essas formas pareciam incompatíveis com uma sociedade de mercado fundamentada na busca livre do interesse individual. Por outro lado, proprietários de escravos e senhores de terra apoiavam o sistema, porque lhes parecia o próprio fundamento daquela sociedade e de suas classes. Talvez achassem mesmo impossível suas próprias existências sem escravos ou servos, que definiam seu *status*. Os senhores de terra russos não se revoltavam contra o czar, e nem poderiam, porque ele lhes proporcionava a única legitimação possível contra um campesinato que estava profundamente convencido de que a terra pertencia a quem nela trabalhava, e também acreditava na sua subordinação hierárquica aos representantes de Deus e do imperador. Mas os senhores se opunham à emancipação de forma bastante decidida. Ela era imposta de fora ou de cima e por uma força superior.

De fato, se a abolição/emancipação tivesse sido apenas o produto de forças econômicas, não teria produzido os resultados insatisfatórios que produziram tanto nos Estados Unidos como na Rússia. As áreas nas quais a escravidão ou a servidão tinham sido de importância marginal ou genuinamente "não econômica" — por exemplo, no norte e no sul da Rússia ou nos Estados fronteiriços, e no sudoeste dos Estados Unidos — ajustaram-se rapidamente à sua liquidação. Mas nas áreas centrais do velho sistema os problemas eram muito mais difíceis de enfrentar. Portanto, nas províncias russas da "terra negra" (distintas da Ucrânia e das fronteiras das estepes), a agricultura capitalista desenvolveu-se devagar, dívidas de trabalho permaneceram até fins da década de 1880, enquanto a expansão da lavoura (à custa de campinas e pastos e de reforçar o antigo sistema de três culturas) ficava, em geral, bastante mais atrasada em relação às plantações de grãos do sul.* Em resumo, os benefícios puramente econômicos do final da economia de coerção física permanecem discutíveis.

Nas antigas economias escravistas isso não pode ser explicado em termos políticos, visto que o sul tinha sido conquistado e a antiga aristocracia da terra perdera temporariamente o poder, embora o readquirisse logo depois. Na Rússia, os interesses da classe proprietária de terras eram cuidadosamente considerados e salvaguardados. O problema, neste caso, era por que a emancipação não produzia uma solução agrária satisfatória nem para a nobreza, nem para o campesinato, nem para os projetos de uma genuína agricultura capitalista. Em ambas as áreas, a resposta dependia de qual seria a melhor forma de agricultura, especialmente a agricultura de larga escala, sob condições capitalistas.

Há duas formas principais de agricultura capitalista, que Lenin chamou respectivamente de caminho "prussiano" e caminho "americano": no primeiro caso, grandes fazendas operadas por proprietários-empresários capitalistas com trabalho contratado; no segundo, fazendeiros comerciais independentes de porte variado, também operando com trabalho contratado onde necessário, embora numa escala muito menor. Ambas implicavam uma economia de mercado, mas, mesmo antes do triunfo do capitalismo, a maioria das grandes fazendas operava como unidades produtivas para vender uma grande proporção de sua produção,** enquanto a maioria das propriedades camponesas, sendo primariamente para consumo próprio, não o faziam. Portanto, a vantagem das grandes

* O aumento médio em acres aráveis na zona de 'terra negra' entre as décadas de 1860 e 1880 foi de cerca de 60%. No sul da Ucrânia, no baixo Volga, no Cáucaso norte e na Crimeia estas áreas dobraram, mas em Kursk, Ryazan, Orel e Voronezh (entre 1860 e 1913) apenas cresceram em menos de 25%.[20]

** Uma fazenda não necessita ser uma unidade produtiva, é claro. Ela pode igualmente obter sua renda na forma de aluguel em dinheiro ou espécie ou numa parcela da colheita dos que utilizam a terra constituindo reais unidades de produção.

fazendas e plantações para o desenvolvimento econômico não residia tanto na superioridade técnica, maior produtividade, economia de escala etc., mas sobretudo na sua capacidade pouco comum em gerar excedente agrícola para o mercado. Onde o campesinato permaneceu "pré-comercial", como em grande parte da Rússia e entre os escravos emancipados das Américas, que retornaram à agricultura de subsistência camponesa, a fazenda manteve essa vantagem; mas onde faltavam as antigas vantagens do trabalho escravo e servil, a fazenda sentia agora mais dificuldade em obter trabalhadores, salvo quando os antigos escravos ou servos fossem desprovidos de terra ou a possuíssem em tão pouca quantidade que eram obrigados a se transformar em trabalhadores contratados — e quando não houvesse um trabalho mais atraente como alternativa.

Mas no todo, os ex-escravos adquiriram alguma terra (embora não os "quarenta acres e uma mula" com que sonhavam) e os ex-servos, embora perdendo alguma terra para os senhores, especialmente nas regiões de agricultura comercial em expansão,* permaneceram camponeses. Aliás, a sobrevivência — e mesmo o recrudescimento — da velha comuna urbana, com seus arranjos de periódica distribuição equitativa de terra, salvaguardou a economia camponesa. Daí a crescente tendência dos senhores da terra para desenvolver plantações arrendadas, repondo assim os produtos que eles mesmos encontravam mais dificuldade em produzir. Se a aristocracia russa dona de terras — proprietários como o conde Rostov de Tolstoi ou a Madame Ranevskaya de Tchekhov — tinha maiores ou menores possibilidades de se transformar em empreendedores agrários capitalistas do que em donos *ante-bellum* de plantações, que era o sonho de Walter Scott, essa era outra questão.

Mas se o caminho "prussiano" não era seguido sistematicamente, tampouco o era o caminho "americano". Este dependia da criação de

* Mas na região central da "terra negra" as perdas foram pequenas e houve até mesmo ganhos.

um grande corpo de fazendeiros empresários cultivando essencialmente produtos de venda imediata. Um tamanho mínimo de propriedade era necessário para tal, variando com as circunstâncias. Portanto, no sul dos Estados Unidos depois da Guerra Civil, a "experiência tem mostrado que é duvidoso se algum lucro pode ser obtido por um cultivador cuja produção anual é menor que cinquenta fardos... Um homem que não consiga produzir oito ou dez fardos, no mínimo, praticamente não tem objetivo na vida e nada do que viver".[21] Uma grande parte do campesinato permaneceu, portanto, dependente da cultura de subsistência em suas propriedades quando estas o permitiam, e, quando não, dependia do trabalho em outro local como complemento de suas terras insuficientes e frequentemente sem gado nem carroça. Dentro do campesinato, desenvolveu-se um bom número de fazendeiros comerciais — eles eram de importância substancial na Rússia, na década de 1880 —, mas diferenças de classe foram inibidas por vários fatores: racismo nos Estados Unidos, a persistência da comunidade de pequenas vilas na Rússia* e frequentemente os setores rurais completamente comerciais e capitalistas estavam distantes dos mercadores ou daqueles que emprestassem dinheiro (firmas comerciais e bancos).

Portanto, nem a abolição nem a emancipação produziram um resultado satisfatório, do ponto de vista capitalista, para o "problema agrário", e é duvidoso que isso pudesse ter ocorrido, salvo se as condições para o desenvolvimento de uma agricultura capitalista já estivessem presentes, como nas áreas marginais da economia servil/escravista do Texas ou (na Europa) na Boêmia e Hungria. Nestas áreas, podemos ver os processos "prussiano" ou "americano" em ação. As grandes fazendas de nobres, algumas vezes ajudadas pelas injeções de capital na forma de indenizações

* Aqui a emancipação produziu o resultado — paradoxal do ponto de vista liberal — de realmente tirar os camponeses do reino da lei oficial transformando-os formalmente em sujeitos ao direito costumeiro camponês, que estava longe de ser favorável ao capitalismo.

pela perda de mão de obra,* transformaram-se em empresas capitalistas. Nas terras tchecas, eles detinham 43% das cervejarias, 65% das fazendas de açúcar e 60% das destilarias no começo da década de 1870. Ali floresceram, com a concentração da lavoura intensiva, não apenas grandes fazendas com trabalho contratado, mas também grandes sítios camponeses,** que começavam a competir com as fazendas. Na Hungria, estes últimos permaneceram dominantes e a totalidade dos servos sem-terra obteve liberdade sem receber, enfim, nenhuma terra.[24] Ainda assim, a diferenciação do campesinato entre rico e pobre ou sem-terra era também visível nas terras tchecas avançadas, conforme mostra o fato de que o número de cabras — o animal típico do homem pobre — quase dobrou entre 1846 e 1869 (por outro lado, a produção de carne por cabeça da população agrícola também dobrou, um reflexo do crescente mercado consumidor de alimentos das cidades).

Mas nas antigas áreas centrais de coerção física, como na Rússia e na Romênia, onde a servidão durou mais tempo, o campesinato fora deixado como uma massa bastante homogênea (exceto quando dividida por raça ou nacionalidade) e descontente, talvez mesmo potencialmente revolucionária. A completa impotência, devida à opressão racial ou à dependência por não possuírem terras, mantinha-os quietos, como os negros rurais do sul dos Estados Unidos ou os trabalhadores das planícies húngaras. Por outro lado, o campesinato tradicional, especialmente quando organizado comunalmente, transformou-se numa força formidável. A Grande Depressão da década de 1870 abriu uma era de agitação rural e revolução camponesa.

---

* Nas terras tchecas, os Schwarzenbergs receberam 22 milhões de guildas de compensação, os Lobkowitz 12 milhões, os Waldsteins e Alois Lichtensein cerca de um milhão cada; os Kinski, Dietrichstein e Colloredo-Mansfeld cerca de meio milhão cada.[22]

** No último terço do século XIX estimou-se que, pelo menos na Hungria, um *joch* (cerca de 0,6 hectare) requeria um dia de trabalho para pasto, 6 dias para campina, 8,5 para plantação de cereais, 22 para milho, 23 para batatas, 30 para tubérculos, 35 para horta, 40 para beterrabas, 120 para vinhas e 160 para tabaco.[23]

Poderia esse processo ter sido evitado por uma forma "mais racional" de emancipação? É duvidoso, pois encontramos resultados muito similares naquelas regiões onde a tentativa de criar as condições para a agricultura capitalista fora efetuada não por um édito global abolindo a economia de coerção, mas pelo processo mais geral da imposição pela lei do liberalismo burguês: transformar toda propriedade agrária em propriedade individual e a terra numa mercadoria de venda livre como qualquer outro objeto. Na teoria, esse processo já havia sido amplamente aplicado na primeira metade do século (veja *A era das revoluções*, Capítulo 8), mas na prática veio a ser imensamente reforçado, depois de 1850, pelo triunfo do liberalismo. Isso significava, primeiro e acima de tudo, a quebra das antigas organizações comunais e a distribuição ou a alienação da terra de posse coletiva, ou da terra de instituições não econômicas como as da Igreja. Isso viria a ser efetuado de maneira mais drástica e rude na América Latina, por exemplo, no México de Juárez na década de 1860, ou na Bolívia sob o ditador Melgarejo (1866-1871), mas também ocorreu em grande escala na Espanha, depois da revolução de 1854, na Itália depois da unificação do país sob as instituições liberais do Piemonte, e onde mais o liberalismo econômico e legal tivesse triunfado. E o liberalismo avançava mesmo nos lugares onde os governos não lhe eram muito simpáticos. As autoridades francesas tomaram algumas providências para salvaguardar a propriedade comunal entre seus súditos muçulmanos na Argélia, e mesmo Napoleão III (no senátus-consulto de 1863) achou inconcebível que a propriedade individual, como direito sobre a terra, não fosse estabelecida formalmente entre os membros da comunidade muçulmana "onde possível e oportuno", uma medida que veio a ter o efeito de permitir a europeus a possibilidade de comprá-las pela primeira vez. Entretanto, ainda não era o convite à liquidação pela expropriação, efetuada pela Lei de 1873 (depois da grande insurreição de 1871), que veio propor a imediata transferência da propriedade nativa para o *status* legal francês, uma medida que "beneficiou a quase ninguém, exceto aos homens de negócios e especuladores (europeus)".[25] Com ou sem apoio oficial, os muçulmanos perderam suas terras para os colonos brancos ou para as companhias de terras.

A ambição teve seu papel em tais expropriações: por parte dos governos, pelos lucros em vendas de terra ou outras rendas; por parte dos senhores da terra, colonos ou especuladores, pelo fato de adquirirem barato fazendas e propriedades. Mas seria injusto negar aos legisladores a sinceridade da convicção de que a transformação da terra numa mercadoria livremente alienável e a transformação em propriedade privada de relíquias comunais, eclesiásticas ou outras históricas obsolescências de um passado irracional, no todo, proporcionariam a base para um desenvolvimento agrícola satisfatório. Mas não o seria de forma alguma em relação ao campesinato, que em sua totalidade recusou a se transformar em uma florescente classe de fazendeiros comerciais, mesmo quando tinham a chance de consegui-lo. (A maioria não tinha tal oportunidade, pois não podia comprar a terra colocada no mercado, ou mesmo compreender os complexos processos legais que levavam à sua desapropriação.) Talvez a medida não tenha reforçado o latifúndio em si — o termo é ambíguo e profundamente imbuído de mitologia política —, mas se reforçou alguém não foi o camponês de economia de subsistência, velho ou novo, o habitante de vilas que dependia de terras comunais, em regiões sujeitas à derrubada de florestas ou erosão, a terra em si não era mais protegida pelo controle comunal de seu uso.* O maior efeito da liberalização viria a ser o aprofundamento do descontentamento camponês.

A novidade desse descontentamento era que agora podia ser mobilizado pela esquerda política. De fato, exceto em partes do sul da Europa,

* Raymond Carr aponta que na Espanha, a partir do meio do século, "a questão da floresta começa a ser um tema central na literatura de regeneração".[26]

não era ainda mobilizado. Na Sicília e no sul da Itália, a revolução camponesa de 1860 ligou-se a Garibaldi, uma esplêndida figura loira de camisa vermelha que parecia, de todas as formas, o libertador do povo, e cuja crença em uma república radical-democrática, laica e mesmo vagamente "socialista" não parecia de todo incompatível com a crença em santos, na Virgem, no papa e (fora da Itália) no rei Bourbon. No sul da Espanha, o republicanismo e a Internacional (na sua forma bakuniniana) cresceram rapidamente: nenhuma cidade andaluza entre 1870 e 1874 deixou de ter sua "sociedade de trabalhadores".[27] (Na França, é claro, o republicanismo, a forma principal da esquerda, já estava bem estabelecido em algumas áreas rurais depois de 1848, e teve apoio da maioria, moderadamente, depois de 1871.) Talvez uma esquerda revolucionária tenha surgido na Irlanda com os fenianos na década de 1860, para irromper na formidável Land League do final da década de 1870 e início da de 1880.

Havia, evidentemente, mesmo na Europa, muitos países — e praticamente todos fora daquele continente — onde a esquerda, revolucionária ou não, não conseguiu provocar nenhum impacto no campesinato; como os populistas russos iriam descobrir (veja o Capítulo 9) quando se decidiram a "ir ao povo", na década de 1870. De fato, enquanto a esquerda permanecesse urbana, laica ou mesmo militantemente anticlerical (veja adiante no Capítulo 14) e desprezando o "atraso rural" e seus problemas, o campesinato continuaria nutrindo desconfiança e hostilidade em relação a ela. O sucesso rural dos militantes anarquistas anticristãos na Espanha ou republicanos na França era excepcional. Mesmo assim, pelo menos na Europa, a antiquada insurreição rural pela Igreja e pelo rei contra as cidades ímpias e liberais tornaram-se escassas. Mesmo a segunda guerra carlista na Espanha (1872-1876) foi uma questão muito mais geral que a primeira da década de 1830, e virtualmente restringiu-se às províncias bascas. À medida que a grande expansão da década de 1860 e inícios da de 1870 abria caminho para a Depressão agrária das décadas de 1870 e 1880, o campesinato não podia mais ser tomado como um elemento conservador na política.

Mas em que medida a vida no campo foi modificada pelas forças do Novo Mundo? Não é fácil julgar pelo cômodo ponto de vista do século XX, visto que a vida rural se transformou mais na segunda metade deste século do que em qualquer época anterior desde a invenção da agricultura. Olhando retrospectivamente, os caminhos de homens e mulheres no campo em meados do século XIX parecem fixados numa antiga tradição de mudança a passos de tartaruga. Evidentemente, trata-se de uma ilusão, mas a natureza exata dessas mudanças é agora difícil de discernir, exceto talvez entre os colonos do oeste americano, prontos para mudar de fazenda e produto de acordo com as perspectivas de preços ou lucros especulativos, equipados com máquinas e comprando novidades pelo catálogo postal.

Mas existiam, de qualquer forma, mudanças no campo. Havia a estrada de ferro. Havia, com crescente frequência, a escola primária ensinando a língua nacional (uma nova e segunda língua para a maioria dos filhos de camponeses) e, conjuntamente com a administração nacional e a política, fragmentando suas personalidades. Por volta de 1875, conforme registrado, o uso de apelidos pelos quais as pessoas eram conhecidas e identificadas nas vilas de Bray na Normandia, e mesmo de versões locais de seus primeiros nomes, havia praticamente desaparecido. Isso era "devido inteiramente aos professores, que não permitiam que as crianças usassem nas escolas senão seus nomes próprios".[28] Talvez não tivessem exatamente desaparecido, mas recuado, com o dialeto local, para o submundo privado e não oficial da cultura não literária. E a divisão entre os alfabetizados e analfabetos no campo era uma poderosa força de mudança. Por enquanto, no mundo oral da não alfabetização, a ignorância que o alfabeto tinha da linguagem ou instituições nacionais não era problema, exceto para aqueles cujos negócios (raramente de agricultura) faziam tal conhecimento necessário, numa sociedade instruída onde "analfabeto" era por definição inferior e tinha um forte incentivo para abolir tal inferioridade, pelo menos para suas crianças. Em 1849, era natural que a política camponesa na Morávia tomasse a forma do boato de que o líder revolucionário húngaro Kossuth era filho do "imperador camponês" José II, descendente do antigo rei Svatopluk, e prestes a invadir o país à frente de um grande exército.[29] Mas já por volta de 1875, a política na Tchecoslováquia, especialmente no campo, era conduzida em termos mais sofisticados, e aqueles que esperavam a salvação nacional pelos herdeiros de "imperadores populares", antigos ou modernos, talvez se sentissem um pouco embaraçados em admiti-lo. Aquela forma de pensar restringia-se mais e mais a países analfabetos, que até mesmo os camponeses europeus viam como "atrasados", como a Rússia, onde os populistas revolucionários, nessa mesma época, tentaram — sem sucesso — organizar uma revolução camponesa por meio de um "pretendente popular" ao trono do czar.[30]

Poucos países eram relativamente alfabetizados, exceto partes da Europa central e ocidental (principalmente as protestantes) e a América do Norte.* Mas mesmo entre os atrasados e tradicionais, dois tipos de pessoas do campo eram os maiores pilares das antigas formas — os velhos e as mulheres, cujos "contos de fadas" passavam de geração em geração e ocasionalmente, para benefício dos homens da cidade, para colecionadores de folclore e canções populares. E é ainda um paradoxo do período que, frequentemente ou não, a mudança tenha sido trazida

* Assim, na Espanha, 75% de todos os homens e 89% de todas as mulheres eram analfabetos em 1860, no sul da Itália 90%, e mesmo nas regiões mais avançadas da Lombardia e Piemonte eram 57% e 59%; na Dalmácia 99% (por volta de 1870). Diferentemente, na França em 1876, 80% dos homens e 67% das mulheres nas áreas rurais eram alfabetizados, nos Países Baixos quase 84% de todos; entre 89% e 90% nas províncias da Holanda e Gronigen, e mesmo na subeducada Bélgica mais de 65% eram capazes de ler e escrever (1869). Os critérios de alfabetização, no entanto, eram sem dúvida extremamente modestos.[31]

para a vida do campo pelas mulheres. Algumas vezes, na Inglaterra, meninas do campo tornaram-se mais instruídas que meninos, o que parece ter acontecido pela década de 1850. Certamente, nos Estados Unidos, eram as mulheres que representavam as "formas civilizadas" — aprendizado por meio de livros, higiene, casas "limpas" e mobília, segundo o modelo e sobriedade da cidade contra os modos ásperos, violentos e beberrões dos homens, como Huckleberry Finn (1884) descobriria a duras penas. Mais as mães do que os pais empurravam os filhos para serem "melhores". Mas talvez o mais poderoso agente de tal "modernização" foi a migração de jovens camponesas para o serviço doméstico nas casas das classes médias e médias-baixas urbanas. De fato, tanto para homens como para mulheres, o grande processo de desarraigamento era inevitavelmente um processo de minar as antigas formas e aprender as novas. Para isso, voltaremos agora nossa atenção.

11. HOMENS A CAMINHO

"Perguntamos onde estava seu marido.
'Ele está na América.'
'O que é que ele faz lá?'
'Ele conseguiu um emprego como czar.'
'Mas como pode um judeu ser czar?'
'Tudo é possível na América', ela respondeu."

Scholem Alejchem, *c.* 1900[1]

"Disseram-me que os irlandeses estão tirando o serviço doméstico dos negros por toda parte (...). Aqui isso é universal; não se encontra praticamente em lugar nenhum um empregado que não seja irlandês."

A. H. Clough para Thomas Carlyle, Boston, 1853[2]

1.

A metade do século XIX marca o começo da maior migração de povos na História. Seus detalhes exatos mal podem ser medidos, pois as estatísticas oficiais, tais como eram feitas então, não conseguem capturar todos os movimentos de homens e mulheres dentro dos países ou entre Estados: o êxodo rural em direção às cidades, a migração entre regiões e de cidade para cidade, o cruzamento de oceanos e a penetração em zonas de fronteiras, todo esse fluxo de homens e mulheres movendo-se em todas as direções torna difícil uma especificação. Entretanto, uma forma dramática dessa migração pode ser aproximadamente documentada. Entre 1846 e

1875, uma quantidade bem superior a 9 milhões de pessoas deixou a Europa, e a grande maioria seguiu para os Estados Unidos.[3] Isso equivalia a mais de quatro vezes a população de Londres em 1851. No meio século precedente, tal movimentação não deve ter sido superior a 1,5 milhão de pessoas no todo.

Movimentos populacionais e industrialização andam juntos, pois o desenvolvimento econômico moderno do mundo pede mudanças substanciais entre os povos e, por outro lado, facilita tais movimentos, tornando-os tecnicamente baratos e mais simples através de novas e melhores comunicações, assim como, evidentemente, permite ao mundo manter uma população bem maior. O enorme desarraigamento das massas em nosso período não era nem inesperado, nem sem precedentes mais modestos. Era certamente previsível nas décadas de 1830 e 1840 (veja *A era das revoluções*). Porém, o que parecia ser uma corrente viva transformou-se subitamente numa torrente. Antes de 1845, somente em um ano mais de 100 mil passageiros chegaram aos Estados Unidos. Mas, entre 1846 e 1850, uma média anual de mais de 250 mil deixou a Europa, e nos cinco anos subsequentes, uma média anual de 350 mil; somente em 1854 não menos que 428 mil chegaram aos Estados Unidos. Embora os números flutuassem segundo as condições econômicas dos países de origem e de destino, o fluxo continuou numa escala ainda maior do que antes.

Entretanto, por maiores que fossem tais migrações, elas ainda eram modestas em relação às cifras posteriores. Na década de 1880, entre 700 mil e 800 mil europeus emigraram em média cada ano, e nos anos posteriores a 1900, entre 1 e 1,4 milhão por ano. Assim, entre 1900 e 1910, um número consideravelmente maior de pessoas emigrou para os Estados Unidos do que durante o período inteiro que este livro estuda.

A mais evidente limitação às migrações era geográfica. Deixando de lado as ruínas do tráfico negreiro (já então ilegal e praticamente estrangulado pela marinha britânica), o maior número de migrantes internacionais era formado por europeus, mais precisamente europeus ocidentais e alemães. Os chineses já estavam certamente se movimentando nas fronteiras do norte de seu império para além da região nativa do povo Han, e das regiões da costa sul nas penínsulas e ilhas do sudeste asiático, em número que não há como saber. Provavelmente fosse pequeno. Em 1871, havia talvez uns 120 mil nas colônias estabelecidas na Malásia.[4] Os indianos começaram, depois de 1852, a emigrar pouco a pouco para a vizinha Birmânia. O vazio deixado pelo banimento do tráfico escravo estava sendo, de certa forma, preenchido pelo transporte de trabalho endividado, sobretudo proveniente da Índia e da China, cujas condições não eram melhores. Cento e vinte e cinco mil chineses seguiram para Cuba entre 1853 e 1874.[5] Eles criariam as diásporas da Guiana e Trinidade, das ilhas dos oceanos Pacífico e Índico e as menores colônias chinesas de Cuba, Peru e do Caribe britânico. Chineses aventureiros já estavam sendo atraídos (veja o Capítulo 3) em certo número para as regiões pioneiras da parte americana do Pacífico, para fornecer aos jornalistas locais piadas sobre tintureiros, cozinheiros (eles inventaram o restaurante chinês em San Francisco durante a corrida do ouro)* e criar demagogos locais durante depressões com *slogans* de exclusividade racial. A frota mercante, em rápido crescimento em todo o mundo, era conduzida por marinheiros indianos que deixavam então um depósito de pequenas populações negras nos portos internacionais mais importantes. O recrutamento de tropas coloniais, sobretudo pelos franceses, que esperavam com isso compensar a superioridade demográfica dos alemães (uma questão discutida com ansiedade na década de 1860), trouxe alguns outros pela primeira vez para uma região europeia.**

* Os melhores restaurantes do local são mantidos pelos aventureiros da "Ilha Florida", observou o *Bankers Magazine* de Boston.[6]

** As tropas nativas recrutadas pelos ingleses neste período eram esmagadoramente para o uso da e na Índia, ou naquela parte do mundo sob sua esfera e não dos escritórios londrinos do governo inglês.

Mesmo entre os europeus, a migração de massa intercontinental estava restrita aos povos de poucos países, sobretudo ingleses, irlandeses e alemães e, a partir de 1860, noruegueses e suecos — os dinamarqueses nunca emigraram na mesma medida —, cujo pequeno número esconde o imenso vazio demográfico que deixavam. Dessa forma, a Noruega enviou dois terços de seu excedente populacional para os Estados Unidos, superados apenas pelos desafortunados irlandeses, que enviaram todo o seu excedente para fora: o país perdeu consistentemente em população em todas as décadas, depois da Grande Fome de 1846-1847. Por outro lado, embora os ingleses e os alemães tenham mandado aproximadamente 10% de seu aumento demográfico para fora, em números absolutos isso significava muito. Entre 1851 e 1880, cerca de 5,3 milhões deixaram as Ilhas Britânicas (3,5 milhões para os Estados Unidos, 1 milhão para a Austrália, meio milhão para o Canadá), de longe a maior migração transoceânica no mundo.

Os italianos do sul e sicilianos, que inundariam as grandes cidades das Américas, praticamente ainda não haviam começado a sair de suas pequenas e pobres vilas; os europeus orientais, católicos ou ortodoxos permaneciam grandemente sedentários, e apenas os judeus iam para cidades provinciais para depois seguir em direção às grandes cidades.* Os camponeses russos mal haviam começado a emigrar para os grandes espaços abertos da Sibéria antes de 1880, embora tivessem seguido em grande número para as estepes da Rússia europeia, cuja colonização fora mais ou menos completada por volta de 1880. Os poloneses apenas começaram a povoar as minas de Ruhr antes de 1890, embora os tchecos já se deslocassem para o sul de Viena. O grande período da emigração eslava, judaica e italiana para as Américas começaria em 1880. Na grande

* As cidades húngaras foram abertas para colônias judias apenas em 1840.

maioria, as Ilhas Britânicas, Alemanha e Escandinávia forneceram os imigrantes, exceto pelas minorias livres como os galegos e bascos, onipresentes no mundo hispânico.

Visto que a maioria dos europeus era de origem rural, assim eram os emigrantes. O século XIX foi uma gigantesca máquina para desenraizar os homens do campo. A maioria deles foi para as cidades ou, a qualquer preço, para fora do ambiente tradicional rural, em busca do melhor caminho que pudesse encontrar em mundos estranhos, assustadores, mas sobretudo promissores, onde se dizia que o pavimento das cidades era de ouro, embora alguns emigrantes não encontrassem mais do que um pouco de cobre. Não é exatamente verdade que as correntes migratórias fossem todas iguais. Alguns pequenos grupos de migrantes, sobretudo alemães e escandinavos, que seguiram para a região dos Grandes Lagos nos Estados Unidos, ou dos primeiros colonos escoceses no Canadá, trocaram um meio agrícola rural pobre por outro melhor: somente 10% dos emigrantes para os Estados Unidos, em 1880, foram para a agricultura, e a maioria não como fazendeiros, conforme um observador notou, "devido ao capital necessário para comprar e equipar uma fazenda", equipamento que sozinho poderia custar 900 dólares no início da década de 1870.[7]

Se a redistribuição dos homens do campo pelo globo não pode ser negligenciada, é contudo menos surpreendente do que o êxodo da agricultura. Migração e urbanização andavam juntas e, na segunda metade do século XIX, os países mais associados a esse processo (Estados Unidos, Austrália, Argentina) tinham uma taxa de concentração urbana não superada em nenhum lugar, exceto na Inglaterra e nas partes industrializadas da Alemanha. (Em 1890, as vinte maiores cidades do mundo ocidental incluíam cinco nas Américas e uma na Austrália.) Homens e mulheres transferiram-se para as cidades, embora (com certeza na Inglaterra) cada vez mais oriundos de outras cidades.

Se a transferência se dava dentro do próprio país, isso não levantava nenhum problema novo de técnica. Na maioria dos casos eles não iam muito longe, ou, se fossem, os caminhos para a cidade já haviam sido percorridos por parentes e vizinhos, como os vendedores ambulantes e trabalhadores sazonais na construção que havia muito vinham da França central para Paris, cujos números cresceram com as construções até que, depois de 1870, se transformassem de sazonais em migrantes permanentes.[8] Novas rotas eram às vezes abertas pela tecnologia, tais como a estrada de ferro que trouxe os bretões a Paris para perder sua fé (como no provérbio) nos portões da estação de Montparnasse e para preencher os bordéis da cidade com seus habitantes mais característicos. Garotas da Bretanha substituíram as da Lorena como as prostitutas mais conhecidas.

As mulheres migrantes entre países tornaram-se em sua maioria empregadas domésticas, até que se casavam com um compatriota ou passavam para alguma ocupação urbana. A migração de famílias ou mesmo de casais era incomum. Os homens seguiam o comércio tradicional de suas regiões ao se transferirem para as cidades — os galeses do condado de Cardiganshire se tornavam leiteiros aonde quer que fossem, os de Auvergne comercializavam combustível — ou, no caso de serem especializados, sua própria profissão; ou então, se comerciantes, alguma forma de pequeno comércio, sobretudo de alimentos ou bebidas. Caso contrário, eles encontravam emprego sobretudo nas duas grandes ocupações que não requeriam nenhuma especialização particular estranha a homens do campo, ou seja, construção e transporte. Em Berlim, em 1885, 81% dos homens engajados no suprimento de alimentos, 83,5% dos envolvidos em construção e mais de 85% em transporte tinham nascido fora da cidade.[9] Se eles não tinham muita chance nos empregos manuais mais especializados, exceto quando aprendizes em casa, por outro lado estavam em melhor situação do que os mais pobres nascidos na própria cidade. O pior dos quarteirões pobres era habitado mais frequentemente pelos nativos do que pelos emigrantes. No nosso período ainda não havia muita alternativa de trabalho fabril na maioria das grandes capitais.

A maior parte dessa estrita produção industrial encontrava-se nas cidades médias (embora crescendo rapidamente) ou mesmo — sobretudo nas minas e em algumas espécies de empresas têxteis — nas vilas e pequenas cidades. Ali não havia uma demanda comparável para mulheres imigrantes, exceto nos têxteis, e os empregos para os imigrantes homens eram, quase que por definição, não especializados e mal pagos.

Migrações através de fronteiras e oceanos levantavam problemas mais complexos, e isso não era de nenhuma forma devido ao fato de os imigrantes não entenderem a língua do país. Na realidade, a maior parte dos imigrantes, os das Ilhas Britânicas, não tinha dificuldades linguísticas significativas, embora alguns migrantes internos a tivessem dentro dos impérios multinacionais da Europa central e oriental. Entretanto, exceto pela língua, a emigração sem dúvida aumentou de forma aguda a questão de a que lugar homens e mulheres pertenciam (veja também o Capítulo 5). Se alguém permanecesse num país novo deveria ser obrigado a romper as ligações com o antigo, e se assim fosse, ele queria isso? A questão não se levantava na transferência para as colônias do Estado, onde era possível manter as nacionalidades inglesa ou francesa, fosse na Nova Zelândia ou na Argélia, pensando no velho país como "o lar". Levantava problemas mais agudos nos Estados Unidos, que recebiam imigrantes mas impunham que estes se transformassem rapidamente em cidadãos americanos falando inglês, pois qualquer cidadão racional não poderia desejar outra coisa senão ser americano. De fato, a maioria assim o fez.

A mudança de cidadania não implicava, evidentemente, o divórcio em relação ao velho país. Bem ao contrário. O imigrante típico, amontoado com seus iguais em um lugar estranho que o havia recebido de forma fria — a xenofobia militante contra os "não sabem nada" era uma resposta nativa americana ao influxo de irlandeses famintos nos anos 1850

—, voltava-se naturalmente para o único agrupamento humano que lhe era familiar e que podia ajudá-lo, a companhia dos compatriotas. A América que lhe havia ensinado as primeiras frases formais em inglês — "Ouço a sirene. Preciso me apressar"* — não era uma sociedade, mas um meio de fazer dinheiro. A primeira geração de imigrantes, por mais zelosa que fosse ao tentar aprender as técnicas da nova vida, terminava por viver num gueto autoimposto, apoiando-se nas velhas tradições, nos seus semelhantes e nas memórias do antigo país, que havia abandonado tão prontamente. Não foi a troco de nada que os sorridentes olhos irlandeses fizeram a fortuna de escritores boêmios que criariam o "negócio" da música popular moderna nas cidades dos Estados Unidos. Mesmo os ricos financistas judeus de Nova York, os Guggenheims, Kuhns, Sachs, Seligmanns e Lehmanns, que tinham o que o dinheiro podia comprar nos Estados Unidos, que era quase tudo, não eram americanos da forma como os Wertheimsteins em Viena consideravam-se austríacos, os Bleichroeders em Berlim consideravam-se prussianos e mesmo os internacionais Rothschilds em Londres e Paris consideravam-se ingleses e franceses. Eles permaneceram tanto alemães como americanos. Falavam,

* Podia-se ler numa brochura da *International Harvester Corporation*, feita para ensinar inglês aos trabalhadores poloneses, as frases subsequentes da primeira lição:

Ouço a sirene de cinco minutos
É hora de ir para a fábrica.
Apanho meu cartão no portão e o penduro no quadro do departamento.
Mudo minhas roupas e fico pronto para trabalhar.
Toca a primeira sirene do início do trabalho.
Como meu almoço.
É proibido comer antes disso.
A sirene toca a cinco minutos do início do trabalho.
Apronto-me para ir ao trabalho.
Trabalho até que a sirene toque novamente.
Deixo meu lugar limpo e bem-arrumado.
Preciso ir para casa.[10]

escreviam e pensavam em alemão, frequentemente enviavam seus próprios filhos para serem educados no antigo país, juntavam-se e apoiavam financeiramente associações germânicas.[11]

Mas a emigração levantou muito mais dificuldades materiais elementares. Os homens precisavam descobrir aonde ir e o que fazer ao chegar ao novo lugar. Eles precisavam ir para Minnesota de algum remoto fiorde norueguês; para o condado de Green Lake em Wisconsin, da Pomerânia ou Brandemburgo; para Chicago, de alguma vila em Kerry. O custo em si mesmo não era uma dificuldade insuperável, embora as condições de viagem para emigrantes através do oceano, especialmente nos anos após a Grande Fome irlandesa, fossem horríveis, senão assassinas. Em 1885, a passagem de um emigrante de Hamburgo para Nova York custava sete dólares, a passagem de navio de Southampton para Singapura, para a classe alta do comércio, havia sido reduzida de 110 libras nos anos 1850 para 68 libras nos anos 1880.[12] As tarifas eram baixas não apenas porque se considerava que o passageiro mais pobre não necessitava ou era mais merecedor de melhores acomodações do que os animais (mas afortunadamente necessitando de menos espaço), ou porque faltassem melhorias nas comunicações, mas também por razões econômicas. Emigrantes eram carga útil. Provavelmente para a maioria das pessoas, o custo da viagem para o porto final de embarque — Le Havre, Bremen, Hamburgo e sobretudo Liverpool — era bem maior que a travessia em si.

Mesmo assim, esse dinheiro não estava ao alcance dos mais pobres, embora tais somas pudessem ser facilmente economizadas e enviadas da América ou Austrália, com seus altos salários, para os parentes nos antigos países. De fato, tais pagamentos eram parte da vasta soma de remessas para o exterior de imigrantes que, não acostumados com os altos gastos de seus novos países, eram grandes poupadores. Os irlandeses sozinhos enviaram de volta entre 1 e 7 milhões de libras esterlinas anualmente, no começo da década de 1850.[13] Entretanto, quando o parente não podia ajudar, uma variedade de intermediários com interesses financeiros entrava em ação. Onde havia uma grande demanda por trabalho (ou terra*) de um lado, uma população ignorante das condições no país escolhido de outro e uma longa distância pelo meio, o agente ou contratador prosperava.

Tais indivíduos acumulavam seus lucros enviando gado humano para as companhias de navegação ansiosas por completar suas equipagens, para as autoridades públicas e companhias de estradas de ferro interessadas em povoar seus territórios vazios, para proprietários de minas, donos de siderurgicas e outros empregadores de trabalho primário, que necessitavam de braços. Os agentes eram pagos pelos empregadores e pelos centavos de indefesos homens e mulheres que talvez fossem forçados a atravessar metade de um continente estranho antes de embarcar para cruzar o Atlântico: da Europa central para o Havre, ou pelo Mar do Norte, e ao longo do enevoado vale dos Peninos para Liverpool. Podemos deduzir que eles geralmente exploravam a pobreza e a ignorância, embora os extremos do contrato de trabalho e servidão de dívida fossem talvez incomuns nesse período, exceto entre os indianos e os chineses enviados para as plantações. (Isso não significa que não houvesse muitos irlandeses que pagavam algum "amigo" do antigo país desnecessariamente, pelo privilégio de encontrar uma profissão no Novo Mundo.) Em geral, esses empresários da imigração não sofriam nenhum controle, exceto alguma supervisão quanto às condições sanitárias a bordo, depois das terríveis epidemias do final da década de 1840. Eles tinham a opinião pública dos influentes a seu favor. A burguesia de meados do século XIX ainda acreditava que a Europa era superpovoada por pobres. Quanto maior quantidade fosse embarcada para fora, melhor para todos eles (porque melhorariam suas condições) e melhor para os que ficassem (porque o mercado de traba-

---

* Assim, um ferreiro alemão em Princeton, Wisconsin, comprou terras de fazendas e as vendeu a crédito para seus compatriotas imigrantes.[14]

lho seria aliviado). Sociedades beneficentes, até sindicatos, trabalharam para arranjar subsídios para a emigração de seus clientes ou membros, como o único meio prático de lidar com o pauperismo e o desemprego. Parecia uma boa justificativa o fato de que, em nosso período, os países em processo de industrialização mais rápida fossem, ao mesmo tempo, os maiores exportadores de homens, como a Inglaterra e a Alemanha.

O argumento era, hoje se sabe, errado. A economia dos países que despachavam homens teria se beneficiado mais se tivesse empregado esses recursos humanos, em vez de expulsá-los. Por outro lado, as economias do Novo Mundo beneficiaram-se enormemente com o êxodo do Velho Mundo. E também os próprios imigrantes. O pior período de sua pobreza e exploração nos Estados Unidos parece ter ocorrido depois do final de nosso período.

Por que pessoas emigravam? Sobretudo por razões econômicas, quer dizer, porque eram pobres. Apesar das perseguições políticas depois de 1848, refugiados políticos ou ideológicos formavam apenas uma pequena fração da emigração de massa, mesmo em 1849-1854, embora houvesse um tempo em que os mais radicais dentre eles controlaram metade da imprensa em língua alemã nos Estados Unidos, onde aproveitavam para denunciar seu país de refúgio.[15] Seu ardor, entretanto, rapidamente arrefeceu, assim como ocorreu com a maioria dos imigrantes não ideológicos, que transferiram suas energias revolucionárias para a campanha antiescravista. A fuga de seitas religiosas procurando maior liberdade para prosseguir em suas atividades, frequentemente peculiares, era provavelmente menos significativa que no meio século precedente, pois os governos vitorianos não tinham uma posição muito forte ante a ortodoxia como tal, embora não achassem desagradável ver pelas costas os mórmons ingleses ou dinamarqueses, cuja tendência à poligamia causava problemas. Mesmo na Europa oriental, as ativas campanhas antissemíticas, que estimulariam a emigração em massa dos judeus, ainda eram coisa para o futuro.

As pessoas emigravam para escapar das más condições em casa ou para procurar melhores no exterior? Tem havido uma longa e inútil discussão sobre esse ponto. Não há dúvida de que pobres tendiam a emigrar mais do que ricos, e que eles tenderiam a fazê-lo mais ainda se as condições tradicionais de vida viessem a se tornar difíceis ou impossíveis. Assim, na Noruega, artesãos emigraram mais do que trabalhadores de fábrica; mais tarde foi a vez dos pescadores, quando a vela deu lugar ao motor. Há igualmente pouca dúvida de que nesse período, quando a ideia de arrancar velhas raízes era ainda estranha e assustadora para a maioria das pessoas, alguma forma de força cataclísmica ainda era necessária para levá-los ao desconhecido. Um trabalhador de fazenda de Kent, escrevendo da Nova Zelândia, agradeceu aos fazendeiros por havê-lo expulsado por causa de uma greve, pois agora ele se encontrava muito melhor: não teria pensado em partir de outra maneira.

Entretanto, como a emigração maciça tornava-se parte integrante da experiência do povo comum, em que cada criança do condado de Kildare tinha algum primo, tio ou irmão na Austrália ou nos Estados Unidos, a partida se tornou uma opção normal — e não necessariamente irreversível —, a partir de uma escolha de perspectivas, e não meramente uma força do destino. Se chegavam notícias de que havia sido descoberto ouro na Austrália, ou que empregos abundavam e eram bem pagos nos Estados Unidos, a emigração aumentava. Inversamente, caiu depois de 1873, quando a economia dos Estados Unidos encontrou-se em depressão aguda. Portanto, não pode haver dúvida de que a primeira grande onda de emigração de nosso período (1845-1854) foi essencialmente uma fuga da fome ou pressão da população na terra, basicamente na Irlanda e na Alemanha, que forneceu 80% de todos os emigrantes transatlânticos.

Nem era a emigração necessariamente permanente. Emigrantes — em que proporção não sabemos — sonhavam em fazer fortuna no exterior e depois voltar para casa, para suas vilas natais, ricos e respeitados. Uma grande proporção — entre 30% e 40% — realmente o fez, embora na maioria das vezes pela razão oposta, porque não tinham gostado do Novo Mundo ou tiveram dificuldades em lá se estabelecer. Outros emigraram novamente. À medida que as comunicações sofriam uma revolução, o mercado de trabalho, sobretudo para trabalhadores especializados, expandia-se até abarcar todo o mundo industrializado. A lista dos líderes sindicais desse período estava cheia de homens que haviam trabalhado no exterior, nos Estados Unidos ou em outro lugar qualquer, como teriam podido trabalhar tanto em Newcastle como em Barrow-in-Furness. Com efeito, agora era possível até para migrações temporárias ou sazonais de trabalhadores italianos ou irlandeses, de colheita ou de construção de ferrovias, a estender-se através dos oceanos.

De fato, o aumento maciço da emigração continha uma quantidade considerável de movimento não permanente — temporário, sazonal ou meramente nômade. Nada em si havia de novo nesses movimentos. O trabalhador de colheitas, o andarilho diarista, o latoeiro nômade, o vendedor ambulante, o carroceiro e o tropeiro eram familiares antes da revolução industrial. Porém, a rápida extensão mundial da nova economia iria pedir, e portanto criar, novos tipos de tais viajantes.

Consideremos o símbolo dessa extensão, a estrada de ferro. Seus construtores cobriam o globo, e com eles vinha o pessoal (de maioria inglesa ou irlandesa) composto de capatazes, trabalhadores especializados e elite dos trabalhadores; algumas vezes estabeleciam-se em algum país estrangeiro, seus filhos tornavam-se os anglo-argentinos da geração seguinte;* ou então moviam-se de país para país, como muitos dos homens ligados ao petróleo. Como estradas de ferro eram construídas em qualquer lugar, não se podia confiar necessariamente na força de trabalho local, mas, em

* As ferrovias da Índia tendiam a ter como pessoal os eurasianos, os filhos de mulheres indianas e trabalhadores ingleses, menos relutantes em miscigenar-se que as classes média e alta.

lugar disso, desenvolver um corpo de trabalhadores nômades (conhecidos na Inglaterra como *navvies*), que ainda caracteriza os grandes projetos de construção no mundo. Na maioria dos países industriais, eles eram recrutados entre homens marginais e sem lugar fixo, prontos para trabalhar duro por um bom pagamento, mesmo em más condições, prontos igualmente para beber ou jogar o dinheiro ganho, pensando pouco no futuro. Pois assim como para o marinheiro há sempre um outro navio, para esses cavadores ambulantes haveria também sempre um outro grande projeto de construção, quando o atual estivesse concluído. Homens livres nas fronteiras da indústria, chocando a respeitabilidade de todas as classes, heróis do folclore da masculinidade não oficial, eles assumiam o mesmo tipo de papel que os marinheiros, mineiros e exploradores de fronteiras, embora recebendo mais que os primeiros, porém sem ter a esperança de fortuna dos últimos.

Nas sociedades agrárias mais tradicionais, esses construtores móveis formavam uma importante ponte entre a vida rural e a industrial. Organizados em grupos ou equipes regulares no estilo de ceifeiros sazonais, liderados por um capitão eleito que negociava termos e partilhava das negociações dos contratos, camponeses pobres da Itália, Croácia ou Irlanda atravessariam continentes ou mesmo oceanos para fornecer trabalho aos construtores de cidades, fábricas ou estradas de ferro. Tais migrações desenvolveram-se nas planícies húngaras a partir da década de 1850. Os menos organizados frequentemente se ressentiam de uma eficiência superior e maior disciplina (ou docilidade), e a disposição para trabalhar por salários baixos dos camponeses.

Não é suficiente, entretanto, chamar a atenção para o crescimento daquilo que Marx denominou a "cavalaria ligeira" do capitalismo, sem observar também uma diferença significativa entre os países desenvolvidos; ou, mais precisamente, entre o Velho e o Novo Mundo. A expansão econômica produziu uma "fronteira" em todos os lugares. Algumas vezes, uma comunidade mineira, tal como em Gelsenkirchen (na Alemanha), que cresceu de 3.500 habitantes para quase 96 mil entre 1858 e 1895, era um "Novo Mundo" comparável aos centros industriais de Buenos Aires ou da Pensilvânia. Mas no Velho Mundo, em geral, a necessidade de uma população móvel foi obtida sem que todavia se criasse mais do que uma população flutuante comparativamente modesta, exceto nos grandes portos e nos centros tradicionais de população indolente ou não, como as grandes cidades. Isso talvez tenha acontecido porque seus membros possuíam algum sentido de comunidade, ligando-os a uma sociedade estruturada. Foi nas regiões escassamente povoadas ou além das fronteiras da colonização no além-mar, onde grupos de trabalhadores ambulantes eram mais necessários, que tais grupos de indivíduos flutuantes e genuinamente sem ligações fizeram sentir sua presença como um grupo, ou pelo menos foram mais "visíveis". O Velho Mundo estava cheio de pastores e tropeiros, mas nenhum deles atraiu a atenção como os *cowboys* americanos de nosso período, embora seus equivalentes na Austrália, os itinerantes criadores de ovelhas e outros trabalhadores rurais da hinterlândia, também tenham produzido um poderoso mito local.

2.

A forma característica de viagem para o pobre era a migração. Para a classe média e os ricos, era mais e mais turismo, essencialmente um produto da estrada de ferro, do barco a vapor e (até onde a invenção de nosso período, o cartão-postal, também é uma parte essencial do processo) da nova magnitude e rapidez das comunicações postais. (Estas foram sistematizadas internacionalmente com o estabelecimento da International Postal Union, em 1869.) Homens pobres nas cidades viajavam por necessidade, mas raramente por prazer, salvo a pé — as autobiografias dos artesãos vitorianos dedicados à autoajuda estão repletas de titânicas caminhadas campestres — e por períodos restritos. Os homens pobres do campo nunca viajavam somente por prazer, mas combinavam prazer com negócios nos mercados e feiras. A aristocracia viajava muito por razões não utilitárias, mas de uma forma que nada tem em comum com o turismo moderno. Famílias nobres mudavam-se das casas da cidade para as casas de campo regularmente nas estações, com um cortejo de empregados e veículos de carga como se fossem pequenos exércitos. (Aliás, o pai do príncipe Kropotkin dava à sua mulher e à criadagem ordens de marchar, dentro da tradição militar.) Eles poderiam também se estabelecer em algum centro adequado de vida social por algum tempo, como aquela família latino-americana (como atesta o *Guide de Paris* de 1867) que desembarcou com 18 vagões de bagagem. O Grand Tour dos jovens nobres ainda não implicava o Grand Hotel do turismo da era capitalista, em parte porque essa instituição ainda estava se desenvolvendo — mais ou menos em conexão com as estradas de ferro — e em parte também porque os nobres desdenhavam parar em hotéis de passagem.

O capitalismo industrial produziu duas novas formas de viagem de prazer: turismo e viagens de verão para a burguesia, e pequenas excursões mecanizadas para as massas, em alguns países como a Inglaterra. Ambas eram os resultados diretos da aplicação do vapor no transporte, pois pela primeira vez na História, viagens regulares e seguras eram possíveis para grandes quantidades de pessoas e bagagem, e por qualquer tipo de terreno ou água. Diferentemente das diligências, que poderiam ter seu caminho interrompido por bandoleiros em regiões remotas, as locomotivas estavam imunes desde o princípio — exceto no oeste americano —, mesmo em áreas notoriamente pouco seguras como na Espanha e nos Bálcãs.

As viagens de um dia para as massas, se excluirmos as excursões em navios, nasceram na década de 1850 — para ser mais preciso, na Grande Exposição de 1851, que atraiu um vasto número de visitantes para suas maravilhas em Londres, um trânsito encorajado pelas estradas de ferro com bilhetes a preços especiais e organizado pelos membros de inúmeras sociedades locais, igrejas e comunidades. O próprio Thomas Cook, cujo nome se tornaria sinônimo de turismo organizado nos 25 anos seguintes, começara sua carreira fazendo tais arranjos e mais tarde desenvolvendo-os em um grande negócio, a partir de 1851. As numerosas exposições internacionais (veja o Capítulo 2) traziam cada uma seu exército de visitantes, e a reconstrução de capitais encorajou cidades provincianas a exibir suas maravilhas. Pouco mais precisa ser dito sobre o turismo de massas nesse período. Permaneceu restrito a pequenas viagens, extenuantes para o padrão contemporâneo, trazendo na sua bagagem uma florescente indústria menor, a dos *souvenirs*. Em geral, as estradas de ferro (pelo menos na Inglaterra) tinham pouco interesse nas viagens de terceira classe, embora o governo as obrigasse a fornecer pelo menos um mínimo. Não antes de 1872, as estradas de ferro inglesas obtiveram 50% de suas passagens de passageiros comuns. Aliás, à medida que viagens regulares de terceira classe aumentavam, o trânsito de excursão em trens especiais tornava-se menos importante.

A classe média, porém, viajava com mais seriedade. A forma mais importante de tais viagens, em termos quantitativos, era provavelmente a das férias de verão da família ou (para os mais ricos e bem alimentados) um tratamento anual em uma estação de águas. O penúltimo quarto do século XIX viu um grande desenvolvimento de tais lugares — na costa da Inglaterra, nas montanhas do continente. (Embora Biarritz já fosse bastante famosa na década de 1860, graças ao patrocínio de Napoleão III e a pinturas impressionistas que demonstravam um interesse visível nas praias da Normandia, a burguesia do continente ainda não se sentia compromissada com a água salgada e o sol.) Em meados da década de 1860, um *boom* de férias característico da classe média já transformava partes da costa britânica, com lugares para passeios à beira-mar, *píeres* e outros embelezamentos que possibilitaram a proprietários de terras obter lucros insuspeitados de faixas de rochedos e de praias antes sem nenhum valor. Esses eram fenômenos de classe média e da baixa classe média. No total, as regiões de lazer da classe operária não se tornaram muito significativas até a década de 1880, quando então a nobreza e a pequena nobreza certamente não considerariam uma estada em Bournemouth (onde o poeta francês Verlaine passaria uma temporada) ou Ventnor (onde Turgenev e Karl Marx foram tomar um pouco de ar) uma atividade propícia para o verão.

As estações de águas do continente (as inglesas não tinham atingido tal proeminência) tinham muito mais estilo, proporcionando hotéis de luxo e os divertimentos necessários para clientela tão distinta, como cassinos e bordéis de alta classe. Vichy, Spa, Baden-Baden, Aix-les-Baines, mas sobretudo todas as grandes estações de águas da monarquia dos Habsburgos, Gastein, Marienbad, Karlsbad etc. eram para a Europa do século XIX o que Bath havia sido para a Inglaterra do século XVIII, lugares da moda para passear, justificados pela desculpa de beber alguma água mineral de gosto desagradável ou de mergulhar em alguma forma líquida, sob o controle do benevolente ditador, o médico.*

Entretanto, o fígado doente era um grande nivelador, e as estações de águas minerais atraíram uma boa quantidade de ricos não aristocráticos e profissionais de classe média, cujas tendências para comer e beber demasiadamente eram reforçadas pela prosperidade. Afinal, o dr. Kugelmann recomendou Karlsbad para um membro tão pouco típico da classe média como Karl Marx, que cuidadosamente registrou-se como "homem de meios privados", para evitar identificação até que descobriu que, como dr. Marx, ele poderia economizar uma *Kurtaxe*[16] mais ou

* Seu *status* é indicado pelo papel da diplomacia em nosso período. Napoleão encontrou Bismarck em Biarritz e Cavour em Plombières e uma Convenção foi de fato concluída em Gastein: antecedentes de numerosas conferências diplomáticas que ocorreram em algum lago ou riviera de 1890 a 1940.

menos elevada. Na década de 1840, poucos desses lugares haviam saído da simplicidade rural. Em 1858, o *Murray's Guide* descrevia Marienbad como um lugar "comparativamente recente" e indicava que Gastein tinha apenas duzentos quartos para hóspedes. Mas na década de 1860, todos esses lugares floresciam.

Sommerfrische (férias de verão) e *Kurort* (estação de águas) eram para os burgueses comuns; a França e a Itália tradicionalistas confirmam hoje que o descanso anual era então uma instituição burguesa. Para os mais delicados, um sol tépido era indicado, isso quer dizer invernos no Mediterrâneo. A Côte d'Azur havia sido descoberta pelo *Lord* Brougham, o político radical cuja estátua ainda domina a vista em Cannes e, embora os nobres russos viessem a se tomar seus clientes mais lucrativos, o nome "Promenade des Anglais" em Cannes ainda indica quem abriu essa nova fronteira do lazer opulento. Monte Carlo construiu seu Hotel de Paris em 1866. Depois da abertura do Canal de Suez, e especialmente depois da construção da estrada de ferro ao longo do Nilo, o Egito tornou-se o lugar para aqueles cuja saúde desaconselhava os úmidos outonos e invernos do norte, combinando as vantagens climáticas, o exotismo, os monumentos de antigas civilizações com a dominação (nesse estágio ainda informal) europeia. O incansável Baedeker editou seu primeiro guia para esse país em 1877.

Ir para o Mediterrâneo no verão, exceto com o objetivo de procurar arte e arquitetura, ainda se considerava loucura até o início do século XX, era do culto ao sol e às peles bronzeadas. Somente alguns lugares, como a baía de Nápoles e Capri, estabelecidos graças ao patrocínio da imperatriz da Rússia, eram toleráveis na estação quente. A modéstia dos preços locais, na década de 1870, indica uma era de início de turismo. Americanos ricos, saudáveis ou doentes — ou melhor, suas esposas e filhas —, faziam fila nos centros da cultura europeia, embora no final de nosso período os milionários já estivessem começando a estabelecer seu estilo de residências de verão do tipo Xanadus, construídas ao longo da costa da Nova Inglaterra. Os ricos dos países quentes tomaram o caminho das montanhas.

Precisamos, entretanto, distinguir duas formas de passeio: o mais longo (verão ou inverno) e o *tour*, que se tornava cada vez mais prático e rápido. Como sempre, as maiores atrações eram as paisagens românticas e os monumentos da cultura, mas pela década de 1860, os ingleses (pioneiros como sempre) exportavam sua paixão pelo exercício físico para as montanhas da Suíça, onde mais tarde encontrariam o esqui como esporte de inverno. O Clube Alpino foi fundado em 1858, e Edward Whymper escalou o Matterhom em 1865. Por razões de certa forma obscuras, tais atividades extenuantes, cercadas de um cenário inspirador, atraíam particularmente intelectuais e profissionais anglo-saxões de tendências liberais (talvez a companhia de fortes e charmosos guias nativos tenha algo a ver com isso), a ponto de o alpinismo juntar-se ao costume de fazer longas caminhadas como hábito característico dos acadêmicos de Cambridge, altos funcionários, professores de escolas privadas, filósofos e economistas, para surpresa de intelectuais latinos, mas não tanto dos alemães. Quanto aos viajantes menos ativos, seus passos eram guiados por Thomas Cook e os sólidos guias do período, sendo que o pioneiro *Murray's Guides* britânico começava a ser obscurecido por aquelas bíblias do turismo, os *Baedekers* alemães, então publicados em diversas línguas.

Esses *tours* não eram baratos. No início da década de 1870, uma viagem de seis semanas para duas pessoas de Londres via Bélgica, Vale do Reno, Suíça e França — talvez o itinerário turístico mais comum — custava cerca de 85 libras, ou aproximadamente 20% da renda anual de uma pessoa recebendo oito libras por semana, que seria o salário de um respeitável empregado doméstico naqueles dias.[17] Tal soma tomaria mais de três quartas partes do salário anual de um operário bem pago especializado britânico. É evidente que o turista que era objeto das estradas de ferro, hotéis, guias turísticos etc. pertencia à confortável classe média.

Estes eram os homens e mulheres que sem dúvida reclamavam do custo das casas desocupadas em Nice, que havia subido entre 1858 e 1876 de 64 libras para 100 por ano, e do salário de empregadas domésticas, que tinha igualmente subido de 8-10 libras para o escândalo de 24-30 por ano.[18] Mas essas também eram as pessoas que, é seguro dizer, podiam pagar tais preços.

Estava então o mundo da década de 1870 dominado por migrações, viagens e fluxo demográfico? É fácil esquecer que a maioria das pessoas deste planeta ainda vivia e morria no lugar onde havia nascido ou, mais precisamente, que toda essa movimentação não era maior ou diferente do que fora antes da revolução industrial. Havia certamente mais gente no mundo que se parecia com os franceses, 88% dos quais em 1861 viviam no *département* de nascimento — no *département* de Lot, 97% viviam ainda na paróquia de nascimento —, do que com populações mais móveis e migratórias.[19] E ainda assim as pessoas iam sendo gradualmente arrancadas de suas tradições, habituavam-se a viver de uma forma em que faziam coisas que seus pais nunca haviam feito e eles mesmos não esperavam fazer. Pelo final de nosso período, os imigrantes formavam uma substancial maioria, não apenas em países como a Austrália e cidades como Nova York e Chicago, mas em Estocolmo, Cristiânia (atualmente Oslo), Budapeste, Berlim e Roma (entre 55% e 60%), assim como em Paris e Viena (65%).[20] As cidades e as novas áreas industriais eram, cada vez mais, os magnetos que os atraíam. Que tipo de vida os esperava ali?

12. A CIDADE, A INDÚSTRIA, A CLASSE TRABALHADORA

"Agora eles até assam nosso pão diário
Com vapor e com turbina
E muito em breve, a nossa própria conversa
Vamos empurrá-la com uma máquina.

Em Trautenau há dois cemitérios na igreja,
Um para os ricos e outro para os pobres;
Nem mesmo na sepultura
É o pobre desgraçado seu igual."

Poema em *Trautenau Wochenblatt*, 1869[1]

"Nos velhos tempos, se alguém chamasse um artesão diarista de 'trabalhador', ele seria levado certamente a uma briga (...). Mas agora que disseram aos artesãos que os trabalhadores estão no topo do Estado, todos insistem em ser trabalhadores."

M. May, 1848[2]

"A questão da pobreza é a mesma que a da morte, doença, inverno ou qualquer outro fenômeno natural. Não sei qual delas é possível impedir."

William Makepeace Thackeray, 1848[3]

1.

Dizer que os novos migrantes chegaram ou que novas gerações nasceram num mundo de indústria e tecnologia é bastante óbvio, mas não muito esclarecedor em si. Que tipo de mundo era esse?

Era, em primeiro lugar, um mundo que não consistia apenas de fábricas, empregadores e proletários, ou que tivesse sido transformado pelo enorme progresso de seu setor industrial. Por mais espantosas que fossem, as mudanças trazidas pelo avanço da indústria e da urbanização em si mesmas não são adequadas para medir o impacto do capitalismo. Em 1866, Reichenberg (Liberec), o centro têxtil da Boêmia, ainda tirava metade de sua produção total dos teares dos artesãos, embora estes dependessem de algum modo de grandes fábricas. Era uma região sem dúvida menos avançada em organização industrial que Lancashire, onde os últimos desses trabalhadores manuais foram absorvidos por outras formas de trabalho, na década de 1850. Mas seria irreal afirmar que não era uma região industrial. No ponto culminante do *boom* do açúcar no início da década de 1870, apenas 40 mil trabalhadores foram empregados na indústria açucareira tcheca. Mas esse fato mede menos o impacto da nova indústria de açúcar do que o fato de a quantidade de acres ocupados na produção de açúcar de beterraba ter sido multiplicada, no campo da Boêmia, por vinte vezes entre 1853-1854 (4.800 hectares) e 1872-1873 (123.800 hectares).[4] O número dos passageiros nas linhas férreas na Inglaterra quase dobrou entre 1848 e 1854 — de cerca de 58 para 108 milhões —, enquanto a receita das companhias de carga multiplicou-se em duas vezes e meia; e isso é mais significativo que o percentual exato de mercadorias industriais ou de viagens de negócios ocultados por tais números.

E, ainda, o trabalho industrial em si mesmo, na sua estrutura e organização característica, e a urbanização — a vida nas cidades que cresciam rapidamente — eram certamente as formas mais dramáticas da nova vida; nova porque mesmo a continuação pura e simples de alguma ocupação local escondia mudanças de longo alcance. Alguns anos depois do fim de nosso período (1887), o professor alemão Ferdinand Toennies formulou a distinção entre *Gemeinschaft* (comunidade) e *Gesellschaft* (sociedade de indivíduos), gêmeos hoje familiares a qualquer estudante de sociologia. A distinção é similar a outras feitas por contemporâneos, o que o jargão posterior chamaria de sociedades "tradicionais" e "modernas" — por exemplo, a fórmula de *Sir* Henry Maine reduzindo o progresso da sociedade ao percurso "do *status* ao contrato". O ponto a observar, entretanto, é que Toennies baseou sua análise não na diferença entre comunidade camponesa e sociedade urbanizada, mas entre a cidade antiquada e a cidade capitalista, "essencialmente uma cidade comercial e, na medida em que o comércio domina o trabalho produtivo, uma cidade-fábrica".[5] Esse novo ambiente e sua estrutura são o objeto do presente capítulo.

A cidade era sem dúvida o mais impressionante símbolo exterior do mundo industrial, exceção feita à estrada de ferro. A urbanização cresceu rapidamente depois de 1850. Na primeira metade do século, somente a Inglaterra tivera uma taxa anual de urbanização superior a 0,20 pontos* embora a Bélgica praticamente atingisse aquele nível. Mas entre 1850 e 1890 até a Austro-Hungria, a Noruega e a Irlanda urbanizavam-se naquele ritmo, sendo que a Bélgica e os Estados Unidos atingiam entre 0,30 e 0,40, Prússia, Austrália e Argentina, entre 0,40 e 0,50, Inglaterra e País de Gales (ainda à frente por uma pequena margem), além da Saxônia, em mais de 0,50 por ano. Dizer que a concentração de pessoas em cidades era "o mais impressionante fenômeno do atual século"[7] era dizer o óbvio.

* Isso representa a mudança do ponto percentual no nível da população urbana entre o primeiro e o último censo do período, dividido pelo número de anos.[6]

Para os nossos padrões ainda era modesta — pelo final do século, pouco mais de uma dúzia de países havia atingido a taxa de concentração urbana da Inglaterra e do País de Gales em 1801. Porém todos (exceto Escócia e Holanda) já haviam atingido esse nível desde 1850.

A cidade industrial típica era nesse período uma cidade de tamanho médio, mesmo pelos padrões atuais, embora, como ocorreu na Europa central e na oriental, algumas cidades (que tendiam a ser muito grandes) também se tornassem centros maiores de produção — por exemplo, Berlim, Viena e São Petersburgo. Oldham tinha 83 mil habitantes em 1871, Barmen, 75 mil, Roubaix, 65 mil. Mas as antigas cidades pré-industriais de maior reputação geralmente não atraíam as novas formas de produção e, consequentemente, a nova região industrial típica tomava em geral a forma de pequenas vilas crescendo juntas, que se transformavam em pequenas cidades, que depois se desenvolviam em grandes cidades. Ainda não eram as ininterruptas áreas construídas do século XX, embora chaminés de fábricas, ao longo de vales, linhas férreas, a monotonia do tijolo descolorido e a nuvem de fumaça trouxessem uma certa coerência. Poucos de seus habitantes estavam a uma distância do campo superior a uma caminhada. Até a década de 1870, as grandes cidades da Alemanha industrial do oeste, tais como Colônia e Düsseldorf, alimentavam-se com os mantimentos trazidos ao mercado semanal pelos camponeses das regiões circunvizinhas.[8] Em certo sentido, o choque da industrialização residia precisamente no grande contraste entre as habitações escuras, monótonas, repletas de gente, e as fazendas coloridas circunvizinhas, como em Sheffield, "barulhenta, enevoada, detestável (mas)... envolta por todos os lados pelo campo mais encantador de todo este planeta".[9]

Isso possibilitava que trabalhadores em áreas em processo de industrialização — embora tal fenômeno diminuísse rapidamente — permanecessem meio agricultores. Até depois de 1900, os mineiros da Bélgica tiravam férias na estação certa (se necessário a partir de uma "greve de batatas") para ir tomar conta de suas plantações de batatas. Mesmo na Inglaterra do norte, os desempregados na zona urbana podiam facilmente voltar ao trabalho nas fazendas próximas em época de verão. Os tecelãos em greve em Padiham (Lancashire) se mantiveram produzindo feno em 1859.[10]

A grande cidade — quer dizer, um povoamento de mais de 200 mil habitantes incluindo um punhado de cidades metropolitanas de mais de meio milhão* — não era exatamente um centro industrial (embora pudesse contar com bom número de fábricas), mas mais precisamente um centro de comércio, transporte, administração e uma multiplicidade de serviços que atraía uma grande concentração de pessoas e, por sua vez, aumentava em número. A maioria de seus habitantes era de fato composta de trabalhadores, de um tipo ou de outro, incluindo um grande número de empregados domésticos — quase que um entre cinco habitantes de Londres (1851), mas uma proporção bem inferior em Paris.[12] Essas mesmas dimensões garantiam que tais cidades também contivessem uma boa porcentagem de classe média e baixa classe média entre 20% e 23%, tanto em Londres como em Paris.

Essas cidades cresceram com extraordinária rapidez. Viena cresceu de mais de 400 mil em 1846 para 700 mil em 1880, Berlim de 378 mil (1849) para quase 1 milhão (1875), Paris de 1 para 1,9 milhão e Londres de 2,5 para 3,9 milhões (1851-1881), embora esses números percam o brilho diante de alguns outros de além-mar: Chicago ou Melbourne. Mas a forma, a imagem e a estrutura da cidade haviam mudado, tanto sob

* Em meados da década de 1870, acreditava-se haver quatro cidades de mais de um milhão de habitantes na Europa (Londres, Paris, Berlim, Viena), seis com mais de meio milhão (São Petersburgo, Constantinopla, Moscou, Glasgow, Liverpool, Manchester) e 25 cidades com mais de 200 mil. Destas, cinco estavam no Reino Unido, quatro na Alemanha, três na França, duas na Espanha e uma em cada um dos seguintes países: Dinamarca, Hungria, Holanda, Bélgica, Polônia russa, Romênia e Portugal. Quarenta e uma cidades tinham mais de 100 mil habitantes, nove das quais no Reino Unido e oito na Alemanha.[11]

pressão para construção e planejamento politicamente motivado (sobretudo em Paris e Viena) como pela fome de lucro empreendedora. Nenhuma delas recebia bem a presença dos pobres nas cidades, que eram a maioria da população, embora todas reconhecessem que eles eram um mal necessário.

Para os planejadores de cidades, os pobres eram uma ameaça pública, suas concentrações potencialmente capazes de se desenvolver em distúrbios deveriam ser cortadas por avenidas e bulevares, que levariam os pobres dos bairros populosos a procurar habitações em lugares não especificados, mas presumidamente mais sanitarizados e certamente menos perigosos. Essa também era a política das estradas de ferro, que fazia suas linhas passarem pelo centro da cidade, de preferência pelo meio dos cortiços, onde os custos eram menores e os protestos negligenciáveis. Para os construtores e empreendedores, os pobres eram um mercado que não dava lucro, comparado ao dos ricos com seus negócios especializados e distritos de comércio, e também às sólidas casas e apartamentos para a classe média ou subúrbios em expansão. Quando os pobres não ocupavam os distritos centrais das cidades, abandonados pelas classes mais elevadas, suas habitações eram construídas por empresários especuladores ou pelos construtores dos grandes blocos desolados para aluguel, conhecidos na Alemanha como "barracões de aluguel" (*Mietskasernen*). Das casas populares construídas em Glasgow entre 1866 e 1874, 75% eram de um ou dois cômodos apenas, e mesmo assim foram rapidamente ocupadas.

Quem diz cidade de meados do século XIX diz "superpovoamento" e "cortiço", e, quanto mais rápido a cidade crescesse, pior era em superpopulação. Apesar da reforma sanitária e do pequeno planejamento que ali havia, o problema da superpopulação talvez tenha crescido nesse período sem que a saúde ou a taxa de mortalidade tenham melhorado, se é que não pioraram de fato. As maiores e dali em diante contínuas melhorias nesse setor só começaram a ocorrer no final de nosso período. As cidades ainda devoravam suas populações, embora as cidades inglesas, na qualidade de mais antigas da era industrial, estivessem próximas de se reproduzirem a si mesmas, isto é, crescerem sem a constante e maciça transfusão de sangue representada pela imigração.

Dar mais atenção às necessidades dos pobres não chegaria a dobrar o número dos arquitetos londrinos em vinte anos (de pouco mais de 1 mil para 2 mil — na década de 1830 eles deveriam perfazer menos de uma centena), embora a construção e o aluguel de cortiços viessem a se transformar num negócio bastante lucrativo, a julgar pela renda por pé cúbico do espaço de baixo custo.[13] Na realidade, o *boom* na arquitetura e na construção era tão notável precisamente por não desviar o fluxo de capital do que o jornal *The Builder* chamou em 1848 de a "metade do mundo... em busca de investimento" para "a outra metade continuamente em busca de razoáveis casas de família"[14] para servir o pobre urbano, que claramente não pertencia ao mundo. O período estudado foi a primeira era mundial de expansão na construção e nos bens imobiliários — para a burguesia. Sua história foi escrita, em relação a Paris, por Émile Zola. A época assistiria à construção de casas, em lugares caros, que aumentavam constantemente de preço, e consequentemente ao nascimento do "elevador", depois seguido da construção dos primeiros arranha-céus nos Estados Unidos, nos anos 1880. É importante lembrar que, no momento em que os negócios de Manhattan começaram a atingir os céus, o setor leste de Nova York era provavelmente o mais populoso cortiço do mundo ocidental, com mais de 520 pessoas por acre. Ninguém construía arranha-céus para eles: talvez para sorte deles.

Paradoxalmente, quanto mais a classe média crescia e florescia, drenando recursos para seu próprio sistema habitacional, escritórios, lojas de departamentos, que eram tão característicos do desenvolvimento da época, e para seus prestigiosos edifícios, relativamente menos recursos eram dedicados aos bairros da classe operária, exceto nas formas mais gerais de despesas públicas — ruas, esgotos, iluminação e utilidades públicas. A única forma de empresa privada (incluindo construção) que se dirigia basicamente ao mercado de massa, exceção feita ao mercado e pequena loja, eram a taverna — que se transformou no elaborado *gin--palace* da Inglaterra nas décadas de 1860 e 1870 — e sua cria, o teatro e o *music-hall.* Pois, na medida em que as pessoas ficavam urbanizadas, as antigas tradições e práticas, que elas haviam trazido do campo ou da cidade pré-industrial, tornavam-se irrelevantes ou impraticáveis.

2.

A cidade grande era um portento, embora só contivesse uma minoria da população. A grande empresa industrial era ali ainda pouco significativa. De fato, pelos padrões modernos, o tamanho de tais empresas não era muito expressivo, embora tendesse a aumentar. Na década de 1850, uma fábrica com trezentos trabalhadores na Inglaterra podia ser ainda considerada muito grande, e em 1871 uma fábrica média de tecidos inglesa empregava normalmente 180 pessoas, a maquinaria chegando a 85.[15] A indústria pesada, tão característica de nosso período, era muito maior do que isso, e tendia a desenvolver as concentrações de capital que controlavam cidades ou regiões inteiras, mobilizando vastos exércitos de trabalhadores sob seu comando.

Companhias de estradas de ferro eram gigantescos empreendimentos, mesmo quando construídas e dirigidas em condições de livre-iniciativa e competição, como normalmente não eram. Na época em que o sistema ferroviário inglês havia se estabilizado, no final da década de 1860, cada metro de trilho entre a fronteira escocesa, os montes Peninos, o mar e o rio Humber era controlado pela North-Eastern Railway. Minas de carvão eram ainda, na maioria dos casos, empreendimentos individuais e frequentemente pequenos, embora as dimensões dos ocasionais desastres mineiros deem alguma ideia da escala em que operavam: 145 mortos em Risca em 1860, 178 em Ferndale em 1867, 140 em Swaithe (Yorkshire), 110 em Mons (Bélgica) em 1875 e 200 em High Blantyre (Escócia) em 1877. De forma crescente, e em especial na Alemanha, a combinação do horizontal com o vertical produziu aqueles impérios industriais que controlavam a vida de milhares. A empresa conhecida desde 1873 como Gutehoffmungshütte A. G. não era a maior do Ruhr, mas já havia se estendido de siderurgia para exploração de pedreiras e minas de minério de ferro e de carvão, produzindo praticamente todas as 215 mil toneladas de ferro e a metade das 415 mil toneladas de carvão que a região do Ruhr inteira requeria — e havia se diversificado em transporte, laminação, construção de pontes, navios e uma grande variedade de máquinas.[16]

Não deve causar admiração o fato de que os Krupp em Essen cresceram de 72 trabalhadores em 1848 para quase 12 mil em 1873, ou que Schneider na França tivesse atingido 12.500 em 1870, de forma que mais da metade da população da cidade de Creusot trabalhava nos seus fornos, moinhos de laminação, prensas e maquinaria diversa.[17] A indústria pesada produziu não tanto a região industrial, mas a cidade da companhia, onde o destino de homens e mulheres dependia da fortuna e boa vontade de um único dono, atrás do qual estava a força da lei e do poder do Estado, que via essa autoridade como necessária e benfazeja.*

* O artigo 414 do Código Penal francês, conforme modificado em 1864, tornou crime para qualquer um entrar ou permanecer em greve com o objetivo de aumentar ou diminuir salários, ou de qualquer maneira interferir com o livre exercício da indústria e do trabalho, por meio da violência, ameaça ou fraude. Mesmo quando este não era o modelo da legislação local, como na Itália, representava a atitude quase que universal da lei.[18]

Pois, fosse pequena ou grande, era o "dono" e não a autoridade impessoal da "companhia" que dirigia os negócios, e até a companhia era identificada com um único homem, e não com um corpo de diretores. Nas mentes da maioria das pessoas, e na realidade, o capitalismo ainda significava um único homem, uma única família, donos de um negócio a coordenar. Mas esse mesmo fato veio a gerar alguns sérios problemas para a estrutura das empresas. Eles diziam respeito ao fornecimento de capital e à maneira de administrá-la.

A empresa característica da primeira metade do século tinha sido financiada, esmagadoramente, de forma privada — por exemplo, com recursos familiares — e sofrido expansão com o reinvestimento dos lucros, embora isso também pudesse significar que, com a maior parte do capital assim comprometida, a companhia talvez necessitasse de uma boa quantidade de crédito para suas operações correntes. Mas o tamanho e o custo crescentes de empreendimentos tais como estradas de ferro, atividades metalúrgicas e outras que requeriam um grande empate de capital inicial tornavam isso mais difícil, especialmente em países que estavam entrando em processo de industrialização, não dispondo de grandes acumulações de capital privado para investimento. É verdade que em alguns países tais reservatórios de capital já estavam disponíveis, não suficientes apenas para suas próprias necessidades, mas também prontos para serem exportados (com uma adequada taxa de juros) para o resto da economia mundial. Nesse período os ingleses investiram no exterior como nunca antes e, segundo alguns, como nunca depois. Assim também o fizeram os franceses, provavelmente em detrimento de suas próprias indústrias, que cresceram a uma taxa inferior à de suas rivais. Mas mesmo na Inglaterra e na França, precisavam ser encontradas novas formas de mobilizar tais recursos, ou de canalizá-los convenientemente para as empresas, de organizar sociedades de acionistas em vez de atividades financiadas privativamente.

O período foi, assim, fértil para experimentos na mobilização de capital para o desenvolvimento industrial. Com a notável exceção da Inglaterra, a maioria das transações, de uma maneira ou de outra, envolvia os bancos, direta ou indiretamente, ou eram feitas pela forma de então, o *crédit mobilier*, uma espécie de companhia industrial financeira que via os bancos ortodoxos como insuficientemente preparados para (ou desinteressados em) o financiamento industrial, competindo com eles. Os irmãos Pereire, estes dinâmicos industrialistas inspirados pelas ideias de Saint-Simon e desfrutando de algum apoio de Napoleão III, desenvolveram o protótipo desta invenção. Eles se espalharam por toda a Europa, competindo com seus maiores rivais, os Rothschilds, que não gostaram da ideia, mas foram obrigados a segui-la, e — como frequentemente acontece em períodos de grande expansão da economia, em que financistas sentem-se heróis e o dinheiro corre — sendo muito imitados, especialmente na Alemanha. *Crédits mobiliers* eram a sensação, pelo menos até que os Rothschilds venceram a batalha contra os Pereires e — como também normalmente ocorre em períodos de grande expansão econômica — alguns operadores se aventuraram um pouco longe demais, atravessando a tênue fronteira que separa o otimismo nos negócios da fraude. Entretanto, uma variedade de outras soluções com objetivos similares estava também sendo desenvolvida, especialmente o banco de investimento ou *banque d'affaires*. E evidentemente as Bolsas de Valores, agora trabalhando principalmente com as ações das empresas comerciais e de transportes, floresciam como nunca. Em 1856, a Bolsa de Paris sozinha apresentava uma lista de 33 companhias de estradas de ferro e canais, 38 companhias de mineração, 22 companhias metalúrgicas, 11 portuárias e de navios, 7 de transportes urbanos, 11 de gás e 42 de vários empreendimentos industriais, indo de têxteis a ferro galvanizado e borracha, com um valor total de 5,5 milhões de francos-ouro, um pouco mais de 25% de todas as ações comercializadas.[19]

Até que ponto, realmente, eram requeridas essas vastas mobilizações de capital? Em que medida eram elas eficazes? Industriais nunca apreciaram muito os financistas e tentaram sempre ter o mínimo possível a ver com banqueiros. "Lille", escreveu um observador local em 1869, "não é uma cidade capitalista, é antes de tudo um grande centro industrial e comercial",[20] onde os homens aplicavam seus lucros de volta nos negócios, não brincavam com eles, e onde todos esperavam nunca ter de pedir emprestado a bancos. Nenhum industrial gostava de ficar à mercê de credores. Mas às vezes precisavam fazê-lo. Krupp cresceu tão rapidamente entre 1855 e 1866 que ficou sem capital. Há um elegante modelo histórico, segundo o qual quanto mais atrasada a economia e quanto mais tardio o início da industrialização, maior a dependência nos métodos de mobilização de recursos e poupança em larga escala. Nos países desenvolvidos ocidentais, recursos privados e mercado de capital eram bastante adequados. Na Europa central, os bancos e instituições similares tinham que atuar muito na qualidade de sistemáticos "desenvolvedores" da história. Mais a leste, sul e além-mar, os governos tinham que apoiar-se em si mesmos, geralmente com a ajuda de investimento estrangeiro, fosse para garantir capital ou, talvez mais corretamente, fazer que os investidores tivessem seus dividendos garantidos (ou pelo menos pensassem que tinham), dividendos que sozinhos mobilizariam seu dinheiro ou realizariam atividades econômicas eles mesmos. Fosse qual fosse a validade dessa teoria, não há dúvida de que, em nosso período, os bancos (e instituições similares) tinham um papel muito mais relevante como atores do desenvolvimento e direção da indústria na Alemanha, o grande recém-chegado industrial, do que em qualquer outro país no Ocidente. Se eles apenas pretendiam ser — como os *crédits mobiliers* — ou eram realmente eficazes no papel, é uma questão mais obscura. Provavelmente eles não eram particularmente especialistas, até que os grandes industriais, então reconhecendo a necessidade de um financiamento muito mais elaborado do que antigamente, colonizaram os grandes bancos, como fizeram de forma crescente na Alemanha, a partir da década de 1870.

As finanças não afetaram muito a organização dos negócios, mas talvez tenham influenciado sua política. O problema da direção era mais complicado. No modelo básico da empresa individual ou em mãos de uma única família, a autocracia patriarcal familiar, esse era um problema irrelevante para as indústrias da segunda metade do século XIX. "O melhor aprendizado é aquele que vai de boca em boca", dizia um manual alemão em 1868. "Deixem o empreendedor dar o exemplo por si mesmo, onipresente e sempre accessível, e suas ordens sejam reforçadas pelo exemplo pessoal que seus empregados têm constantemente diante dos olhos."[21] Esse conselho, adequado a artesãos ou fazendeiros, era válido também para os pequenos escritórios de contabilidade ou mesmo grandes banqueiros e comerciantes, na medida em que a instrução era um aspecto essencial da gerência nos novos países em via de industrialização. Até homens com os conhecimentos básicos de artesãos (de preferência em metais) precisavam aprender a habilidade do trabalhador especializado de fábrica. A grande maioria dos trabalhadores especializados da Krupp e de todas as empresas de maquinaria alemãs parece ter sido treinada no trabalho dessa maneira. Somente na Inglaterra os empregadores podiam confiar no suprimento de trabalhadores *self-made* que já tinham experiência industrial. O paternalismo de tantos empreendimentos no continente devia alguma coisa a essa longa associação entre os trabalhadores e as empresas onde cresceram e das quais dependiam. Mas os senhores dos trilhos, minas e siderúrgicas não podiam olhar paternalmente por cima dos ombros de seus empregados todo o tempo, e certamente não o fizeram.

A alternativa e o complemento à instrução eram o comando. Mas nem a autocracia da família, nem as operações em pequena escala da indústria especializada e do comércio supriam a necessidade de direção para as grandes organizações capitalistas. Assim, paradoxalmente, a iniciativa privada em seu período mais irrestrito e anárquico tendeu para os únicos modelos disponíveis de gerência em grande escala, o militar e o burocrático. As companhias de estradas de ferro, com suas pirâmides de trabalhadores uniformizados e disciplinados, possuindo segurança de trabalho, promoção por tempo de serviço e até mesmo pensões, são um exemplo extremo. O apelo exercido pelos títulos militares, que ocorria livremente entre os primeiros executivos ingleses de estradas de ferro e os executivos dos grandes portos, não era apenas devido ao orgulho em relação às hierarquias de soldados e oficiais (como era o caso dos alemães), mas à inabilidade da iniciativa privada em determinar uma forma específica de gerência para os grandes negócios. Havia vantagens evidentes do ponto de vista organizacional. Mas não resolvia o problema de manter os trabalhadores no emprego de forma leal, diligente e modesta. Tudo ia muito bem nos países onde uniformes estavam na moda — e eles certamente não o estavam na Inglaterra e nos Estados Unidos —, encorajando entre os trabalhadores as virtudes militares dos soldados, e entre elas sem dúvida a de ser mal pago.

> Sou um soldado, um soldado da indústria,
> E como você, tenho minha bandeira.
> Meu trabalho tem enriquecido a pátria.
> Vou lhe dizer, meu destino é glorioso. [22]

Assim cantava um poetastro em Lille (França). Mas mesmo esse patriotismo era insuficiente.

A era do capital encontrou dificuldades em acertar os termos com semelhante problema. A insistência da burguesia na lealdade, disciplina e modesta satisfação não podia realmente esconder sua verdadeira percepção de que o que fazia os trabalhadores trabalharem era algo bem diferente. Mas o que era então? Na teoria, eles deveriam trabalhar para deixar de serem trabalhadores logo que possível, entrando então no universo burguês. Como "E.B." colocou nas *Songs for English Workmen to Sing,* em 1867:

> Trabalhem, rapazes, trabalhem e fiquem satisfeitos
> Desde que vocês tenham o suficiente para comprar uma refeição;
> O homem em quem vocês podem confiar
> Ficará rico mais e mais
> Somente se puser seus ombros na roda.[23]

Embora essa esperança pudesse ser suficiente para alguns que tivessem conseguido subir e sair da classe operária, e talvez também para um número maior que estava além de sonhar ao ler *Self-Help* de Samuel Smiles (1859) e outros manuais, era perfeitamente evidente que a maioria dos trabalhadores permaneceria trabalhadora por toda a vida, e de fato o sistema econômico requeria deles exatamente isso. A promessa de uma insígnia de marechal de campo em cada mochila nunca teve realmente a intenção de promover todos os soldados a marechais.

Se a promoção não era um incentivo adequado, seria então o dinheiro? Mas era um axioma dos empregadores de meados do século XIX que os salários precisavam ser mantidos o mais baixo possível, embora empreendedores inteligentes com experiência internacional como Thomas Brassey, o construtor de estradas de ferro, começassem a apontar para o fato de que o trabalho do operário inglês bem-pago era realmente mais barato que o do abissalmente mal pago *coolie,* pois a produtividade do primeiro era muito superior. Mas tais paradoxos não eram suficientes para convencer homens de negócios criados dentro da teoria econômica do *wage-fund,* que acreditavam ser ela uma demonstração científica de que aumentar salários era impossível, e que os sindicatos estavam portanto condenados ao fracasso. A "ciência" tornou-se um pouco mais flexível a partir de 1870, quando o trabalhismo organizado começou a parecer um ator permanente na cena industrial, em vez de aparecer apenas como um extra. A grande autoridade em economia, John Stuart Mill (1806-1873), que chegou a simpatizar pessoalmente com o trabalhismo, modificou sua posição na questão em 1869, depois do que a teoria do *wage-fund* perderia sua autoridade canônica. Mas não haveria ainda mudanças nos princípios dos negócios. Poucos empregadores tinham a intenção de pagar mais do que precisavam.

Além disso, economia à parte, nos países do Velho Mundo a classe média acreditava que os trabalhadores deveriam ser pobres, não apenas porque sempre tinham sido, mas também porque a inferioridade econômica era um índice adequado da inferioridade de classe. Se, como aconteceu ocasionalmente — por exemplo na grande *expansão* de 1872-1873 —, alguns trabalhadores chegassem a receber suficientemente para se darem o luxo de desfrutar por um breve momento dos privilégios que os empregadores olhavam como seus direitos naturais, a indignação seria sincera e viria do fundo do coração. O que é que mineiros tinham a ver com pianos de cauda e *champagne*? Em países com carência de trabalhadores, hierarquia social subdesenvolvida e uma população trabalhadora truculenta e democrática, as coisas poderiam ser diferentes; mas na Inglaterra e na Alemanha, na França e no Império dos Habsburgos, diferentemente da Austrália e dos Estados Unidos, o máximo adequado para a classe trabalhadora era uma quantidade suficiente de comida boa e decente (preferivelmente sem muita bebida), uma habitação modesta e lotada, vestimenta adequada para proteger a moral, e saúde e conforto, sem arriscar uma tendência à imitação dos superiores na escala social. Esperava-se que o progresso capitalista viesse finalmente levar os trabalhadores para perto desse ideal, e infelizmente (embora isso não fosse inconveniente para manter os salários baixos) muitos ainda estavam abaixo desse nível. Portanto, era desnecessário, indesejável e perigoso aumentar salários além daquele limite.

De fato, as teorias econômicas e os princípios aceitos do liberalismo de classe média não iam muito bem juntos. Em certo sentido, as teorias triunfaram. Mais e mais em nosso período, a relação de salário seria crescentemente transformada em uma relação de mercado. Consequentemente, vimos o capitalismo inglês da década de 1860 abandonar formas de compulsão não econômica do trabalho (tais como a lei do "Patrão e Empregado", que punia as quebras de contratos por parte dos trabalhadores com a cadeia), contratos de longo prazo (tais como o *annual bond* [contrato anual] dos mineiros de carvão do norte) e pagamentos em gêneros enquanto a duração média de contratos era diminuída, o período médio de pagamento gradualmente reduzido para uma semana ou mesmo um dia ou uma hora, deixando portanto a barganha no mercado muito mais sensível e flexível. Por outro lado, as classes médias teriam ficado chocadas se os trabalhadores exigissem de fato um tipo de vida que elas consideravam exclusivo, e mais ainda se eles viessem a consegui-lo. Desigualdade de vida e expectativas eram inerentes ao sistema.

Isso limitava os incentivos econômicos que os patrões estavam preparados para conceder. Eles desejavam ligar os salários à produção por vários sistemas de *piece-work* (trabalho por empreitada), que parecem haver se espalhado durante nosso período, e assinalar que os trabalhadores deviam agradecer por ter afinal algum trabalho, pois havia um grande exército industrial de reserva do lado de fora esperando por aqueles empregos.

Pagamentos conforme resultados tinham algumas vantagens evidentes: Marx considerou essa a melhor forma de retribuição por salários para o capitalismo. Fornecia um incentivo genuíno para o trabalhador intensificar o seu trabalho e, consequentemente, aumentar sua produtividade, uma garantia contra a negligência em geral, uma solução para reduzir a conta de salários em tempos de Depressão, assim como um método adequado — pelo corte do valor das tarefas — para reduzir os custos do trabalho e impedir que salários aumentassem mais do que era necessário e conveniente. Também dividia os trabalhadores entre si, pois o que recebiam podia variar enormemente dentro do mesmo estabelecimento, ou diferentes tipos de trabalho poderiam ser pagos com formas inteiramente diferentes. Algumas vezes, os especializados faziam o papel de subempregadores, pagos por produção, contratando então assistentes não especializados por horas de trabalho e controlando o que esses produziam. O problema era que, onde já não fosse parte da tradição, a introdução do trabalho por empreitada enfrentava alguma resistência, especialmente por parte dos especializados, visto que era um arranjo muito complexo e obscuro, não apenas para os trabalhadores, mas também para os empregadores, que não tinham, na maioria das vezes, nenhuma ideia das normas de produção que deveriam ser estabelecidas. Também, não era fácil de ser aplicado em algumas ocupações. Os trabalhadores tentaram remover essas desvantagens reintroduzindo o conceito de salário básico previsível e impossível de ser achatado, que seria um "salário-padrão", determinado pelos sindicatos ou por práticas informais. Os empregadores estavam prestes a remover essas ideias por aquele processo que seus defensores americanos chamariam de "gerência científica" (*scientific management*), mas no nosso período eles estavam ainda tateando em busca de uma solução.

Talvez isso tenha levado a uma ênfase maior no outro incentivo econômico. Se um fator dominava a vida dos trabalhadores do século XIX, esse fator era a *insegurança*. Eles não sabiam no princípio da semana quanto levariam para casa na sexta-feira. Não sabiam quanto tempo duraria o emprego atual ou, se viessem a perdê-lo, quando voltariam a encontrar outro e em que condições. Não sabiam que acidentes ou doenças os afetariam e, embora não ignorassem que algum dia no meio da vida — talvez quarenta anos para os trabalhadores não especializados, talvez cinquenta para os especializados — iriam tornar-se incapazes para o trabalho físico pleno e adulto, não sabiam o que aconteceria entre esse momento e a morte. Era diversa a insegurança dos camponeses à mercê de periódicas — e, para sermos honestos, muitas vezes assassinas — catástrofes tais como secas e fome, mas capazes de prever com maior precisão como um homem ou uma mulher pobre passaria a maioria dos dias da vida do nascimento até a morte. A primeira era uma imprevisibilidade mais profunda, apesar do fato de que a maioria dos trabalhadores era contratada por longos períodos de suas vidas por um único empregador. Não havia certeza no trabalho mesmo para os mais especializados: durante o colapso de 1857-1858, o número de trabalhadores na indústria de engenharia em Berlim caiu em quase uma terça parte.[24] Não existia nada que correspondesse à moderna segurança social, exceto caridade e auxílio a indigentes, mas algumas vezes nem isso.

Para o mundo do liberalismo, insegurança era o preço a pagar por progresso e liberdade, sem mencionar riqueza, e tornava-se tolerável pela contínua expansão econômica. Segurança deveria ser comprada — pelo menos algumas vezes — não por homens e mulheres livres, mas, como a terminologia inglesa especificava muito bem, por "empregados" — cuja liberdade era bastante limitada: empregados domésticos, empregados de estradas de ferro, servidores civis etc. Na realidade, o maior grupo entre estes, os empregados domésticos urbanos, não desfrutava da segurança das famílias favorecidas da nobreza e pequena nobreza tradicionais, mas frequentemente viam-se diante da insegurança na sua pior forma: demissão imediata sem uma carta de recomendação do antigo senhor para futuros empregadores ou, mais comumente, empregadoras. Pois o mundo dos burgueses estabelecidos também era considerado basicamente inseguro, um estado de guerra no qual a qualquer momento eles poderiam ser as vítimas da concorrência, fraude ou desastre econômico, embora os homens de negócios que eram vulneráveis a esse ponto talvez formassem apenas uma pequena minoria das classes médias, e a penalidade do fracasso raramente era o trabalho manual, menos ainda as instituições para pobres. O risco mais sério para eles incidia sobre as mulheres da casa, parasitas involuntárias que dependiam do homem que as sustentava, correndo o risco da viuvez.

A expansão econômica mitigava essa constante insegurança. Não há muita evidência de que salários reais na Europa tenham começado a aumentar antes do final da década de 1860, mas mesmo antes que o sentimento geral de que os tempos melhoravam passasse a ser uma certeza nos países desenvolvidos, o contraste com as décadas desesperadas e sofridas de 1830 e 1840 era palpável. Nem o aumento súbito no custo de vida nos anos 1853-1854, nem a catástrofe financeira de 1858 trouxeram distúrbios sociais sérios. A verdade é que a grande expansão econômica havia fornecido emprego — em casa e para os imigrantes no exterior — numa escala sem precedentes. Embora más, as dramáticas depressões cíclicas nos países desenvolvidos pareciam agora menos uma prova de quebra econômica do que interrupções temporárias de crescimento. Não havia evidentemente falta de trabalho, visto que os exércitos de reserva da população rural (em casa e fora) estavam agora pela primeira vez avançando *en masse* sobre os mercados de trabalho. O fato de que a competição destes últimos não reverteu o que os estudiosos achavam ser uma melhoria evidente mas pequena em tudo, menos no meio em que vivia a classe operária, sugere que o ímpeto e a escala dessa expansão econômica eram realmente imensos.

O trabalhador, porém, muito diferente da classe média, estava a uma distância mínima do miserável, e via a insegurança como constante e real. Ele não tinha reservas significativas. Aqueles que podiam viver de economias por algumas semanas eram considerados "uma classe rara".[25] Até os salários dos especializados eram modestos. Em tempos normais, um capataz numa tecelagem em Preston que, com seus sete filhos empregados, ganhasse quatro libras por semana, numa semana de pleno emprego, teria sido objeto de inveja de seus vizinhos. Mas não foram precisas muitas semanas da epidemia de fome em Lancashire (devido à interrupção do suprimento de algodão dos Estados Unidos, por causa da Guerra Civil) para reduzir essa mesma família à miséria. O caminho normal ou mesmo inevitável da vida passava por estes abismos nos quais o trabalhador e sua família provavelmente cairiam: o nascimento de crianças, a velhice e a impossibilidade de continuar o trabalho. Em Preston, 52% de todas as famílias operárias com crianças abaixo da idade laboral, trabalhando em tempo integral num ano de comércio memorável (1851), poderiam esperar viver abaixo da linha de miséria.[26] A idade avançada era uma catástrofe a ser esperada com estoicismo, um declínio na capacidade de produção a partir dos 40, quando a força física começava a decair — especialmente para os menos especializados —, seguida de pobreza e, poucas vezes, de caridade. Para a classe média, os meados do século XIX foram a idade de ouro das pessoas em idade madura, quando os homens atingiam o ponto culminante de suas carreiras, renda e atividade, e o declínio fisiológico ainda não havia se tornado muito óbvio. Para os oprimidos — trabalhadores de ambos os sexos e mulheres de todas as classes —, a flor da vida só desabrochava na juventude.

Nem incentivos econômicos, nem insegurança forneciam um mecanismo geral realmente efetivo para manter o trabalho no seu ponto máximo; os primeiros porque sua amplitude era limitada, a última porque parecia quase tão inevitável quanto o clima. As classes médias achavam esse argumento de difícil compreensão. Por que deveriam ser exatamente os melhores, mais capazes e sóbrios trabalhadores, aqueles com maior tendência a formar sindicatos, visto que eles eram precisamente os que mereciam os melhores salários e o emprego mais regular? Mas os sindicatos eram de fato compostos e liderados por esses homens, embora a mitologia burguesa visse os sindicatos como multidões de estúpidos e desencaminhados, instigados por agitadores que não conseguiriam obter uma melhor forma de vida de outra maneira. Certamente não havia nenhum mistério nisso. Os trabalhadores que eram objeto de competição entre empregadores não eram apenas aqueles que tinham poder de barganha para fazer a existência de sindicatos possível, mas também os mais conscientes de que "o mercado" sozinho não lhes garantia nem segurança, nem aquilo a que eles pensavam ter direito.

Entretanto, desde que eles não se organizassem — e algumas vezes mesmo quando chegavam a fazê-lo —, os trabalhadores proporcionavam a seus empregadores uma solução para o controle do trabalho: na sua esmagadora maioria, eles gostavam de trabalhar e suas expectativas eram espantosamente modestas. Os não especializados ou recém-chegados do interior mostravam-se orgulhosos de sua força, vindo de um meio onde o trabalho pesado era o critério do valor de uma pessoa e onde mulheres eram escolhidas não pela aparência, mas pela potencialidade para o trabalho. "Minha experiência, tem mostrado", declarou um superintendente de siderurgia americano em 1875, "que os alemães, irlandeses, suecos e aquilo que eu chamo de *Buckwheats* — jovens americanos do campo —, criteriosamente misturados, produzem a força mais efetiva e tratável que se possa encontrar"; de fato, qualquer coisa era melhor do que "ingleses, que são os grandes defensores de salários altos, produção pequena e greves".[27]

Por outro lado, os especializados eram sensíveis aos incentivos (não capitalistas) do orgulho e conhecimento de suas especializações. Até as máquinas desse período, de ferro e bronze, limpas e polidas com o toque do amor, em condições perfeitas de funcionamento depois de um século (tanto que ainda sobrevivem), são um vivo exemplo disso. O catálogo sem fim dos objetos dispostos nas exposições internacionais, embora horrível do ponto de vista estético, era um monumento para orgulho daqueles que os construíram. Esses homens não aceitavam muito bem as ordens e supervisão e estavam frequentemente fora de qualquer controle efetivo, exceto pelo coletivo de suas oficinas. Eles também recusavam produção por empreitada ou qualquer método para fazer com que suas tarefas, complexas e difíceis, fossem realizadas mais rapidamente, ou que rebaixassem a qualidade do trabalho digno. Mas se eles não trabalhavam nem mais rapidamente do que o que o trabalho pedia, não trabalhavam nem menos devagar: ninguém precisava oferecer-lhes incentivos especiais para que dessem o melhor de si. "Um dia justo de trabalho por um dia justo de pagamento" era seu lema, e se eles esperavam que o pagamento os satisfizesse, esperavam também que o trabalho deixasse todos satisfeitos, inclusive eles mesmos.

Mas, é claro, essa visão essencialmente não capitalista do trabalho beneficiava mais aos empregadores que aos operários. É necessário observar que os compradores no mercado de trabalho operavam segundo o princípio de comprar mais barato e vender mais caro, embora às vezes ignorantes dos métodos de avaliação corretos. Mas os vendedores não estavam geralmente pedindo o salário máximo que o mercado pudesse aguentar e oferecendo em troca a quantidade mínima de trabalho possível. Estes últimos estavam apenas buscando uma forma decente de ganhar a vida: estavam apenas tentando melhorar um pouco. Em resumo, embora naturalmente não fossem insensíveis às diferenças entre salários altos e baixos, estavam comprometidos mais com a vida humana do que com transações econômicas.*

3.

Mas é possível falar dos "trabalhadores" como uma categoria única ou como uma classe? O que havia em comum entre grupos de pessoas frequentemente tão diferentes em termos de meio, origem social, formação, situação econômica ou mesmo língua e costumes? Nem mesmo a pobreza, pois embora para os padrões da classe média todos tivessem baixas rendas — exceto em paraísos do trabalho como a Austrália na década de 1850, onde os trabalhadores em composições de jornais ganhavam até 18 libras por semana —,[28] pelos padrões dos pobres havia uma grande diferença entre os "artesãos" bem-pagos ou regularmente empregados, que imitavam as vestimentas da respeitável classe média nos domingos ou mesmo no caminho para o trabalho, e os trabalhadores famintos que nem sabiam de onde viria a próxima refeição, ou a de sua família. Todos estavam realmente unidos por um sentido comum do trabalho manual e da exploração, e de forma crescente, pelo destino comum de viverem do salário. Eles estavam unidos pela crescente segregação da sociedade burguesa, cuja riqueza crescia dramaticamente, enquanto a situação dos trabalhadores permanecia precária, uma burguesia que se tornava mais

* O exemplo extremo deste contraste ocorreu no campo do esporte de massas profissional, embora as formas atuais estivessem ainda em sua infância neste período. Um jogador profissional do futebol inglês que surgiu no fim dos anos 1870 trabalharia — e isso até depois da Segunda Guerra Mundial — somente por um salário e mais a glória e sorte ocasional, embora seu valor de transferência no mercado logo alcançasse milhares de libras. O momento em que o astro do futebol esperou ser pago por seu valor de mercado marca uma transformação fundamental no esporte, obtida muito antes nos Estados Unidos que na Europa.

e mais restrita e inflexível na admissão dos que vinham de baixo.* Pois havia uma real diferença entre as modestas conquistas de conforto que um trabalhador bem-sucedido ou mesmo um ex-trabalhador poderiam almejar e as brutais acumulações de riqueza. Os trabalhadores foram empurrados para uma consciência comum não apenas pela polarização social, mas, nas cidades pelo menos, por um estilo comum de vida — no qual a taverna ("a igreja do trabalhador", como um burguês liberal a chamou) tinha um papel central — e por um estilo comum de pensamento. Os menos conscientes tendiam a ser tacitamente laicizados, os mais conscientes radicalizavam-se: os que apoiaram a Internacional nas décadas de 1860 e 1870, os futuros seguidores dos socialistas. Os dois fenômenos estavam interligados, pois a religião tradicional fora sempre um liame de unidade social dentro do ritual de afirmação da comunidade. Mas as procissões e cerimônias comuns atrofiaram-se em Lille, durante o Segundo Império. Os trabalhadores especializados de Viena, cuja piedade e ingênua alegria na pompa católica Le Play havia notado na década de 1850, ficaram indiferentes a essas coisas. Em menos de duas gerações haviam transferido sua fé para o socialismo.[30]

Os grupos heterogêneos dos "trabalhadores pobres" sem dúvida tenderam a fazer parte do "proletariado" nas cidades e regiões industriais. A importância crescente dos sindicatos na década de 1860 registrou bem essa circunstância, e a existência da Internacional — para não mencionar a força — teria sido impossível sem ela. Porém os "trabalhadores pobres" não eram apenas um conjunto de grupos díspares. Eles se haviam, especialmente nos anos desesperados da primeira metade do século, fundido

* Em Lille, a classe alta (burguesa) cresceu de 7% a 9% da população entre 1820 e 1873-1875, mas sua riqueza deixada em testamento cresceu de 58% a 90%. As classes populares, que cresceram de 62% para 68%, deixaram apenas 0,23% de suas fortunas em testamento. Embora estes números fossem pequenos em 1821, chegavam ainda a 1,4%.[29]

numa massa homogênea de descontentes e oprimidos. Essa homogeneidade estava agora sendo perdida. A era do capitalismo liberal estável e florescente oferecia à "classe trabalhadora" a possibilidade de aumentar seu quinhão coletivo com uma organização coletiva. Mas aqueles que permaneciam meramente uma miscelânea de "pobres" não podiam esperar muito dos sindicatos, e menos ainda das Sociedades de Ajuda Mútua. Sindicatos eram, especialmente, organizações que favoreciam minorias, embora greves pudessem ocasionalmente mobilizar as massas. Além disso, o capitalismo oferecia ao trabalhador individual perspectivas diferentes de melhorias em termos burgueses, que porções maiores da população trabalhadora eram incapazes ou estavam sem vontade de obter.

Uma fissura, portanto, apareceu dentro daquilo que se transformava, de modo crescente, na "classe operária". Ela separava os "trabalhadores" dos "pobres", ou melhor, "os respeitáveis" dos "não respeitáveis". Em termos políticos (veja o Capítulo 6), separava pessoas como o "artesão inteligente", ao qual os radicais de classe média ingleses estavam ansiosos para dar o voto, das perigosas massas esfarrapadas que eles estavam ainda determinados a excluir.

Nenhum termo é mais difícil de analisar que "respeitabilidade" na classe trabalhadora de meados do século XIX, pois expressava simultaneamente a penetração de padrões e valores da classe média e também as atitudes sem as quais não teria sido possível criar o amor-próprio da classe operária, assim como não seria possível construir um movimento de luta coletiva: sobriedade, sacrifício, o adiamento da gratificação. Se o movimento dos trabalhadores tivesse sido claramente revolucionário, ou pelo menos radicalmente segregado do mundo da classe média (como havia sido antes de 1848 e voltaria a sê-lo na era da Segunda Internacional), a distinção seria suficientemente clara. Porém, no nosso período, a linha entre melhoria individual e coletiva, entre imitar a classe média e derrotá-la com as próprias armas, era difícil de traçar. Onde devemos situar William Marcroft (1822-1894)? Ele poderia ser facilmente apresentado como um modesto exemplo do *self-help* ("ajuda a si mesmo") de Samuel Smiles — filho ilegítimo de um empregado de fazenda e uma tecelã, sem nenhuma educação formal, que começou como um trabalhador na indústria têxtil em Oldham, passando a capataz numa companhia de engenharia até que, em 1861, estabeleceu-se de forma independente como dentista, morrendo com 15 mil libras acumuladas, o que não era nada desprezível para um radical-liberal por toda a vida e advogado da moderação. Mas seu lugar modesto na história também é devido à sua paixão (igualmente por toda a vida) pela produção cooperativa (isto é, socialismo por meio de "ajuda a si mesmo"), à qual ele dedicou todos os seus dias. Por outro lado, William Allan (1813-1874) era sem dúvida nenhuma um defensor da luta de classes e, nas palavras de seu obituário, "em questões sociais inclinava-se para a escola de Robert Owen". No entanto, esse trabalhador radical, formado na escola revolucionária de antes de 1848, deixaria sua marca na história do trabalhismo como o cauteloso, moderado e acima de tudo eficiente administrador do maior dos sindicatos de trabalhadores especializados do "novo modelo", a Amalgamated Society of Engineers; era um anglicano praticante e "em política, um liberal consistente, avesso a qualquer tipo de politicagem".[31]

O fato é que o trabalhador capaz e inteligente, sobretudo se especializado, oferecia tanto o principal esteio do controle social da classe média e de disciplina industrial no trabalho quanto os melhores indivíduos para a autodefesa coletiva dos trabalhadores. Fornecia o primeiro porque o capitalismo estável, próspero e em expansão, precisava dele, proporcionando-lhe perspectivas de melhoria modesta que lhe pareciam inevitáveis. Por outro lado, a grande revolução parecia mais o último momento de uma era que o início de uma grande mudança: na melhor das hipóteses, uma vibrante lembrança; na pior, uma prova de que não existem atalhos dramáticos para o progresso. Mas o trabalhador capaz e inteligente também oferecia o segundo, porque (com a possível exceção dos Estados Unidos, aquela terra que parecia prometer ao pobre um meio pessoal de livrar-se de uma pobreza que se arrastava por toda a vida, de sair da classe operária, e proporcionar a cada cidadão igualdade diante de todos) as classes trabalhadoras sabiam que o mercado livre liberal por si só não lhes daria os direitos nem lhes supriria as necessidades. Eles precisavam se organizar e lutar. A "aristocracia do trabalho" inglesa, uma camada peculiar a esse país onde a classe de pequenos produtores independentes, lojistas etc. era relativamente insignificante, como o era também a baixa classe dos *white-collars* e burocratas menores, ajudou a transformar o Partido Liberal em um partido de apelo genuinamente de massa. Ao mesmo tempo, formava o coração do movimento sindical, incomumente poderoso. Na Alemanha, mesmo os trabalhadores mais "respeitáveis" eram empurrados para as fileiras do proletariado pela distância que os separava da burguesia e pela força das classes intermediárias. Ali o homem que mergulhava nas associações de "melhoria" (*Bildungsvereine*) na década de 1860 — havia mil desses clubes em 1863, 2 mil em 1872 somente na Baviera — afastava-se rapidamente do liberalismo de classe média dessas associações, embora não tanto da cultura de classe média que ali lhe fora inculcada.[32] Eles se transformariam no pessoal dirigente do novo movimento social-democrata, especialmente depois do fim de nosso período. Mas eles eram trabalhadores com amor-próprio, "respeitáveis" e, por causa disso, levaram o bom e o mau lado de sua respeitabilidade para o partido de Lassalle e Marx. Somente onde a revolução parecia ser a *única* solução plausível para as condições dos trabalhadores pobres, ou onde — como na França — a tradição de insurreição e república social revolucionária era a tradição política dominante do povo trabalhador, a "respeitabilidade" era um fator relativamente insignificante, ou restrito às classes médias e àqueles que desejavam identificar-se com elas.

E os outros? Embora fossem objeto de muito mais interesse que as classes trabalhadoras "respeitáveis" (bem menos nessa geração do que antes de 1848 ou depois de 1880), deles sabemos muito pouco, exceto pela pobreza e abandono a que estavam relegados. Não expressavam opiniões publicamente, e raramente eram requisitados mesmo por aquelas organizações sindicais, políticas ou outras que se preocupavam em chegar até eles. Mesmo o Exército de Salvação, criado tendo especificamente esses setores pobres "não respeitáveis" em mente, não conseguiu tornar-se mais do que uma atração de entretenimento público (com seus uniformes, bandas e hinos) e uma fonte útil de caridade. De fato, para a maioria dos trabalhos não especializados e extenuantes, as organizações que começavam a dar expressão ao movimento trabalhista dos "respeitáveis" eram inatingíveis. Grandes levantes de cunho político, tal como o cartismo na década de 1840, podiam recrutá-los: os verdureiros de Londres (vendedores de mercado) descritos por Henry Mayhew eram todos cartistas. Grandes revoluções poderiam inspirar, talvez apenas brevemente, até os mais oprimidos e apolíticos: as prostitutas de Paris foram decididamente a favor da Comuna em 1871. Mas a era do triunfo burguês não era precisamente uma era de revoluções ou mesmo de movimentos de massas políticos. Bakunin não estava talvez inteiramente errado ao supor que naquele momento o espírito de uma insurreição pelo menos potencial estava talvez mais entre os marginais e o subproletariado, embora se enganasse bastante ao vê-los como base para um movimento revolucionário. A miscelânea dos pobres apoiou a Comuna de Paris, mas seus ativistas eram os especializados e artesãos; as seções mais marginais entre os pobres — os adolescentes — estavam pouco representadas entre eles. Os adultos, especialmente os suficientemente velhos, para ter uma memória acerca de 1848, mesmo que falha, eram os revolucionários característicos de 1871.

A linha que dividia os trabalhadores pobres entre militantes potenciais do movimento trabalhista e o restante não era distinta, mas certamente existia. "Associação" — a formação livre e consciente de sociedades democráticas voluntárias para melhorias e defesa social — era a fórmula mágica da época liberal; através dela, até os movimentos trabalhistas que abandonariam o liberalismo se desenvolveram.[33] Aqueles que quisessem e pudessem efetivamente "associar-se" deveriam dar de ombros e desprezar os que não quisessem ou pudessem, e não apenas as mulheres, virtualmente excluídas do mundo das formalidades dos clubes e de suas propostas de associados. As fronteiras daqueles setores da classe trabalhadora — que poderia incluir os artesãos independentes, lojistas e mesmo pequenos comerciantes — que seriam reconhecidos como forças sociais e políticas coincidiam com o mundo dos clubes: Sociedades de Ajuda Mútua, ordens fraternas de beneficência (geralmente com fortes rituais), coros, clubes de esportes e ginástica e mesmo associações religiosas voluntárias num extremo, e associações políticas e de trabalho no outro. Estas últimas cobriam uma parte variada mas substancial da classe operária — talvez uns 40% no final de nosso período na Inglaterra. Mas deixavam muitos de fora. Estes eram os objetos e não os sujeitos da era liberal. Os outros esperaram e conseguiram muito pouco; eles conseguiram menos ainda.

É difícil, olhando retrospectivamente, formar uma ideia equilibrada das condições de todos esses trabalhadores, devido a um aspecto: a lista dos países onde havia cidades e indústrias modernas era agora muito maior e, consequentemente, o nível de desenvolvimento industrial que representavam. Portanto, generalizações não são fáceis, e seu valor é circunscrito mesmo se nos limitarmos — e precisamos fazê-lo — aos países relativamente desenvolvidos em oposição aos atrasados, às classes trabalhadoras urbanas em distinção aos setores camponeses e agrários. O problema é determinar um meio-termo entre, de um lado, a violenta pobreza que ainda dominava a vida da maior parte dos trabalhadores pobres, o meio físico e moral repulsivo que cercava muitos deles e, de outro, a melhoria geral das condições e perspectivas que vinha ocorrendo desde a década de 1840. Porta-vozes satisfeitos de parte da burguesia tendiam a dar maior ênfase a essas melhorias, embora ninguém pudesse negar o que *Sir* Robert Giffen (1837-1900), olhando para o meio século da história inglesa de 1883, chamou cuidadosamente de "um resíduo ainda não desenvolvido", ou que as melhorias, "mesmo quando medidas por um ideal baixo, ainda são muito pequenas", ou então que "ninguém pode contemplar as condições das massas populares sem desejar alguma coisa como uma revolução para que elas melhorem".[34] Reformadores sociais menos satisfeitos, embora não negando as melhorias — no caso da elite de trabalhadores cujas qualificações relativamente escassas colocavam-nos numa condição de vendedores privilegiados no mercado de trabalho —, pintavam um retrato menos cor-de-rosa:

> Sobram ainda [escrevia Miss Edith Simcox, no começo da década de 1880] (...) uns 10 milhões de trabalhadores de cidades, incluindo todos os mecânicos e trabalhadores cujas vidas não estão ameaçadas pela miséria. Nenhuma linha precisa pode ser traçada entre os trabalhadores que podem e os que não podem ser contados entre "os pobres"; há um fluxo constante, e exceto aqueles que sofrem de má remuneração crônica, artesãos, assim como mercadores e camponeses, estão todos constantemente mergulhando, com culpa ou não, nas profundezas da miséria. Não é fácil julgar quantos dentre estes 10 milhões pertencem à próspera aristocracia das classes trabalhadoras, aquela camada com a qual os políticos entram em contato e da qual saem aqueles que a sociedade apressadamente acolhe como "trabalhadores representativos" (...). Eu confesso que deveria estimar que apenas um pouco mais de 2 milhões de trabalhadores especializados, representando uma população de 5 milhões, esteja vivendo habitualmente com alguma facilidade e segurança de qualquer espécie (...).

> Os outros 5 milhões incluem os trabalhadores e operários menos especializados, homens e mulheres cujo salário máximo lhes proporciona as necessidades e decência mínimas da existência e para os quais, por conseguinte, qualquer azar significa miséria, uma queda rápida na penúria.[35]

Mas mesmo essas impressões bem informadas e intencionadas eram um tanto otimistas, por duas razões. Primeiro, porque (como pesquisas sociais disponíveis a partir do final da década de 1880 deixam claro) os trabalhadores pobres — que formavam aproximadamente 40% da classe trabalhadora de Londres — pouco desfrutavam das "decências mínimas da existência", mesmo pelos padrões austeros aplicados para os setores mais baixos. Segundo, porque o "estado de alguma facilidade e segurança de qualquer espécie" representava demasiado pouco. A jovem Beatrix Potter, vivendo anonimamente entre os operários têxteis de Bacup, não teve dúvida de que houvesse partilhado das vidas da "confortável classe operária" — dissidentes e colaboradores, uma comunidade fechada excluindo os "não respeitáveis" e marginais, cercada pelo "bem-estar geral e boa remuneração", sendo os chalés "confortáveis e mobiliados, e as refeições excelentes". E mesmo essa observadora perspicaz descreveria aqueles mesmos indivíduos — quase sem perceber o que estava descrevendo — como parecendo vítimas de excesso de trabalho físico nos períodos de grande comércio, comendo e dormindo muito pouco, fisicamente exaustos para esforços intelectuais, sempre à mercê "do esgotamento, significando falta de conforto físico". A profunda e simples fé puritana desses homens e mulheres era, como ela via, uma resposta ao medo das "vidas gastas e fracassadas".

> "Vida em Cristo" e esperança em outro mundo transformam conforto e refinamento na mera luta pela existência, acalmando a busca desenfreada pelas boas coisas desta vida com "uma outra existência", e fazendo do fracasso um "meio de atingir a graça", em vez de uma busca incansável do sucesso.[36]

Esse não é o quadro de famintos prestes a se rebelar nos seus cortiços, mas também não é um quadro de homens e mulheres "melhores, muito melhores do que eram cinquenta anos atrás", e menos ainda de uma classe que "tivera todo o benefício material dos últimos cinquenta anos" (Giffen),[37] como economistas liberais satisfeitos e ignorantes sustentavam. Era um quadro de pessoas com amor-próprio e autoconfiança, cujas expectativas eram enormemente modestas, mas conscientes de que poderia ser bem pior, que talvez se lembrassem de tempos quando eram bem mais pobres, e que se viam frequentemente perseguidas pelo espectro da miséria (como entendiam o termo). O padrão de vida da classe média não seria jamais este, e o pauperismo estava sempre próximo. "Ninguém deve usar muito de uma coisa boa, porque senão se gasta dinheiro com muita facilidade", disse um dos hospedeiros de Beatrix Potter, colocando o cigarro que ela havia lhe oferecido em cima da lareira depois de uma ou duas baforadas, guardando-o para a noite seguinte. Aquele que esquecer que essa era a forma pela qual homens e mulheres pensavam sobre os bens de suas vidas, naqueles dias, não será certamente a pessoa indicada para julgar a pequena mas genuína melhoria que a grande expansão capitalista trouxe para uma parte substancial das classes trabalhadoras no nosso período. E a distância que as separava do mundo burguês era imensa — e intransponível.

13. O MUNDO BURGUÊS

"Você sabe que pertencemos a um século em que os homens são valorizados apenas pelo que são. Todos os dias algum chefe pouco enérgico ou sério é forçado a descer os degraus da sociedade que parecia pertencer-lhe de forma permanente, e algum balconista inteligente e esperto toma-lhe o lugar."

Mme. Motte-Bossut a seu filho, 1856[1]

"Com seus rebentos à volta, eles aquecem-se no calor de seu sorriso. Uma inocência infantil e alegre ilumina suas faces contentes. Ele é sagrado, eles o honram, ele é adorável, eles o adoram. Ele é seguro, eles o estimam, ele é firme, eles o temem.
Seus amigos são os mais excelentes dentre os homens.
Ele retorna à casa bem-arrumada."

Martin Tupper, 1876[2]

1.

Precisamos olhar agora a sociedade burguesa. Os fenômenos mais superficiais são às vezes os mais profundos. Comecemos nossa análise dessa sociedade, que atingiu seu apogeu no período de que tratamos, pela aparência das roupas que seus membros usavam, pelos interiores que os cercavam. "O traje faz o homem", dizia um ditado alemão, e nenhuma época seguiu mais à risca tal ideia do que a época em que a mobilidade social poderia de fato colocar numerosas pessoas dentro da situação histórica inteiramente nova de desempenhar papéis sociais novos (e superiores), tendo que usar as roupas apropriadas. Não havia muito que o austríaco Nestroy escrevera sua farsa descontraída e um pouco amarga *O talismã* (1840), onde as aventuras de um pobre homem ruivo são dramaticamente alteradas pela aquisição e subsequente perda de uma peruca preta. O lar era a quintessência do mundo burguês, pois nele, e apenas nele, podiam os problemas e contradições daquela sociedade ser esquecidos ou artificialmente eliminados. Ali, e somente ali, os burgueses e mais ainda a família pequeno-burguesa podiam manter a ilusão de uma alegria harmoniosa e hierárquica, cercada pelos objetos materiais que a demonstravam e a faziam possível, a vida de sonho que encontrou sua expressão culminante no ritual doméstico sistematicamente criado e desenvolvido para esse fim: a celebração do Natal. A ceia de Natal (celebrada por Dickens), a árvore de Natal inventada na Alemanha mas rapidamente aclimatada na Inglaterra graças ao patrocínio real e a canção de Natal — mais conhecida pela *Stille Nacht* alemã — simbolizavam ao mesmo tempo o frio do mundo do lado de fora, o calor do círculo familiar do lado de dentro e o contraste entre os dois.

A impressão mais imediata do interior burguês de meados do século é a de ser demasiadamente repleto e oculto, uma massa de objetos, frequentemente escondidos por cortinas, almofadas, tecidos e papéis de parede, e sempre muito elaborados, qualquer que fosse seu material. Nenhum quadro sem uma moldura dourada, ornamentada, entalhada ou mesmo coberta de veludo, nenhuma cadeira sem tecido de proteção, nenhuma peça de tecido sem borla, nenhuma peça de madeira sem o toque do torno mecânico, nenhuma superfície sem algum tecido ou objeto repousando em cima. Isso era sem dúvida um sinal de riqueza e *status*: a bela austeridade dos interiores Biedermayer refletia mais a severidade das finanças burguesas das províncias alemãs do que um gosto inato, e a mobília dos quartos dos empregados, por seu lado, era nua. Objetos expressavam seu custo e, no tempo em que a maioria dos objetos domésticos era produzida ainda por processos manuais, a elaboração representava um índice adequado para expressar o valor de objetos caros. O custo também comprava conforto, que era tanto visível como experienciado. Mesmo assim, os objetos eram mais do que meramente utilitários ou símbolos de *status* e sucesso. Tinham valor em si mesmos como expressões de personalidade, como sendo o programa e a realidade da vida burguesa, e mesmo como *transformadores* do homem. No lar tudo isso era expresso e concentrado. Daí a sua grande acumulação.

Esses objetos, como as casas que os continham, eram *sólidos*, um termo usado caracteristicamente para melhor elogiar uma empresa de comércio. Eram construídos para durar para sempre, e duravam. Ao mesmo tempo, precisavam expressar as aspirações mais altas e espirituais da vida por sua beleza, salvo quando expressavam por meio de sua mera existência como os livros e os instrumentos musicais, que permaneciam surpreendentemente funcionais no seu *design*, exceto por alguns floreados exteriores, ou quando faziam parte do mundo das utilidades domésticas, como peças para a cozinha ou bagagem. Beleza significava decoração, pois a simples construção das casas da burguesia ou os objetos que as mobiliavam não eram suficientemente grandiosos para oferecer apoio espiritual ou moral em si mesmos, como as grandes estradas de ferro e navios a vapor. A parte de fora das casas permanecia funcional: a questão era relativa ao interior, uma vez que pertencessem ao mundo burguês, como ocorria com os novos carros-dormitórios Pullman (1865) e os restaurantes e quartos de primeira classe dos navios a vapor, que tinham *décor*. Beleza, portanto, significava decoração, uma coisa aplicada à superfície dos objetos.

Essa dualidade entre solidez e beleza expressava uma grande divisão entre o material e o ideal, o corpóreo e o espiritual, muito típica do mundo burguês, pois espírito e ideia dependiam da matéria e podiam ser expressos somente pela matéria ou, pelo menos, pelo dinheiro que pudesse comprá-la. Nada era mais espiritual do que a música, mas a forma característica em que ela entrava no lar burguês era o piano, um aparato excessivamente grande, rebuscado e caro, mesmo quando reduzido — para o benefício de uma camada mais modesta aspirante a valores burgueses — às dimensões mais manuseáveis de um piano vertical (*pianino*). Nenhum interior burguês era completo sem ele; todas as filhas diletas da burguesia eram obrigadas a praticar escalas sem fim naquele instrumento.

A ligação entre moral, espiritualidade e miséria, tão óbvia nas sociedades não burguesas, não fora inteiramente eliminada. Reconhecia-se geralmente que a busca exclusiva de coisas mais elevadas era não remunerada, exceto no que tocava a algumas artes mais vendáveis, e mesmo assim a prosperidade seria alcançada somente nos anos maduros: o estudante pobre ou o jovem artista, na qualidade de professor particular ou de convidado para o jantar de domingo, eram reconhecidamente uma parte subalterna da família burguesa, e seguramente apenas naquelas partes do mundo onde a cultura fosse altamente respeitada. Mas a conclusão definitiva era que não havia uma contradição entre a busca de sucesso material e mental, porém um era a base necessária para o outro. Como o romancista E. M. Forster colocou no período áureo da burguesia: "Entravam os dividendos, elevavam-se grandiosos pensamentos". O destino mais adequado a um filósofo era o de nascer filho de banqueiros, como George Lukács. A glória do saber alemão, o *Privatgelehrter* (estudioso particular), era depender de renda própria. Era correto que o pobre erudito judeu casasse com a filha do comerciante local mais rico, por ser impensável que uma comunidade que admirava a cultura remunerasse seus luminares com algo mais tangível que elogios.

Essa dualidade de matéria e espírito implicava uma hipocrisia que observadores não simpáticos ao mundo burguês consideravam uma característica não apenas difusa mas fundamental deste mundo. Em nenhum outro aspecto isso era mais óbvio, no sentido literal de ser visível, do que em questões de sexo. Não quer dizer que o burguês (homem) de meados do século XIX (ou aqueles que aspiravam a ser como ele) fosse simplesmente desonesto, pregando uma moralidade e deliberadamente praticando outra, embora o hipócrita consciente seja mais facilmente encontrável onde a diferença entre a moralidade oficial e as demandas da natureza humana seja instransponível, e a sociedade do período o era. Certamente Henry Ward Beches, o grande pregador nova-iorquino do puritanismo, deveria ter evitado manter tumultuados casos de amor extraconjugais, ou então ter escolhido uma carreira que não lhe exigisse ser um advogado tão proeminente da moderação sexual; embora ninguém possa deixar de simpatizar com a má sorte que o ligou, em meados da década de 1870, à bela feminista e defensora do amor livre Victoria Woodhull, uma senhora cujas convicções tornavam difícil manter a privacidade.*

Mas é puro anacronismo pensar, como vários escritores recentes do "The Other Victorians" têm feito, que a moralidade sexual oficial da época fosse mera fachada.

Em primeiro lugar, essa hipocrisia não era simplesmente uma mentira, exceto talvez entre aqueles cujas preferências sexuais fossem tão irresistíveis quanto publicamente inadmissíveis, por exemplo, políticos proemi-

---

* Essa esplêndida mulher, uma de duas irmãs igualmente atraentes e emancipadas, deu a Marx alguns momentos de irritação, por causa de seus esforços para converter a seção americana da Internacional em um órgão de propagação de amor livre e espiritualismo. As duas irmãs saíram-se muito bem de suas relações com o comodoro Vanderbilt, que tomava conta de seus interesses financeiros. Mais tarde, casou-se bem e morreu na atmosfera de respeitabilidade da Inglaterra, em Bredon's Norton, Worcestershire.[3]

nentes dependendo de votos puritanos ou respeitáveis negociantes homossexuais em cidades provincianas. Não havia absolutamente hipocrisia nos países (sobretudo católicos) onde um comportamento francamente duplo era aceito: castidade para mulheres solteiras e fidelidade para as casadas, a caça livre de todas as mulheres (exceto talvez filhas casadoiras das classes médias e altas) por todos os jovens burgueses solteiros, e uma infidelidade tolerada para os casados. Aqui as regras do jogo eram perfeitamente entendidas, incluindo a necessidade de uma certa discrição nos casos onde a estabilidade da família ou da propriedade burguesa pudesse ser ameaçada: paixão, como qualquer italiano da classe média ainda conhece, é uma coisa, "a mãe dos meus filhos" é outra bem diferente. A hipocrisia entrava nesse tipo de comportamento apenas por esperar-se que as mulheres burguesas permanecessem totalmente fora do jogo, quer dizer, na ignorância do que os homens (e outras mulheres) faziam. Nos países protestantes, esperava-se que a moralidade das restrições sexuais e da fidelidade atingisse os dois sexos, mas o próprio fato de que isso era percebido mesmo por aqueles que a quebravam levava-os não exatamente à hipocrisia, mas ao tormento pessoal. É bastante ilegítimo tratar uma pessoa em tal situação como um mero trapaceiro.

Mais do que isso, a moral burguesa era consideravelmente aplicada; na verdade, talvez se tenha tornado muito mais efetiva a partir do momento em que a massa das classes trabalhadoras "respeitáveis" passou a adotar os valores da cultura hegemônica, e que as classes médias baixas, que seguiam a burguesia por definição, cresceram em número. Tais questões resistiam mesmo ao intenso interesse do mundo burguês nas "estatísticas morais", como um livro de referências no fim do século tristemente admitia, abandonando todas as tentativas de medir a extensão da prostituição por serem falhas. A única tentativa adequada de medir infecções venéreas, que evidentemente tinham forte conexão com algumas formas de sexo extraconjugal, revelou pouco, exceto que na Prússia era muito maior na megalópole Berlim do que em qualquer outra província (tendendo normalmente a diminuir de acordo com o tamanho das cidades e vilas) e que atingia o ponto máximo nas cidades portuárias, guarnições e institutos de educação, isto é, com alta concentração de jovens solteiros longe de suas casas.* Não há razão para supor que o membro vitoriano médio da classe média, baixa classe média ou "respeitável" classe trabalhadora, na Inglaterra vitoriana ou nos Estados Unidos, não conseguisse viver de acordo com seus princípios de moralidade sexual. As jovens americanas que surpreendiam cínicos homens, experimentados na Paris de Napoleão III, com a liberdade que os pais lhes concediam de saírem sozinhas e em companhia de jovens americanos são uma evidência tão forte sobre a moralidade sexual quanto as reportagens jornalísticas do espectro do vício na Londres vitoriana: talvez até mais forte.[5] É inteiramente ilegítimo aplicar padrões pós-freudianos a um mundo pré-freudiano, ou entender que o comportamento sexual de então devesse ser como o nosso. Pelos padrões modernos, aqueles monastérios leigos, as universidades de Oxford e Cambridge, pareceriam estudos de casos da patologia sexual. O que pensaríamos hoje de um Lewis Carroll, cuja paixão era fotografar menininhas nuas? Pelos padrões vitorianos, os vícios maiores eram certamente a gula e não a luxúria, e o gosto sentimental de muitos professores por jovens rapazes — quase que certamente (o termo é revelador) "platônico" —, que fazia parte das esquisitices de solteiros inveterados. Foi essa época que tornou a expressão "*to make love*" (na língua inglesa) um simples sinônimo de ato sexual. O mundo burguês era perseguido pelo sexo, mas não necessariamente pela promiscuidade

---

* Os doutores da Prússia eram convidados a fornecer os números de todos os pacientes com doenças venéreas tratados em abril de 1900. Não há razão para crer que os números teriam sido muito diferentes trinta anos antes.[4]

sexual: a *nemesis* característica do mito burguês, como o romancista Thomas Mann viu tão claramente, acompanhava uma *única* queda do estado de graça, como a sífilis do compositor Adrian Leverkühn em *Dr. Faustus*. O próprio extremismo de seu medo reflete uma ingenuidade prevalecente, ou melhor, inocência.*

Essa inocência, entretanto, permite-nos ver o poderoso elemento sexual no mundo burguês de forma clara nas suas roupas, uma extraordinária combinação de tentação e interdição. O burguês vitoriano andava coberto de tecidos, deixando pouca coisa publicamente visível, exceto a face, mesmo nos trópicos. Em casos extremos (como nos Estados Unidos), até objetos que lembrassem o corpo (como as pernas das mesas) podiam ser escondidos. Ao mesmo tempo, e nunca tanto quanto nas décadas de 1860 e 1870, todas as características sexuais secundárias eram enfatizadas grotescamente: cabelos e barbas nos homens, cabelos, seios e ancas nas mulheres, aumentados para proporções gigantescas por meio de enchimentos postiços, *culs-de-Paris* etc.** O impacto do famoso quadro de Manet, *Déjeuner sur l'Herbe* (1863), deriva precisamente do contraste entre a enorme respeitabilidade das roupas dos homens e a nudez da mulher. A verdadeira obsessão com a qual a civilização burguesa insistia que a mulher era essencialmente um ser espiritual implicava que os homens não o eram, e também que a óbvia atração física entre os sexos não cabia dentro do sistema de valores. Sucesso era incompatível com prazer, como o folclore do campeonato esportivo ainda assume, ao sentenciar jogadores à abstenção sexual temporária antes do grande jogo ou da grande luta.

---

* A força dos padrões morais nos países protestantes foi revelada pelo comportamento dos senhores de escravos em relação a suas escravas. Contrariamente ao que se poderia esperar, e também em relação ao *ethos* dominante nos países católicos mediterrâneos — "Não há nada melhor do que um tamarindo doce ou uma mulata virgem", dizia um ditado cubano —, parece que a extensão da miscigenação, ou mesmo de filhos ilegítimos no sul rural e escravo, foi bastante pequena.[6]

** A moda da anágua de crinolina, que disfarçava completamente a parte inferior do corpo ultraenfatizando o contraste da cintura com as coxas, foi uma fase de transição nos anos 1850.

De modo mais geral, a civilização apoiava-se na repressão das urgências sexuais. O maior dos psicólogos da burguesia, Sigmund Freud, fez dessa proposição a pedra de toque de suas teorias, embora gerações posteriores tenham lido nele um apelo pela abolição da repressão.

Mas por que era esse aspecto, em si mesmo nada implausível, sustentado de forma tão passional e até patológica, tão contrastante (como Bernard Shaw observava com sua usual perspicácia) com o ideal de moderação e *juste milieu* que definia as ambições e papéis sociais das classes médias?[7] Nos degraus mais baixos das aspirações da classe média, a resposta é fácil. Somente esforços heroicos poderiam arrastar um homem e uma mulher pobres, ou mesmo seus filhos, para fora da desmoralização, colocando-os no lugar firme da respeitabilidade e, acima de tudo, definir ali as suas posições. Para os membros dos Alcoólicos Anônimos, não havia solução de compromisso: era ou a total abstinência ou o colapso completo. De fato, o movimento pela total abstinência do álcool, que floresceu nessa época nos países protestantes e puritanos, ilustra a questão de modo claro. Não era efetivamente um movimento para abolir ou mesmo para limitar o alcoolismo de massa, mas para definir e separar a classe dos indivíduos que tivessem demonstrado, pela força pessoal de seu caráter, que eram distintos dos pobres não respeitáveis. O puritanismo sexual preenchia a mesma função. Mas esse era um fenômeno "burguês" apenas na medida em que refletia a hegemonia da respeitabilidade burguesa. Como as leituras de Samuel Smiles ou a prática de outras formas de "autoajuda" e "melhoria de si", aquilo substituía o sucesso burguês, em vez de preparar para ele. No nível do artesão ou funcionário "respeitável", a abstinência era frequentemente a única gratificação. Em termos materiais, dava apenas compensações modestas.

O problema do puritanismo sexual burguês é mais complexo. A crença de que o burguês de meados do século XIX era incomumente fogoso e, portanto, obrigado a construir defesas impenetráveis contra a tentação da carne não convence: o que fazia as tentações tão tentadoras era precisamente o extremismo dos padrões morais aceitos, que tornavam a queda igualmente dramática, como no caso do conde católico puritano Muffat, em *Nana* de Émile Zola, a novela da prostituição em Paris na década de 1860. Evidentemente, o problema era também de certa forma econômico, como veremos. A "família" não era meramente a unidade social básica da sociedade burguesa, mas também a unidade básica do sistema de propriedade e das empresas de comércio, ligada a outras unidades similares por meio de um sistema de trocas de mulheres-mais-propriedade (o dote do casamento) em que as mulheres deveriam ser, pela estrita convenção derivada de uma tradição pré-burguesa, *virgines intactae.* Qualquer coisa que enfraquecesse essa unidade familiar era inadmissível, e nada a enfraquecia mais do que a paixão física descontrolada, que introduzia herdeiros e noivas "inadequados" (isto é, economicamente indesejáveis), separava maridos de mulheres e desperdiçava recursos comuns.

Mas as tensões eram mais que econômicas. Elas eram particularmente fortes em nosso período, quando a moral da abstinência, moderação e contenção entrava dramaticamente em conflito com a realidade do sucesso burguês. Os burgueses não viviam mais numa economia familiar de escassez ou num nível social distanciado das tentações da alta sociedade. O problema era mais o de gastar que o de economizar. Não apenas os burgueses ociosos tornavam-se mais e mais numerosos — em Colônia, o número de *rentiers* pagando imposto de renda cresceu de 162 em 1854 para 600 em 1874[8] —, como, de que outra forma, exceto gastando, poderiam os bem-sucedidos burgueses demonstrar o seu sucesso, tendo ou não poder político enquanto classe? A palavra *parvenu* (novo-rico) automaticamente se tornou sinônimo do gastador destemperado. Se esses burgueses tentavam alcançar o estilo de vida da aristocracia ou então — como os conscientes Krupp e outros magnatas do Ruhr — construir castelos e impérios feudais paralelos e até mais impressionantes que os dos *junkers,* cujos títulos haviam recusado, precisavam gastar, e de uma forma que inevitavelmente fazia seu estilo de vida se parecer mais com o da aristocracia não puritana, e o de suas mulheres mais ainda. Antes da década de 1850, isso fora um problema de relativamente poucas famílias: em alguns países, como a Alemanha, praticamente de nenhuma. Mas agora se transformava no problema de toda uma classe.

A burguesia como classe encontrava enorme dificuldade em combinar aquisições e despesas de um modo moralmente satisfatório, da mesma maneira que era incapaz de resolver o problema material equivalente de como garantir uma sucessão de homens de negócios igualmente dinâmicos e capazes em uma mesma família — fato que ampliava o papel das filhas, que podiam trazer sangue novo para dentro do complexo de negócios. Dos quatro filhos do banqueiro Friedrich Wichelhaus em Wuppertal (1810-1886), apenas Robert (nascido em 1836) permaneceu banqueiro. Os outros três (nascidos em 1831, 1842 e 1846) terminaram como fazendeiros e um acadêmico, mas ambas as filhas (nascidas em 1829 e 1838) casaram-se com industriais, inclusive um membro da família de Engels.[9] A coisa mais importante pela qual os burgueses lutavam, o lucro, cessava de ser uma motivação adequada assim que trazia riqueza em quantidade suficiente. No final do século, a burguesia descobriu uma fórmula ao menos temporária para combinar aquisições e despesas com a compra de antiguidades. Essas décadas finais antes da catástrofe de 1914 seriam o *Indian summer,* a *belle époque* da vida burguesa, lamentada de forma retrospectiva por seus sobreviventes. Mas em nosso período as contradições estavam talvez no seu ponto mais agudo: esforço e prazer coexistiam, mas entravam em confronto. E a sexualidade era uma das vítimas do conflito, a hipocrisia o vencedor.

2.

Cercada de roupas, paredes e objetos, ali estava a família burguesa, a instituição mais misteriosa de nossa época. Pois, se é fácil descobrir ou indicar as conexões entre puritanismo e capitalismo, como a testemunha uma grande literatura especializada, as conexões entre a família do século XIX e a sociedade burguesa permanecem obscuras. De fato, o aparente conflito entre as duas tem sido raramente percebido. Por que deveria uma sociedade dedicada a uma economia de obtenção de lucro, livre-iniciativa competitiva, esforços do indivíduo isolado, igualdade de direitos, oportunidades e liberdade, apoiar-se numa instituição que negava todos esses ideais?

Sua unidade básica, a casa de uma única família, era uma autocracia patriarcal e um microcosmo da espécie de sociedade que a burguesia como classe (ou seus porta-vozes teóricos) denunciava e destruía: uma hierarquia de dependência pessoal.

> Ali firmemente estava e dirigia o pai, marido, senhor,
> Trazendo prosperidade, como guardião, guia e juiz.[10]

Abaixo dele — continuando a citar o grande filósofo Martin Tupper — estava "o bom anjo da casa, a mãe, esposa e amante"[11] cujo trabalho, para o grande Ruskin, era:

> I. Agradar às pessoas
> II. Alimentá-las de forma deliciosa
> III. Vesti-las
> IV. Mantê-las em ordem
> V. Ensiná-las,[12]

uma tarefa para a qual, curiosamente, ela não precisava demonstrar possuir nem inteligência nem conhecimento ("Seja boa, doce senhora, e deixe aos outros serem inteligentes", como Charles Kingsley afirmou). Isso não era assim apenas porque sua nova função de esposa burguesa, ostentar a capacidade do marido burguês de mantê-la em paz e conforto, conflitasse com as velhas funções de dirigir o lar, mas também porque sua inferioridade em relação ao homem precisava ser demonstrada:

> Tem ela sabedoria? É preciosa, mas tome cuidado para não exagerar:
> Pois as mulheres precisam ser dominadas, e a verdadeira dominação é a da mente.[13]

Entretanto, essa escrava atraente, ignorante e tola era requisitada para exercer também dominação; não tanto sobre as crianças, cujo senhor era ainda o *pater famílias*,* mas sobre os criados, cuja presença distinguia os burgueses dos que lhes eram socialmente inferiores. Definia-se uma *lady* pelo fato de ser alguém que não trabalhava, mas ordenava a outras pessoas que o fizessem,[14] sua superioridade estando estabelecida por essa relação. Sociologicamente, a diferença entre classes trabalhadoras e classes médias era entre os que possuíam criados e os que eram criados em potencial, diferença utilizada pela pesquisa social pioneira de Seebohm Rowntree em York, no final do século. Os empregados eram cada vez mais mulheres — entre 1841 e 1881, a porcentagem de homens no serviço doméstico e pessoal na Inglaterra caiu de 20 para 12 —, portanto a casa ideal burguesa consistia em um senhor dominando um número

* "As crianças fizeram novamente tudo o que puderam para agradar seu querido pai feliz; elas desenharam, trabalharam, recitaram, compuseram e tocaram piano." Isso para celebrar o aniversário de Albert, o príncipe consorte da rainha Vitória.[15]

de mulheres hierarquicamente dispostas, pois os filhos homens tendiam a deixar o lar ao crescer ou — entre as classes altas inglesas — logo que chegavam à idade de ir para o colégio interno.

Mas a criada doméstica, embora recebendo salário, o que a igualava ao trabalhador, cujo emprego definia o homem burguês na economia, era bem diferente desse mesmo trabalhador, visto que ela (ou mais raramente ele) mantinha uma ligação com o empregador maior que a de meramente receber um salário, pois era uma ligação muito mais pessoal, e de fato, de forma prática, de dependência. Tudo na sua vida era estritamente prescrito e, como vivia num quarto magramente mobiliado, controlável. Desde o avental e o uniforme que usava até a carta-testemunho de boa conduta ou "caráter", sem a qual era impossível conseguir novo emprego, tudo nela simbolizava uma relação de poder e sujeição. Isso não excluía relações pessoais próximas, ainda que desiguais, às que havia nas sociedades escravas. Talvez até encorajasse, embora não deva ser esquecido que, para cada babá ou jardineiro que viviam suas vidas inteiras a serviço de uma única família, havia uma centena de meninas do interior que passavam brevemente da casa para a gravidez, o casamento ou outro emprego, sendo tratadas apenas como uma outra instância daquele "problema de empregadas", que preenchia a conversa das patroas. O ponto crucial era o de que a estrutura da família burguesa estava em direta contradição com a sociedade burguesa. Dentro dela a liberdade, a oportunidade, o nexo do dinheiro e a busca do lucro individual não eram a regra.

Poderia ser argumentado que tal ocorria porque o anarquismo individualista hobbesiano, que formava o modelo teórico da economia burguesa, não dava base para nenhum tipo de organização social, incluindo a família. E, de fato, era um contraste deliberado com o mundo de fora, um oásis de paz num mundo de guerra, *le repos du guerrier*.

> Vocês sabem [escreveu a mulher de um industrial francês a seus filhos, em 1856] que vivemos num século em que os homens têm seu valor determinado apenas por seus próprios esforços. Todo dia que passa, o bravo e esperto assistente toma o lugar do senhor, cuja negligência e falta de seriedade deslocam-no do lugar que lhe parecia ser atribuído permanentemente.*

"Que batalha!", escreveu seu marido, encurralado em competição com industriais têxteis ingleses. "Muitos morrerão na luta, muitos mais serão seriamente feridos."[16] A metáfora da guerra vinha naturalmente aos lábios dos homens quando discutiam suas "lutas pela existência" ou a "sobrevivência dos melhores", da mesma forma como a metáfora da paz quando descreviam seus lares: "o acolhedor lugar da felicidade", o lugar onde "a ambição satisfeita do coração encontrava sua paz", pois nunca podia encontrá-la no mundo exterior, desde que nunca podia ser satisfeita, ou admitir sê-lo.[17]

Mas pode também ser que a desigualdade essencial sobre a qual o capitalismo se apoiava encontrasse uma expressão necessária na família burguesa. Precisamente porque não era fundamentada em desigualdades coletivas, institucionalizadas e tradicionais, a dependência precisava ser uma relação individual. Como a superioridade era algo tão incerto para o indivíduo, ela precisava tomar uma forma em que fosse permanente e segura. E visto que sua expressão essencial era o dinheiro, que reproduz meramente a relação de troca, outras formas de expressão que demonstrassem a dominação de pessoas sobre pessoas precisavam suplementá-la.

Não havia evidentemente nada de novo na estrutura da família patriarcal, apoiada na subordinação da mulher e filhos. Mas onde poderíamos esperar que a sociedade burguesa logicamente quebrasse a instituição

---

* Citado em L. Trénard, "Un industriel roubásien du XIX siècle", *Revue du Nord*, 50 (1968), p. 38. O texto do trecho desta carta parece ser o mesmo da epígrafe do capítulo. A tradução do francês para o inglês difere em pouca coisa, mas mantivemos as duas versões na tradução portuguesa. (*N. T.*)

ou a transformasse — como ela iria de fato se desintegrar mais tarde —, a fase clássica da sociedade burguesa reforçou-a e a exagerou.

Até onde esse patriarcado burguês "ideal" representava acuradamente a realidade é outro problema. Um observador fez um sumário adequado do burguês típico de Lille como um homem que "teme a Deus, mas mais ainda à sua mulher e lê o *Echo du Nord*", e esta é uma leitura dos fatos da vida burguesa semelhante à que os homens formulavam, da mulher indefesa e dependente, por vezes patologicamente exagerada no sonho masculino (e prática ocasional) de escolher a esposa-criança, moldada pelo futuro marido.[18] A existência e o reforço do tipo ideal da família burguesa desse período são significativos. É suficiente para explicar o início de um movimento feminista sistemático entre as mulheres da classe média, pelo menos nos países anglo-saxônicos ou protestantes.

A casa burguesa, entretanto, era meramente o núcleo de uma conexão familiar mais ampla, dentro da qual o indivíduo operava: "os Rothschilds", "os Krupp", ou igualmente "os Forstyes", que fizeram muito da história econômica e social do século XIX um assunto essencialmente dinástico. Embora uma enorme quantidade de material sobre tais famílias tenha sido acumulada desde o século passado, nem os antropólogos sociais, nem os compiladores de manuais genealógicos (uma ocupação aristocrática) deram-lhe suficiente atenção específica para tornar fácil uma generalização com alguma base que seja sobre tais grupos familiares.

Em que medida eram recém-promovidos a partir das classes mais baixas? Não em grande número, embora em teoria nada impedisse sua ascensão social. Dos chefes de oficina ingleses em 1865, 89% vinham de famílias de classe média, 7% da classe média baixa (incluindo pequenos lojistas, artesãos independentes etc.) e apenas 4% de trabalhadores, especializados ou — menos ainda — não especializados.[19] A maior parte dos donos de manufaturas têxteis do norte da França no mesmo período eram igualmente filhos daquilo que se poderia chamar de camada média. A maior parte dos produtores de artigos de malha de Nottingham tinham origem similar, dois terços vindos do comércio de malharia. Os fundadores da empresa capitalista no sudoeste alemão não eram sempre necessariamente ricos, mas o número dos que tinham longa experiência familiar em negócios, e frequentemente nas indústrias que se desenvolveriam, é significativo — protestantes suíço-alsacianos, como os Koechlin, Geigy ou Sarrasin, judeus nascidos nas finanças de pequenos negócios em vez de artesãos-empresários com inovações tecnológicas. Homens de cultura — sobretudo filhos de pastores protestantes ou funcionários civis — modificaram-se, mas não alteraram seu *status* de classe média com o advento da empresa capitalista.[20] As carreiras do mundo burguês estavam de fato abertas ao talento, mas as famílias com um certo grau de educação, propriedade e ligações sociais, entre outras, certamente começavam com uma enorme vantagem relativa; pelo menos a capacidade de estabelecer relações de casamento com outras do mesmo *status* social, da mesma linha de negócios ou com recursos que podiam ser combinados entre si.

As vantagens econômicas de uma família grande ou de um grupo fechado de famílias eram certamente substanciais. Dentro dos negócios garantia capital, talvez contatos proveitosos, e sobretudo gerentes de confiança. Os Lefebvres de Lille, em 1851, financiaram os negócios de lã de um cunhado, Amedée Prouvost. Siemens e Halske, a famosa companhia elétrica estabelecida em 1847, obtiveram seu capital inicial de um primo; um irmão foi o primeiro empregado assalariado e nada mais natural que os três irmãos, Werner, Carl e William, tomassem conta respectivamente das filiais de Berlim, São Petersburgo e Londres. Os famosos clãs protestantes dos Mulhouse apoiavam-se uns aos outros: André Koechlin, genro do Dolfus que fundara a Dolfus-Mieg (tanto ele como seu pai casaram-se com Miegs), controlou a empresa até que seus quatro cunhados tivessem idade suficiente para fazê-lo, enquanto seu tio Nicholas dirigia a companhia da família Koechlin com a qual seus irmãos e cunhados se associaram exclusivamente, assim como seu velho pai.[21] Enquanto isso, outro Dolfus, bisneto do fundador, entrava para outra empresa de família local, a Schlumberger et Cie. A história dos negócios do século XIX está repleta de tais alianças familiares e interpenetrações. Elas demandavam um grande número de filhos e filhas disponíveis, mas não havia falta deles e portanto — à diferença do campesinato francês, que requeria que um e apenas um filho tomasse conta das posses da família — não havia nenhum incentivo ao controle de natalidade dos filhos, exceto entre as famílias dos pobres e das classes médias baixas.

Mas como eram organizados esses clãs? Como operavam? Em que ponto cessaram de representar grupos de família e se transformaram num grupo social coerente, numa burguesia local, ou mesmo (como talvez no caso dos banqueiros protestantes e judeus) numa rede mais espalhada, da qual as alianças de família formavam apenas um aspecto? Não podemos responder a essas questões ainda.

3.

O que, em outras palavras, queremos dizer com "burguesia" enquanto classe nesse período? As definições econômicas, políticas e sociais diferiam de alguma forma, mas ainda eram suficientemente próximas umas das outras para causar relativamente pouca dificuldade.

Portanto, economicamente, a quintessência do burguês era um "capitalista" (isto é, o possuidor de capital, ou aquele que recebia renda derivada de tal fonte, ou um empresário em busca de lucro, ou todas essas coisas juntas). E, de fato, o "burguês" característico ou o membro da classe média de nosso período incluía poucas pessoas que não entrassem numa dessas categorias. As 150 famílias principais de Bourdeaux, em 1848, incluíam 90 homens de negócios (comerciantes, banqueiros, lojistas etc., embora nesta cidade existissem poucos industriais), 45 possuidores de alguma propriedade e *rentiers* e 15 membros de profissões liberais que eram, naqueles dias, variedades da empresa privada. Havia entre eles uma ausência total de altos executivos assalariados, que formavam o maior grupo dentro das 450 famílias mais ricas de Bordeaux em 1960.[22] Podemos acrescentar que, embora a propriedade da terra, ou melhor, de imóveis urbanos, permanecesse uma fonte importante de renda, especialmente dentro da pequena e média burguesias, em áreas de pouca industrialização, essa fonte diminuía aos poucos de importância. Mesmo na Bordeaux não industrial, formava apenas 40% da riqueza deixada por herança em 1873 (23% das maiores fortunas), enquanto na Lille industrial no mesmo ano formava apenas 31%.[23]

O aspecto da política burguesa era naturalmente diferente de alguma forma, pelo menos na medida em que a política é uma atividade especializada e que consome tempo, além de não atrair a todos igualmente, ou para a qual nem todos estão qualificados. De qualquer maneira, nesse período, o número de burgueses que praticavam a política burguesa chegava a impressionar. Na segunda metade do século XIX, entre 25% e 40% dos membros do Conselho Federal Suíço consistiam de negociantes ou *rentiers* (20% a 30% dos membros do Conselho eram "barões federais" que dirigiam os bancos, estradas de ferro e indústrias), uma porcentagem maior que no século XX. Outros 15% ou 25% consistiam de profissionais liberais, isto é, advogados — embora 50% de todos os membros do Conselho tivessem diplomas em Direito, uma espécie de padrão educacional que dava qualificação para a vida pública e a administração na maioria dos países. Outros 20% a 30% consistiam de "figuras públicas" profissionais (prefeitos, juízes do campo e outros magistrados).[24] O Grupo Liberal na Câmara Belga de meados do século tinha 83% de seus membros burgueses: 16% eram homens de negócios, 16% *proprietaires,* 15% *rentiers,* 18% administradores profissionais e 42% de profissões liberais, isto é, advogados e uns poucos médicos.[25] Assim ocorria, e talvez até em maior escala, na política das cidades, dominadas como eram naturalmente pelas notabilidades burguesas (normalmente liberais) do lugar. Se os escalões mais elevados do poder eram em grande parte ocupados por grupos mais idosos tradicionalmente estabelecidos, a partir de 1830 (França) e 1848 (Alemanha), a burguesia "tomou de assalto e conquistou os escalões menores do poder político", como conselhos municipais, prefeituras, conselhos distritais etc., e os manteve sob controle até o surgimento da política de massa, nas últimas décadas do século. A partir de 1830, Lille foi governada por prefeitos que eram proeminentes homens de negócios.[26] Na Inglaterra, as grandes cidades estavam notoriamente nas mãos da oligarquia dos homens de negócios locais.

Socialmente, as definições não eram tão claras, embora a "classe média" incluísse todos esses grupos descritos, desde que fossem abastados e bem estabelecidos: homens de negócios, proprietários, profissionais liberais e os escalões mais altos da administração, que eram, evidentemente, um grupo numericamente bem pequeno fora das capitais. A dificuldade está em definir os limites "altos" e "baixos" dessa camada dentro da hierarquia de *status* social, assim como levar em conta a marcada heterogeneidade dos membros dentro desses limites: havia, pelo menos, uma estratificação interna aceita em *grande, moyenne* e *petite bourgeoisie,* a última mergulhando dentro do que seria, *de facto,* o limite da classe.

No topo da escala, a burguesia era mais ou menos diferenciada da aristocracia (alta ou baixa), dependendo parcialmente da exclusividade social e legal desse grupo ou da sua própria consciência de classe. Nenhum burguês poderia transformar-se num verdadeiro aristocrata na Rússia ou na Prússia, e mesmo nos lugares onde títulos de baixa nobreza fossem distribuídos livremente, como no Império dos Habsburgos, nenhum conde Chotek ou Auersperg, embora pronto para se juntar aos diretores de uma empresa comercial, consideraria um barão Von Wertheimstein qualquer coisa além de um banqueiro de classe média ou judeu. A Inglaterra estava sozinha ao aceitar sistematicamente, embora ainda de forma modesta nesse período, homens de negócios na aristocracia — preferindo banqueiros e financistas a industriais.

Por outro lado, até 1870 e mesmo depois, ainda havia industriais alemães que se recusavam a permitir que seus sobrinhos se tornassem oficiais da reserva, como sendo algo inadequado a jovens daquela classe, ou que seus filhos insistissem em fazer o serviço militar na infantaria ou engenharia, em vez de escolher a cavalaria, mais socialmente exclusiva. Mas é preciso acrescentar que, quando os lucros começaram a aparecer — e eles eram bastante substanciais em nosso período —, a tentação das condecorações, títulos, casamentos com a nobreza e, em geral, o estilo da vida aristocrática tornou-se irresistível para os ricos. Os produtores ingleses inconformados se transferiram para a Igreja da Inglaterra e, no norte da França, o "voltaireanismo mal-oculto" de antes de 1850 se transformaria no fervoroso catolicismo de depois de 1870.[27]

No outro extremo, a linha divisória era bem mais claramente econômica, embora os homens de negócios — ao menos na Inglaterra — viessem a traçar uma linha demarcatória entre eles mesmos e os párias sociais que vendiam suas mercadorias diretamente ao público, como os lojistas; pelo menos até que a venda a varejo viesse mostrar que poderia trazer milhões àqueles que a praticavam. O artesão independente e o pequeno lojista claramente pertenciam à baixa classe média ou *Mittelstand*, que tinha pouco em comum com a burguesia, exceto a aspiração ao *status* social desta última. O camponês rico não era um burguês; nem o era o funcionário *colarinho-branco*. Entretanto havia, em meados do século XIX, um reservatório suficientemente grande do velho tipo de produtor ou vendedor de pequena mercadoria economicamente independente, e mesmo de trabalhadores especializados ou capatazes (que ainda substituíam o grupo moderno em termos tecnológicos), para que a linha divisória fosse nebulosa: alguns prosperariam e, ao menos nas suas localidades, seriam aceitos como burgueses.

Uma das principais características da burguesia como classe era que consistia num corpo de pessoas com poder e influência, independentemente do poder e influência derivados de nascimento ou status. Para pertencer a ela, um homem tinha que ser "alguém"; uma pessoa que contasse como indivíduo, por causa da sua riqueza, capacidade de comandar outros homens ou de influenciá-los. Portanto, a forma clássica da política burguesa era, como já vimos, inteiramente diferente da política de massa dos que estavam abaixo dela, incluindo a pequena burguesia. O recurso clássico do burguês em apuros, ou com razões para queixas, era exercer ou pedir influência pessoal: ter uma palavra com o prefeito, o deputado, o ministro, o velho companheiro de escola ou universidade, o parente ou o "contato" nos negócios. A Europa burguesa cresceu cheia de sistemas informais de proteção mútua, redes de velhos amigos ou máfias ("amigos de amigos"), entre os quais os saídos das mesmas instituições educacionais eram naturalmente muito mais importantes, especialmente se fossem instituições universitárias, que produziam ligações nacionais em vez de meramente locais.* Uma dessas redes, a franco-maçonaria, serviu a um objetivo ainda mais importante, sobretudo nos países católicos, pois foi usada como a

* Na Inglaterra, entretanto, as chamadas *public schools*, que se desenvolveram rapidamente nesse período, reuniram os filhos da burguesia de diferentes partes do país numa idade ainda menor. Na França, alguns dos grandes *lycées* de Paris talvez tenham servido a um fim similar para os intelectuais.

cimentação ideológica da burguesia liberal para a sua dimensão política ou ainda, na Itália, como virtualmente a única organização permanente e nacional da classe.[28] O burguês individual, que se via chamado a comentar sobre assuntos públicos, sabia que uma carta ao *The Times* ou ao *Neue Freie Presse* atingiria não apenas uma grande parte de sua classe e dos que tomavam as decisões, mas, o que era mais importante, ela seria impressa com a força de sua afirmação como indivíduo. A burguesia como classe não organizou movimentos de massa, mas grupos de pressão. Seu modelo na política não era o cartismo, mas a Anti-Corn Law League.

Evidentemente, o grau de "notabilidade" de um burguês variava enormemente, da *grande bourgeoisie,* cujo campo de ação era nacional ou mesmo internacional, às figuras mais modestas, que eram pessoas importantes em Aussig ou Groningen. Krupp esperava e recebeu mais consideração que Theodor Boeninger de Duisburg, a quem a administração regional apenas recomendara para o título de Conselheiro Comercial (*Kommerzienrat*), porque era rico, industrial capaz, ativo na vida pública e religiosa, e havia apoiado o governo nas eleições para os Conselhos Municipal e Distrital. Portanto ambos, cada qual a seu modo, eram "pessoas que contavam". Se o esnobismo separava os milionários dos ricos, e estes por seu turno dos meramente prósperos, o que era natural numa classe cuja verdadeira essência era subir mais alto pelo esforço individual, tal divisão não chegava a destruir a consciência de grupo, que transformou o "meio" da sociedade na "classe média" ou "burguesia".

Apoiava-se em pressupostos comuns, credos comuns, formas de ação comuns. A burguesia dos penúltimos 25 anos do século XIX era esmagadoramente "liberal", não necessariamente num sentido partidário (embora, como já vimos, os partidos liberais prevalecessem), mas num sentido ideológico. Acreditava no capitalismo, empresa privada competitiva, tecnologia, ciência e razão. Acreditava no progresso, numa certa forma de governo representativo, numa certa quantidade de liberdades e direitos civis, desde que compatíveis com a regra da lei e com o tipo de ordem que mantivesse os pobres no seu lugar. Acreditava na cultura como um adendo à religião, que às vezes substituía teatro e concertos — em casos extremos substituindo a frequência ritual à igreja pela ida à ópera. Acreditava na carreira aberta ao empreendimento e talento, e as próprias vidas de seus membros provavam esses méritos. Como já vimos, nesse tempo a fé tradicional e puritana nas virtudes da moderação e abstenção encontrava dificuldades no caminho de sua realização, mas tal fracasso não era muito lamentado. Se a sociedade alemã viesse a entrar em colapso algum dia, escreveu um cronista em 1855, seria porque as classes médias tinham começado a procurar aparência e luxo

> sem buscar contrabalançar isso com o sentido burguês [*Bürgersinn*] para o trabalho, com o respeito pelas forças espirituais da vida, com o esforço de identificar ciência, ideia e talento com o desenvolvimento progressivo do Terceiro Estado.[29]

Talvez o sentido da luta pela existência — uma seleção natural na qual vitória ou mesmo sobrevivência provavam tanto a capacitação quanto as qualidades essencialmente morais que sozinhas poderiam proporcionar essa capacitação — reflita a adaptação da antiga ética burguesa a uma nova situação. O darwinismo, social ou de outro tipo, não era apenas uma ciência, mas também uma ideologia, mesmo antes de ser formulado. Ser burguês não era apenas ser superior, mas implicava também ter demonstrado as qualidades morais equivalentes às antigas qualidades puritanas.

Mas antes de qualquer coisa, significava superioridade. O burguês não era apenas independente, um homem a quem ninguém (exceto o Estado ou Deus) dava ordens, mas as dava ele mesmo. Não era apenas um empregador, empresário ou capitalista, mas socialmente um "senhor", um "dono" (*Fabrikherr*), um *patron* ou *chef*. O monopólio do comando

— na casa, no negócio, na fábrica — era fundamental para sua própria definição, e seu reconhecimento formal, fosse nominal ou real, é um elemento essencial em todas as disputas industriais desse período:

> Mas eu também sou o diretor das Minas, quer dizer, o dirigente (*chef*) de uma grande população de trabalhadores... Represento o princípio da autoridade e preciso fazê-la respeitada na minha própria pessoa: tal tem sido sempre meu objetivo consciente em minhas relações com as classes trabalhadoras.[30]

Somente os membros das profissões liberais, ou o artista ou o intelectual que não fosse essencialmente um empregador ou alguém com subordinados, não se definiam como *master*. Mesmo aqui, o "princípio da autoridade" não estava ausente, fosse a partir do comportamento do professor universitário tradicional do continente, do médico autocrático, do maestro ou do pintor cheio de caprichos. Se Krupp comandava seus exércitos de trabalhadores, Richard Wagner esperava a subserviência total de suas plateias.

Dominaçao implica inferioridade. Mas a burguesia de meados do século XIX estava dividida quanto à natureza daquela inferioridade das classes baixas (inferioridade sobre a qual não havia desacordo), embora tentativas tenham sido feitas para distinguir, dentro da massa subalterna, entre aqueles de que se poderia esperar uma ascensão para, pelo menos, a condição de baixa classe média, e outros para os quais não havia redenção possível. Como o sucesso era em razão do mérito pessoal, o fracasso era claramente devido à falta de mérito. A ética tradicional burguesa, puritana ou laica havia determinado que isso ocorreria mais por causa da fraqueza moral ou espiritual do que pela falta de inteligência, pois era evidente que o cérebro era uma necessidade indispensável para o sucesso nos negócios, mas ele apenas não garantia riqueza ou opiniões sensatas. Isso não implicava necessariamente anti-intelectualismo, embora na Inglaterra e nos Estados Unidos essa atitude fosse bem difundida, na medida em que o triunfo em negócios era sobretudo dos homens pouco instruídos, que usavam o empiricismo e o senso comum. Até Ruskin refletiu a opinião geral quando argumentou que "metafísicos ocupados estão sempre enredando pessoas boas e ativas, e tecendo teias entre as melhores rodas dos negócios mundiais". Samuel Smiles colocou a questão de forma mais simples:

> A experiência a ser obtida pelos livros, embora frequentemente valiosa, é da natureza do *aprender*; enquanto que a experiência ganha da vida real é da natureza do *saber*, e um pequeno armazém da última vale muito mais que um estoque da primeira.[31]

Mas uma classificação simplista em moralmente superiores e inferiores, embora adequada para distinguir os "respeitáveis" da massa trabalhadora bêbada e licenciosa, não mais era de forma geral adequada, exceto para a baixa classe média, pois as antigas virtudes visivelmente não eram mais aplicáveis à burguesia afluente e bem-sucedida. A ética da abstinência e do esforço praticamente não podia mais ser aplicada ao sucesso dos milionários americanos das décadas de 1860 e 1870, ou mesmo ao rico produtor, aposentado numa casa de campo com todo o conforto, e menos ainda para seus parentes *rentiers*, aqueles cujo ideal era, nas palavras de Ruskin:

> que [a vida] deveria ser vivida num *mundo agradavelmente ondulante*, sustentado por toda parte com ferro e carvão. Para cada *banco agradável* deve existir uma *bela mansão* (...) um *parque de tamanho moderado;* um grande jardim e estufas; uma *carruagem agradável* para passeios em bosques. Na casa devem viver (...) o *gentleman* inglês com sua *graciosa esposa* e sua *bela família;* ele sempre capaz de fornecer o *boudoir* e as joias para a esposa, e *belos vestidos de salão* para as filhas e instrumentos de caça para os filhos, e caça nas Highlands para si mesmo.[32]

Daí a crescente importância das teorias alternativas da superioridade biológica de classe, que tanto atravessavam o *Weltanschauung* burguês do século XIX. Superioridade era o resultado da seleção natural, transmitida geneticamente (veja o Capítulo 14). O burguês era, se não de uma espécie diferente, pelo menos membro de uma raça superior, um nível mais alto na evolução humana, diferente dos níveis mais baixos, que permaneciam no equivalente cultural ou histórico da infância ou, no máximo, adolescência.

De senhor a raça superior era apenas um passo. O direito de dominar, a inquestionável superioridade do burguês como espécie, implicava não apenas inferioridade, mas idealmente uma inferioridade aceita nas relações entre homens e mulheres (que mais uma vez simbolizavam muito a visão burguesa do mundo). Os trabalhadores, como as mulheres, deveriam ser leais e satisfeitos. Se não o fossem, era devido àquela figura crucial do universo social da burguesia, "o agitador de fora". Embora nada fosse mais óbvio a olho nu que o fato de que os membros dos sindicatos eram sempre os melhores trabalhadores, os mais inteligentes, os mais preparados, o mito do "agitador de fora", explorando as mentes simples mas resolutas dos trabalhadores, era indestrutível. "A conduta dos trabalhadores é deplorável", escreveu um gerente de minas francês em 1869, no processo de violenta repressão a uma espécie de greve de que o livro *Germinal* de Zola nos deu um retrato tão vivo, "mas é preciso ter-se em conta que eles foram apenas o selvagem instrumento de agitadores".[33] Para ser mais preciso: o militante operário ativo ou o líder potencial *precisava,* por definição, ser um "agitador", visto que não podia ser classificado dentro do estereótipo de obediência, boçalidade e estupidez. Quando, em 1859, nove dos melhores operários mineiros de Seaton Delaval — "todos abstêmios, seis deles metodistas primitivos, e dois deles pregadores locais" — foram enviados à prisão por dois meses depois de uma greve *à qual eles tinham se oposto,* o gerente da mina deixou este ponto bem claro: "Sei que eles são homens respeitáveis, e é por isso que eu os ponho na prisão. Não adianta nada prender aqueles que não sentem".[34]

Tal atitude refletia a determinação em decapitar as classes mais baixas, quando elas não perdiam seus líderes potenciais espontaneamente por meio da absorção por parte da classe média. Mas também refletia um grau considerável de confiança. Estávamos longe daqueles proprietários de fábricas da década de 1830, vivendo em terror constante de algo como uma insurreição escrava (veja *A era das revoluções,* epígrafe ao Capítulo 11). Quando, agora, os donos de fábricas falavam do perigo do comunismo espreitando atrás de qualquer limitação do direito absoluto de admitir e despedir, eles não se referiam à revolução social, mas meramente ao fato de que o direito de propriedade e o direito de dominação eram indissociáveis, e uma sociedade burguesa se perderia completamente a partir do momento em que qualquer interferência em relação à propriedade fosse permitida.[35] Por isso a reação de medo e ódio foi bem mais histérica quando o espectro da revolução social irrompeu mais uma vez dentro do confiante mundo capitalista. Os massacres dos membros da Comuna de Paris (veja o Capítulo 9) o testemunham de forma contundente.

4.

Uma classe de senhores: sim. Uma classe dirigente? A resposta é mais complexa. A burguesia não era evidentemente uma classe dirigente no sentido em que o velho tipo de senhor da terra o era, numa posição que proporcionava, *de jure* ou *de facto,* o direito de governo sobre os habitantes de seu território. O burguês normalmente operava dentro de uma rede de poder de governo e administração que não era de sua propriedade, pelo menos fora dos prédios que ocupasse ("meu lar é meu castelo"). Somente em áreas muito distantes da autoridade do Estado, como em campos remotos de mineração, onde o próprio Estado fosse fraco, como nos Estados Unidos, podiam os senhores burgueses exercer aquele tipo de comando direto, fosse pelo comando sobre as forças locais da autoridade pública por exércitos privados como os homens de Pinkerton, ou pela criação de grupos armados como os "Vigilantes" para manter a "ordem". Além disso, em nosso período, era bastante excepcional o caso de Estados onde a burguesia houvesse conquistado o controle político formal, ou não precisasse partilhá-la com elites políticas. Na maioria dos países, a burguesia, embora bem definida, realmente não controlava ou exercia o poder político, exceto talvez nos níveis subalternos ou municipais.

O que ela realmente exerceu foi hegemonia, e foi o que determinou de forma crescente a sua política. Não havia alternativa para o capitalismo como método de desenvolvimento econômico, e na época isso implicava a realização do programa econômico e institucional da burguesia liberal (com variações locais), assim como a posição crucial da burguesia dentro do Estado. Mesmo para os socialistas, a via para o triunfo proletário passava por um capitalismo completamente desenvolvido. Antes de 1848, havia parecido, por um momento, que sua crise de transição poderia também ser sua crise final (veja *A era das revoluções*), pelo menos na Inglaterra, mas na década de 1850 ficou claro que seu período maior de crescimento havia apenas começado. Era indestrutível no seu bastião principal, Inglaterra, e em outros lugares as perspectivas de revolução social paradoxalmente pareciam depender mais do que nunca dos projetos da burguesia, doméstica ou estrangeira, ao criar o capitalismo triunfante que faria possível sua derrubada. Em certo sentido, tanto Marx (que recebeu bem a conquista da Índia pela Inglaterra e de metade do México pelos Estados Unidos como historicamente progressista no seu tempo) quanto os elementos progressistas no México ou na Índia, que procuravam a aliança com os Estados Unidos ou com o rajá britânico contra seus próprios tradicionalistas, reconheciam a mesma situação global. Em relação aos dirigentes dos regimes conservadores, antiburgueses e antiliberais da Europa, fosse em Viena, Berlim ou São Petersburgo, eles reconheciam, embora relutantemente, que a alternativa para o desenvolvimento econômico capitalista era o atraso e o consequente enfraquecimento. O problema destes últimos era como fazer crescer o capitalismo, e com ele a burguesia, sem a contrapartida de um regime político burguês-liberal. A simples rejeição da sociedade burguesa e de suas ideias não era mais viável. A única organização que resolveu combater essa tendência sem tréguas, a Igreja Católica, conseguiu apenas se isolar. A encíclica *Sílabo dos Erros* de 1864 e o Concílio do Vaticano demonstraram, pelo seu extremismo na rejeição de tudo que caracterizava o século XIX, que estavam inteiramente na defensiva.

A partir da década de 1870, o monopólio do programa burguês (na sua forma "liberal") começou a desagregar-se, mas, no nosso período, era imbatível. Em questões econômicas, mesmo os dirigentes absolutistas da Europa central e da oriental foram forçados a abolir a servidão e desmantelar o aparato tradicional do controle econômico estatal assim como os privilégios corporativos. Em questões políticas, esses mesmos dirigentes chegaram a um bom termo com os liberais burgueses mais moderados e, embora nominalmente, com o tipo burguês de instituições representativas. Culturalmente, era o estilo burguês de vida que prevalecia sobre o aristocrático, mesmo que apenas pela retirada geral da velha aristocracia do mundo da cultura (como tal mundo era então entendido); eles se tornaram, se já não o eram, os "bárbaros" de Matthew Arnold (1822-1888). Depois de 1850, é difícil pensar em reis que fossem grandes patronos das artes, exceto loucos como Ludwig II da Baviera (1864-1886), ou em magnatas nobres que fossem colecionadores importantes de objetos de arte exceto os excêntricos.* Antes de 1848, as certezas da burguesia ainda eram ameaçadas pelo medo da revolução social. Depois de 1870, elas seriam mais uma vez minadas, sobretudo pelo medo dos crescentes movimentos da classe trabalhadora. Mas no período intermediário, triunfaram fora de qualquer dúvida ou ameaça. A era, julgou Bismarck, que não tinha simpatia pela sociedade burguesa, era uma fase de "interesses materiais". Interesses econômicos eram uma "força elementar". "Acredito que o avanço das questões econômicas no desenvolvimento interno progride e não pode ser interrompido."[36] Mas o que representava essa força elementar no período, senão o capitalismo e o mundo feito pela e para a burguesia?

* O balé imperial russo é talvez uma exceção, mas os relacionamentos entre dirigentes e seus dançarinos tradicionalmente eram mais que simplesmente culturais.

14. CIÊNCIA, RELIGIÃO, IDEOLOGIA

"Nossa aristocracia é mais bela (e mais odiável, segundo chineses e negros) do que as classes médias, segundo as mulheres; mas, ah, que pena que a primogenitura destrua a seleção natural!"

Charles Darwin, 1864[1]

"É quase como se as pessoas quisessem mostrar quão inteligentes acreditam ser pelo grau de emancipação em relação à Bíblia e ao Catecismo."

F. Schaubach sobre a literatura popular, 1863[2]

"John Stuart Mill não pode evitar pedir o sufrágio para os negros e as mulheres. Tais conclusões são os resultados inevitáveis das premissas de onde ele partiu (...) (e sua) *reductio ad absurdum.*"

Anthropological Review, 1866[3]

1.

A sociedade burguesa de nosso período estava confiante e orgulhosa de seus sucessos. Em nenhum outro campo da vida humana isso era mais evidente que no avanço do conhecimento, da "ciência". Homens cultos do período não estavam apenas orgulhosos de suas ciências, mas preparados para subordinar todas as outras formas de atividade intelectual a elas. Em 1861, o estatístico e economista Cournot observou que:

> a crença em verdades filosóficas saiu tanto de moda, que nem o público nem os acadêmicos se dispõem a receber mais obras desse tipo, exceto como produtos de puro academicismo ou curiosidade histórica.[4]

Não era, de fato, uma boa época para os filósofos. Mesmo no seu reduto tradicional, a Alemanha, não havia ninguém de estatura comparável para suceder às grandes figuras do passado. O próprio Hegel, visto como um "balão vazio" da filosofia alemã por seu antigo admirador francês, Hippolyte Taine (1828-1893), saíra de moda no seu país natal, e o modo pelo qual "os cansativos, pedantes e medíocres que agora davam o tom para o povo alemão" o tratavam fez Marx, em 1860, "declarar-se publicamente um discípulo daquele grande pensador".[5] As duas tendências filosóficas dominantes subordinavam-se, elas mesmas, à ciência: o positivismo francês, associado à escola do curioso Auguste Comte, e o empirismo inglês, associado a John Stuart Mill, sem mencionar o medíocre pensador, cuja influência era então maior do que a de qualquer outro no mundo, Herbert Spencer (1820-1903). A base dupla da "filosofia positiva" de Augusto Comte era a imutabilidade das leis da natureza e a impossibilidade de qualquer conhecimento infinito ou absoluto. Uma vez que não passou além da excêntrica "religião da humanidade" comtiana, o positivismo foi pouco mais do que uma justificação filosófica do método convencional das ciências experimentais e, da mesma forma, para a maior parte dos contemporâneos, Mill foi, novamente nas palavras de Taine, o homem que "abriu o velho caminho certo da indução e do experimento". Contudo essa perspectiva baseava-se explicitamente em Comte e Spencer, numa visão histórica do progresso evolucionista. O método positivo ou científico era (ou seria) o triunfo do último dos estágios pelos quais a humanidade precisava passar — na terminologia de Comte, os estágios teológico, metafísico e científico, cada qual com suas instituições próprias, das quais Mill e Spencer pelo menos concordavam que o liberalismo (numa compreensão larga do termo) era a expressão mais adequada. Alguém poderia dizer, com algum exagero, que desse ponto de vista o progresso da ciência fazia a filosofia redundante, exceto como uma espécie de laboratório intelectual assistindo o cientista.

Além disso, com tal confiança nos métodos da ciência, não é de surpreender que os homens instruídos da segunda metade do século XIX estivessem tão impressionados com suas conquistas. De fato, às vezes chegaram a pensar que essas conquistas não eram apenas impressionantes, mas também finais. William Thompson, *Lord* Kelvin, o célebre físico, pensava que todos os problemas básicos da física haviam sido resolvidos, e só alguns menores ainda precisavam ser solucionados. Ele estava, como sabemos, redondamente enganado.

Entretanto, o erro era significativo e compreensível. Em ciência, assim como na sociedade, há períodos revolucionários e não revolucionários e, enquanto o século XX é revolucionário em ambas, mais ainda que a "era das revoluções" (1789-1848), o período de que trata este livro não foi (com algumas exceções) revolucionário em nenhuma das duas. Isso não quer dizer que todos os homens convencionais de inteligência e habilidade pensassem que a ciência ou a sociedade tivessem resolvido todos os problemas, embora em alguns aspectos particulares, como os que diziam respeito ao tipo básico de economia e o tipo básico do universo físico, alguns dos mais capazes sentissem que os problemas mais substanciais tivessem sido solucionados. Mas isso quer dizer, com absoluta certeza, que tais homens não tinham sérias dúvidas quanto à direção que estavam seguindo ou deveriam seguir, assim como em relação aos métodos teóricos ou práticos para lá chegar. Ninguém duvidava do progresso, tanto material como intelectual, pois parecia óbvio demais para ser negado. Esse era, sem dúvida, o conceito dominante da época, embora houvesse uma divisão fundamental entre aqueles que pensavam que o progresso seria mais ou menos contínuo e linear e aqueles (como Marx) que sabiam que ele precisaria e seria descontínuo e contraditório. Dúvidas poderiam surgir apenas sobre questões de gosto, maneiras e moral, em que a simples acumulação quantitativa não fornecia um guia certo. Não havia dúvida de que os homens em 1860 sabiam mais do que nunca em relação a períodos anteriores, mas se eram "melhores", não podia ser demonstrado do mesmo modo. Mas essas eram questões que preocupavam teólogos (cuja reputação intelectual não era muito alta), filósofos e artistas (que eram admirados, mas aproximadamente da mesma forma como homens ricos admiram os diamantes que podem comprar para suas mulheres) e críticos sociais, da esquerda ou da direita, que não gostavam do tipo de sociedade em que viviam ou em que eram forçados a viver. Entre pessoas cultas e articuladas em 1860, eles constituíam uma minoria.

Embora o progresso maciço fosse possível em todos os ramos do conhecimento, parecia evidente que alguns estavam mais adiantados, mais bem formados que outros. Parecia que a física estava mais madura que a química, e que já havia deixado para trás o estágio de progresso efervescente e explosivo dentro do qual aquela ciência estava ainda tão visivelmente engajada. A química, por seu turno, mesmo a "química orgânica", estava muito mais adiantada do que as ciências da vida, que pareciam apenas começar a tomar impulso naquela era de excitante progresso. De fato, se uma única teoria científica representava o avanço das ciências naturais em nosso período, e era de fato reconhecida como crucial, essa teoria é a da evolução, e se uma única figura dominou a imagem pública da ciência, essa foi a do indivíduo de feições marcadas e algo simiescas, Charles Darwin (1809-1882). O estranho, abstrato e logicamente fantástico mundo dos matemáticos permaneceu de certa forma isolado, tanto do público geral como do científico, talvez mais do que antes, visto que seu maior contato com a física (através da tecnologia física) parecia, nesse estágio, ter menor utilidade para as abstrações avançadas e aventurosas que nos grandes dias da construção da mecânica celeste. O cálculo, sem o qual as realizações da engenharia e das comunicações do período teriam sido impossíveis, estava então bem mais atrás da fronteira móvel da matemática. Essa questão é talvez mais bem representada pelo maior matemático de nosso período, George Bernhard Riemann (1826-1866), cuja tese universitária de 1854, "Sobre as hipóteses subjacentes à geometria" (publicada em 1868), não pode ser omitida de uma discussão sobre a ciência do século XIX, da mesma maneira que os *Principia* de Newton não podem ser omitidos numa discussão sobre o século XVII. Ela estabeleceu os fundamentos da topologia, da geometria diferencial, da teoria do espaço-tempo e da gravitação. Riemann chegou a propor uma teoria de física compatível com a moderna teoria dos quanta. Porém, esses e outros desenvolvimentos altamente originais da matemática não tiveram seu lugar até a nova era revolucionária da física, que começaria somente no final do século.

Entretanto, em nenhuma das ciências naturais parecia haver alguma dúvida séria sobre a direção geral na qual o conhecimento avançava, ou sobre a estrutura básica conceitual ou metodológica sobre a qual se baseava. Descobertas não faltavam, teorias às vezes novas, mas não inesperadas. Mesmo a teoria darwinista da evolução impressionava não porque o *conceito* de evolução fosse novo — era familiar havia décadas —, mas porque fornecia, pela primeira vez, um modelo de explanação satisfatório para a origem das espécies, e o fez em termos que eram inteiramente conhecidos até para não cientistas, visto que refletiam os conceitos mais familiares da economia liberal, a competição. De fato, um número incomum de grandes cientistas usou uma terminologia que tornou-se rapidamente popular — alguns até excessivamente — tais como Darwin, Pasteur, os fisiologistas Claude Bernard (1813-1878), Rudolf Virchow (1821-1902) e Helmholtz (1821-1894) e também os físicos William Thompson e *Lord* Kelvin. Os modelos básicos ou "paradigmas" das teorias científicas pareciam firmes, embora grandes cientistas como James Clerk Maxwell (1831-1879) formulassem suas versões com a precaução instintiva de torná-las compatíveis com outras teorias posteriores, que surgissem com base em modelos diferentes.

No interior das ciências naturais havia pouco daquela confrontação passional e perplexa que ocorre quando há um encontro, não de hipóteses diferentes, mas de diferentes formas de olhar o mesmo problema, isto é, quando um lado propõe não apenas uma resposta diferente, mas pensa que o outro lado é inaceitável, "impensável". Tal confronto ocorreu no mundo pequeno e remoto das matemáticas, quando H. Kronecker (1839-1914) atacou K. Weierstrass (1815-1897), R. Dedekind (1831-1916) e G. Cantor (1845-1918) na questão da matemática do infinito. Tais *Methodenstreite* (batalhas de métodos) dividiram também o mundo dos cientistas sociais, mas ao entrar nas ciências naturais — mesmo as biológicas, na sensível questão da evolução — refletiam uma intrusão de preferências ideológicas, em lugar de debates profissionais. Não há nenhuma razão científica convincente para que elas não ocorressem. Portanto, aqueles cientistas vitorianos mais típicos, como William Thompson, *Lord* Kelvin (típico na sua combinação de grande poder teórico convencional, enorme fertilidade tecnológica* e consequente sucesso nos negócios), estavam claramente descontentes com a matemática de Clerk Maxwell e sua teoria eletromagnética da luz, vista por muitos como o ponto de partida para a física moderna. Entretanto, já que ele conseguiu reformulá-la em termos de seu próprio tipo de matemática de engenharia (o que não é), não chegou a discutir a questão. Além disso, Thompson demonstrou, para sua própria satisfação, que, segundo as leis da física conhecidas, o Sol não poderia ser mais velho que 500 milhões de anos e que, portanto, o tempo requerido pela evolução geológica e biológica

* Sou lembrado pelo dr. S. Zienau de que "não há instrumento de medição elétrica na era pré-eletrônica, na telegrafia e na sinalização de ferrovias, nos correios e nas companhias para geração de força que não deva algo a Thompson".

na Terra era impossível. (Na qualidade de cristão ortodoxo, ele recebeu muito bem essa conclusão.) Realmente, de acordo com a física de 1864, ele estava correto: seria apenas a descoberta das forças desconhecidas da energia nuclear que permitiria aos físicos supor uma vida muito mais longa para o Sol e consequentemente para a Terra. Mas Thompson não se preocupava com o fato de que a física pudesse estar incompleta ou em conflito com a geologia aceita, ou ainda se os geólogos estavam simplesmente adiante da física. O debate talvez nem tivesse ocorrido, e estava muito distante, no que tange ao desenvolvimento futuro das ciências.

Portanto o mundo da ciência andava para a frente nos seus próprios trilhos intelectuais, e o seu progresso posterior parecia, como o das ferrovias, oferecer a perspectiva da colocação de mais trilhos do mesmo tipo em novos territórios. Os céus pareciam conter pouco daquilo que teria surpreendido velhos astrônomos, afora uma série de novas observações com telescópios mais poderosos ou instrumentos de medição melhores (ambos desenvolvimentos alemães)* e o uso da nova técnica de fotografia, assim como da análise espectroscópica, pela primeira vez aplicada à luz das estrelas em 1861, que viria a transformar-se num instrumento de pesquisa extremamente poderoso.

As ciências físicas haviam se desenvolvido dramaticamente no meio século precedente, quando fenômenos aparentemente disparatados como calor e energia foram unificados pelas leis da termodinâmica, enquanto a eletricidade, o magnetismo e mesmo a luz convergiam para um único modelo analítico. A termodinâmica não avançou muito em nosso período, embora Thompson tivesse completado o processo da reconciliação

---

* Até os anos 1890, o telescópio de Joseph Francinhofer (1787-1826) permaneceu o protótipo dos refratores gigantes instalados nos observatórios americanos. A astronomia britânica arrastava-se atrás do continente europeu em termos de qualidade, mas isso era compensado por um longo e ininterrupto registro de observações. "Greenwich poderia ser comparado a uma empresa há muito estabelecida, de rotina conservadora, reputação sólida e clientela garantida, isto é, toda a navegação mundial" (S. Zienau).

das novas doutrinas sobre o calor com as antigas da mecânica em 1851 (*The dynamical equivalent of heat*). O espantoso modelo matemático da teoria eletromagnética da luz, formulado pelo ancestral da moderna física teórica, James Clerk Maxwell, em 1862, era profundo e estimulante. Deixava o caminho aberto para a descoberta do elétron. No entanto, Maxwell, talvez porque nunca tenha conseguido fazer uma exposição adequada daquilo que ele mesmo descrevia como "estranha teoria" (isso só viria a ser feito em 1941!),[6] fracassou em convencer os seus contemporâneos mais célebres como Thompson e Helmholtz, ou mesmo o brilhante austríaco Ludwig Boltzmann (1844-1906), cuja intervenção, em 1868, praticamente lançou a mecânica estatística como um campo de conhecimento. Provavelmente a física de meados do século XIX não era tão espetacular quanto a dos períodos precedentes e subsequentes, mas seu avanço teórico era bastante expressivo. Portanto, a teoria eletromagnética e as leis da termodinâmica pareciam, entre elas (citando Bernal), "implicar uma certa finalidade mútua".[7] De qualquer forma, os ingleses (liderados por Thompson) e mesmo outros físicos que haviam desenvolvido sua capacidade criativa na termodinâmica estavam atraídos pela ideia de que o homem já havia adquirido um conhecimento definitivo das leis da natureza (embora Helmholtz ou Boltzmann não estivessem bem convencidos). Talvez a impressionante fertilidade tecnológica do modelo mecânico da física tornasse a ilusão da finalidade mais tentadora.

Não havia certamente tal finalidade em vista no que tocava à segunda grande ciência natural, talvez a mais florescente de todo o século XIX, a química. Sua expansão era tremenda, especialmente na Alemanha, não apenas porque seu uso industrial parecesse não ter fim: de alvejantes, corantes e fertilizantes a produtos médicos e explosivos. Os químicos estavam a caminho de formar mais da metade dos profissionais engajados nas ciências.[8] As fundações da química como uma ciência madura haviam sido estabelecidas nos últimos trinta anos do século XVIII. Ela havia florescido desde então, e continuou desenvolvendo-se numa excitante fonte de ideias e descobertas em nosso período.

Os processos elementares básicos da química eram conhecidos e os instrumentos analíticos essenciais, disponíveis; a existência de um número limitado de elementos químicos, compostos de diferentes números de unidades básicas (átomos) e componentes de elementos compostos de unidades de moléculas multiatômicas, além de alguma ideia das leis dessas combinações, dariam a partida para os grandes avanços nas atividades dos químicos, a análise e síntese de várias substâncias. O campo especial da química orgânica já florescia nesse tempo, embora estivesse confinado às propriedades — a maioria delas eram úteis na produção — de materiais derivados de fontes que um dia foram vivas, como o carvão. Ainda estava longe da bioquímica, isto é, da compreensão de como essas substâncias funcionavam no organismo vivo. Assim mesmo, os modelos da química permaneciam bastante imperfeitos, mas avanços substanciais na compreensão desses vieram a ser feitos nesse período. Eles iluminaram a *estrutura* dos componentes químicos, que até então haviam sido vistos apenas em termos quantitativos (isto é, o número de átomos numa molécula).

Tornou-se então possível determinar o correto número de cada tipo de átomo numa molécula, pela Lei de Avogadro já exposta em 1811, para a qual um químico patriota italiano chamou a atenção durante um simpósio internacional sobre a questão em 1860, o ano da unidade italiana. Além disso — mais um empréstimo frutífero da física —, Pasteur descobriu em 1848 que substâncias quimicamente idênticas poderiam ser fisicamente diferentes, por exemplo, girando ou não girando o plano da luz polarizada. Dessas descobertas seguiu-se, entre outras coisas, que as moléculas têm uma forma no espaço tridimensional. E o brilhante químico alemão Kekulé (1829-1896), na situação bastante vitoriana de um passageiro sentado no segundo andar de um ônibus londrino em 1865, imaginou o primeiro dos modelos complexos estruturais moleculares, o famoso anel benzeno de seis átomos de carbono, cada qual com um átomo de hidrogênio ligado. Poder-se-ia dizer que a concepção do arquiteto ou do engenheiro do modelo transformou o modelo até então existente, o do contador — C_6H_6, a mera contagem dos átomos — em uma fórmula química.

Talvez ainda mais sensacional fosse a generalização maior no campo da química produzida por esse período, a Tabela Periódica dos Elementos (1869) de Mendeleiev (1834-1907). Graças à solução dos problemas do peso atômico e de sua valência (o número de ligações que o átomo de um elemento possui com outros elementos), a teoria atômica, negligenciada de alguma forma depois de haver florescido no começo do século XIX, veio à tona novamente depois de 1860, e simultaneamente a tecnologia na construção do espectroscópio (1859) permitiu que vários novos elementos fossem descobertos. Além disso, a década de 1860 foi um grande período de padronização e mensuramento. (Entre outras coisas, viu-se a fixação das unidades familiares das medidas elétricas, volt, ampère, watt e ohm.) Várias tentativas foram feitas para reclassificar os elementos químicos de acordo com a valência e o peso atômico. A de Mendeleiev e a do alemão German Lothar Meyer (1830-1895) baseavam-se no fato de que as propriedades dos elementos variavam de forma periódica com seus respectivos pesos atômicos. Seu brilhantismo está na suposição de que, de acordo com esse princípio, alguns espaços na tabela periódica dos 92 elementos ainda estão vazios e na predição das propriedades dos elementos ainda não descobertos que preencherão tais espaços. A Tabela de Mendeleiev parecia à primeira vista concluir o estudo da teoria atômica pelo estabelecimento de um limite à existência de tipos fundamentalmente diferentes de matéria. De fato,

encontraria sua interpretação completa em um novo conceito de matéria não mais feita de átomos imutáveis, mas de relações relativamente provisórias de umas poucas partículas fundamentais, elas mesmas sujeitas a mudanças e transformações.

Mas naquele momento Mendeleiev, como Clerk Maxwell, via suas conclusões como a última palavra em uma velha discussão, ao invés de a primeira num novo debate.

A biologia ficava bem atrás das ciências físicas, agrilhoada não apenas pelo conservadorismo dos dois grupos maiores de homens interessados na sua aplicação prática, mas também pelos fazendeiros e especialmente pelos médicos. Retrospectivamente, o maior dos primeiros fisiologistas é Claude Bernard, cujo trabalho fornece a base para toda a fisiologia moderna e a bioquímica, e que, além de tudo, escreveu uma das melhores análises dos processos da ciência jamais surgidos — a sua *Introdução ao estudo da medicina experimental* (1865). Entretanto, embora reconhecido, especialmente no seu país natal, a França, suas descobertas não foram imediatamente aplicadas e sua influência foi, consequentemente, inferior à de seu compatriota Louis Pasteur, que se tornou, juntamente com Darwin, talvez o cientista de meados do século XIX mais conhecido do grande público. Pasteur foi atraído para o campo da bacteriologia, do qual foi o grande pioneiro (juntamente com Robert Koch (1843-1910), um médico rural alemão), por meio da química industrial, mais precisamente pela análise de por que a cerveja e o vinagre às vezes estragavam, por razões que a análise química não conseguia revelar. Tanto as técnicas da bacteriologia — o microscópio, a preparação de culturas e lâminas etc. — quanto sua aplicabilidade imediata — a erradicação de doenças em animais e homens — fizeram a nova disciplina acessível, compreensível e atraente. Técnicas como antissépticos (desenvolvidas por Lister (1827-1912) por volta de 1865), pasteurização ou outros métodos de preservação de produtos orgânicos do contágio de micróbios, assim como a inoculação, estavam à mão, e os argumentos e resultados eram suficientemente palpáveis para derrubar mesmo a ferrenha hostilidade da comunidade médica. O estudo das bactérias forneceria à biologia uma abordagem extremamente útil para a natureza da vida, mas nesse período não levantou nenhuma questão teórica que o mais convencional dos cientistas não pudesse imediatamente reconhecer.

O mais significativo e dramático avanço na biologia pouco tinha a ver, na época, com o estudo da estrutura física e química da vida e seu mecanismo. A teoria da evolução pela seleção natural ia bem mais longe que os limites da biologia, e nisso reside sua importância. Ela ratificava o triunfo da história sobre todas as ciências, embora "história" nesse sentido fosse normalmente confundida pelos contemporâneos com "progresso". Além disso, ao trazer o próprio homem para dentro do esquema da evolução biológica, abolia a linha divisória entre ciências naturais, humanas ou sociais. Portanto, todo o cosmo, ou pelo menos todo o sistema solar, precisava ser concebido como um processo de mudança histórica constante. O Sol e os planetas estavam no centro dessa história e, portanto, como os geólogos já haviam estabelecido (veja *A era das revoluções*, Capítulo 15), também estava a Terra. Coisas vivas eram então incluídas no processo, embora a questão de que a vida tivesse evoluído da não vida permanecesse sem solução e, sobretudo por razões ideológicas, extremamente delicada. (O grande Pasteur acreditava que havia demonstrado que não poderia evoluir dessa forma.) Darwin trouxe não apenas os animais, mas também o homem, para o esquema evolucionista.

A dificuldade para a ciência de meados do século XIX não residia na admissão de tal historicização do universo — nada era mais fácil de conceber numa era de mudanças históricas tão esmagadoramente óbvias e maciças —, mas em combiná-la com as operações uniformes, contínuas e não revolucionárias das leis naturais permanentes. O descrédito em relação a revoluções sociais não estava ausente de suas considerações, assim como o descrédito da religião tradicional, cujos textos sagrados estavam comprometidos com mudança descontínua ("criação") e interferência na regularidade da natureza ("milagres"). Entretanto, parecia também que nesse estágio a ciência dependia de uniformidade e invariância. O reducionismo parecia ser essencial. Somente pensadores revolucionários como Marx achavam fácil conceber situações onde dois mais dois fosse não mais igual a quatro, mas pudesse ser igual a outra coisa.* A grande conquista dos geólogos fora a explicação de como a operação das mesmas forças exatamente visíveis hoje podia explicar a enorme variedade do que podia ser observado na Terra inanimada, passada e presente. A grande conquista da seleção natural era poder explicar a ainda maior variedade das espécies, inclusive o homem. Esse sucesso estimulava, e ainda estimula, os pensadores a negar ou minimizar os processos inteiramente diferentes ou novos que governam a mudança histórica, a reduzir as mudanças nas sociedades humanas a regras de evolução biológica — com importantes consequências (e às vezes, intenções) políticas (o "social-darwinismo"). A sociedade na qual os cientistas ocidentais viviam — e todos os cientistas pertenciam ao mundo ocidental, mesmo os que se situavam em suas margens, como a Rússia — combinava estabilidade e mudança, assim como o faziam suas teorias evolucionistas.

Eles eram, apesar de tudo, dramáticos ou mesmo traumáticos, pois pela primeira vez investiam em direção a uma confrontação deliberada e militante com as forças da tradição, o conservadorismo e especialmente a religião. Eles aboliram o *status* especial que os homens haviam concebido para si mesmos até então. A violência com a qual se resistiu à evolução era ideológica. Como conceber que o homem, criado à imagem de Deus, não fosse nada mais que um macaco modificado? Diante da escolha entre macacos e anjos, os opositores de Darwin tomaram o lado dos anjos. A força dessa resistência demonstra a força do tradicionalismo e da religião organizada mesmo entre os grupos mais emancipados e instruídos das populações ocidentais, pois a discussão estava limitada aos altamente

* Esta era uma questão no debate dos matemáticos sobre o infinito, tão chocante exatamente porque as regras aritméticas simplesmente não davam mais os resultados esperados.

cultos. Mas o que é igualmente ou talvez mais espantoso é a disposição dos evolucionistas de, publicamente, desafiar as forças da tradição — e seu triunfo relativamente rápido. Existiram muitos evolucionistas na primeira metade do século, mas entre eles os biólogos haviam lidado com a questão com extremo cuidado e mesmo algum medo pessoal. O próprio Darwin escondeu até 1859 algumas das ideias que havia concebido.

Isso não era devido ao fato de que a evidência da descendência do homem de macacos agora era demasiadamente esmagadora para que qualquer resistência lhe fosse oposta, embora, como terminou por suceder, ela se acumulasse rapidamente na década de 1850. O crânio de tipo simiesco do homem de Neanderthal (1856) não podia ser negado. Mas a evidência fora suficientemente forte mesmo antes de 1848. Era sim por causa da feliz conjuntura de dois fatos, do rápido avanço da burguesia liberal e "progressista" e da ausência de revoluções. O desafio às forças da tradição cresceu e ficou mais forte, mas não mais parecia implicar mudanças sociais. O próprio Darwin ilustra essa combinação. Burguês, homem da esquerda moderadamente liberal e inquestionavelmente pronto para confrontar as forças do conservadorismo e da religião a partir do final da década de 1850 (embora nunca antes disso), ele polidamente rejeitou a oferta de Karl Marx, que queria dedicar-lhe o segundo volume d'*O capital*.[8a] Não era, apesar de tudo, um revolucionário.

A sorte do darwinismo, portanto, dependia não tanto do seu sucesso em convencer o mundo científico dos méritos evidentes de *A origem das espécies*, mas da conjuntura política e ideológica do tempo e do país. Ele foi, evidentemente, adotado de imediato pela extrema esquerda, que já havia muito tempo atrás fornecido um poderoso representante do pensamento evolucionista. Alfred Russel Wallace (1823-1913), que de fato descobrira a teoria da seleção natural independentemente de Darwin e partilhou essa glória com ele, vinha da tradição de ciência artesã e radicalismo que teve papel tão importante no começo do século XIX e que achava a "história natural" muito normal. Formado no meio dos "Salões de Ciência" cartistas e owenitas, permaneceu homem da extrema esquerda e voltou à política mais tarde na vida, dando apoio militante à nacionalização da terra e mesmo ao socialismo, enquanto mantinha sua crença em outras teorias características da ideologia plebeia e heterodoxa, como a frenologia e o espiritualismo (veja o próximo capítulo). Marx imediatamente colocou a *Origem* de Darwin como a "base das ciências naturais do nosso ponto de vista",[9] e a social-democracia tomou-se fortemente — e para alguns discípulos de Marx como Kautski de maneira excessiva — darwinista.

Essa evidente afinidade entre socialistas e darwinismo biológico não impediu que as classes médias liberais, dinâmicas e progressistas também o acolhessem de braços abertos. O darwinismo triunfou rapidamente na Inglaterra e na confiante atmosfera liberal da Alemanha, na década da unificação. Na França, onde a classe média preferia a estabilidade do império napoleônico e os intelectuais de esquerda não sentiam nenhuma necessidade de importar ideias de não franceses, portanto atrasadas, o darwinismo não avançou rapidamente até o final do império e a derrota da Comuna de Paris. Na Itália, seus defensores estavam mais nervosos por causa das implicações social-revolucionárias do que por causa dos rompantes papais, mas de qualquer forma ainda suficientemente confiantes em si mesmos. Nos Estados Unidos, não apenas triunfou rapidamente, mas cedo transformou-se na ideologia do capitalismo militante. Por outro lado, a oposição à evolução darwinista, mesmo entre cientistas, veio dos socialmente conservadores.

2.

A evolução liga as ciências naturais às ciências humanas ou sociais, embora o último termo seja anacrônico. Porém, a necessidade de uma ciência específica e geral da sociedade (distinta das várias disciplinas relevantes já tratando com assuntos humanos) era pela primeira vez sentida. A British Association for the Promotion of Social Science (1857) tinha o modesto objetivo de aplicar métodos científicos às reformas sociais. Entretanto, a sociologia, termo inventado por Auguste Comte em 1839 e popularizado por Herbert Spencer (que escreveu um livro prematuro sobre os princípios desta e de numerosas outras ciências em 1876), era muito comentada. Pelo final de nosso período, ainda não havia produzido nenhuma disciplina reconhecida, nenhum assunto de ensino acadêmico. Por outro lado, o amplo mas cognato campo da antropologia emergia rapidamente como uma ciência reconhecida, saindo da filosofia, direito, etnologia, literatura de viagem, do estudo da língua e do folclore e das ciências médicas (por meio do então popular assunto da "antropologia física", que levou à moda de medir e colecionar os crânios de vários povos). A primeira pessoa a ensiná-la oficialmente foi provavelmente Quatrefages em 1855, na cadeira que existia para essa matéria no Museu Nacional de Paris. A fundação da Sociedade Antropológica de Paris (1859) foi seguida por um repentino interesse na década de 1860, quando associações similares foram fundadas em Londres, Madri, Moscou, Florença e Berlim. A psicologia (outro termo cunhado recentemente, desta vez por John Stuart Mill) ainda estava ligada à filosofia — A. Bain e seu livro *Mental and moral science* (1868) ainda a combinava com a ética —, mas recebia cada vez mais uma orientação experimental com W. Wundt (1832-1920), que fora assistente do grande Helmholtz. Era inquestionavelmente uma disciplina aceita pela década de 1870, ao menos nas universidades alemãs. Essa matéria também atingia os campos da sociologia e da antropologia, e em 1859, um jornal especial era fundado, ligando-a com a linguística.[10]

Pelos padrões das ciências "positivas" e especialmente das experimentais, os resultados dessas novas ciências não impressionavam muito, embora três pudessem clamar resultados sistemáticos e genuínos como ciências antes de 1848: economia, estatística e linguística (veja *A era das revoluções*, Capítulo 15). A ligação entre economia e matemática tornou-se então direta (com A. A. Cournot (1801-1877) e L. Walras (1834-1910), ambos franceses), e a aplicação da estatística aos fenômenos sociais já estava suficientemente avançada para estimular sua aplicação às ciências físicas. Pelo menos isto é o que era defendido pelos estudiosos das origens da mecânica estatística, iniciada por Clerk Maxwell. Por conseguinte, a estatística social floresceu como nunca antes, seus praticantes encontrando emprego público à vontade. Congressos internacionais estatísticos passaram a ocorrer periodicamente a partir de 1853, e o estatuto científico da matéria foi então reconhecido pela eleição do célebre e admirável dr. William Farr (1807-1883) para a Royal Society. A linguística, como veremos, seguiria uma linha diferente de desenvolvimento.

Mas, no total, esses resultados não eram excepcionais, exceto metodologicamente. A marginal escola econômica utilitarista desenvolvida simultaneamente na Inglaterra, Áustria e França, por volta de 1870, era formalmente elegante e sofisticada, mas sem dúvida consideravelmente mais limitada que a velha "economia política" (ou mesmo a recalcitrante "escola histórica econômica" dos alemães), e dessa forma uma abordagem menos realística dos problemas econômicos. Diferentemente das ciências naturais, numa sociedade liberal, as ciências sociais não tinham nem mesmo o estímulo do progresso tecnológico. Como o modelo básico da economia parecia perfeitamente satisfatório, não deixava nenhum grande problema a resolver, tais como o do crescimento, possível colapso econômico ou distribuição de renda. Uma vez que esses problemas não estivessem ainda resolvidos, as operações automáticas da economia de mercado (sobre as quais as análises então se concentravam) iriam resolvê-los, desde que não estivessem fora de solução humana. De qualquer maneira, as coisas estavam obviamente progredindo e melhorando, uma situação que dificultava a concentração das mentes dos economistas em aspectos mais profundos de sua ciência.

As reservas que os pensadores burgueses tinham sobre seu mundo eram de natureza mais social e política que econômica, especialmente onde o perigo de revolução não estava esquecido, como na França, ou estava emergindo com o crescimento do movimento trabalhista, como na Alemanha. Mas se os pensadores alemães (que nunca engoliram direito teorias liberais extremas) estavam, como os conservadores em todos os lugares, preocupados com o fato de que a sociedade produzida pelo capitalismo liberal mostrava-se perigosa e instável, por outro lado pouco tinham a propor, exceto reformas sociais preventivas. A imagem básica do sociólogo era a imagem biológica de um "organismo social", a cooperação funcional de todos os grupos na sociedade, muito diferente da luta de classes. Era, no fundo, o antigo conservadorismo vestido com roupa do século XIX e, aliás, difícil de se combinar com a outra imagem biológica do século, que propunha mudança e progresso, a "evolução". Era de fato uma base melhor para propaganda do que para ciência.

Portanto, o único pensador do período que desenvolveu uma teoria compreensível da estrutura e mudança social que ainda impõe respeito foi o revolucionário social Karl Marx, que desfruta da admiração, ou pelo menos do respeito, de economistas, historiadores e sociólogos. Essa é uma realização admirável, visto que seus contemporâneos (exceto alguns economistas) estão agora esquecidos, mesmo pelos homens e mulheres mais instruídos, exceto se arqueólogos intelectuais puderem descobrir méritos esquecidos em seus escritos. Mas o que é mais espantoso não é tanto o fato de que Auguste Comte ou Herbert Spencer fossem, apesar de tudo, pessoas de alguma estatura intelectual reconhecida, mas os homens que eram então olhados como os Aristóteles do mundo moderno praticamente tenham desaparecido de vez. Eles eram, no seu tempo, incomparavelmente mais famosos e influentes que Marx, cujo *Capital* foi descrito em 1875, por um especialista anônimo alemão, como a obra de um autodidata ignorante do progresso dos últimos 25 anos.[11]

Pois nessa época no Ocidente, Marx era levado a sério apenas dentro do movimento trabalhista internacional, e especialmente pelo crescente movimento socialista de seu próprio país, e mesmo assim sua influência ali era superficial. Entretanto, os intelectuais de uma Rússia cada vez mais revolucionária liam-no avidamente. A primeira edição alemã de *O capital* (1867) — mil cópias — levou cinco anos para vender, mas em 1872, as primeiras mil cópias da edição russa esgotaram-se em menos de dois meses.

O problema com o qual Marx se defrontava era o mesmo que outros cientistas sociais tentavam resolver: a natureza e mecânica da transição da sociedade pré-capitalista para a capitalista e suas específicas formas de operação e tendências de desenvolvimento futuro. Como suas respostas são relativamente familiares, não precisamos recapitulá-las aqui, embora valha a pena assinalar que Marx resistiu à tendência, que em outros lugares cresceu com força sempre maior, de separar a análise econômica de seus contextos históricos sociais. O problema do desenvolvimento histórico da sociedade do século XIX levou tanto teóricos como homens práticos a penetrar profundamente no passado remoto. Pois, tanto dentro dos países capitalistas quanto nos lugares onde a sociedade burguesa em expansão encontrava — e destruía — outras sociedades, o passado vivo e o presente nascente encontravam-se em conflito aberto. Pensadores alemães viam a ordem hierárquica dos "estratos" dar lugar, em seu próprio país, a uma sociedade de classes conflitantes. Advogados ingleses, especialmente os que tinham experiência na Índia, contrastavam a antiga sociedade do "*status*" com a nova do "contrato", e viam a transição da primeira para a segunda como o principal padrão do desenvolvimento histórico. Escritores russos viviam de fato simultaneamente nos dois mundos — o antigo comunalismo dos camponeses, que muitos deles conheciam dos longos verões em suas fazendas, e o mundo do intelectual ocidentalizado e viajado. Para o observador de meados do século XIX, toda a história coexistia ao mesmo tempo, exceto as antigas civilizações e impérios como a Antiguidade Clássica, que haviam sido (literalmente) enterrados, esperando as pás de H. Schliemann (1822-1890) em Troia e Micenas, ou as de Flinders Petrie (1853-1942) no Egito.

Poder-se-ia talvez esperar que a disciplina ligada mais de perto ao passado proporcionasse uma contribuição mais importante ao desenvolvimento das ciências sociais, mas na realidade a história como uma especialização acadêmica foi curiosamente de pouca ajuda. Seus praticantes estavam sobretudo interessados em governantes, batalhas, tratados, acontecimentos políticos ou instituições político-legais, em um mundo cuja política retrospectiva, senão a política cotidiana, vestia fantasias históricas. Eles elaboraram a metodologia de pesquisa com base nos documentos dos arquivos públicos, hoje admiravelmente organizados e preservados, e (seguindo a liderança dos alemães) organizaram suas publicações em torno dos dois polos da tese acadêmica e da revista especializada para *scholars*: a *Historische Zeitschrift* foi publicada pela primeira vez em 1858, a *Revue Historique* em 1876, a *Historical Review* inglesa em 1886 e a *American Historical Review* em 1895. Mas o que eles produziram foram no máximo alguns monumentos permanentes de erudição, aos quais ainda hoje recorremos, e no mínimo uns gigantescos panfletos que hoje, se são lidos, é por mero interesse literário. A história acadêmica, apesar do moderado liberalismo de alguns de seus praticantes, tinha uma natural inclinação em preservar o passado, e tinha uma atitude de suspeitar, senão de deplorar, o futuro. As ciências sociais, nesse período, tinham a inclinação contrária.

Apesar de tudo, se os historiadores acadêmicos seguiam seus caminhos de erudição, a história permanecia como a estrutura básica das novas ciências sociais. Isso era particularmente óbvio no florescente (e, como em tantos outros, proeminentemente alemão) campo da linguística, ou melhor, para usar o termo da época, da filologia. O maior interesse dessa ciência residia na reconstituição da evolução histórica das línguas indo--europeias que, talvez porque fossem conhecidas na Alemanha como "indo-germânicas", atraíam ali a atenção nacional, quando não nacionalista. Esforços para estabelecer uma tipologia evolucionista mais ampla das línguas, isto é, descobrir as origens e o desenvolvimento histórico da fala e da linguagem, também foram feitos — por exemplo, por H. Steinthal (1823-1899) e A. Schleicher (1821-1868) —, mas as árvores genealógicas das línguas então construídas permaneciam altamente especulativas e as relações entre os vários *genera* e *species,* extremamente duvidosas. Na realidade, com a exceção do hebreu e de alguns dialetos semitas, que atraíam estudiosos judeus ou bíblicos, e também algum trabalho feito com as línguas fino-ugrianas (que por acaso tinham um representante na Europa central, a Hungria), pouco fora das línguas indo-europeias, havia sido sistematicamente estudado nos países onde a filologia de meados do século xix havia florescido.* Por outro lado, os *insights* fundamentais da primeira metade do século eram agora sistematicamente aplicados e desenvolvidos na linguística evolucionista indo-europeia. Os tipos regulares de mudanças sonoras descobertas por Grimm para o alemão eram agora investigados e especificados de modo mais aprofundado; métodos de reconstrução de formas de palavras antigamente não escritas e a construção de modelos das "árvores genealógicas" linguísticas eram estabelecidos; outros modelos de mudança evolutiva (como a "teoria das ondas" de Schmidt) eram sugeridos, e o uso da analogia, especialmente analogia gramatical, era desenvolvido, visto que a filologia não era nada se não fosse comparativa. Pela década de 1870, a escola líder de *Junggrammatiker* (jovens gramáticos) julgava-se capaz de reconstruir o indo-europeu original, do qual tantas línguas desde o sânscrito no Oriente e o celta no

* A escola americana de linguística, fundamentada no estudo das línguas ameríndias, ainda não havia se desenvolvido.

Ocidente descendiam, e o temível Schleicher chegou a escrever textos nesse idioma reconstruído. A linguística moderna tomou um caminho inteiramente diverso, rejeitando os interesses históricos e evolucionistas de meados do século XIX talvez com violência excessiva, e nessa medida o principal desenvolvimento da filologia em nosso período produziu princípios conhecidos ao invés de antecipar novos. Mas era bem tipicamente uma ciência social evolucionista, e pelos padrões da época, muito bem-sucedida, tanto entre especialistas como entre o grande público. Infelizmente, entre os últimos (apesar dos desmentidos específicos de *scholars* como F. Max-Muller [1823-1900], de Oxford) encorajou a crença no racismo — os que falavam as línguas indo-europeias (um conceito puramente linguístico) seriam identificados com a "raça ariana".

O racismo tinha um papel central em outra ciência social que se desenvolvia rapidamente, a antropologia, uma fusão de duas disciplinas sensivelmente diferentes, a "antropologia física" (basicamente derivada de interesses anatômicos e similares) e a "etnografia", ou a descrição de várias comunidades — geralmente atrasadas ou primitivas. Ambas inevitavelmente se chocaram e foram de fato dominadas pelo problema da diferença entre diversos grupos humanos e (como estavam calcadas no modelo evolucionista) o problema da descendência do homem, assim como os diferentes tipos de sociedade, dos quais o mundo burguês parecia sem dúvida o mais elevado. A antropologia física automaticamente levava ao conceito de "raça", pois as diferenças entre povos brancos, amarelos ou pretos, negros, mongóis ou caucasianos (ou qual fosse a classificação empregada) eram inegáveis. Isso não implicava em si mesmo nenhuma crença em desigualdade racial, superioridade ou inferioridade, embora certamente fosse sugerido ao ser combinado com o estudo da evolução do homem na base do fóssil pré-histórico. Pois os ancestrais mais identificáveis e mais remotos — principalmente o homem de Neanderthal — eram claramente mais simiescos e culturalmente inferiores que os seus descobridores. Logo, se algumas raças existentes poderiam ser demonstradas como estando mais próximas ao macaco do que outras, não provaria isso sua inferioridade?

O argumento é frágil, mas era um apelo natural para aqueles que queriam provar a inferioridade racial, por exemplo, dos negros em relação aos brancos — ou melhor, de qualquer um em relação a brancos. (A forma de macaco poderia ser discernida pelo olho do preconceito até nos chineses e japoneses, como testemunham muitos desenhos da época.) Mas se a evolução biológica darwiniana sugeria uma hierarquia das raças, assim o fez o método comparativo aplicado na "antropologia cultural", da qual *Primitive culture* (1871) de E. B. Tylor é a obra mais importante. Para E. B. Tylor (1832-1917), assim como para muitos que acreditavam no "progresso" e observavam comunidades e culturas (que ao contrário dos fósseis humanos não haviam desaparecido), estas não eram diferentes por natureza, mas representativas de um estágio anterior da evolução no caminho da civilização moderna. Elas eram iguais à infância na vida do indivíduo. Isso implicava uma teoria de estágios — Tylor havia sido influenciado por Comte — que ele aplicava (com a precaução habitual de homens respeitáveis tocando esse assunto ainda explosivo) à religião. Do primitivo "animismo" (uma palavra inventada por ele) o caminho levava a religiões monoteístas mais elevadas, e eventualmente para o triunfo da ciência que, capaz de explicar áreas cada vez maiores da experiência, sem referência ao espírito substituiria, "em cada departamento, um após outro, a descoberta de uma lei sistemática pela ação independente voluntária".[12] Nesse ínterim, entretanto, "sobrevivências" historicamente modificadas de estágios da civilização poderiam ser discernidas em qualquer lugar, mesmo nas partes evidentemente "atrasadas" das nações civilizadas, por exemplo, nas superstições e costumes do campo. Portanto, o camponês transformara-se na ligação entre o selvagem e o civilizado. Tylor, que pensou a antropologia como "essencialmente uma ciência reformadora", não acreditava que isso indicasse qualquer incapacidade dos camponeses em se tornarem membros completos da sociedade civilizada. Mas o que seria mais fácil do que achar que aqueles que representavam o estágio da infância ou adolescência no desenvolvimento da civilização eram de fato "infantis" e precisavam ser tratados como crianças pelos seus "pais" maduros?

> Assim como o tipo do negro [escreveu a *Anthropological Review*] é fetal, o tipo do mongol é infantil. E, de acordo com isso, descobrimos que seu governo, literatura e artes também são infantis. Crianças sem barba cuja vida é uma tarefa e cuja maior virtude consiste numa obediência sem questionamentos.[13]

Ou, como o capitão Osborn colocou de maneira meio naval em 1860: "Trate-os como crianças. Faça-os fazer o que sabemos que é melhor para eles como é para nós, e todas as dificuldades com a China chegarão a um fim".[14]

Outras raças eram "inferiores" porque representavam um estágio anterior da evolução biológica ou da evolução sociocultural, ou então de ambas. E essa inferioridade era comprovada porque, de fato, a "raça superior" era superior pelos critérios de sua própria sociedade: tecnologicamente mais avançada, militarmente mais poderosa, mais rica e mais "bem-sucedida". O argumento era tão lisonjeiro quanto conveniente — tão conveniente que as classes médias estavam inclinadas a tomá-lo dos aristocratas (que haviam por longo tempo se considerado uma raça superior) por razões internas e também internacionais: os pobres eram pobres porque biologicamente inferiores e, por outro lado, se cidadãos pertenciam às "raças inferiores", não era de se espantar que eles permanecessem pobres e atrasados. O argumento ainda não estava vestido com o aparato da genética moderna, que virtualmente ainda não havia sido inventada: os agora celebrados experimentos do monge Gregor Mendel (1822-1884) com ervilhas-de-cheiro no jardim de seu monastério moraviano (1865) passaram completamente despercebidos, até que foram redescobertos em 1900. Mas, de uma forma primitiva, a ideia de que as classes superiores eram um tipo mais elevado de humanidade, desenvolvendo sua superioridade por endogamia, e ameaçada pela mistura com as ordens inferiores e, mais ainda, pelo rápido aumento numérico desses inferiores, era largamente aceita. Por outro lado, como a escola (sobretudo italiana) da "antropologia criminal" pretendia provar, o criminoso, o antissocial, o desprivilegiado social pertenciam a uma linhagem humana diferente e inferior da "respeitável", e podia ser reconhecida como tal pelo mensuramento do crânio e outros métodos simples.

O racismo atravessa o pensamento de nosso período numa extensão difícil de julgar hoje, e nem sempre fácil de compreender. (Por que, por exemplo, o horror generalizado da miscigenação e a crença quase universal entre os brancos de que os "mestiços" herdavam precisamente as *piores* características das raças de seus pais?) Além de sua conveniência como legitimação da dominação do branco sobre os indivíduos de cor, dos ricos sobre os pobres, este fato talvez possa ser mais bem explicado como um mecanismo por meio do qual uma sociedade fundamentalmente desigual, mas baseada numa ideologia fundamentalmente igualitária, racionalizava suas desigualdades e tentava justificar e defender privilégios que a democracia implícita em suas instituições inevitavelmente desafia. O liberalismo não tinha nenhuma defesa lógica contra a igualdade e a democracia; assim sendo, a barreira ilógica do racismo foi levantada: a própria ciência, o trunfo do liberalismo, podia provar que os homens *não* eram iguais.

Mas, evidentemente, a ciência do nosso período não chegou a prová-lo, embora alguns cientistas o desejassem. A tautologia darwinista ("sobrevivência dos mais aptos", sendo que a prova de "aptidão" era precisamente a sobrevivência) não podia provar que os homens fossem superiores às minhocas, pois ambos sobreviviam com sucesso. A "superioridade" era entendida pela redução da equação de igualar história evolucionista a "progresso". E mesmo que a história evolutiva do homem discernisse corretamente o progresso em algumas questões importantes — principalmente ciência e tecnologia —, embora não dando atenção a outras, não conseguiu, e aliás não poderia, fazer do "atraso" um fato permanente e irreparável. Pois ela se baseava na premissa de que os seres humanos, pelo menos na sua emergência como *Homo sapiens*, eram os mesmos, seus comportamentos obedecendo às mesmas leis uniformes, embora em circunstâncias históricas diferentes. O inglês era diferente do indo-europeu original, mas não porque os ingleses modernos operassem de uma maneira linguisticamente diferente das tribos ancestrais da Ásia central, conforme se acreditava. O paradigma básico da "árvore genealógica", que aparece tanto na filologia como na antropologia, implica o contrário das formas de desigualdades genéticas ou outras quaisquer permanentes. Os sistemas de parentesco dos aborígines australianos, habitantes das ilhas do Pacífico e indígenas iroqueses, que os ancestrais da antropologia social moderna como Lewis Morgan (1818-1881) então começavam a estudar seriamente — embora o assunto fosse ainda basicamente mais estudado nas bibliotecas do que no campo —, eram vistos como "sobreviventes" dos estágios anteriores da evolução daquilo que se tornara a família do século XIX. Mas o ponto principal sobre eles residia em que eram comparáveis: diferentes, mas não necessariamente inferiores.* O "darwinismo social" e a antropologia ou biologia racista pertencem não à ciência do século xix, mas à sua política.

Se olharmos retrospectivamente para as ciências naturais e sociais do período, ficaremos espantados com sua impressionante confiança em si mesmas. Isso era mais justificado talvez nas ciências naturais do que nas sociais, mas era um fato igualmente marcante. Os físicos, que pensavam haver deixado a seus sucessores pouco mais para fazer do que resolver

* Isso era evidentemente aceito para povos da Antiguidade Clássica, cujos sistemas de parentesco formavam a base dos estudos pioneiros da evolução histórica da família, por exemplo *Mutterrecht* (A lei matriarcal) de J. J. Bachofen (1861).

problemas menores, expressavam o mesmo estado de espírito que August Schleicher, que tinha certeza de que os arianos haviam se comunicado na mesma língua que ele havia há pouco reconstruído. Esse sentimento não se baseava tanto nos resultados — os das disciplinas evolucionistas dificilmente eram suscetíveis de falsificação —, mas na crença da infalibilidade do "método científico". Ciência "positiva" operando com fatos objetivos e precisos, ligados rigidamente por causa e efeito, e produzindo "leis" uniformes e invariáveis além de qualquer modificação proposital, era a chave-mestra do universo, e o século XIX a possuía. Mais do que isso: com o crescimento do mundo do século XIX, os estágios anteriores e infantis do homem, caracterizados pela superstição, teologia e especulação, haviam acabado e o "terceiro estágio" da ciência positiva de Comte havia chegado. É fácil agora achar graça de tal confiança, tanto pela adequação dos métodos como pela permanência dos modelos teóricos, mas ela não era menos forte apenas por ser, como alguns velhos filósofos disseram, mal empregada. E se os cientistas sentiam que podiam falar com certeza, mais ainda os propagandistas e os ideólogos, que tinham ainda mais certeza das certezas dos cientistas, porque eles podiam bem entender o que diziam, desde que tal pudesse ser dito sem o recurso à alta matemática. Mesmo a física e a química pareciam estar ao alcance do "homem prático" — digamos, um engenheiro civil. A *Origem das espécies* de Darwin estava inteiramente ao alcance de um advogado bem instruído. Nunca mais seria tão simples para o senso comum, que sabia que o mundo triunfante do progresso liberal capitalista era o melhor dos mundos possíveis, mobilizar o universo para confirmar seus próprios preconceitos.

Os publicistas, popularizadores e ideólogos eram agora encontrados no mundo ocidental onde quer que houvesse uma elite atraída pela "modernização". Os cientistas e estudiosos originais — aqueles que desfrutavam, e ainda desfrutam, de reputação fora de seus países — eram distribuídos de forma mais desigual. Na realidade, eles estavam virtualmente restritos a partes da Europa e da América do Norte.* Trabalho de considerável qualidade e interesse internacional era agora produzido em quantidade significativa na Europa central e oriental, e mais curiosamente na Rússia — e essa era provavelmente a mais espantosa mudança no mapa "acadêmico" do mundo ocidental, embora nenhuma história da ciência desse período possa ser escrita sem referência a alguns eminentes norte-americanos, principalmente o físico Willard Gibbs (1839-1903). Portanto seria difícil negar que, digamos, em 1875, o que acontecia nas universidades de Kazan e Kiev era mais significativo do que o que acontecia em Yale ou Princeton.

Mas a mera distribuição geográfica não pode revelar suficientemente o que era cada vez mais o fator dominante sobre a vida acadêmica de nosso período, ou seja, a hegemonia dos alemães, apoiados pelo fato de diversas universidades usarem aquela língua (que incluía as da maior parte da Suíça, Império dos Habsburgos e regiões bálticas da Rússia), e a poderosa atração que a cultura alemã exercia na Escandinávia e Europa oriental e meridional. Fora do mundo latino e da Inglaterra, e mesmo numa certa medida em ambos, o modelo alemão de universidade era geralmente adotado. A predominância alemã era sobretudo quantitativa: em nosso período provavelmente um número maior de novos jornais científicos foram publicados nessa língua do que em francês e inglês juntos. Afora alguns campos das ciências naturais, como a química e provavelmente a matemática, que eles claramente dominavam, a qualidade extremamente alta de suas realizações era menos óbvia, porque (diferentemente do início do século XIX) não havia nesse tempo um gênero especificamente alemão de filosofia natural. Enquanto os franceses, talvez por razões nacionalistas, mantiveram seu próprio estilo, com o consequente isolamento das ciências francesas (embora não da matemática francesa), exceto por alguns indivíduos célebres, os alemães seguiram outro caminho. Talvez o estilo dos alemães, que se tornou dominante no século XX, não tenha emergido como tal até que as ciências

* Na Europa, as Penínsulas Ibérica e Balcânica permaneceram meio atrasadas nesse particular.

tivessem passado para a fase da teoria e sistematização que (por razões mais ou menos obscuras) caía-lhes admiravelmente. De qualquer maneira, as ciências naturais inglesas — que desfrutavam de um público expressivo de especialistas, burgueses leigos e mesmo artesãos — continuavam a produzir cientistas de renome extraordinário, como Thompson e Darwin.

Exceto na história acadêmica e na linguística, não havia uma tal dominação alemã nas ciências sociais. A economia era ainda bastante inglesa, embora em retrospectiva possamos detectar alguma obra analítica importante na França, Itália e Áustria. (O Império dos Habsburgos, embora de alguma forma parte da cultura alemã, seguiu uma trajetória intelectual bastante diferente.) A sociologia, pelo pouco que valia, estava basicamente associada à França e à Inglaterra, tendo sido recebida entusiasticamente no mundo latino. Na antropologia, as conexões internacionais dos ingleses deram-lhes uma vantagem notável. A "evolução" em geral — a ponte entre as ciências naturais e sociais — tinha seu centro de gravidade na Inglaterra. A verdade é que as ciências sociais refletiam as pré-concepções e problemas do liberalismo burguês na sua forma clássica, tal como não eram encontrados na Alemanha, onde a sociedade burguesa se inseria dentro do contexto bismarckiano de aristocratas e burocratas. O mais eminente cientista social do período, Karl Marx, trabalhou na Inglaterra, fazendo derivar o contexto de sua análise concreta de uma ciência econômica não alemã e a base empírica de sua obra da sociedade burguesa "clássica" — a inglesa —, embora já nessa época não mais isenta de desafios.

3.

A "ciência" era o centro daquela ideologia secular de progresso, quer liberal quer, numa medida menor mas de crescente importância, socialista, que não demanda uma discussão especial, pois sua natureza geral deveria agora ter claramente surgido de sua história.

Comparada com a ideologia laica, a religião no nosso período é de interesse incomparavelmente menor e não merece um tratamento mais prolongado. Mas, mesmo assim, merece alguma atenção, não apenas porque ainda formava o idioma no qual a esmagadora maioria da população mundial pensava, mas também porque a própria sociedade burguesa, apesar de sua crescente laicização, estava bastante preocupada em relação às possíveis consequências de sua própria audácia. A descrença pública em Deus tornou-se relativamente fácil em meados do século XIX, pelo menos no mundo ocidental, pois muitas das ideias passíveis de verificação das escrituras judaico-cristãs haviam sido minadas ou mesmo desmentidas pela ciências sociais históricas, e sobretudo naturais. Se Lyell (1797-1875) e Darwin estavam certos, então o livro Gênesis estava simplesmente errado no seu sentido literal; e os oponentes intelectuais de Darwin e Lyell estavam visivelmente em debandada. O pensamento livre das classes altas era familiar de longa data, pelo menos entre cavalheiros. O ateísmo intelectual e de classe média também não era novo e tornou-se militante com a importância política crescente do anticlericalismo. O pensamento livre da classe operária, embora já associado a ideologias revolucionárias, tomou uma forma especial, tanto porque as velhas ideologias revolucionárias declinavam, deixando atrás apenas seus aspectos políticos menos diretos, como também porque as novas ideologias, firmemente fundamentadas numa filosofia materialista, ganhavam terreno. O movimento "laicizante" na Inglaterra derivava diretamente dos velhos movimentos radicais operários, cartista e owenita, mas agora existia como um corpo independente, particularmente atraente a homens e mulheres que reagiam contra uma herança religiosa especialmente intensa. Deus estava não apenas descartado, mas sob ferrenho ataque.

Esse ataque militante à religião coincidia, mas não era exatamente idêntico à corrente igualmente militante do anticlericalismo, que abarcava todas as correntes intelectuais, dos liberais moderados aos marxistas e anarquistas. Os ataques a igrejas, e mais obviamente a igrejas oficiais do Estado e à Igreja Católica Romana internacional — que clamava para si o direito de definir a verdade ou o monopólio de certas funções que atingiam o cidadão (como casamento, funeral e educação) — não implicavam ateísmo em si mesmo. Nos países que confessavam mais do que uma religião, essa luta poderia ser conduzida pelos membros de uma corrente religiosa contra outra. Na Inglaterra, a luta era basicamente levada pelas seitas não conformistas contra a Igreja Anglicana; na Aiemanha, Bismarck, que entrou numa *Kulturkampf* (luta cultural) amarga contra a Igreja Católica Romana em 1870-1871, certamente não pretendia, na qualidade oficial de luterano, que a existência de Deus ou a divindade de Jesus estivessem em questão. Por outro lado, em países com uma única fé monolítica, mais obviamente os católicos, o anticlericalismo normalmente implicava rejeição de toda e qualquer religião. Havia, é certo, uma fraca corrente "liberal" dentro do catolicismo, que resistia ao cada vez mais rígido ultraconservantismo da hierarquia romana, formulada na década de 1860 (veja referência anterior ao *Sílabo dos Erros*) e oficialmente triunfante no Concílio do Vaticano de 1870, com a declaração da infalibilidade papal. Entretanto, essa pequena corrente era facilmente expulsa pela Igreja, mesmo que apoiada por alguns eclesiásticos, que queriam preservar uma relativa autonomia de suas igrejas católicas regionais, e que eram provavelmente mais fortes na França. Mas o "galicanismo" não pode ser realmente chamado de "liberal" no sentido aceito do termo, mesmo levando-se em conta que estava mais preparado, em termos pragmáticos e antirromanos, para chegar a um entendimento com os governos laicos modernos e liberais.

O anticlericalismo era militantemente laico, na medida em que pretendia tomar da religião qualquer *status* oficial na sociedade ("desestabelecimento da Igreja", "separação da Igreja do Estado"), deixando-a como uma questão puramente privada. Deveria ser transformada em uma ou diversas organizações essencialmente voluntárias, análogas aos clubes de colecionadores de selos, somente que em dimensões maiores. Mas isso não se baseava tanto na falsidade da crença em Deus ou qualquer versão particular dessa crença, mas na crescente capacidade administrativa, amplitude e ambição do Estado laico — mesmo na sua forma mais *laissez-faire* e liberal —, que estava decidido a expulsar organizações privadas daquilo que então considerava seu campo de ação. Entretanto, o anticlericalismo era basicamente político, porque a principal paixão por detrás de tudo era a crença de que religiões bem-estabelecidas eram hostis ao progresso. E de fato eram, sendo, do ponto de vista sociológico e político, instituições bastante conservadoras. A Igreja Católica Romana mostrava, aliás, uma hostilidade manifesta por tudo aquilo que o século XIX defendia firmemente. As seitas ou os heterodoxos poderiam ser liberais ou mesmo revolucionários, minorias religiosas poderiam ser atraídas pela tolerância liberal, mas igrejas ou ortodoxias nunca poderiam sê-lo. E, na medida em que as massas — especialmente as massas rurais — estavam ainda nas mãos dessas forças do obscurantismo, tradicionalismo e reacionarismo político, seu poder precisava ser destruído para que o progresso não fosse ameaçado. Consequentemente, o anticlericalismo era mais militante e passional na proporção do "atraso" do país. Na França, os políticos argumentavam sobre o *status* das escolas católicas, mas no México algo mais estava em jogo entre o governo e os padres.

O "progresso", a emancipação da tradição — tanto para a sociedade como para os indivíduos — parecia assim implicar uma ruptura militante com as antigas crenças, que encontravam expressão passional no comportamento dos militantes dos movimentos populares, assim como no dos intelectuais da classe média. Um livro chamado *Moisés ou Darwin* seria lido por um número maior de trabalhadores sociais-democratas nas bibliotecas dos sindicatos alemães que os escritos do próprio Marx. À frente do progresso — e mesmo do progresso socialista — estavam, na visão dos homens simples, os grandes educadores, emancipadores e ciência (logicamente desenvolvida em "socialismo científico"), como a chave para a emancipação intelectual dos grilhões do passado de superstições e do presente opressivo. Os anarquistas da Europa ocidental, que refletiam os instintos espontâneos desses militantes de modo bastante preciso, eram selvagemente anticlericais. Não foi por acaso que, na Romagna italiana, um ferreiro radical deu o nome de Benito Mussolini a seu filho, em homenagem ao presidente mexicano anticlerical Benito Juárez.

Apesar de tudo, mesmo entre os livres-pensadores, uma nostalgia pela religião permaneceu. Ideólogos da classe média, que apreciavam o papel da religião como uma instituição mantenedora de um estado de adequada modéstia entre os pobres e uma garantia da ordem, algumas vezes flertaram com neorreligiões, como a "religião da humanidade" de Comte, que substituía com uma seleção de grandes homens o Panteão e o calendário de santos, embora tais experimentos não tenham sido muito bem-sucedidos. Mas também havia a tendência genuína a substituir as consolações da religião pelas da idade da ciência. A "Ciência Cristã", fundada por Mary Baker Eddy (1821-1910), que publicou seus escritos em 1875, indicava uma dessas tentativas. A impressionante popularidade do espiritualismo, que teve sua primeira voga na década de 1850, é talvez provavelmente em razão dessa tendência. Suas afinidades políticas e ideológicas se faziam com o progresso, a reforma e a esquerda radical, e não menos com a emancipação feminina, especialmente nos Estados Unidos, que eram seu centro maior de difusão. Mas afora suas outras atrações, tinha a vantagem considerável de colocar a sobrevivência após a morte dentro de um contexto da ciência experimental, talvez mesmo (como a nova arte da fotografia poderia demonstrar) no de uma imagem objetiva. Quando milagres não podem ser mais aceitos, a parapsicologia aumenta seu público potencial. Algumas vezes, porém, não indicava nada mais que a sede humana geral por rituais coloridos, que a religião tradicional normalmente satisfaz de forma tão eficiente. A metade do século XIX está plena de rituais laicos inventados, especialmente nos países anglo-saxônicos, onde sindicatos elaboraram faixas alegóricas e certificados. Sociedades de ajuda mútua, cercadas por sua vez com a parafernália da mitologia e do ritualismo nas suas "lojas", membros da Ku Klux Klan, Orangemen e outras ordens políticas menos "secretas" exibiam suas vestimentas. A mais antiga, e sem dúvida a mais influente de todas essas sociedades secretas, ritualizadas e hierarquizadas, estava de fato comprometida com o pensamento livre e o anticlericalismo, pelo menos fora dos países anglo-saxônicos: os franco-maçons. Se o número de seus adeptos cresceu nesse período não sabemos, embora seja provável; certamente sua importância política cresceu.

Contudo, se mesmo os livres-pensadores reclamavam pelo menos algum consolo espiritual do tipo tradicional, por outro lado, eles pareciam estar perseguindo um inimigo em debandada. Pois — como os escritos vitorianos da década de 1860 eloquentemente testemunham — o indivíduo com fé tinha "dúvidas", especialmente se fosse um intelectual. A religião estava sem dúvida em declínio, não meramente entre intelectuais, mas nas grandes cidades, onde a provisão para adoração religiosa estava, assim como a sanitarização, bem aquém da população, e onde a pressão comunitária para a prática religiosa e a moralidade era pouco sentida.

No entanto, as décadas de meados do século XIX não chegaram a ver um declínio de religião de massa comparável à debandada intelectual da teologia. A maior parte das classes médias anglo-saxônicas permaneceu religiosa, em geral praticante, ou pelo menos hipócrita. Dos grandes milionários americanos apenas um (Andrew Carnegie) propagandeava falta de fé. A taxa de expansão das seitas protestantes não oficiais decaiu, mas, pelo menos na Inglaterra, a "consciência não conformista" que representavam tornou-se politicamente muito mais influente, na medida em que se tornava mais classe média. A religião não chegou a declinar no meio das novas comunidades de imigrantes no resto do mundo: na

Austrália, o percentual de frequência à igreja no meio da população de mais de 15 anos aumentou de 36,5% em 1850 para quase 59% em 1870, e estacionou em torno de 40% nas últimas décadas do século.[15] Os Estados Unidos, a despeito do Col. Ingersoll, o célebre ateu (1833-1899), era um país muito menos sem Deus que a França.

Na medida em que as classes médias estavam em questão, o declínio da religião era, como vimos, inibido não apenas pela tradição e fracasso em larga escala do racionalismo liberal em fornecer um substituto emocional coletivo para o ritual e a fé religiosa (exceto talvez através da arte — veja o capítulo seguinte), mas também pela relutância em abandonar um pilar de estabilidade, moralidade e ordem social tão valioso, talvez tão indispensável. Na medida em que as massas estavam em questão, a expansão da religião pode ter ocorrido sobretudo por causa daqueles fatores geográficos sobre os quais a Igreja Católica gostava de apoiar-se para os seus maiores triunfos: as migrações em massa de homens e mulheres de regiões mais tradicionais, ou seja, mais crentes, para as novas cidades, regiões e continentes, e a alta taxa de fertilidade dos pobres, comparada à dos não crentes corrompidos pelo progresso (incluindo o controle de natalidade). Não há evidência de que os irlandeses tenham-se tornado mais religiosos em nosso período, mas há alguma certeza de que as migrações enfraqueceram sua fé, embora sua dispersão e sua taxa de natalidade fizessem a Igreja Católica crescer de forma relativa e absoluta através da cristandade. E, além disso, não havia forças dentro da própria religião para revivê-la e espalhá-la?

Certamente nesse estágio os missionários cristãos não eram notavelmente bem-sucedidos, fosse ao recuperar o proletariado perdido em casa ou ainda menos ao tentar converter indivíduos de religiões rivais pelo mundo afora. Considerando as despesas substanciais — entre 1871 e 1877 os ingleses sozinhos contribuíram com 8 milhões de libras para as missões —,[16] os resultados foram bastante modestos. O cristianismo de todas e quaisquer denominações fracassou em tornar-se um competidor sério em relação à única religião realmente em expansão, o islamismo. Este continuava a espalhar-se de forma irresistível, sem o benefício de uma organização missionária, dinheiro ou o apoio das grandes potências, pela África e partes da Ásia — sem dúvida ajudado não apenas por seu igualitarismo, mas também pela consciência da superioridade dos valores em relação aos conquistadores europeus. Jamais um missionário conseguiu abrir uma brecha dentro da população maometana. Fizeram apenas pequenos progressos em populações não islâmicas, pois faltava ainda aos missionários a grande arma da penetração cristã, ou seja, a conquista colonial direta, ou pelo menos a conversão oficial de governantes que traziam seus cidadãos com eles, como aconteceu em Madagascar, que se declarou uma ilha cristã em 1869. O cristianismo fez alguns avanços no sul da Índia (sobretudo no meio da camada mais baixa do sistema de castas), apesar da falta de entusiasmo do governo — na Indochina, em sequência à conquista francesa, mas nada de significativo na África, até que o imperialismo multiplicasse o número de missionários (de uns 3 mil protestantes em meados da década de 1880, para talvez uns 18 mil em 1900) e pusesse um poder material bem mais persuasivo atrás do poder espiritual do Redentor.[17] Com efeito, nos melhores dias do liberalismo, a ação missionária talvez tenha perdido algum ímpeto. Somente uns três ou quatro novos centros católicos missionários foram abertos na África em cada uma das décadas entre 1850 e 1880, em comparação com os seis na década de 1840, 14 na de 1880 e 17 na de 1890.[18] O cristianismo era mais efetivo quando alguns elementos da religião eram absorvidos pela ideologia religiosa local, sob a forma de cultos "nativistas" sincréticos. O movimento Taiping na China (veja o Capítulo 7) foi de longe o maior e o mais influente de tais fenômenos.

Mas dentro do cristianismo havia sinais de um contra-ataque em relação ao avanço da laicização. Nem tanto no mundo protestante, onde a formação e expansão de novas seitas não oficiais pareciam ter perdido muito do dinamismo que possuíam antes de 1848 — com a possível exceção dos negros na América anglo-saxônica —, da mesma forma que os católicos. O culto do milagre em Lourdes, na França, que começou com a visão de uma pequena pastora em 1858, expandiu-se com enorme rapidez; talvez espontaneamente no começo, mas logo depois com ativo apoio eclesiástico. Por volta de 1875, uma filial de Lourdes era aberta na Bélgica. De maneira menos dramática, o anticlericalisrno provocou um movimento substancial de evangelização entre os crentes e um reforço maior da influência clerical. Na América Latina, a população rural havia sido em larga escala cristã sem a presença de padres: até depois de 1860, a maior parte do clero mexicano fora sobretudo urbana. Contra o anticlericalismo oficial, a Igreja sistematicamente capturou ou reproselitizou o campo. Em certo sentido, diante da ameaça da reforma laica, a Igreja reagiu da mesma forma como havia feito no século XVI com a Contrarreforma. O catolicismo, agora totalmente intransigente, recusando qualquer acomodação com as forças do progresso, industrialização e liberalismo, tornou-se uma força muito mais poderosa depois do Concílio do Vaticano de 1870 do que antes, mas ao custo de abandonar muito de seu terreno aos adversários.

Fora da cristandade, as religiões apoiavam-se sobretudo na força do tradicionalismo para resistir à erosão da era liberal ou à confrontação com o Ocidente. Tentativas para "liberalizá-las" eram bem vistas por burguesias semiassimiladas (como a Reforma Judaica que surgiu no final da década de 1860), mas foram execradas pelos ortodoxos e desprezadas pelos agnósticos. As forças da tradição ainda eram esmagadoramente poderosas, e frequentemente reforçadas pela resistência ao "progresso" e à expansão europeia. Como já vimos, o Japão chegou a criar uma nova religião de Estado, o xintoísmo, a partir de elementos tradicionais, em grande parte com propósitos antieuropeus (veja o Capítulo 8). Mesmo os ocidentalizadores e revolucionários do Terceiro Mundo aprenderiam que o caminho mais fácil para ser bem-sucedido como político entre as massas era adquirir o papel, ou pelo menos o prestígio, de um monge budista ou de um santo hindu. Contudo, apesar de o número dos francamente descrentes permanecer relativamente pequeno em nosso período (afinal, mesmo na Europa, a metade feminina da raça humana não era praticamente afetada pelo agnosticismo), eles dominavam um mundo essencialmente laico. Tudo que a religião poderia fazer contra eles era recuar para suas vastas e poderosas fortificações e preparar-se para um cerco muito longo.

15. AS ARTES

"Precisamos nos convencer definitivamente de que nossa história hoje é feita pelos mesmos seres humanos que também fizeram um dia as obras da arte grega. Mas tendo aceito esse ponto, nossa tarefa é então descobrir o que é que transformou esses seres humanos de forma tão fundamental a ponto de agora só conseguirmos produzir o que sai das indústrias de luxo, onde antes se criavam obras de arte."

Richard Wagner[1]

"Por que você escreve em versos? Ninguém dá importância a isso agora (...) Na nossa era de maturidade cética e independência republicana, o verso é uma forma aposentada. Preferimos a prosa, que em virtude de sua liberdade de movimento está mais de acordo com os instintos da democracia."

Eugene Pelletan, deputado francês, *c.* 1877[2]

1.

Se o triunfo da sociedade burguesa parecia congênito à ciência, tal não ocorria da mesma forma com as artes. O reconhecimento de valor em relação às artes criativas é sempre muito subjetivo, mas não se pode praticamente negar que a era da revolução dual (1789-1848) viu extraordinárias realizações de homens e mulheres de dons bastante notáveis. A segunda metade do século XIX, especialmente as décadas que são o objeto deste livro, não dão uma impressão equivalente, exceto em um ou dois países atrasados, sendo de longe o mais notável deles a Rússia. Isso não quer dizer que as realizações criativas do período fossem medíocres, embora, ao rever aqueles criadores cuja obra maior ou cuja aclamação pública ocorreram entre 1848 e a década de 1870, precisemos lembrar que muitos deles já eram pessoas maduras e com uma expressiva produção antes de 1848. Afinal — para mencionar apenas três dos mais inquestionavelmente importantes —, Charles Dickens (1812-1870) já estava na metade de sua *oeuvre,* Honoré Daumier (1808-1879) fora um ativo artista gráfico desde a Revolução de 1830, e mesmo Richard Wagner (1813-1883) já tinha várias óperas atrás de si: *Lohengrin* foi produzida em 1851. Porém, não há dúvida de que a literatura de prosa, e especialmente o romance, floresceu de forma admirável graças principalmente à continuada glória dos ingleses e dos franceses e à nova glória dos russos. Na história da pintura houve claramente um admirável e grandioso período, graças quase que exclusivamente aos franceses. Na música, a era de Wagner e Brahms é inferior apenas à era precedente de Mozart, Beethoven e Schubert.

Porém, se olharmos mais de perto a cena criativa, verificaremos que ela é bem menos inspiradora. Já vimos como se distribuía geograficamente. Para a Rússia, tratava-se de uma era espantosamente triunfante na música e sobretudo na literatura, para não mencionar as ciências naturais e sociais. Uma década como a de 1870, que viu os pontos culminantes de Dostoievski e Tolstoi, P. Tchaikovski (1840-1893), M. Mussorgski (1835-1881) e o balé imperial clássico, não teme nenhuma comparação. A França e a Inglaterra, como vimos, mantiveram um nível bastante elevado sobretudo na literatura em prosa, mas também na pintura e poesia.* Os Estados Unidos, embora ainda contribuindo de forma insignificante no campo das artes visuais e da música, já começam a estabelecer-se como uma força literária com Melville (1819-1891), Hawthorne (1804-1864)

* Na poesia inglesa, a obra de Tennyson, Browning e outros é menos impressionante que a dos grandes românticos da era das revoluções; na França, com a obra de Baudelaire e Rimbaud, ocorreu o contrário.

e Whitman (1819-1891) no leste, e com uma nova geração de escritores populistas emergindo do jornalismo no oeste, entre os quais Mark Twain (1835-1910) seria o mais expressivo. Mesmo assim, segundo padrões globais, essa era uma realização de nível provinciano e sob vários aspectos menos importante, e ainda menos influente internacionalmente do que a obra criativa produzida por algumas pequenas nações que afirmavam suas nacionalidades. (Curiosamente, um bom número de escritores americanos menores da primeira metade do século fez mais de uma viagem ao exterior.) Os compositores tchecos (A. Dvorák [1841-1904], S. Smetana [1824-1884]) acharam mais simples conseguir aceitação internacional que os escritores daquele povo, isolados por uma língua que poucos de fora conheciam ou se interessavam em aprender. Dificuldades linguísticas também "tornaram local" a reputação de escritores de algumas outras regiões, alguns dos quais ocupam uma posição-chave na história literária de seus respectivos povos — por exemplo, os holandeses e os flamengos. Somente os escandinavos conseguiram captar um público maior, talvez devido ao fato de que seu representante mais célebre — Henrik Ibsen (1828-1906), que atingiu a maturidade exatamente ao término de nosso período — tenha escolhido escrever peças para o teatro.

Contra tudo isso, precisamos observar um declínio visível e de certa forma espetacular na qualidade das melhores obras daqueles dois centros de atividade criativa, os povos de língua germânica e os italianos. Talvez possa haver alguma discussão sobre música, mas na Itália não há quase nada além de Verdi (1813-1901), cuja carreira estava bem estabelecida desde antes de 1848, e na Austro-Alemanha, entre os compositores reconhecidos, apenas Brahms (1833-1897) e Bruckner (1824-1896) surgiram essencialmente neste período, Wagner já era virtualmente maduro. Mesmo assim, esses nomes são suficientemente impressivos, especialmente Wagner, um gênio absoluto e fenômeno cultural, apesar de ser um homem desagradável. Mas qualquer relutância em aceitar a inferioridade das artes desses dois povos deve permanecer restrita inteiramente à música. Não há dúvida quanto à inferioridade literária e das artes visuais em relação às do período anterior a 1848.

Tomando as diversas artes separadamente, a queda geral de nível é igualmente óbvia em algumas, sendo que em outras a superioridade em relação ao período precedente é inegável. A literatura floresceu, como já vimos, pelo conveniente meio dos romances. Podem ser vistos como o gênero que achou uma forma possível de adaptar-se àquela sociedade burguesa cujas ascensão e crises formavam o assunto preferido dos escritores. Tentativas foram feitas para salvar a reputação da arquitetura do século XIX, e sem dúvida há algumas realizações expressivas. Entretanto, quando se considera a orgia de construções na qual a próspera sociedade burguesa atirou-se a partir da década de 1850, elas não são nem grandiosas, nem particularmente numerosas. Paris reconstruída por Haussman impressiona por seu planejamento, mas não pelos edifícios que guarnecem suas novas praças e bulevares. Viena, que aspirou a obras-primas mais ingênuas, foi apenas duvidosamente bem-sucedida. A Roma do rei Vitório Emanuel, cujo nome está provavelmente ligado a um maior número de peças de má arquitetura do que qualquer outro soberano, é um desastre. Comparados com as extraordinárias realizações do, digamos, neoclassicismo — o derradeiro estilo unificado de arquitetura antes do triunfo da "moderna" ortodoxia do século XX —, os edifícios da segunda metade do século XIX são mais capazes de exigir desculpas do que admiração universal. Isso não se aplica, evidentemente, às obras dos engenheiros brilhantes e imaginativos, embora tudo tendesse a ser escondido atrás de fachadas das "belas-artes".

Mesmo os entusiastas têm até bem recentemente encontrado dificuldades em dizer algo a favor da pintura desse período. A obra que se tem tornado uma parte permanente do museu imaginário do século XX é, quase sem exceção, francesa: sobreviventes da era das revoluções como Daumier e G. Courbet (1819-1877), a escola de Barbizon e o grupo *avant-garde* dos impressionistas (um rótulo indiscriminado que não precisamos analisar detidamente no momento), que surgiu na década de 1860. Essa façanha é de fato muito impressionante, e um período que viu o surgimento de E. Manet (1832-1883), E. Degas (1834-1917) e o jovem P. Cézanne (1839-1906) não precisa se preocupar com sua reputação. Mesmo assim, esses pintores não eram apenas atípicos em relação ao que era posto sobre telas em quantidades cada vez maiores nesse tempo, mas também muito suspeitos à arte respeitável e ao gosto do público. Sobre a arte oficial acadêmica ou sobre a popular, o máximo que pode ser razoavelmente dito é que não era uniforme em caráter, que seus padrões de técnica eram altos, e que alguns méritos modestos podem ser redescobertos aqui e ali. A maior parte era e é horrível.

Pode ser que a escultura de meados e fins do século XIX, amplamente disposta em inumeráveis obras monumentais, mereça um pouco mais de atenção do que se lhe tem dado normalmente — afinal, produziu o jovem Rodin (1840-1917). Entretanto qualquer coleção de obras plásticas vitorianas *en masse,* como ainda podem ser vistas nas casas dos ricos Bengalis, que compravam pela quantidade, constituiu-se numa visão tremendamente depressiva.

2.

Essa era, de alguma forma, uma situação tragicômica. Poucas sociedades valorizaram tanto as obras do gênio criador (em si mesmo virtualmente uma invenção burguesa como fenômeno social — veja *A era das revoluções,* Capítulo 14) quanto a burguesa do século XIX. Poucas estavam prontas a gastar dinheiro tão livremente com as artes e, em termos puramente quantitativos, nenhuma sociedade precedente comprou tamanha quantidade de livros velhos e novos, objetos materiais, quadros, esculturas, estruturas decoradas de madeira e bilhetes para representações teatrais ou musicais. (Apenas o crescimento da população colocaria essa afirmação fora de disputa.) Sobretudo, e paradoxalmente, poucas sociedades tinham estado tão convencidas de que viviam numa era dourada das artes criadoras.

O gosto desse período não era nada se não fosse contemporâneo, como era de fato natural para uma geração que acreditava no progresso universal e constante. Herr Ahrens (1805-1881), um industrial do norte da Alemanha, mudou-se para o clima culturalmente mais propício de Viena por volta dos seus 50 anos e começou a colecionar quadros modernos em vez de obras de velhos mestres, e isso era típico como fenômeno.[3] Os Bolckow (ferro), Holloway (patente das pílulas) e Mendel, o "príncipe mercador" (algodão), que competiam entre si para aumentar os preços das pinturas a óleo na Inglaterra, fizeram a fortuna dos pintores acadêmicos da época.[4] Os jornalistas e vereadores que registravam orgulhosamente a abertura e o custo total desses gigantescos edifícios públicos, que começaram a desfigurar a imagem das cidades do norte depois de 1848, parcialmente escondidos pela fuligem e pelo *fog* que imediatamente os envolviam, genuinamente acreditavam que estavam celebrando uma nova Renascença, financiada por príncipes industriais comparáveis aos Médici. Enfim, a conclusão mais evidente que os historiadores podem tirar do final do século XIX é que a mera aplicação de dinheiro não é capaz de garantir uma idade de ouro para as artes.

Ainda assim, a quantidade de dinheiro gasta era impressionante por quaisquer padrões, exceto os da capacidade produtiva sem precedentes do capitalismo. Entretanto, essas quantidades não eram mais gastas pelas mesmas pessoas. A revolução burguesa era vitoriosa mesmo no campo característico da atividade dos príncipes e da nobreza. Nenhuma das grandes reconstruções de cidades entre 1850 e 1875 colocou como ponto dominante da paisagem um palácio real ou imperial, nem mesmo um complexo de palácios aristocráticos como o aspecto dominante do cenário urbano. Onde a burguesia fosse fraca, como na Rússia, o czar e os grão-duques podiam ainda ser os patronos principais em caráter individual, mas mesmo assim o papel deles em tais países parece ter sido bem menos central do que antes da Revolução Francesa. Em outros lugares, um príncipe menor, ocasional e excêntrico, como Ludwig II da Baviera, ou aristocratas menos excêntricos como a marquesa de Hertford poderiam colocar toda a paixão em comprar arte e artistas mas, no total, cavalos, jogo e mulheres eram mais capazes de pô-los em dívidas do que o patrocínio das artes.

Quem pagava então pelas artes? Governos e outras entidades públicas, a burguesia e — este ponto merece atenção — uma seção cada vez mais significativa das "ordens menores", para os quais os processos industriais e tecnológicos faziam com que os produtos das mentes criativas se tornassem acessíveis em quantidades cada vez maiores e a preços cada vez menores.

Autoridades públicas laicas eram quase os únicos fregueses para os edifícios gigantescos e monumentais, cujo propósito era comprovar a riqueza e o esplendor da era em geral e da cidade em particular. Seus propósitos eram raramente utilitários. Na era do *laissez-faire*, os edifícios governamentais não eram injustificadamente espalhafatosos. Normalmente não eram religiosos, exceto nos países católicos ou quando construídos para uso interno pelos grupos (minoritários) religiosos como os judeus e os não conformistas ingleses, que desejavam registrar sua riqueza e satisfação crescentes. A paixão pela "restauração" e acabamento das grandes igrejas e catedrais da Idade Média, que varreu a Europa de meados do século XIX como uma doença contagiosa, era mais cívica que espiritual. Mesmo nas monarquias mais esplêndidas, eles pertenciam mais ao público do que à corte: coleções imperiais eram agora museus, as óperas abriam suas bilheterias. Eram, na realidade, os símbolos característicos da glória e da cultura, pois mesmo as titânicas prefeituras que os dirigentes das cidades competiam para construir eram de longe muito maiores do que requeriam as modestas necessidades da administração municipal. Os práticos homens de negócios de Leeds deliberadamente rejeitaram os cálculos utilitários na construção de seus prédios. O que eram uns poucos milhares a mais, quando a meta a fixar era de que "no ardor das disputas mercantis, os habitantes de Leeds não se esqueceram de cultivar a percepção do belo e o gosto pelas belas-artes"? (De fato, gastaram 122 mil libras ou cerca de três vezes mais que a estimativa original, equivalentes a mais de 1% do total da renda para o Reino Unido inteiro no ano de sua inauguração, 1858.)[5]

Um exemplo pode ilustrar o caráter geral de tais edifícios. A cidade de Viena derrubou suas velhas fortificações na década de 1850 e preencheu o espaço vazio nas décadas subsequentes com um magnífico bulevar circular cercado de edifícios públicos. O que eram esses edifícios? Um deles representava o comércio (a Bolsa de Valores), outro a religião (a Votivkirche), três deles universidades, três outros a dignidade civil e os negócios públicos (a Prefeitura, o Palácio da Justiça e o Parlamento) e não menos de oito representavam as artes: teatros, museus, academias etc.

As demandas da burguesia eram mais modestas individualmente, bem maiores coletivamente. Seu patrocínio enquanto indivíduos não era talvez tão importante como viria a ser na última geração antes de 1914, quando os milionários dos Estados Unidos aumentaram os preços de certas obras de arte mais do que nunca ou desde então. (Mesmo no final do nosso período, os *robber barons* estavam ainda muito ocupados na espoliação geral para poderem exibir abertamente os frutos de seu banditismo.) Era, portanto, evidente, sobretudo a partir da década de 1860, que havia muito dinheiro sobrando. A década de 1850 produziu apenas um artigo de mobília francesa do século XVIII (o símbolo de *status* internacional de um rico interior) que tenha passado de mil libras num leilão; a de 1860, a de 1870, 14 incluindo um lote que atingiu 30 mil libras; artigos como um vaso de Sèvres (símbolo de *status* bastante similar) chegou a mil libras, três vezes mais na década de 1850, sete vezes mais na de 1860 e 11 vezes na de 1870.[6] Um punhado de príncipes mercadores é suficiente para fazer a fortuna de pintores e *marchands*, mas mesmo um público numericamente modesto pode manter uma produção artística substancial, se esta tiver uma boa saída. O teatro, e em certa medida os concertos de música clássica, provavam essa afirmação. (A ópera e o balé clássico, então como agora, sustentavam-se com subsídios do governo ou de ricos à procura de *status*, nem sempre ignorantes das facilidades de acesso a belas bailarinas e cantoras.) O teatro florescia, pelo menos financeiramente. O mesmo ocorria com os editores de livros caros e sólidos para um mercado limitado, cujas dimensões são talvez indicadas pela circulação do *Times* de Londres, que andava entre 50 mil e 60 mil nas décadas de 1850 e 1860, atingindo 100 mil em raras ocasiões especiais. Quem poderia reclamar quando o livro *Travels* de Livingstone (1857) vendeu 30 mil exemplares, numa edição de um guinéu, em seis anos?[7] De qualquer maneira, as necessidades domésticas e de comércio da burguesia fizeram a fortuna de inúmeros arquitetos que construíram e reconstruíram áreas substanciais das cidades para aquela classe.

O mercado burguês era novo apenas na medida em que agora se revelava especialmente grande e cada vez mais próspero. Por outro lado, os meados do século produziram um fenômeno realmente revolucionário: pela primeira vez, graças à tecnologia e à ciência, alguns tipos de obras criativas tornaram-se tecnicamente passíveis de reprodução barata, e numa dimensão sem precedentes. Apenas um desses processos chegava de fato a competir com o ato da criação artística em si mesma: a fotografia, que nasceu na década de 1850. Como veremos, seus efeitos na pintura foram imediatos e profundos. O resto apenas trouxe versões de qualidade inferior de produtos individuais ao alcance do público de massa: escrita, por meio da multiplicação de edições baratas, estimuladas principalmente pelas estradas de ferro (os seriados principais eram chamados tipicamente de bibliotecas "ambulantes" ou "de viagem"); retratos, por gravação em ferro, em que os novos processos de eletrogravação (1845) possibilitaram a reprodução em grandes quantidades sem perda de detalhes ou refinamentos, assim como pelo desenvolvimento do jornalismo, da literatura, do autodidatismo etc.*

O enorme significado econômico desse nascente mercado de massa é frequentemente subestimado. As rendas dos principais pintores, impressionantes mesmo pelos padrões modernos — Millais obtinha anualmente uma média de 20 a 25 mil libras esterlinas vitorianas entre 1868 e 1874 —, vinham sobretudo das gravuras de dois guinéus em molduras de cinco xelins que Gambart, Flatou e outros *marchands* lançavam. A Railway Station de Frith (1860) conseguiu 4.500 libras com tais direitos subsidiários e mais 750 libras por direitos de exibição.[8] Em 1853, E. Bulwer-Lytton (1830-1873), escritor que não negligenciava assuntos de dinheiro, vendeu dez anos de direitos para edições baratas de romances que já havia escrito para Routledge's Railway Library por 20 mil libras.[9] Com a única exceção de *Uncle Tom's cabin* (*A cabana do Pai Tomás*), 1852, de Harriet Beecher Stowe, que deve ter vendido 1,5 milhão de exemplares apenas no Império Britânico, o mercado de massas para as artes não pode ser comparado com o dos tempos atuais. Apesar disso, ele existia e sua importância é inegável.

Duas observações precisam ser feitas sobre isso. A primeira é realçar a desvalorização da produção tradicional, mais diretamente afetada pelo avanço da reprodução mecânica. Em uma geração isso iria produzir, especialmente na Inglaterra, a pátria da industrialização, uma reação político-ideológica do movimento *arts-and-crafts* (em larga escala socialista), cujas raízes anti-industrialistas, implicitamente anticapitalistas, podem ser encontradas na empresa de desenho de William Morris, de 1860, e nos pintores pré-rafaelitas da década de 1850. Estes últimos dizem respeito à natureza do público que influenciava os artistas. Era, evidentemente, não apenas uma clientela aristocrática ou burguesa, como a que naturalmente

* Que tais novidades tenham aparecido nas décadas de 1830 e 1840 não diminui a importância de sua expansão quantitativa a partir de 1850.

determinava o conteúdo do que era apresentado no West End londrino ou na região dos teatros de Paris; era também um público de massa da modesta classe média e outros, incluindo trabalhadores especializados que aspiravam à respeitabilidade e à cultura. As artes de nossa época eram em todos os sentidos *populares,* como os técnicos de propaganda de massa da década de 1880 bem sabiam quando compravam algumas das mais lamentáveis e caras pinturas para nelas afixar seus anúncios.

As artes eram prósperas, e assim também os talentos criativos que tinham apelo junto do público: eles eram, de todas as formas, claramente os piores. É um mito afirmar que os melhores talentos do período eram normalmente deixados à míngua e na boêmia por filisteus que não sabiam apreciá-los. Podemos certamente descobrir aqueles que, por várias razões, resistiram ou tentaram chocar o público burguês, ou simplesmente falharam em atrair compradores, a maioria na França (G. Flaubert, 1821-1880, os primeiros simbolistas e os impressionistas), mas também em outros lugares. Entretanto, o mais frequente era que os homens e mulheres cuja fama passasse pelo teste de sobreviver um século fossem pessoas de reputações que na época iam do grande respeito à idolatria, e cuja renda ia da de classe média confortável até o fabuloso. A família de Tolstoi viveria confortavelmente da renda de alguns de seus romances quando o grande homem distribuiu suas fazendas. Charles Dickens, sobre cuja situação financeira estamos bem informados, recebia por volta de 10 mil libras anuais quase todos os anos, a partir de 1848 até a década de 1860, quando sua renda anual cresceu, atingindo 33 mil libras em 1868 (a maior parte oriunda do circuito americano de leitura).[10] Cento e cinquenta mil dólares seriam uma renda substancial hoje em dia, mas por volta de 1870 punham uma pessoa na classe dos muito ricos. Por força disso, o artista tinha de entender-se com o mercado. E mesmo aqueles que não chegaram a ficar ricos eram respeitados. Dickens, W. Thackeray (1811-1863), George Eliot (1819-1880), Tennyson (1809-1892), Victor Rugo (1802-1885), Zola (1840-1902), Tolstoi, Dostoievski, Turgenev,

Wagner, Verdi, Brahms, Liszt (1811-1886), Dvorák, Tchaikovski, Mark Twain, Henrik Ibsen: esses são nomes de pessoas que em vida não sentiram falta de sucesso e reconhecimento.

3.

Mais do que isso, ele (e ela, nesse período muito mais raramente que na primeira metade do século) desfrutava não apenas da possibilidade de conforto material, mas especialmente de estima. Na sociedade aristocrática e monárquica, o artista tinha sido quando muito um ornamentador ou ornamento da corte ou *palazzo,* uma valiosa peça da propriedade e, na pior alternativa, alguns daqueles caros fornecedores de serviços e artigos de luxo como cabeleireiros e costureiros que a moda demandava. Para a sociedade burguesa, representava o "gênio", que era uma versão não financeira da empresa individual "ideal", que complementava e coroava o sucesso material e, de forma mais geral, os valores espirituais da vida.

Não há como compreender as artes do final do século XIX sem esse sentido da necessidade social de elas deverem atuar como fornecedoras do conteúdo espiritual da mais materialista das civilizações. Poder-se-ia até dizer que elas tomavam o lugar das religiões tradicionais entre os cultos e emancipados, isto é, as classes médias bem-sucedidas, suplementadas, evidentemente, pelos espetáculos inspiradores da "natureza", quer dizer, paisagens. Isso era mais evidente entre os povos de língua germânica, que passaram a considerar a cultura como seu monopólio especial, numa época em que os ingleses se haviam apossado da economia e os franceses da política. Ali óperas e teatros tornaram-se templos onde homens e mulheres prestavam culto, tanto mais devotamente quanto nem sempre apreciavam de fato as obras do repertório clássico, e onde as crianças eram formalmente iniciadas na escola primária pelo *Guilherme Tell* de Schiller, para avançar por fim nos mistérios adultos do *Fausto* de Goethe.

O gênio desagradável de Richard Wagner tinha clara compreensão dessa função quando construiu sua catedral em Bayreuth (1872-1876), onde os piedosos peregrinos vêm até hoje assistir, em religiosa exaltação, por longas horas e vários dias, e ainda proibidos das frivolidades do aplauso, ao neopaganismo do mestre alemão. Wagner mostrava assim sua lucidez não apenas em perceber a conexão entre sacrifício e exaltação religiosa, mas também em entender a importância das artes como portadoras da nova religião laica do nacionalismo. Pois o que mais, exceto os exércitos, poderia expressar melhor esse conceito ilusório de nação do que os símbolos da arte primitiva, como nas bandeiras e hinos, elaborada e profunda, como naquelas escolas nacionais de música que tão intimamente se identificaram com as nações de nosso período no seu momento de aquisição de uma consciência coletiva, independência ou unificação — um Verdi no *Risorgimento* italiano, um Dvorák ou Smetana entre os tchecos?

Nem todos os países levaram a exaltação religiosa das artes até o ponto que esta atingiu a Europa central, e mais especificamente entre as classes médias judias na maior parte da Europa e dos Estados Unidos, culturalmente alemãs ou germanizadas.* Em geral, os capitalistas da primeira geração eram filisteus, embora suas mulheres se esforçassem o quanto podiam para ter algum interesse em coisas mais elevadas. O único milionário americano que tinha genuína paixão pelas coisas do espírito — também o único livre-pensador anticlerical — era Andrew Carnegie, que não podia esquecer a tradição de seu pai rebelde e culto. Fora da Alemanha, talvez na Áustria, havia banqueiros que desejavam ver seus filhos transformados em compositores ou maestros, talvez porque não tivessem alternativa de vê-los ministros ou *premiers*. A substituição da religião pela exaltação da natureza e das artes era característica apenas de setores intelectuais das classes médias, como aqueles que formariam

* O que as artes e principalmente a música clássica devem ao patrocínio dessa pequena e rica comunidade, tão profundamente imbuída de cultura no final do século XIX, é incalculável.

mais tarde o *Bloomsbury* inglês, homens e mulheres com renda privada proveniente de heranças, raramente envolvidos em negócios. Apesar de tudo, mesmo nas sociedades burguesas mais filisteias, talvez com a exceção dos Estados Unidos, as artes ocupavam um lugar especial de respeito e estima. Os grandes símbolos coletivos de *status* do teatro e da ópera nasceram nos centros das capitais — o foco do planejamento urbano em Paris (1860) e Viena (1869), visível em catedrais como em Dresden (1869), invariavelmente gigantescas e monumentalmente elaboradas como em Barcelona (a partir de 1862) e Palermo (a partir de 1875). Os museus e as galerias públicas de arte surgiram, ou foram ampliados, reconstruídos e transformados, como também as grandes bibliotecas nacionais — o salão de leitura do Museu Britânico foi construído em 1852-1857, a Bibliothèque Nationale reconstruída em 1854-1875. De modo mais geral, o número das grandes bibliotecas (diferentemente das universidades) multiplicou-se de forma fenomenal na Europa, e mais modestamente nos Estados Unidos. Em 1848, havia cerca de quatrocentas com talvez 17 milhões de volumes na Europa; por volta de 1880 havia quase 12 vezes mais, com quase o dobro de volumes. A Áustria, a Rússia, a Itália, a Bélgica e a Holanda multiplicaram o número de suas bibliotecas por dez, a Inglaterra quase a mesma coisa, mesmo Espanha e Portugal quase quatro vezes, e os Estados Unidos quase três vezes. (Por outro lado, os Estados Unidos quase que quadruplicaram o número de seus livros, feito superado apenas pela Suíça.)[11]

As estantes das casas burguesas encheram-se com elaboradas obras encadernadas dos clássicos nacionais e internacionais. Os visitantes de galerias e museus multiplicaram-se: a exibição da Royal Academy em 1848 atraiu talvez uns 90 mil visitantes, mas pelo final da década de 1870 atraía quase 400 mil. Por essa época, os *vernissages* tornaram-se moda entre a alta classe, um sinal seguro do *status* social ascendente da pintura, assim como as pré-estreias teatrais londrinas, que começaram a competir com as parisienses depois de 1870; em ambos os casos com efeitos desastrosos sobre as artes, objeto desses eventos. Os turistas burgueses praticamente não podiam evitar aquela peregrinação sem fim pelos salões do Louvre, Uffizi e San Marco. Os próprios artistas, mesmo os duvidosos intérpretes de teatro e ópera, tornaram-se respeitados e respeitáveis, candidatos adequados a *Sirs* ou portadores de outros títulos nobiliárquicos.* Eles não precisavam nem mesmo se conformar aos ditames dos burgueses normais, visto que as gravatas, os chapéus e outros elementos da indumentária eram razoavelmente caros. (Aqui também Richard Wagner mostrou uma impecável percepção do público burguês: mesmo seus escândalos fizeram parte de sua imagem criativa.) Gladstone, no final da década de 1860, foi o primeiro primeiro-ministro a convidar luminares das artes e da vida intelectual para seus jantares oficiais.

Mas *divertia-se* realmente com as artes aquele público burguês que as patrocinava e aplaudia? A questão é anacrônica. Realmente, havia algumas formas de criação artística que mantinham uma relação direta com o público que elas apenas pretendiam entreter. Sobretudo havia a "música ligeira" que, talvez única entre as artes, teve sua idade de ouro em nosso período. A palavra "opereta" apareceu pela primeira vez em 1856, e a década de 1865 a 1875 veria o ponto culminante das realizações de Jacques Offenbach (1819-1880), Johann Strauss Jr. (1825-1899) — a *Valsa do Danúbio Azul* data de 1867, *O morcego* de 1874 — a *Cavalaria ligeira* de Suppé (1820-1895) e os sucessos de Gilbert e Sullivan (1836-1911, 1842-1900). Até que o peso da arte "culta" caísse de forma brutal sobre ela, até a ópera manteve seu *rapport* com um público que buscava diretamente entretenimento (*Rigoletto, Il Trovatore, La Traviata* — obras posteriores a 1848), e o teatro comercial multiplicou seus dramas e farsas intrincadas, dos quais apenas o último tipo sobreviveu ao tempo (La-

* Na Inglaterra havia muito os pintores tornavam-se *Sir*, mas Henry Irving, que estabeleceu sua reputação nesse período, foi o primeiro ator a receber tal *status*, e Tennyson o primeiro poeta — ou artista em geral — a receber título de nobreza. Entretanto, apesar da influência cultural do príncipe consorte (alemão), essas honras ainda eram raras no período.

biche — 1815-1988; Meilhac — 1831-1897; Halévy — 1834-1908). Mas tais diversões eram aceitas como culturalmente inferiores, como os vários *girl-shows* que Paris havia lançado na década de 1850, com os quais tinham muito em comum.* Arte culta de verdade não era uma questão de mero entretenimento ou mesmo algo que pudesse ser isolado como uma "apreciação estética".

A "arte pela arte" era ainda um fenômeno minoritário mesmo entre os artistas românticos, uma reação contra o ardente compromisso político e social da era das revoluções, intensificada pelos amargos resultados de 1848, o movimento que havia arrastado tantos espíritos criativos. O esteticismo não se tornaria uma moda burguesa até o final das décadas de 1870 e 1880. Os artistas criativos eram sábios, profetas, mestres, moralistas, fontes da *verdade*. O esforço era o preço pago pelos seus rendimentos, vindos de uma burguesia pronta a acreditar que tudo que tinha valor (financeiro ou espiritual) requeria abstenção de prazer. As artes eram parte desse esforço humano. O cultivo das artes o coroava.

4.

Qual era a natureza dessa verdade? Aqui precisamos destacar a arquitetura das outras artes, pois faltava-lhe o tema que dava às outras a aparência de unidade. De fato, a coisa mais característica acerca da arquitetura é a ausência daqueles "estilos" morais-ideológicos-estéticos aceitos, que tinham sempre deixado sua marca em outras épocas. O ecletismo dominava. Como Pietro Selvático observou, já em 1850, na sua *Storia dell'arte del disegno,* não havia um estilo único de beleza. Cada estilo era adaptado a uma função. Portanto, dos novos edifícios ao longo da Ringstrasse vie-

* As receitas do Folies Bergère só eram inferiores às da Ópera e muito superiores às da Comédie Française.[12]

nense, a igreja era naturalmente gótica, o Parlamento, grego, a Prefeitura, uma combinação de Renascença com gótico, a Bolsa de Valores (como muitas outras desse período), um classicismo opulento, os museus e a universidade, alta renascença, o Burgtheater e a Ópera, o que melhor pode ser descrito como Segundo Império, no qual elementos ecléticos da renascença predominavam.

A necessidade de pompa e esplendor normalmente encontrava a alta Renascença e o gótico tardio mais adequados como idioma. (Barroco e rococó foram desprezados até o século XX.) A Renascença, idade dos príncipes mercadores, era naturalmente o estilo que mais se adequava aos homens que viam a si mesmos como sucessores desses príncipes, mas outras reminiscências eram também aceitas livremente. Por conseguinte, os nobres proprietários de terras da Silésia, que ficaram milionários capitalistas graças ao carvão de suas fazendas, e seus colegas mais burgueses sacudiram toda a história da arquitetura de vários séculos. O *Schloss* (castelo) do banqueiro Von Eichbom (1857) é claramente prussiano--neoclássico, um estilo ainda apreciado pelos ricos burgueses do final de nosso período. O gótico, com sua sugestão conjunta de glória do burgo medieval e de fama dos cavaleiros, tentava aos mais aristocráticos e ricos, como em Koppitz (1859) e Miechowitz (1858). A experiência da Paris de Napoleão III, na qual milionários silesianos mais conhecidos como o príncipe Henckel von Donnersmarck deixaram sua marca, quando não apenas por seu casamento com uma das cortesãs mais famosas, La Païva, sugeria naturalmente outros modelos de esplendor, pelo menos aos príncipes de Hohenlohe e Plesse. As renascenças italiana, holandesa e alemã do norte forneciam modelos igualmente aceitáveis do menos grandioso, sozinhas ou combinadas.[13] Mesmo os motivos menos previsíveis apareceram. Os ricos judeus de nosso período demonstraram preferência pelo estilo islâmico-mouro para suas sinagogas cada vez mais opulentas, uma afirmação (com eco nas novelas de Disraeli) da aristocracia oriental que não precisava competir com a ocidental,[14] e talvez esse seja o único exemplo de uso deliberado de modelos não ocidentais nas artes da burguesia ocidental, até a irrupção da moda japonesa no final da década de 1870 e na de 1880.

Em resumo, a arquitetura não expressava nenhum tipo de "verdade", no sentido literal, embora isso não excluísse convicção e aspiração moral. O que mais se expressava era a autoconfiança da sociedade que a construía, e esse sentido de imensa e indiscutível fé no destino burguês é que torna expressivos seus melhores exemplos. Era uma linguagem de símbolos sociais. Daí o deliberado encobrimento do que era realmente novo e interessante nela, a magnífica tecnologia e as técnicas de engenharia que mostravam sua face em público apenas em raras ocasiões, quando se queria simbolizar o progresso técnico em si mesmo: o Palácio de Crystal de 1851, a Rotunda da Exposição de Viena de 1873, mais tarde a Torre Eiffel (1889). De outra forma, mesmo o glorioso funcionalismo dos edifícios utilitaristas era disfarçado, como nas estações das estradas de ferro — alucinadamente ecléticas como a de London Bridge (1862), góticas como a de St. Pancras, Londres (1868), renascentistas como a de Südbahnhof em Viena (1869-1873). (Entretanto, numerosas outras importantes estações sobreviveram afortunadamente ao gosto luxuriante da nova era.) Só as pontes eram gloriosas na beleza de sua engenharia — mesmo isso talvez seja um pouco pesado agora, devido à abundância e ao baixo preço do ferro —, embora esse fenômeno curioso, a ponte suspensa gótica (Tower Bridge, Londres), já aparecesse no horizonte. No entanto, do ponto de vista técnico, atrás daquelas fachadas góticas, as coisas mais *modernas,* originais e imaginativas estavam acontecendo. A decoração dos apartamentos no Segundo Império em Paris já começava a esconder aquela avançada invenção, original e sensacional: o elevador ou ascensor. Talvez a única peça que era uma justificativa *tour de force* da imaginação técnica e à qual os arquitetos raramente resistiam, mesmo nos edifícios com fachadas públicas "artísticas", era a gigantesca cúpula — nos mercados, salões de leitura de bibliotecas, arcadas de comércio como a Galeria

Victor Emmanuel em Milão. Mas nenhuma era escondeu de modo tão persistente seus próprios méritos.

A arquitetura não tinha uma "verdade" própria porque não apresentava significado que pudesse ser expresso em palavras. As outras artes, sim, porque seu sentido o permitia. Nada é mais surpreendente para as gerações de meados do século XX, educadas em dogmas críticos bem diferentes, que a crença de meados do século XIX segundo a qual a forma da arte não era importante e, sim, o conteúdo. Seria errado concluir daí a simples subordinação das outras artes à literatura, embora se acreditasse que seu conteúdo pudesse ser expresso em palavras, com vários graus de adequação, e a literatura fosse de fato a chave artística do período. Se "cada quadro contava uma história" e frequentemente a música também — essa era, afinal, a época característica das óperas, música de balé e suítes descritivas —,* a nota programática estava destinada a ser proeminente. Seria mais verdadeiro dizer que se esperava que cada arte fosse expressiva também em termos de outras, que o ideal da "obra de arte" total (o *Gesamtkusntwerk* do qual Wagner, como usualmente, fez-se o porta-voz) unisse todas elas. Mas as artes em que o sentido podia ser expresso de forma precisa, isto é, em palavras ou imagens representativas, tinham vantagem sobre as outras que não o podiam. Era mais fácil transformar uma história numa ópera (*Carmen*) ou mesmo quadros numa composição (*Quadros de uma exposição,* de Mussorgski) do que uma composição musical num quadro, ou mesmo em poesia lírica. A questão "do que se trata?" era, portanto, não apenas legítima, mas fundamental para qualquer julgamento das artes de meados do século.

---

* A inspiração literária da música era particularmente sensível. Goethe inspirou obras de Liszt, Gounod, Boito e Ambroise Thomas, e também Berlioz; as obras de Schiller inspiraram Verdi e as de Shakespeare, as de Mendelssohn, Tchaickovski, Berlioz e Verdi. Wagner, que inventou um drama poético próprio, encarava sua música como subordinada a este, embora sua pretensiosa poesia pseudomedieval esteja claramente morta sem a música, que se tornou parte do repertório de concertos mesmo sem as palavras.

A resposta era geralmente "realidade" e "vida". "Realismo" era o termo que mais comumente vinha aos lábios dos observadores da época e posteriores acerca desse período, e sempre quando lidavam com a literatura ou as artes visuais. Nenhum termo poderia ser mais ambíguo. Implicava uma tentativa de descrever, representar ou de qualquer modo encontrar um equivalente preciso de fatos, imagens, ideias, sentimentos, paixões — em caso extremo, o exemplo especificamente musical do *leitmotiv wagneriano,* cada um deles representando uma pessoa, situação ou ação, ou suas recriações musicais do êxtase sexual (*Tristão e Isolda*). Mas qual é essa realidade assim representada, a vida "exatamente como" a arte deveria ser? A burguesia de meados do século estava num dilema que seu triunfo fazia ainda mais agudo. A imagem de si mesma à qual aspirava não podia representar toda a realidade, uma vez que a realidade fosse de pobreza, exploração e miséria, materialismo, paixões e aspirações cuja existência ameaçasse uma estabilidade que, apesar de toda autoconfiança da burguesia, era sentida como sendo precária. Havia, para citar um adágio do *New York Times*, uma diferença entre "notícias" e "notícias adequadas para publicação". Por outro lado, numa sociedade dinâmica e progressista, a realidade era, afinal, não estática. Não iria então o realismo representar não o presente necessariamente imperfeito, mas a situação melhor à qual os homens aspiravam e que já estava, seguramente, sendo criada? A arte tinha uma dimensão futura (Wagner, como sempre, dizia representá-la). Em resumo, as imagens "reais" e "fiéis" na arte divergiam cada vez mais das imagens estilizadas e sentimentalizadas. Na melhor das hipóteses, a versão burguesa de "realismo" era uma seleção socialmente adequada, como o famoso Angelus de J.-F. Millet (1814-1875), no qual a pobreza e o trabalho duro pareciam mais aceitáveis pela piedade obediente dos pobres; na pior das hipóteses, transformava-se no sentimentalismo do retrato de família.

Nas artes representativas, havia três formas de escapar desse dilema Uma era insistir em representar toda a realidade, incluindo o desagradável ou o perigoso. O "realismo" transformava-se então em "naturalismo" ou "verismo". Isso normalmente implicava uma consciência social crítica da sociedade burguesa, como Courbet na pintura, Zola e Flaubert na literatura, ou mesmo obras que não tinham tal intenção crítica deliberada, como a obra-prima de Bizet (1838-1875), a ópera das classes baixas *Carmem* (1875), que eram percebidas pelo público e pela crítica como se fossem políticas. A alternativa era abandonar totalmente qualquer realidade, fosse cortando as ligações entre arte e vida, ou mais especificamente vida contemporânea ("arte pela arte"), ou então pela escolha da abordagem visionária (como no *Bateau Ivre* de 1871, do jovem revolucionário Rimbaud), ou ainda a fantasia evasiva dos humoristas como Edward Lear (1812-1888) e Lewis Carroll (1832-1898) na Inglaterra, e Wilhelm Busch (1832-1908) na Alemanha. Mas uma vez que o artista não se retirasse (ou avançasse) para a fantasia deliberada, as imagens básicas ainda eram entendidas como sendo "fiéis". E nesse ponto as artes visuais sofreram um choque traumático, profundo: a competição da tecnologia por meio da fotografia.

A fotografia, inventada na década de 1820 e divulgada publicamente na França na década seguinte, tornou-se um meio para se trabalhar na reprodução em massa da realidade de nosso período e foi rapidamente desenvolvida num negócio comercial na França da década de 1850, em grande parte por membros da *bohème* artística sem sucesso, como Nadar (1820-1911), para quem viria a trazer sucesso artístico e financeiro, e para todos os outros pequenos empreendedores, que entraram em um negócio relativamente barato. As insaciáveis demandas da burguesia, especialmente a pequena burguesia ávida por retratos baratos, forneceu a base de seu sucesso. (A fotografia inglesa permaneceu por muito mais tempo nas mãos de cavalheiros e damas, que o praticavam por razões experimentais ou como *hobby.* Era automaticamente óbvio que ela destruía o monopólio do artista representativo. Um crítico conservador observou, já em 1850, que ela ameaçava seriamente a existência de "vários ramos da arte, tais como as gravuras, litogravuras e alguns tipos de retratos".[15]

Como estes poderiam competir com a meticulosa reprodução da natureza (exceto na cor) com um método que transcrevia os próprios "fatos" numa imagem direta, tudo de forma científica? A fotografia substituía então a arte? Os neoclassicistas e os românticos reacionários inclinavam-se a acreditar que sim, e que tal era indesejável. J. A. D. Ingres (1780-1867) via-a como uma invasão imprópria do progresso industrial no domínio da arte. Charles Baudelaire (1821-1867), de um ponto de vista bastante diferente, pensava o mesmo. "Qual o homem, merecedor do nome de artista, que, genuíno amante das artes, confundiria a indústria com a arte?"[16] O papel correto da fotografia para ambos era o de ser uma técnica subordinada e neutra, análoga à impressão na literatura.

Mas, curiosamente, os realistas mais diretamente ameaçados por ela não eram uniformemente hostis. Aceitavam o progresso e a ciência. Não era a pintura de Manet, conforme observou Zola, como as suas próprias novelas, inspiradas pelo método científico de Claude Bernard?[17] (veja o Capítulo 14) Contudo, mesmo quando defendiam a fotografia, resistiam a identificar como arte a reprodução exata e naturalista que suas teorias pareciam implicar. "Nem desenho, nem cor, nem exatidão da representação", argumentava o crítico naturalista Francis Wey, "constituem o artista: é a *mens divina,* a inspiração divina (...) O que faz o pintor não é a mão, mas o cérebro: a mão apenas obedece."[18] A fotografia era útil porque podia ajudar o pintor a ir além de uma simples e mecânica cópia dos objetos. Hesitantes entre o idealismo e o realismo do mundo burguês, os realistas também rejeitavam a fotografia, mas com certo embaraço. O debate era passional, mas foi resolvido graças àquela invenção característica da sociedade burguesa, o direito de propriedade. O direito francês, que protegia a "propriedade artística" especialmente contra plágios com uma lei da Grande Revolução (1793), deixava os produtos industriais sujeitos à proteção muito mais vaga do artigo 1.382 do Código Civil. Todos os fotógrafos argumentavam que os modestos fregueses que compravam seus produtos estavam comprando não apenas imagens baratas e reconhecíveis, mas também os valores espirituais da arte. Simultaneamente, os fotógrafos que não conheciam muito bem as celebridades para tirar seus valiosos retratos não podiam resistir à tentação de piratear cópias, visto que as fotografias originais não estavam legalmente protegidas como a arte. Os tribunais foram chamados a decidir quando os senhores Mayer e Pierson processaram uma companhia rival por piratear as fotografias do conde Cavour e de *Lord* Palmerston. No decorrer de 1862, o caso percorreu todos os tribunais até a Corte de Cassação, que decidiu que a fotografia era, afinal, uma arte, pois essa era a única maneira de proteger efetivamente seu *copyright.* Mas podiam — tais eram as complexidades que a tecnologia introduzia no mundo das artes — as leis na sua majestade ser unânimes? O que ocorreria quando as demandas de propriedade entrassem em conflito com as da moralidade, como aconteceu quando, inevitavelmente, os fotógrafos descobriram as possibilidades comerciais do corpo feminino, especialmente na forma da fácil divulgação do "cartão de visitas"? Que esses "nus fotográficos femininos", em todas as posições, provocativas aos olhos em sua nudez total[19] eram obscenos, não havia dúvida: uma lei assim já os havia declarado em 1850. Contudo, como seus sucessores do século XX, os fotógrafos de garotas de meados do século XIX podiam — inutilmente no período — refutar os argumentos da moralidade com os da arte: a arte radical do realismo. Tecnologia, comércio e *avant-garde* formavam uma aliança *underground,* contrapondo-se à aliança oficial do dinheiro com os valores espirituais. O ponto de vista oficial prevalecia com dificuldade. Condenando tal fotógrafo, o promotor público também condenava

> aquela escola de pintura que se chamava realista e suprimia a beleza (...) que substituía as graciosas ninfas da Grécia e Itália por ninfas de uma raça desconhecida até então, tristemente notória nas margens do Sena.[20]

Esse discurso foi registrado em *Le Moniteur de la Photographie* de 1863, o ano do *Déjeuner sur l'Herbe* de Manet. O realismo era, portanto, ambíguo e contraditório. Seus problemas podiam ser evitados apenas ao preço da trivialização do artista "acadêmico" que pintava o que era aceitável e vendável, deixando as relações entre ciência e imaginação, fato e ideal, progresso e valores eternos e o resto se arranjarem por si. O artista sério, fosse crítico da sociedade burguesa ou suficientemente lógico para levá-la a sério, estava numa posição mais difícil, e a década de 1860 iniciaria uma fase de desenvolvimento que se mostrou não apenas difícil mas insolúvel. Com o "realismo programático", isto é, naturalista de Courbet, a história da pintura ocidental, complexa mas coerente desde a Renascença italiana, chegava a seu fim. O historiador alemão de arte Hildebrand concluiu caracteristicamente seu estudo da pintura do século XIX com Courbet, nessa década. O que veio depois — ou melhor, o que já estava surgindo simultaneamente com os impressionistas — não podia ser ligado tão facilmente ao passado porque antecipava o futuro.

O dilema fundamental do realismo era ao mesmo tempo de conteúdo e de técnica, e as relações entre ambos. Na medida em que se discutia o conteúdo, o problema não era apenas o de escolher o comum em vez de o "nobre" e "distinto", os tópicos intocados pelos artistas respeitáveis contra os que formavam o centro das academias, como francamente os artistas políticos de esquerda — como o Courbet revolucionário e *communard** — estavam inclinados a fazer.[21] Portanto, eram todos os artistas que tomavam a sério o realismo, pois precisavam pintar o que os olhos viam, que eram coisas, ou melhor, impressões aos sentidos e não ideias, qualidades ou juízos de valor. *Olympia* certamente não era uma Vênus idealizada, mas, nas palavras de Zola, sem dúvida, algum modelo que Manet copiou tal como era... na sua nudez juvenil,[22] e o que era mais chocante, ecoava formalmente a famosa Vênus de Ticiano. Mas, fosse ou não uma atitude política, o realismo *não podia* pintar Vênus, mas apenas garotas nuas, assim como não podia pintar a majestade, mas apenas pes-

* *Communard* é o termo francês usado para identificar os participantes da Comuna de Paris. (*N. do E.*)

soas com coroas; e essa é a razão por que o Kaulbach da proclamação de Guilherme I como imperador alemão em 1871 é consideravelmente menos bem-sucedida do que os *ikons* de David ou Ingres sobre Napoleão I.

Embora o realismo parecesse politicamente radical, porque estava mais à vontade com os assuntos contemporâneos e populares,* ele de fato limitava, talvez mesmo tomava impossível a arte política ou ideologicamente comprometida, que havia dominado o período anterior a 1848, pois a pintura política não existe sem ideias e julgamentos. A pintura política mais comum da primeira metade do século foi certamente eliminada da arte séria, ou seja, a pintura histórica entrou em rápido declínio a partir de meados do século. O realismo naturalista de Courbet, republicano, democrata e socialista, não fornecia a base de uma arte politicamente revolucionária, nem mesmo na Rússia, onde a técnica naturalista estava subordinada ao relato de histórias pelos *Peredvizhniki,* alunos do teórico revolucionário Chernishevski, tornando-se indistinguível, exceto pelo conteúdo, da pintura acadêmica. Marcava o fim de uma tradição, não o início de uma nova.

A revolução na arte e a arte da revolução começaram então a divergir, apesar dos esforços dos teóricos e propagandistas como o *quarante-huitard* Théophile Thoré (1807-1869) e o radical Émile Zola para uni-las. Os impressionistas foram importantes não pelos motivos populares que retratavam — danças populares, visões das cidades e cenas das ruas, teatros, corridas e bordéis da sociedade burguesa —, mas por suas inovações de método. Mas essas eram simplesmente tentativas de continuar a representação da realidade, "o que os olhos veem"; por meio de técnicas análogas à fotografia e tomadas emprestadas a ela, assim como ao eterno progresso das ciências. Isso também implicava o abandono dos códigos convencionais de pintura. O que é que os olhos realmente "viam" quando

* "Quando outros artistas corrigem a natureza pintando Vênus, eles mentem. Manet perguntou a si mesmo por que deveria mentir. Por que não dizer a verdade? Ele nos apresentou Olímpia, uma jovem de nossos tempos, que já encontramos pelas ruas, puxando um xale fino de lã desbotada sobre seus ombros estreitos" e assim por diante (Zola).[23]

a luz caía sobre objetos? Certamente não os sinais de código aceitos para um céu azul, nuvens brancas e traços fisionômicos. Portanto, a tentativa de fazer um realismo mais "científico" inevitavelmente o removia do senso comum, até que as novas técnicas tornaram-se um código convencional. Sucede que hoje lemos esses códigos sem dificuldades, quando admiramos Manet, A. Renoir (1841-1919), Degas, C. Monet (1840-1926) ou C. Pissarro (1830-1903). No seu tempo eles eram incompreensíveis, "um jarro de tinta atirado na cara do público", como Ruskin exclamaria sobre James MacNeill Whistler (1834-1903).

Esse problema se mostraria temporário, mas seria mais difícil lidar com dois outros aspectos da nova arte. Primeiro, colocou a pintura diante dos inevitáveis limites de seu caráter "científico". Por exemplo, o impressionismo logicamente não implicava somente pinturas, mas um filme colorido e de preferência tridimensional, capaz de reproduzir o constante movimento de luz e objetos. As séries de quadros de Monet da fachada da catedral de Rouen foram tão longe quanto era possível chegar com tintas e pincéis, mas não muito longe. Porém, se a busca da ciência na arte não encontrava uma solução definitiva, então tudo o que se havia conseguido fora a destruição de um código de comunicação visual convencional e geralmente aceito, que não fora substituído pela "realidade" ou outro código equivalente e, em seu lugar, encontrava-se uma multiplicidade de convenções possíveis e iguais. Em última análise — mas as décadas de 1860 e 1870 estavam ainda longe de chegar a essa conclusão —, talvez não houvesse meio de escolher entre as visões subjetivas de nenhum indivíduo; e quando esse ponto estava para ser descoberto, a busca da perfeita objetividade do concreto visual veio a ser transformada no triunfo da perfeita subjetividade. O caminho mostrava-se tentador, pois, se a ciência era um dos valores básicos da sociedade burguesa, o individualismo e a competição também o eram. Os cânones do aperfeiçoamento e padrões acadêmicos nas artes estavam, algumas vezes inconscientemente, substituindo os critérios de "perfeição" e "correção" pelo de "originalidade", abrindo caminho para a sua própria superação final.

Segundo, se a arte era análoga à ciência, ela também partilharia a característica do *progresso* que com algumas (restrições) igualava "novo" ou "último" a "superior". Isso não levantava maiores dificuldades com a ciência, pois qualquer estudante, em 1875, entendia evidentemente melhor de física do que Newton ou Faraday. Isso não é verdade nas artes: Courbet era melhor do que, digamos, Baron Gros, não porque houvesse aparecido mais tarde ou fosse um realista, mas porque tinha mais talento. Além disso, a palavra "progresso" em si mesma era ambígua, visto que podia ser e era aplicada igualmente a qualquer mudança historicamente observada. O "progresso" podia ou não ser um fato, mas "progressista" era uma declaração de intenção política. O revolucionário nas artes poderia ser facilmente confundido com o revolucionário na política, especialmente por mentes desvairadas como a de P.-J. Proudhon, e ambas podiam, por sua vez, ser confundidas com outra coisa muito diferente, "modernidade" — palavra usada pela primeira vez em 1849.*

Ser "contemporâneo", nesse sentido, também tinha implicações de mudança e inovação técnica, assim como de motivos. Por essa razão, como Baudelaire observou com acuidade, o prazer de representar o presente vem não apenas de sua possível beleza, mas também de "seu caráter essencial de ser o presente". Portanto, cada "presente" precisa encontrar sua forma própria de expressão, pois nenhuma outra poderia expressá-lo adequadamente. Isso poderia ou não ser "progresso" no sentido de uma melhora objetiva, mas era certamente "progresso", na medida em que os meios de apreensão de todo o passado precisavam dar lugar aos meios de apreensão do tempo presente, melhores porque contemporâneos. As

---

* "Em suma, Courbet... é uma expressão dos tempos. Seu trabalho coincide com a *Filosofia Positiva* de Augusto Comte, com a *Metafísica Positiva* de Vacherot, com meus próprios *Direitos Humanos ou Justiça Imanente*; o direito de trabalhar e o direito do trabalhador, anunciando o fim do capitalismo e a soberania dos produtores; a frenologia de Gale e Spurzheim; a fisiognomonia de Lavater" (P.-J. Proudhon).[24]

artes precisavam, portanto, renovar-se constantemente. E assim fazendo, inevitavelmente, cada sucessão de inovadores — pelo menos temporariamente — esqueceria a massa dos tradicionalistas e filisteus, aos quais faltava aquilo que o jovem Rimbaud (1854-1891), que formulou tantos elementos desse futuro nas artes, chamou de "a visão". Em resumo, começamos a nos encontrar naquele mundo hoje familiar da *avant-garde*, embora o termo ainda não fosse corrente. Não é por acaso que a genealogia retrospectiva das artes *avant-garde* normalmente não nos conduza além do Segundo Império na França — para Baudelaire e Flaubert na literatura e para os impressionistas na pintura.

Historicamente é em grande medida um mito, mas sua localização no tempo é importante. Marca o colapso da tentativa de produzir uma arte intelectualmente consistente (embora sempre crítica) com a sociedade burguesa — uma arte assumindo as realidades físicas do mundo capitalista, do progresso e da ciência natural da forma que era concebida pelo positivismo.

5.

Esse colapso afetava mais as camadas marginais do mundo burguês que seu centro: estudantes e jovens intelectuais, escritores e artistas com aspirações, a *bohème* em geral daqueles que se recusavam (embora temporariamente) a adotar uma espécie de respeitabilidade burguesa e se misturavam rapidamente aos que eram incapazes de fazê-lo, ou cujo tipo de vida os impedia disso. Os distritos cada vez mais especializados das grandes cidades onde todos se encontravam — o Quartier Latin ou Montmartre —* tornaram-se os centros de tais *avant-gardes*,

* A mudança para a pintura realista, isto é, ao ar livre, também criou aquelas curiosas pequenas colônias de artistas no campo ao redor de Paris, na costa normanda e, mais tarde, na Provença, não muito antes do meio do século XIX.

e jovens rebeldes provincianos como o garoto Rimbaud que, lendo avidamente pequenas revistas ou poesia heterodoxa em lugares como Charleville, eram atraídos para tais lugares. Eles forneciam para os produtores e consumidores aquilo que seria chamado, um século depois, *underground* ou contracultura, e que não era, de forma alguma, um mercado negligenciável, embora ainda incapaz de dar à *avant-garde* um meio de vida. O desejo crescente da burguesia de acercar-se das artes multiplicou os candidatos a abraçá-las — estudantes de arte, aspirantes a escritores etc. O livro *Cenas da vida boêmia* de Henry Murger (1851) produziu uma voga enorme para o que poderia ser chamado o equivalente da sociedade burguesa da *fête champêtre* do século XVIII — o paraíso laico do mundo ocidental e o centro da arte, com o qual a Itália não mais podia competir. Talvez houvesse na segunda metade do século entre 10 e 20 mil pessoas em Paris denominando-se a si mesmas de "artistas".[25]

Embora alguns movimentos revolucionários desse período estivessem praticamente confinados ao *milieu* do Quartier Latin — por exemplo, os blanquistas — e embora os anarquistas viessem a identificar o mero fato de pertencer à contracultura com revolução, a *avant-garde* como tal não tinha uma linha política específica, ou nenhuma linha de todo. Entre os pintores, os da extrema esquerda, Pissarro e Monet, fugiram para Londres em 1870, para evitar tomar parte na Guerra franco-prussiana, enquanto Cézanne, no seu refúgio de província, francamente não tinha interesse nos pontos de vista políticos de seu maior amigo, o novelista radical Zola. Manet e Degas, burgueses de renda privada, e Renoir calmamente foram para a guerra e evitaram a Comuna de Paris; Courbet tomou uma parte demasiado pública nela. Uma paixão por gravuras japonesas — um dos subprodutos mais significativos da abertura do mundo ao capitalismo — unia os impressionistas, o feroz republicano Clemenceau — prefeito de Montmartre sob a Comuna — e os irmãos Goncourt, que eram histericamente *anticommunards*. Eles estavam unidos, como os românticos de antes de 1848, apenas por um desagrado comum em relação à burguesia e seus regimes políticos, naquela altura o Segundo Império: o reino da mediocridade, da hipocrisia e do lucro.

Até 1848, esses Quartiers Latins espirituais da sociedade burguesa tinham esperança numa revolução republicana ou social e talvez até, com todo o ódio possível, certa admiração relutante pelo dinamismo dos mais ativos *robber barons* do capitalismo, que abriam caminho através das barreiras da tradicional sociedade aristocrática. A *Educação sentimental* (1869) de Flaubert é a história daquela esperança nos corações dos jovens da década de 1840 e de seu duplo desapontamento pela própria revolução de 1848 e pela era subsequente, na qual a burguesia triunfou a preço de abandonar até mesmo os ideais da revolução que fizera, "liberdade, igualdade e fraternidade". Em certo sentido, o Romantismo de 1830-1848 era a principal vítima dessa desilusão. Seu realismo visionário transformou-se em realismo "científico" ou positivo, mantendo — talvez desenvolvendo — o elemento de criticismo social* ou pelo menos de escândalo, mas perdendo a visão. Esse processo, por seu turno, ocasionou a "arte pela arte" ou as preocupações com as formalidades da linguagem, estilo e técnicas. "Todos têm inspiração", disse o velho poeta Gautier (1811-1872) a um jovem. "Todo burguês é movido pela aurora e pelo pôr do sol. O poeta tem a habilidade de um artesão."[26] Quando uma nova forma de arte visionária viria a surgir no meio da geração que havia vivido a infância em 1848 ou mesmo não era ainda nascida — Arthur Rimbaud escreveu sua obra principal em 1871-1873, Isidore Ducasse, o "conde de Lautréamont" (1846-1870), publicou seus *Chants de Maldoror* em 1869 —, ela seria esotérica, irracionalista e, fossem quais fossem as intenções de seus criadores, apolítica.

* Dupanloup observou que qualquer padre com experiência em confissões provincianas reconheceria a exatidão de *Madame Bovary* de Flaubert.

Com o colapso do sonho de 1848 e a vitória da realidade da França do Segundo Império, da Alemanha de Bismarck, da Inglaterra palmerstoniana e gladstoniana e da Itália de Vittorio Emmanuel, as artes ocidentais burguesas, a começar pela pintura e pela poesia, bifurcaram-se nas que se voltavam para o público de massa e nas que eram dirigidas apenas a uma minoria bem definida. Elas não eram tão marginais em relação à sociedade burguesa quanto pode fazer crer a história mitológica da *avant-garde*, mas no todo é inegável que os pintores e poetas que chegaram à maturidade entre 1848 e o final de nosso período, e que até hoje admiramos, eram indiferentes ao mercado de sua época e, quando famosos, deviam-no aos escândalos: Courbet e os impressionistas, Baudelaire e Rimbaud, os pré-rafaelitas, A. C. Swinburne (1837-1909), Dante Gabriel Rossetti (1828-1882). Mas esse não é exatamente o caso em relação a todas as artes, nem mesmo a todas as que dependiam inteiramente do patrocínio burguês, com a exceção do drama falado do período. Talvez isso se deva ao fato de que as dificuldades que cercavam o "realismo" nas artes visuais eram mais fáceis de ser enfrentadas em outras.

6.

A música praticamente não foi afetada, pois nenhum realismo representativo era de fato possível naquela arte, e qualquer tentativa de introduzir realismo ali precisava ser necessariamente metafórica ou dependente de palavras ou drama. A não ser no caso da fusão wagneriana da *Gesamtkunstwerk* (obra de arte total) ou da modesta canção, o realismo na música significava a representação de emoções identificáveis, incluindo as conhecidas emoções do sexo, como no *Tristão* de Wagner (1865). Mais comumente, nas florescentes escolas nacionais de compositores — Smetana e Dvorák, na Boêmia, Tchaikovski, Rimsky Korsakov (1844-1908), Mussorgski etc., na Rússia, E. Grieg (1843-1907), na Noruega e evidentemente os alemães (mas não os austríacos) —, elas eram as emoções do nacionalismo, para o qual existiam símbolos convenientes na forma de motivos oriundos da música folclórica etc. Entretanto, como já foi sugerido, a música séria floresceu porque sugeria não tanto o mundo real, mas sim as coisas do espírito e, portanto, fornecia entre outras coisas um substitutivo para a rebelião, como sempre fornecera um poderoso apoio a ela. Se pretendia ser tocada, precisava exercer alguma forma de apelo aos patrões ou ao mercado. Nessa medida, a música podia opor-se ao mundo burguês apenas de dentro, o que era tarefa fácil, pois os próprios burgueses não percebiam quando estavam sendo criticados, eles poderiam até sentir que suas próprias aspirações e a glória de sua cultura estavam ali sendo expressas. Portanto, a música floresceu em um idioma mais ou menos tradicionalmente romântico. Seu maior militante vanguardista, Richard Wagner, também era sua figura pública mais célebre, visto que foi bem-sucedido em convencer (graças ao patrocínio do rei louco Ludwig da Baviera) as autoridades culturais financeiramente em melhor situação, assim como os membros burgueses de seu público, de que eles mesmos pertenciam àquela elite espiritual, bem superior às massas filisteias, e que só eles mereciam a arte do futuro.

A literatura em prosa, especialmente a arte formal característica da era burguesa, o romance, floresceu exatamente pela razão oposta: diferentemente das notas musicais, as palavras podiam representar a "vida real", assim como ideias, e, diferentemente das artes visuais, a técnica literária não reclamava para si a capacidade de imitá-la. O "realismo" no romance não colocava, portanto, contradições imediatas e insolúveis tais como a fotografia introduziu em relação à pintura. Alguns romances podiam pretender uma verdade rigorosamente documentária mais do que outros, alguns poderiam desejar estender seus assuntos a campos vistos como impróprios ou inadequados para receber a atenção pública (ambos ocorriam entre os naturalistas franceses), mas quem poderia negar que mesmo os mais subjetivos escreviam histórias sobre o mundo presente e mesmo sobre a sociedade da época? Não há nenhum romancista desse período cuja obra não possa ser transformada em novela de televisão. Daí a popularidade e a flexibilidade do romance como um *genre*, e suas realizações extraordinárias. Com algumas poucas exceções — Wagner na música, alguns pintores franceses e talvez alguma poesia —, as maiores realizações de nossa época foram romances: russos, ingleses, franceses, talvez até mesmo (se incluirmos *Moby Dick,* de Hermann Melville) americanos. E (com a exceção de Melville), os maiores romances dos grandes romancistas receberam reconhecimento imediato, e às vezes até mesmo foram compreendidos.

O grande potencial do romance residia na sua amplitude: os temas mais vastos e ambiciosos estavam dentro do campo de alcance do romancista: *Guerra e paz* (1869) tentou a Tolstoi, *Crime e castigo* (1866) a Dostoievski, *Pais e filhos* (1862) a Turguenev. O romance procurava apreender a realidade de uma sociedade inteira, embora, fato bastante curioso, as tentativas deliberadas de fazê-lo em nosso período, por meio de obras articuladas segundo o modelo de Scott ou Balzac, não atraíssem os grandes talentos: mesmo Zola somente veio a dar início ao seu gigantesco retrato retrospectivo do Segundo Império (a série dos Rougon Macquart) em 1871. Perez Galdós (1843-1920), seus *Episodios nacionales* em 1873, Gustav Freytag (1816-1895) — num nível mais baixo — seu *Die Ahnen* (*Os ancestrais*) em 1872. O sucesso desses esforços titânicos variava fora da Rússia, onde eram quase uniformemente bem-sucedidos, embora nenhuma era que possua os talentos de um Dickens maduro, Flaubert, George Eliot, Thackeray e Gottfried Keller (1819-1890) precise temer qualquer competição. Mas o que era característico do romance e o tornou a forma de arte típica de nosso período era que seus esforços mais ambiciosos foram obtidos não graças ao mito e à técnica (como o *Anel* de Wagner), mas à descrição simples da vida cotidiana. Não tomava de assalto os paraísos da criação, mas caminhava inexoravelmente em direção a ela. Por essa razão permitia-se, quase sem nada a perder, ser traduzido.

Pelo menos um grande romancista de nosso período tornou-se figura de projeção internacional: Charles Dickens. Entretanto, seria injusto confinar a discussão das artes na era do triunfo burguês aos mestres e às obras-primas, especialmente às destinadas a um público minoritário. Esse era, como já vimos, um período da arte para as massas por meio da tecnologia da reprodução, que fazia da multiplicação ilimitada das imagens um fato possível, o casamento entre tecnologia e comunicações que produziu o jornal de massa e o periódico, especialmente a revista ilustrada, e a educação de massa que fez a todos capazes de se transformarem num público. As obras de arte da época que eram de fato bastante conhecidas — quer dizer, conhecidas fora da minoria "culta" — eram, com raras exceções, aquelas nas quais Charles Dickens é talvez a figura mais importante.* A literatura que vendia mais amplamente era o jornal popular, que atingia circulações sem precedentes de 250 mil ou mesmo meio milhão de exemplares na Inglaterra e nos Estados Unidos. As pinturas que se encontrariam nas paredes dos trens do oeste americano ou nas casas de campo na Europa eram gravuras tais como o *Monarch of the Glen,* de Landseer (ou seu equivalente nacional), ou então retratos de Lincoln, Garibaldi ou Gladstone. As composições que entravam na consciência popular eram as árias de Verdi interpretadas pelos organistas populares italianos ou aqueles pequenos excertos de Wagner que podiam ser adaptados à música para casamentos, mas não as próprias óperas, isso, em si, já implicava uma revolução cultural. Com o triunfo da cidade e da indústria, uma divisão cada vez maior se interpunha entre, de um lado, os setores "modernos" das massas, quer dizer, os urbanizados, os instruídos, aqueles que aceitavam o conteúdo da cultura hegemônica — a da sociedade burguesa — e, de outro lado, os setores "tradicionais" cada

* Mas Dickens escreveu como jornalista — seus romances eram publicados em capítulos — e portou-se como um ator, conhecido de muitos milhares graças a suas leituras de palco focalizando cenas dramáticas de seus livros.

vez mais minados. Divisão mais e mais acentuada, porque a herança do passado rural ia-se tornando irrelevante para o tipo de vida da classe operária urbana: nas décadas de 1860 e 1870, os operários industriais da Boêmia pararam de se expressar em canções folclóricas e passaram para a canção do *music hall* e baladas, que falavam de uma vida que tinha pouco ou nada em comum com a de seus pais. Esse era o vazio que os ancestrais da música popular e do *show business* começaram a preencher para aqueles que tinham ambições culturais modestas. Na Inglaterra, a era na qual os *music-halls* multiplicaram-se nas cidades também foi a era em que sociedades corais e bandas de música operária, com um repertório de "clássicos" populares da alta cultura, pulularam nas comunidades industriais. Mas é característico que nessas décadas o curso da cultura corresse em uma só direção — da classe média para baixo, ao menos na Europa. Mesmo aquilo que se transformaria na mais característica forma da cultura proletária, os esportes de massa, em nosso período era determinado pelos jovens da classe média, que fundaram os clubes e organizavam as competições, por exemplo, na Association Football. Só no final da década de 1870 e início da de 1880 que esses esportes seriam adotados e praticados pela classe operária.*

Mas mesmo as formas de cultura rural mais tradicionais estavam minadas, nem tanto pelas migrações mas sobretudo pela educação. A partir do momento em que a educação primária tornou-se acessível às massas, a cultura tradicional inevitavelmente cessou de ser basicamente oral e face a face, e dividiu-se em uma cultura superior ou dominante para os instruídos e outra inferior ou dominada para os analfabetos. A educação e a burocracia nacional transformaram as vilas em uma assembleia esquizofrênica de indivíduos divididos entre os apelidos pelos

* Na Inglaterra, o "país do esporte" por excelência, o período assistiu de fato a um declínio no padrão de esportes plebeus essencialmente profissionais, que se haviam desenvolvido anteriormente, por exemplo, o críquete. Várias atividades que eram então muito proeminentes desapareceram, por exemplo, corridas profissionais, disputas de marcha e remo.

quais eles eram conhecidos de seus vizinhos ("Pàquitó") e os nomes oficiais da escola e do estado pelos quais eram conhecidos pela autoridade (Francisco Gonzales Lopéz). As gerações tornaram-se de fato bilíngues. As numerosas tentativas de salvar a velha linguagem para a literatura sob a forma de uma "literatura de dialeto (como nos dramas campestres de Ludwig Anzengruber [1839-1889], nos poemas em dialeto do Dorset de William Bomes [1800-1886], nas autobiografias *plattdeutsch* de Fritz Reuter [1810-1874] ou, mais tarde, na tentativa de revivescência da literatura provençal do movimento *Félibrige* [1874]) diziam respeito mais a uma nostalgia romântica de classe média, populismo ou naturalismo.*

Pelos nossos padrões, o declínio ainda era modesto. Mas era significativo, pois durante esses anos ainda não era visivelmente compensado pelo desenvolvimento do que se poderia chamar de uma contracultura urbana ou proletária. (No campo nunca ocorreria tal fenômeno.) A hegemonia da cultura oficial, inevitavelmente identificada com a classe média triunfante, era dominante em relação às massas subalternas. E nesse período pouca coisa poderia mitigar tal sujeição.

* A maior exceção era o contra-ataque populista-democrático na alta cultura (nessa altura, "estrangeira") pelos escritores humoristas e jornalistas do sul e oeste dos Estados Unidos, que sistematicamente usavam a linguagem falada como base; dentre esses, o maior monumento é o *Huckleberry Finn* de Mark Twain (1884).

16. CONCLUSÃO

"Faça-se o que quiser, o destino tem sempre a última palavra nas questões humanas. Há uma tirania real para todos. Segundo os princípios do Progresso, o destino já devia ter sido abolido muito tempo atrás."

Johann Nestroy, autor teatral cômico vienense, 1850[1]

A era do triunfo liberal começou com uma revolução derrotada e terminou numa Depressão prolongada. A primeira é um sinal divisório mais conveniente para marcar o início ou o fim de um período histórico do que a segunda, mas a História não consulta a conveniência dos historiadores, embora alguns dentre eles não estejam prevenidos a respeito deste ponto. As exigências de construção dramática talvez sugiram a conclusão deste livro com um acontecimento adequadamente espetacular — a proclamação da Unidade Alemã e a Comuna de Paris em 1871, ou mesmo a grande queda da Bolsa de 1873 —, mas as necessidades da construção dramática e as da realidade frequentemente não são as mesmas. O caminho termina não com a visão de um ponto culminante ou de uma catarata, mas sobre a paisagem menos facilmente identificável de um sistema fluvial: um tempo qualquer entre 1871 e 1879. Se precisarmos definir uma data, escolhamos uma que simbolize "a metade da década de 1870", sem associá-la a nenhum evento formidável que a sobrecarregue desnecessariamente, digamos, 1875.

A nova era que se seguiria à era do triunfo liberal seria bastante diferente. Economicamente, iria se desligar rapidamente da competição sem barreiras das empresas privadas, da abstenção governamental em relação a interferências, e daquilo que os alemães chamavam de *Manchesterismus* (a ortodoxia do livre-comércio da Inglaterra vitoriana), para passar às grandes corporações industriais (cartéis, trustes, monopólios), grande intervenção governamental, e às mais diferentes ortodoxias de política econômica, mas não necessariamente de teoria econômica. A era do individualismo encerra-se em 1870, lamentada pelo advogado inglês A. V. Dicey, e a idade do "coletivismo" começa; embora a maior parte do que ele sombriamente apontava como os avanços do "coletivismo" nos pareça hoje insignificante, em certo sentido ele tinha razão.

A economia capitalista mudou de quatro formas significativas. Em primeiro lugar, entramos agora numa nova era tecnológica, não mais determinada pelas invenções e métodos da primeira revolução industrial: uma era de novas fontes de poder (eletricidade e petróleo, turbinas e motor a explosão), de nova maquinaria a partir de novos materiais (ferroligas, metais não ferrosos), de indústrias baseadas em novas ciências tais como a indústria em expansão da química orgânica. Em segundo lugar, entramos também agora na economia de mercado de consumo doméstico, iniciada nos Estados Unidos, desenvolvida (na Europa ainda modestamente) pela crescente renda das massas, mas sobretudo pelo substancial aumento demográfico dos países desenvolvidos. De 1870 a 1910, a população da Europa cresceu de 290 para 435 milhões, a dos Estados Unidos de 38,5 para 92 milhões. Em outras palavras, entramos no período da produção de massa, incluindo alguns bens de consumo duráveis.

Em terceiro lugar — e de certa forma este foi o desenvolvimento mais decisivo —, uma reviravolta paradoxal teve lugar. A era do triunfo liberal tinha sido aquela era *de facto* do monopólio industrial inglês, dentro do qual (com algumas notáveis exceções) os lucros eram assegurados sem muita dificuldade pela competição de pequenas e médias empresas. A era pós-liberal caracterizava-se por uma competição internacional entre economias industriais nacionais rivais — a inglesa, a alemã e a norte-americana; uma competição acirrada pelas dificuldades que as empresas em cada uma destas economias enfrentavam (no período de depressões) para fazer lucros adequados. A competição levava portanto à concentração econômica, controle de mercado e manipulação. Para citar um excelente historiador:

> O crescimento econômico era agora também luta econômica — luta que servia para separar os fortes dos fracos, desencorajar uns e estimular outros, favorecer as novas nações famintas às expensas das velhas. O otimismo acerca de um futuro de progresso infinito dava lugar à incerteza e a um sentimento de agonia, no sentido tradicional da palavra. Tudo isto fortalecia e, por seu turno, era fortalecido pelas crescentes rivalidades políticas, as duas formas de competição fundindo-se naquele surto final de fome por territórios, e na caça por "esferas de influência" que tem sido chamada de Novo Imperialismo.[2]

O mundo entrou no período do imperialismo, no sentido maior da palavra (que inclui as mudanças na estrutura da organização econômica, por exemplo, o "capitalismo monopolista"), mas também em seu sentido menor: uma nova integração dos países "subdesenvolvidos" como dependências em uma economia mundial dominada pelos países "desenvolvidos". Além da rivalidade (que levou as potências a dividir o globo entre reservas formais ou informais para seus próprios negócios) entre mercados e exportações de capital, tal processo também era devido à crescente não disponibilidade de matérias-primas na maioria dos próprios países desenvolvidos, por razões geológicas ou climáticas. As novas indústrias tecnológicas demandavam tais matérias: petróleo, borracha, metais não ferrosos. Pelo final do século a Malásia era conhecida como produtora de estanho, a Rússia, Índia e Chile por seu manganês, a Nova Caledônia pelo níquel. A nova economia de consumo demandava quantidades crescentes não apenas de matérias produzidas nos países desenvolvidos (por exemplo, cereais e carne), mas também daqueles que não podiam produzir (por exemplo, bebidas e frutas tropicais e subtropicais, e óleo vegetal para sabão). A *banana republic* tornou-se parte da economia capitalista da mesma forma que a colônia produtora de estanho, borracha ou cacau.

Numa escala global, esta dicotomia entre áreas desenvolvidas e subdesenvolvidas (teoricamente complementares), embora não nova em si mesma, começou a tomar uma forma reconhecidamente moderna. O desenvolvimento da nova forma de desenvolvimento/dependência continuaria com apenas breves interrupções até a queda geral na década de 1930, e forma a quarta grande mudança na economia mundial.

Politicamente, o final da era liberal significa literalmente o que as palavras querem dizer. Na Inglaterra, os liberais/*whig* (no sentido amplo de que não eram conservadores/*tories*) tinham permanecido com o poder (com duas breves exceções) por todo o período entre 1848 e 1874. Nos últimos 25 anos do século, eles ficariam no poder por apenas oito anos. Na Alemanha e na Áustria, os liberais cessaram, na década de 1870, de ser a base parlamentar principal dos governos, até onde estes governos realmente precisavam de uma base parlamentar. Eles estavam minados não apenas pela derrota de sua ideologia de mercado livre e por governos relativamente inativos, mas também pela democratização da política eleitoral (veja o Capítulo 6), que destruiu a ilusão de que seu programa representava a vontade das massas. Por um lado, a Depressão contava a favor da pressão protecionista de algumas indústrias e dos interesses nacionais agrários. A tendência em relação à liberdade de comércio foi revertida na Rússia e na Áustria em 1874-1875, na Espanha em 1877, na Alemanha em 1879 e praticamente em todos os lugares exceto na Inglaterra — e mesmo ali o livre-comércio estava sob pressão a partir da década de 1880. Por outro lado, as demandas vindas de baixo por proteção contra os "capitalistas", por segurança social, por medidas públicas contra o desemprego e um salário mínimo por parte dos trabalhadores, tornaram-se audíveis e politicamente eficazes. As "classes melhores", fosse a antiga nobreza hierárquica ou a nova burguesia, não podiam mais falar pelas "ordens subalternas" ou, o que é mais importante, confiar no seu apoio não compensado.

Um novo Estado, cada vez mais forte e intervencionista e, dentro dele, um novo tipo de política desenvolveram-se a partir de então, recebidos com melancolia pelos pensadores antidemocráticos. "A versão moderna dos Direitos do Homem", pensava o historiador Jacob Burckhardt em 1870,

> inclui o direito ao trabalho e à subsistência. Pois os homens não desejam mais deixar os assuntos mais vitais para a sociedade, porque eles querem o impossível e imaginam que tal só pode vir a ser obtido com garantia sob compulsão do Estado.[3]

O que os perturbava não era a utópica demanda (como consideravam) por parte dos pobres para viver decentemente, mas a capacidade dos pobres de impor tais demandas.

> As massas querem sua paz e sua paga. Se elas o conseguirem através de uma república ou de uma monarquia, apoiarão qualquer uma delas. Se não, sem muito barulho irão apoiar a primeira Constituição que lhes prometer o que querem.[4]

E o Estado, não mais controlado pela autonomia moral e pela legitimidade que a tradição lhe atribuía na crença de que as leis da economia não podiam ser quebradas, se tornaria na prática um Leviatã cada vez mais poderoso, embora em teoria um instrumento para atingir os objetivos das massas.

Pelos padrões modernos, o crescimento do papel e das funções do Estado permaneceu bem modesto, embora seus gastos (isto é, suas atividades) tenham crescido *per capita* em praticamente todo o mundo durante nosso período, muito como resultado do violento aumento da dívida pública (exceto naqueles bastiões do liberalismo, da paz e da empresa privada não subsidiada na Inglaterra, Holanda, Bélgica e Dinamarca).* Mesmo assim, os gastos sociais, com a exceção talvez da educação, permaneceram bem negligenciáveis. Por outro lado, três novas tendências emergiam na política das tensões confusas da nova Era de Depressão econômica, que em quase todos os lugares veio a ser uma era de agitação social e descontentamento.

A primeira tendência, e quase que aparentemente nova, era a emergência de partidos e movimentos de classe operária, geralmente com uma orientação socialista (isto é, cada vez mais marxista), dos quais o Partido Social-Democrata Alemão era o pioneiro e o exemplo mais expressivo. Embora os governos e as classes médias da época olhassem para eles como muito perigosos, na realidade eles partilhavam os valores e princípios do Iluminismo racionalista sobre o qual o liberalismo se apoiava. A segunda tendência não partilhava desta herança, e aliás opunha-se decididamente a ela. Partidos demagógicos antiliberais e antissocialistas surgiram nas décadas de 1880 e 1890, tanto da sombra de suas antigas raízes liberais — como os nacionalistas alemães pan-germânicos e antissemitas que foram os ancestrais do hitlerismo — como sob a proteção das igrejas até então politicamente inativas, por exemplo, o movimento "social-cristão" na Áustria. Por várias razões, entre as quais a posição ultrarreacionária do Vaticano sob Pio IX (1846-1878) talvez seja a mais importante, a Igreja Católica perdeu a chance de utilizar seu enorme potencial em política de massa de modo efetivo, exceto em alguns poucos países ocidentais, nos quais era uma minoria obrigada a se organizar como um grupo de pressão — como o "Partido de Centro", na Alemanha da década de 1870. A terceira tendência era a emancipação dos partidos e movimentos nacionalistas de massa de sua antiga identificação ideológica com o

* Esse aumento nos gastos públicos era muito mais visível nos países em desenvolvimento, que estavam no processo de construção da infraestrutura de suas economias — Estados Unidos, Canadá. Austrália e Argentina — por meio da importação de capital.

radicalismo liberal. Alguns movimentos pela autonomia nacional ou independência tendiam a passar, pelo menos teoricamente, para o lado do socialismo, especialmente nos casos em que a classe operária tinha um papel importante em seus respectivos países; mas era um socialismo mais nacional do que internacional (como entre os chamados socialistas do povo tcheco ou então o Partido Socialista polonês) e o elemento nacional tendia a prevalecer sobre o socialista. Outros se dirigiam para uma ideologia fundamentada no sangue, solo, língua, o que pudesse enfim ser considerado uma tradição étnica e nada mais.

Tal processo não abalaria o tipo básico de política dos Estados desenvolvidos que haviam surgido na década de 1860: uma tendência mais ou menos gradual e relutante em direção a um constitucionalismo democrático. Mesmo assim, o surgimento da política de massa não liberal, ainda que teoricamente aceitável, assustava governos. Antes de aprenderem a manejar o novo sistema, eles tendiam — sobretudo durante a "Grande Depressão" — algumas vezes a cair em pânico ou coerção. A Terceira República não readmitiria os sobreviventes do massacre dos *communards* na política novamente antes do início da década de 1880. Bismarck, que sabia como manejar os liberais burgueses, mas não sabia lidar nem com um partido socialista de massa nem com um partido católico de massa, pôs os sociais-democratas na ilegalidade em 1879. Gladstone escorregou para a coerção na Irlanda. Entretanto, isso iria se constituir mais em uma fase temporária do que em uma tendência permanente. A estrutura da política burguesa (onde existia) não seria encurralada no seu ponto-limite até bem para dentro do século XX.

Embora nosso período desague nos momentos perturbados da "Grande Depressão", seria errôneo pintar um quadro muito carregado nas cores. Diferentemente de 1930, as dificuldades econômicas eram tão complexas que os historiadores têm mesmo duvidado se o termo "Depressão" é justificado como uma descrição dos vinte anos que se seguiram após o final deste volume. Eles estão errados, mas suas dúvidas são suficientes para nos alertar em relação a um tratamento excessivamente dramático. Nem do ponto de vista econômico, nem do político, a estrutura do mundo capitalista de meados do século entrou em colapso. Entrou numa nova fase mas, mesmo sob a forma de um liberalismo político e econômico vagarosamente modificado, tinha todavia um campo bastante amplo para agir. Seria diferente nos países pobres, atrasados, subdesenvolvidos e dominados, ou então naqueles situados simultaneamente no mundo dos vitoriosos e das vítimas, como a Rússia. Ali a "Grande Depressão" abriria uma era de revolução iminente. Mas para a primeira ou para as duas primeiras gerações posteriores a 1875, o mundo da burguesia triunfante parecia permanecer bastante sólido. Talvez tivesse um pouco menos de autoconfiança do que antes, e suas afirmações sobre esta confiança talvez fossem um pouco menos seguras, talvez um pouco mais preocupadas a respeito de seu próprio futuro. Talvez tenha ficado um pouco mais perturbada pela *débâcle* de suas antigas certezas intelectuais, que pensadores, artistas e cientistas sublinhavam com suas novas incursões dentro dos novos e perturbadores territórios da mente, especialmente depois da década de 1880. Mas o "progresso" continuava indubitavelmente sob a forma de sociedades burguesas, capitalistas e num sentido geral liberais. A "Grande Depressão" era apenas um interlúdio. Não havia afinal crescimento econômico, avanço científico e técnico, melhorias e paz? Não seria o século xx uma versão mais gloriosa e bem-sucedida do século XIX?

Nós sabemos que não iria ser.

TABELA 1

A Europa e os Estados Unidos: países e recursos

	1847-1850			1876-1880		
	população (em milhões)	força a vapor (000 HP)	número de cidades (acima de 50 mil)	população (em milhões)	força a vapor (000 HP)	número de cidades (acima de 50 mil)
Reino Unido	27,	1.290	32	32,7**	7.600	48,2
França	34,1	370	14	36,9**	3.070	29,5
Alemanha	–	–	17	42,7**	5.120	28,7
Prússia	11,7	92				
Baviera	4,8					
Saxônia	1,8					
Hannover	1,8					
Würtemberg	1,7					
Baden	1,3					
32 outros Estados entre 0,02 e 0,9 (Áustria)	*					
Rússia	66,0	70	8	85,7**	1.740	2,6
Áustria com Hungria	37,0	100	13	37,1**	1.560	12,0
Itália	–	–		27,8**	500	13,4
Duas Sicílias	8,0		4			
Sardenha	4,0		2			
Estados Papais	2,9		1			

(cont.)

(Continuação)

	1847-1850			1876-1880		
	população (em milhões)	força a vapor (000 HP)	número de cidades (acima de 50 mil)	população (em milhões)	força a vapor (000 HP)	número de cidades (acima de 50 mil)
Toscana	1,5		2			
3 outros Estados entre 0,1 e 0,5 (Áustria)						
Espanha	12,3	20	8	16,6**	470	7,1
Portugal	3,7	0	2	4,1**	60	5,4
Suécia (incluindo Noruega)	3,5	0	1	4,3**	310	12,5
Dinamarca	1,4	0	1	1,9**	90	26,6
Holanda	3,0	10	5	3,9**	130	29,5
Bélgica	4,3	70	5	5,3**	610	35,5
Suíça	2,4	0	0	2,8**	230	46,1
Império Otomano	30 (aprox.)***	0	7	28 (1877)**	–	?
Grécia	1,0 (aprox.)	0	–	1,9**	0	2,3
Sérvia	0,5 (aprox.)	0	–	1,4**	0	0,7
Romênia	–	–	–	5,0**	0	1,5
Estados Unidos	23,2	1.680	7	50,2**	9.110	47,7

* Partes do Império Austríaco contadas na "Confederação Germânica" até 1866.

** Ganhos ou perdas significativos de território ou população entre 1847-1876.

*** Apenas o território europeu.

TABELA 2

I — Densidade da rede ferroviária, 1980

Km² (por mil)	País
mais de 1.000	Bélgica
mais de 750	Reino Unido
mais de 500	Suíça, Alemanha, Holanda
250-499	França, Dinamarca, Austria-Hungria, Itália
100-249	Suécia, Espanha, Portugal, Romênia, Estados Unidos, Cuba
50-99	Turquia, Chile, Nova Zelândia, Trinidade, Victoria, Java
10-49	Noruega, Finlândia, Rússia, Canadá, Uruguai, Argentina, Costa Rica, Jamaica, Índia, Ceilão, Tasmânia, Gales do Sul, Austrália do sul, Colônia do Cabo, Argélia, Egito, Tunísia

II — Estradas de ferro e navios a vapor, 1830-1876*

	Km de estradas de ferro	Toneladas de navios a vapor
1831	332	32.000
1841	8.591	105.121
1846	17.424	139.973
1851	38.022	263.679
1856	68.148	575.928
1861	106.886	803.003
1866	145.114	1.423.232
1871	235.375	1.939.089
1876	309.641	3.293.072

* F.X. von Neumann Spallart, *Übersichten der Weltwirtschaft*, Stuttgart, 1880, p. 335 ff.

III — Tráfego marítimo mundial — Distribuição geográfica da tonelagem, 1879*

Área	Tonelagem total
Europa	
Mar Ártico	61
Mar do Norte	5.536
Báltico	1.275
Atlântico, incluindo o mar da Irlanda e o Passo de Calais	4.553
Mediterrâneo ocidental	1.356
Mediterrâneo oriental, incluindo o Adriático	604
Mar Negro	188
Restante do mundo	
América do Norte	3.783
América do Sul	138
Ásia	700
Austrália e Pacífico	359

* A. N. Kiaer, *Statistique Internationale de la Navigation Maritime,* Christiania, 1880-1881.

TABELA 3

Produção mundial de ouro e prata, 1830-75 (000 quilos)*

	ouro	prata
1831-1840	20,3	596,4
1841-1850	54,8	780,4
1851-1855	197,5	886,1
1851-1860	206,1	905,0
1861-1865	198,2	1.101,1
1866-1870	191,9	1.339,1
1871-1875	170,7	1.969,4

* Newmann-Spallart, op. cit., 1880, p. 250.

TABELA 4

Agricultura Mundial, 1840-1887*

	Valor da produção (em libras)		Número da força empregada (000)	
	1840	1887	1840	1887
Inglaterra	218	251	3.400	2.460
França	269	460	6.950	6.450
Alemanha	170	424	6.400	8.120
Rússia	248	563	15.000	22.700
Áustria	205	331	7.500	10.680
Itália	114	204	3.600	5.390
Espanha	102	173	2.000	2.720
Portugal	18	31	700	870
Suécia	16	49	550	850
Noruega	8	17	250	380
Dinamarca	16	35	280	420
Holanda	20	39	600	840
Bélgica	30	55	900	980
Suíça	12	19	300	440
Turquia etc.	98	194	2.000	2.900
Europa	1.544	2.845	50.430	66.320
Estados Unidos	184	776	2.550	9.000
Canadá	12	56	300	800
Austrália	6	62	100	630
Argentina	5	42	200	600
Uruguai	1	10	50	100

* M. Mulhall, *A Dictionary of Statistics*, Londres, 1892, p. 11.

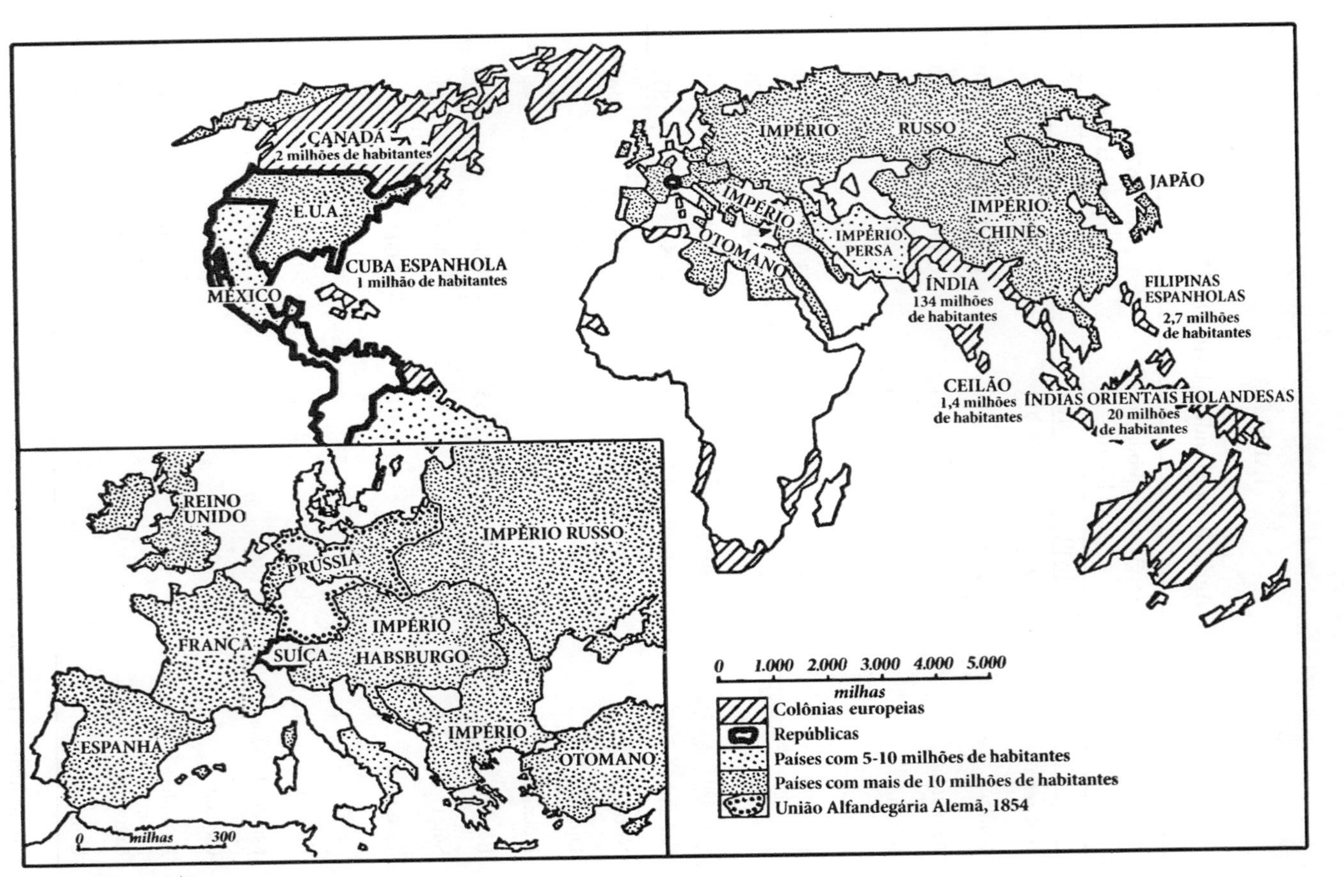

O mundo em 1847

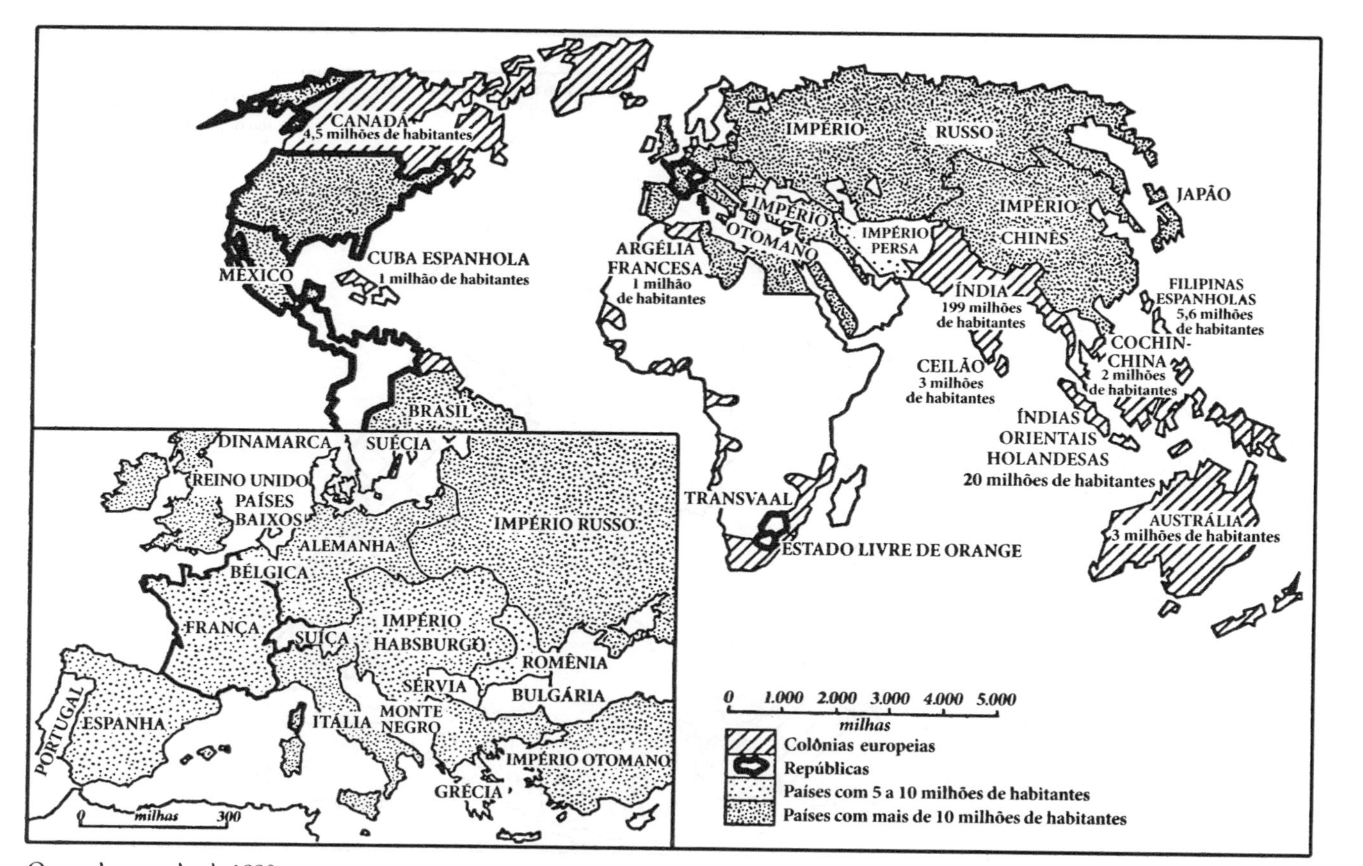

O mundo por volta de 1880

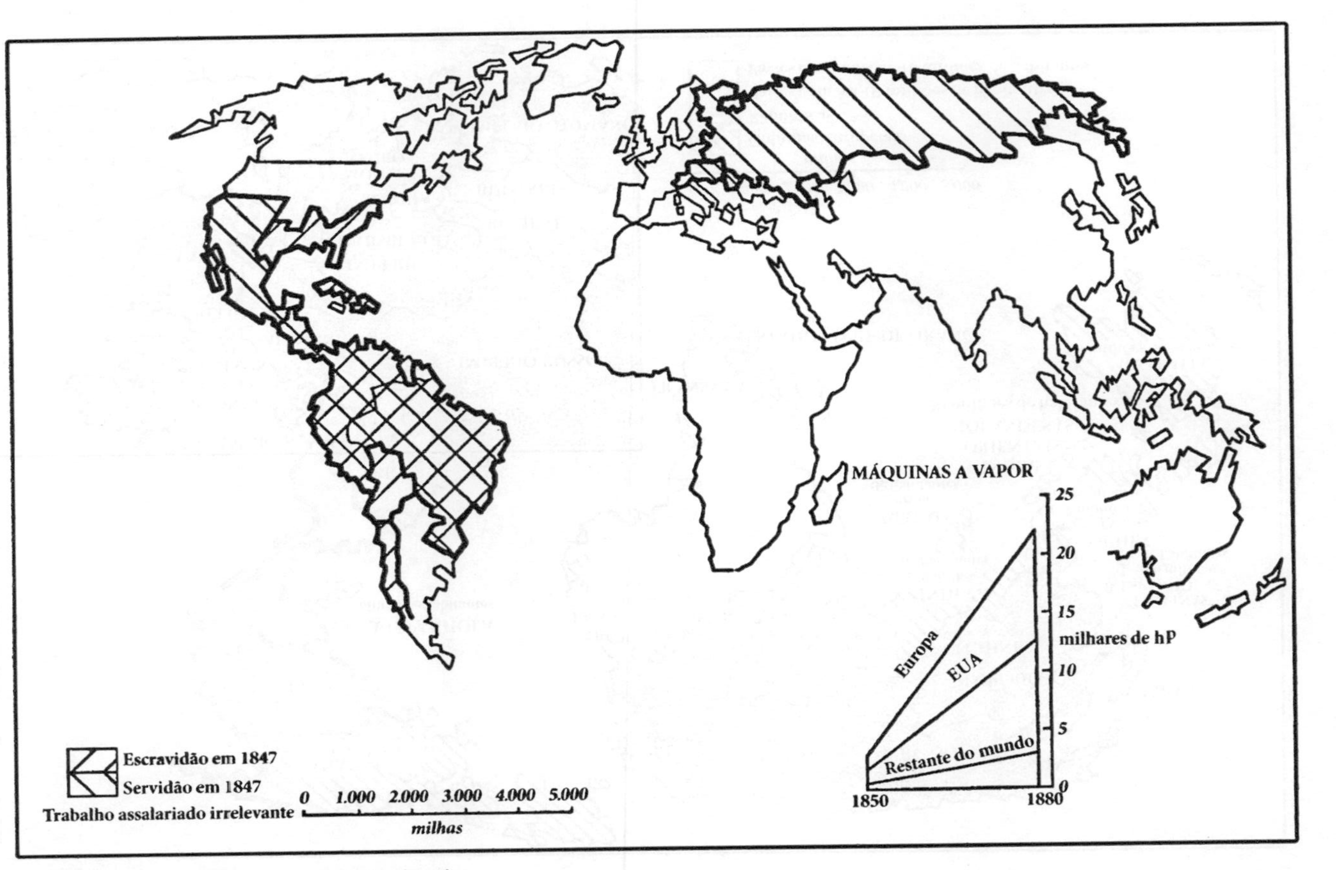

1847: Escravidão e servidão no mundo Ocidental

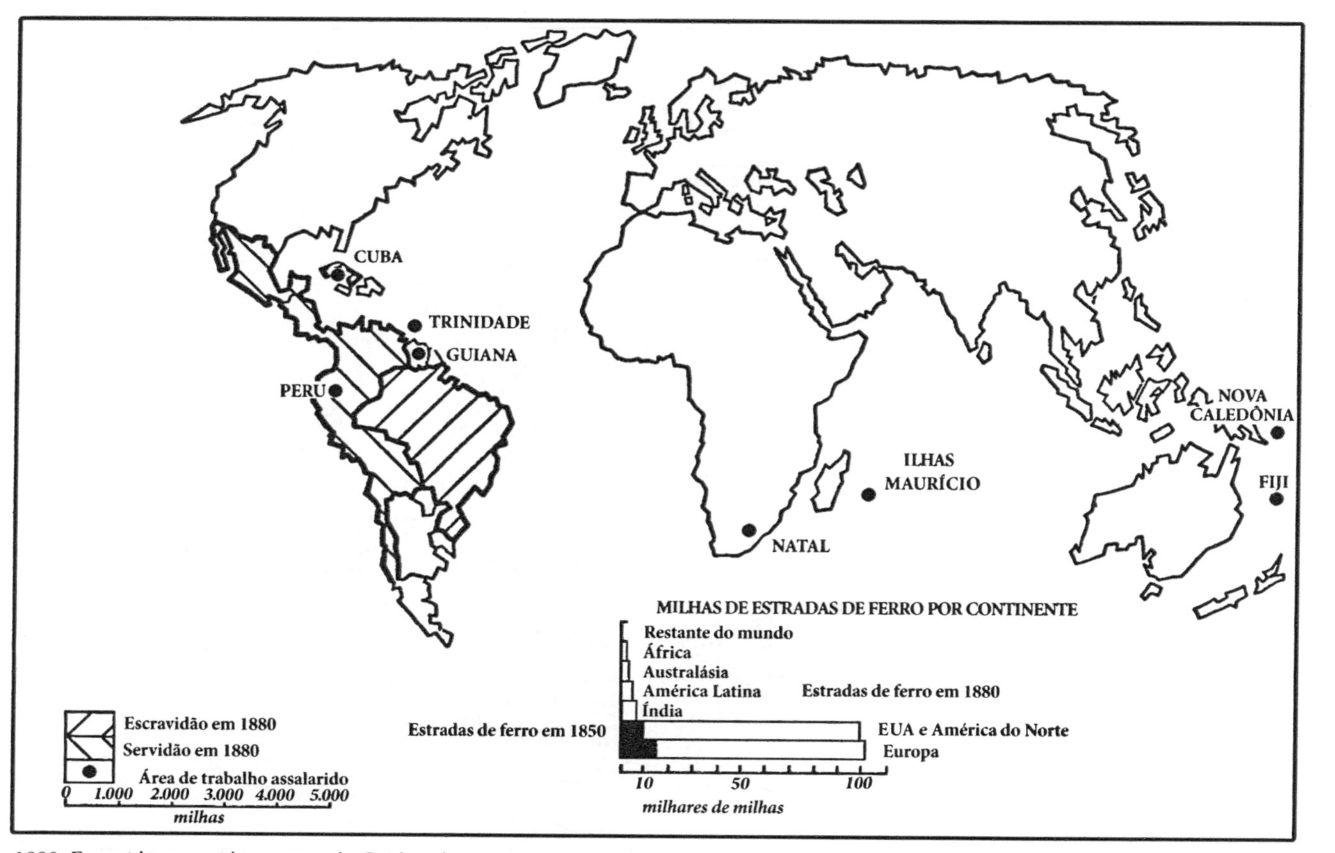

1880: Escravidão e servidão no mundo Ocidental

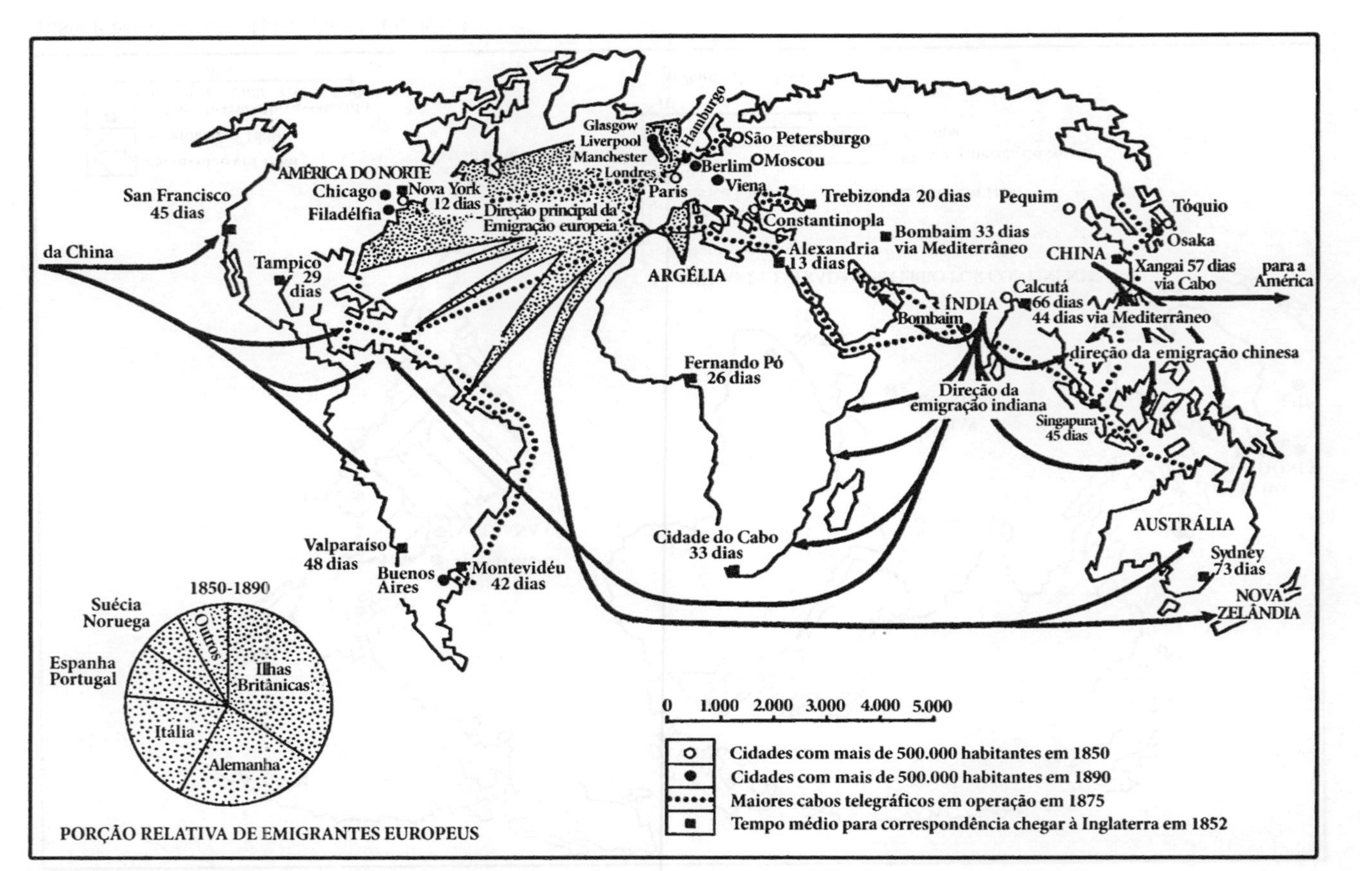

Um mundo em movimento

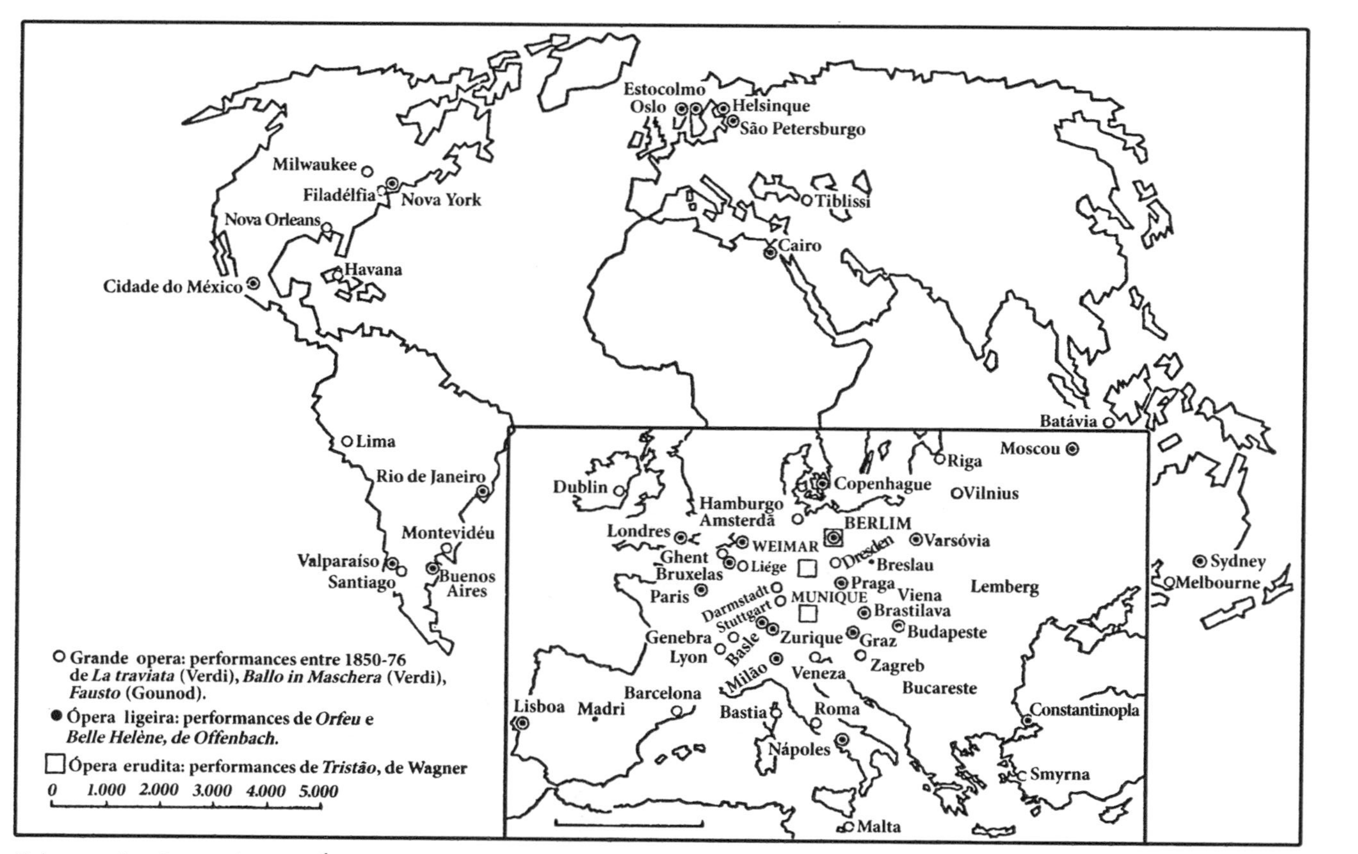

Cultura ocidental em 1847-1875: Ópera

NOTAS

Introdução

1. Veja J. Dubois, *Le vocabulaire politique et social en France de 1869 à 1872,* Paris, 1963.
2. D. A. *Wells, Recent Economic Changes,* Nova York, 1889, p. 1.

Capítulo 1: A primavera dos povos

1. P. Goldammer (ed.), *1848, Augenzeugen der Revolution,* Berlim Ocidental, 1973, p. 58.
2. Goldammer, op. cit., p. 666.
3. K. Repgen, *Märzbewegung und Maiwahlen des Revolutionsjahres 1848 in Rheinland,* Bonn, 1955, p. 118.
4. *Rinascità, ii 1848, Raccolta di saggi e testimonianze,* Roma, 1948.
5. R. Hoppe & J. Kuczynski, "Eine (...) Analyse der Märzgefallenen 1848 in Berlin", *Jahrbuch für Wirtschaftsgeschichte,* 1964, IV, p. 200-76; D. Cantimori in F. Fejtö, ed., *1848 — Opening of an Era,* 1948.
6. Roger Ikor, *Insurrection ouvrière de juin 1848,* Paris, 1936.
7. Karl Marx & F. Engels, "Address to the Communist League", março de 1850, *Werke* VII, p. 247.
8. Paul Gerbod, *La condition universitaire en France au 19e siècle,* Paris, 1965.
9. Karl Marx, "Class Struggles in France 1848-1850", *Werke* VII, p. 30-31.
10. Franz Grillparzer, *Werke,* Munique, 1960, I, p. 137.
11. Marx, "Class Struggles in France", *Werke* VII, p. 44.

Capítulo 2: A grande expansão

1. Citado em *Ideas and beliefs of the Victorians,* Londres, 1949, p. 51.
2. Devo esta referência ao prof. Sanford Elwitt.
3. "Philoponos", *The Great Exibition of 1851; or the Wealth of the World in its Workshops,* Londres, 1850, p. 120.
4. T. Ellison, *The Cotton Trade of Great Britain,* Londres, 1866, p. 63 e 66.
5. Horst Thieme, "Statistische materialien zur konzessionienmg der aktiengesellschaften in Preussen bis 1867", *Jahrbuch für Wirtschaftsgeschichte* II, 1960, p. 285.
6. J. Bounvier, F. Furet & M. Gilet, *Le mouvement du profit en France au 19e siècle,* Hague, 1955, p. 444.
7. Engels a Marx, 5 de novembro de 1857, *Werke* XXIX, p. 211.

8. Marx a Danielson, 10 de abril de 1879, *Werke* XXXIV, p. 370-75.
9. Cálculo de T. Ellison, op. cit., tabela 2, usando o multiplicador da p. 111.
10. F. S. Turner, *British opium policy and its results to India and China*, Londres, 1876, p. 305.
11. B. R. Mitchell e P. Deane, *Abstract of Historical Statistics*, Cambridge, 1962, p. 146-47.
12. M.C. Cipolla, *Literacy and Development in the West*, Harmondwsorth, 1969,Tabela 1, apêndice 2 e 3.
13. F. Zunkel, "Industriebürgertum in westdeutschland" em H. U. Wehler (ed.), *Moderne deutsche sozialgeschichte*, Colônia-Berlim, 1966, p. 323.
14. L. Simonin, *Mines and Miners or Underground Life*, Londres, 1868, p. 290.
15. Daniel Spitzer, *Gezammelte schriften*, Munique e Leipzig, II, 1912, p. 60.
16. J. Kuczynski, *Geschicht der Lage der Arbeiter unter dem Kapitalismus*, Berlim Ocidental, 1961, XII, p. 29.

Capítulo 3: O mundo unificado

1. K. Marx & F. Engels, *Manifesto of the Communist Party*, Londres, 1848.
2. U. S. Grant, *Inaugural Message to Congress*, 1873.
3. I. Goncharov, *Oblomov*, 1859.
4. J. Laffey, "Racines de l'imperialisme français en Extrème-Orient", *Revue d'histoire moderne et contemporaine XVI*, abril-junho de 1969, p. 285.
5. Muitas dessas informações são tiradas de W. S. Lindsay, *History of Merchant Shipping*, 4 vols., Londres, 1876.
6. M. Mulhall, *Dictionary of Statistics*, Londres, 1892, p. 495.
7. F. X. von Neumann – Spallart, *Übersichten der weltwirtschaft*, Stuttgart, 1880, p. 336; "Eisenbahnstatistik", *Handwörterbuch der Staatwissenshaften*, 2ª ed. Iena 1900.
8. L. de Rosa, *Iniziativa e capitale straniero nell' industria metalmeccanica del Mezzogiorno, 1840-1909*, Nápoles, 1968, p. 67.
9. *Sir* James Anderson, *Statistics of Telegraphy*, Londres, 1872.
10. Engels a Marx, 24 de agosto de 1852, *Werke* XXVIII, p. 118.
11. *Bankers Magazine*, V, Boston, 1850-51, p. 11.
12. *Bankers Magazine*, IX, Londres, 1849, p. 545.
13. *Bankers Magazine*, V, Boston, 1850-51, p. 11.
14. Neumann-Spallart, op.cit., p. 7.

Capítulo 4: Conflitos e guerras

1. Napoleão Luís Bonaparte, *Fragments historiques, 1688 et 1830*, Paris, 1841, p. 125.
2. Júlio Verne, *From the Earth to the Moon*, 1865.

Capítulo 5: A construção das nações

1. Ernest Renan, "What is a Nation" em A. Zimmern (ed.), *Modern Political Doctrines*, Oxford, 1939, p. 191-92.

2. Johann Nestroy, *Haeuptling Abendwind*, 1862.
3. Shatov em F. Dostoievski, *The possessed*, 1871-1872.
4. Gustav Flaubert, *Dictionnaire des idées reçues*, *c.* 1852.
5. Walter Bagehot, *Physics and Politics*, Londres, 1873, p. 20-21.
6. Citado em D. Mack Smith, *Il Risorgimento Italiano*, Bari, 1968, p. 422.
7. Tullio de Mauro, *Storia linguistica dell'Italia unita*, Bari, 1963.
8. J. Kořalka, "Social Problems in the Czech and Slovak National Movements" in: Commission Internationale d'Histoire des Mouvements Sociaux et des Structures Sociales, *Mouvements nationaux d'indépendance et classes populaires*, Paris, 1971, i, p. 62.
9. J. Conrad, "Die Frequenzverhältnisse der Universitäten der hauptsächlichsten Kulturländer", *Jahrbücher für Nationalökonomie und Statistik*, 1891, 3ª ed., p. 376 e segs.
10. Sinto-me em dívida com o dr. R. Anderson por estas informações.

Capítulo 6: As forças da democracia

1. H. A. Targé, *Les déficits*, Paris, 1868, p. 25.
2. *Sir* T. Erskine May, *Democracy in Europe*, Londres, 1877, I, p. LXXI.
3. Karl Marx, "The Eighteenth Brumaire of Louis Bonaparte", *Werke* viii, p. 198-99.
4. G. Procacci, *Le elezioni del 1874 e l'opposizione meridionale*, Milão, 1956, p. 60; W. Gagel, *Die Wahlrechtsfrage in der Geschichte der deutschen Liberalen Parteien 1848-1918*, Düsseldorf, 1958, p. 28.
5. J. Ward, *Workmen and wages at home and abroad*, Londres, 1868, p. 284.
6. J. Deutsch, *Geschichte der österreichischen Gewerkschaftsbewegung*, Viena, 1908, p. 73-74, Herbert Steiner, "Die internationale Arbeiterassoziation und die österr. Arbeiterbewegung", *Weg und Ziel*, Viena, Sondernummer, 1965, p. 89-90.

Capítulo 7: Perdedores

1. Erskine May, op. cit., I, p. 29.
2. J. W. *Kaye, A history of the Sepoy War in India*, 1870, II, p. 402-03.
3. Bipan Chandra, *Rise and Growth of Economic Nationalism in India*, Nova Delhi, 1966, p. 2.
4. Chandra, op. cit.
5. E. R. J. Owen, *Cotton and the Egyptian Economy 1820-1914*, Oxford, 1969, p. 156.
6. Nikki Keddie, *An Islamic Response to Imperialism*, Los Angeles, 1968, p. 18.
7. Hu Sheng, *Imperialism and Chinese Politics*, Pequim, 1955, p. 92.
8. Jean A. Meyer em *Annales E. S. C.* 25, 3, 1970, p. 796-97.
9. Karl Marx, "British Rule in India", *New York Daily Tribune*, 25 de junho de 1853, *Werke*, IX, p. 129.
10. B. M. *Bhatia, Famines in India*, Londres, 1967, p. 68-97.
11. Ta Chen, *Chinese Migration with Special Reference to Labour Conditions*, US Bureau of Labor Statistics, Washington, 1923.

12. N. Sanchez Albornoz, "Le cycle vital annuel en Espagne 1863-1900", *Annales E. S. C.* 24, 6, novembro-dezembro de 1969; M. Emerit, "Le Maroc et l'Europe jusqu'en 1885", *Annales E. S. C.* 20, 3, maio-junho de 1965.
13. P. *Leroy-Beaulieu, L'Algérie et la Tunisie,* 2ª ed., Paris, 1897, p. 53.
14. *Almanach de Gotha,* 1876.

Capítulo 8: Vencedores

1. Jacob Burhardt, *Reflections on History,* Londres, 1943, p. 170.
2. Erskine May, op. cit., I, p. 25.
3. Herbert G. Gutman, "Social Status and Social Mobility in Nineteenth Century America: The Industrial City, Paterson, New Jersey", mimeo, 1964.
4. Henry Nash Smith, *Virgin Land,* Nova York, 1957, p. 191. Devo muito ao valioso estudo de Eric Foner, *Free Soil, Free Labor, Free Men,* Oxford, 1970.
5. Martin J. Primack, "Farm construction as a use of farm labor in the United States *1850-1910", Journal of Economic History* XXV, 1965, p. 114.
6. Rodman Wilson Paul, *Mining Frontiers of the Far West,* Nova York, 1963, p. 57-81.
7. Joseph G. McGoy, *Historic Sketches of the Cattle Trade of the West and South-west,* Kansas City, 1874; Glendale, Califórnia, 1940. O autor aponta Abilene como um centro de gado, sendo que, em 1871, tornou-se o maior deles.
8. Charles Howard Shinn em *Mining Camps, a Study in American frontier government,* ed. R. W. Paul, Nova York, Evanston e Londres, 1965, capítulo XXIV, p. 45-46.
9. Hugh Davis Graham & Ted Gurr (eds.), *The History of Violence in America.* Nova York, 1969, capítulo 5, especialmente p. 175.
10. W. Miller (ed.), *Men in Business,* Cambridge (Mass.), 1952, p. 202.
11. Sinto-me em dívida como dr. William Rubinstein da Johns Hopkins University pelas informações nas quais este ponto de vista está baseado.
12. Herbert G. Gutman, "Work, Culture and Society in Industrializing America 1815-1919", *American Historical Review,* 78, 3, 1973, p. 569.
13. John Whitney Hall, *Das Jananische Kaiserreich,* Frankfurt, 1968, p. 282.
14. Nakagawa, Keiichiro & Henry Rosovsky, "The Case of the Dying Kimono", *Business History Review,* XXXVII, 1963, p. 59-80.
15. V. G. Kiernan, *The Lords of Human Kind,* Londres, 1972, p. 188.
16. Kiernan, op. cit., p. 193.
17. Horace Capron, "Agriculture in Japan", in Report of the *Commissioner for Agriculture, 1873,* Washington, 1884, p. 364-4.

Capítulo 9: A sociedade em processo de mudança

1. Erskine May, op. cit., I, p. LXV-VI.
2. *Journaux des Frères Goncourt,* Paris, 1956, II, p. 753.
3. *Werke,* XXXIV, p. 510-51.
4. *Werke,* XXXII, p. 669.

5. *Werke*, XIX, p. 296.
6. *Werke*, XXXIV, p. 512.
7. M. Pushkin, "The professions and the intelligentsia in nineteenth-century Russia", *University of Birmingham Historical Journal,* XII, 1, 1969, p. 72.
8. Hugh Seton Watson, *Imperial Russia 1861-1917,* Oxford, 1967, p. 422-23.
9. A. Ardao, "Positivism in Latin America", *Journal of the History of Ideas,* XXIV, 4, 1963, p. 519, assinala que uma constituição comtiana foi imposta no estado do Rio Grande do Sul (Brasil).
10. G. Haupt, "La Commune comme symbole et comme exemple", *Mouvement Social,* 79, abril-junho de 1972, p. 205-26.
11. Samuel Bernstein, *Essays in political and intelectual history,* Nova York, 1955, capítulo XX, "The First International and a New Holy Alliance", especialmente p. 194-95 e 197.
12. J. Rougerie, *Paris libre 1871*, Paris, 1971, p. 256-63.

Capítulo 10: A terra

1. Citado em Jean Meyer, *Problemas campesinos y revueltas agrarias* (*1821-1910*), México, 1973, p. 93.
2. Citado em R. Giusti, "L'agricoltura e i contadini nel Mantovano (1848-1866)", *Movimento Operario,* VII, 3-4, 1955, p. 386.
3. Neumann-Spallart, op. cit., p. 65.
4. Mitchell & Deane, op. cit., p. 356-57.
5. M. Hroch, *Die Vorkämpfer der nationalen Bewegung bei den kleinen Völkern Europas,* Praga, 1968, p. 168.
6. "Bauerngut", *Handwörterbuch der Staatswissenschaften* , 2ª ed., II, p. 441 e 444.
7. "Agriculture" em Mulhall, op. cit, p. 7.
8. I. Wellman, "Histoire rurale de la Hongrie", *Annales E. S. C.,* 23, 1968, p. 1.203. Mulhall, loc. cit.
9. E. Sereni, *Storia dei paesaggio agrario italiano,* Bari, 1962, p. 351-52. O desmatamento industrial também não deve ser negligenciado. "A grande quantidade de combustível requerida (pelos fornos do Lago Superior, EUA) já causou um impacto definitivo nas matas circunvizinhas", escreveu H. Bauermann em 1868 (*A Treatise on the Metallurgy of Iron,* Londres, 1872, p. 227). O suprimento diário de um único forno requeria a devastação de um acre de floresta.
10. Elizabeth Whitcombe, *Agrarian Conditions in Northern India, I, 1860-1900,* Berkeley, Los Angeles e Londres, 1972, p. 75-85, discute de forma crítica as consequências da engenharia de irrigação em larga escala nas Províncias Unidas.
11. Irwin Feller, "Inventive activity in agriculture, 1837-1900", *Journal of Economic History,* xxii, 1962, p. 576.
12. Charles McQueen, *Peruvian Public Finance,* Washington, 1926, p. 5-6. O guano supria 75% das rendas de todos os tipos do governo peruano em 1861-1866, 80% em 1869-1875. (*Heraclio Bonilla, Guano y burguesia en el Peru,* Lima, 1974, p. 138-139, citando Shane Hunt.)

13. "Bauerngut", *Handwörterbuch der Staatwissenschaften* , 2ª ed., II, p. 439.
14. Veja G. Verga, "Liberty", pequena história baseada no levante de Bronte, que está entre os discutidos por D. Mack Smith em "The peasant's revolt in Sicily in 1860" em *Studi in onore di Gino Luzzatto,* Milão, 1950, p. 201-40.
15. E. D. Genovese, *In Red and Black, Marxian Explorations* in *Southern and Afro-American history,* Harmondsworth, 1971, p. 131-34.
16. Para a mais elaborada versão deste argumento veja R. W. Fogel & S. Engermann, *Time on the Cross,* Boston e Londres, 1974.
17. Th. Brassey, *Works and Wages Pratically Illustrated,* Londres, 1872.
18. H. Klein, "The Coloured Freedmen in Brazilian Slave Society", *Journal of Social History* 3, I, 1969, p. 36; Julio Le Riverend, *Historia economica de Cuba,* Havana, 1956, p. 160.
19. P. Lyashchenko, *A History of the Russian National Economy,* Nova York, 1949, p. 365.
20. Lyashchenko, op. cit., p. 440 e 450.
21. D. Wells, *Recent Economic Changes,* Nova York, 1889, p. 100.
22. Jaroslav Purš, Die Entwicklung des Kapitalismus in der Landwirtschaft der böhmischen Länder 1849-1879, *Jahrbuch für Wirtschaftsgeschichte,* 1963, III, p. 38.
23. I. Oroz, "Arbeitskräfte in der ungarischen Landwirtschaft", *Jahrbuch für Wirtschaftsgeschichte,* 1972, II, p. 199.
24. J. Varga, *Typen und probleme des bäuerlichen Grundbesitzes 1767-1849,* Budapeste, 1965, citado em *Annales E. S. C.* 23, 5 (1968), p. 1.165.
25. A. Girault & L. Milliot, *Principes de colonisation et de législation coloniale, L'Algérie,* Paris, 1938, p. 383 e 386.
26. Raymond Carr, *Spain 1808-1939,* Oxford, 1966, p. 273.
27. José Termes Ardevol, *El movimiento obrero en España. La Primera Internacional (1864-1881),* Barcelona, 1965. Apêndice: Sociedades Obreras creadas en 1870-1874.
28. A. Dubuc, "Les sobriquets dans le Pays de Bray en 1875", *Annales de Normandie,* agosto de 1952, p. 281-82.
29. Purš. op. cit., p. 40.
30. Franco Venturi, *Les intellectuels, le peuple et la revolution. Histoiré du populisme russe au XIX siècle,* Paris, 1972, II, p. 946-48. Este livro magnífico, cuja tradução em língua inglesa foi feita de uma de suas primeiras edições (*Roots of revolution,* Londres, 1960), é um trabalho-chave nesta questão.
31. M. Fleury, P. Valmary, "Les Progrès d'instruction élementaire de Louis XIV à Napoleon III", *Population* XII, 1957, p. 69. E. de Laveleye, L'Instruction du Peuple, Paris, 1872, p. 174, 188, 196, 227-8 e 481.

Capítulo 11: Homens a caminho

1. Scholem Alejchen, *Aus den nahen Osten,* Berlim, 1922.
2. F. Mulhauser, *Correspondence of Arthur Hugh Clough,* Oxford, 1957, II, p. 396.
3. L Ferenczi, ed. F. Willcox, *International Migrations;* v. I, *Statistics,* National Bureau of Economic Research, Nova York, 1929.

4. Ta Chen, *Chinese Migration with Special Reference to Labor Conditions,* United States Bureau of Labor Statistics, Washington, 1923, p. 82.
5. S. W. Mintz, "Cuba: terre et esclaves", *Etudes Rurales,* 48, 1972, p. 143.
6. *Bankers Magazine,* V., Boston, 1850-51, p. 12.
7. R. Mayo Smith, *Emigration and Immigration, A Study in Social Science,* Londres, 1890, p. 94.
8. M-A. Carron, "Prélude a l'exode rural en France; les migrations anciennes des travailleurs creusois", *Revue d'historie économique et sociale,* 43, 1965, p. 320.
9. A. F. Weber, *The Growth of Cities in the Nineteenth Century,* Nova York, 1899, p. 374.
10. Herbert Gutman, "Work, Culture and Society in Industrializing America, 1815-1919" *American History Review,* 78, 3 de junho de 1973, p. 533.
11. Barry E. Suplee, "A Business Elite: German-Jewish Financiers in Nineteenth Century New York", *Business History Review,* XXXI, 1957, p. 143-78.
12. Mayo Smith, op.cit., p. 47; C.M. Turnbull, "The European Mercantile Community in Singapore, 1819-1867", *Journal of South East Asian History,* X, I, 1969, p. 33.
13. Ferenczi, ed. Willcox, op. cit., v. ii, p. 270n.
14. K. E. Levi, "Geographical Origin of German Immigration to Wisconsin", *Collections of the State Historical Society of Wisconsin,* XVI, 1898, p. 354.
15. Carl F. Wittke, *We who Built America,* Nova York, 1939, p. 193.
16. Egon Erwin Kisch, *Karl Marx* in *Karlsband,* Berlim Ocidental, 1968.
17. C. T. Bidwell, *The Cost of Living Abroad,* Londres, 1876, Apêndice. A Suíça foi o principal objeto desta viagem.
18. Bidwell, op. cit., p. 16.
19. Georg v. Mayr, *Statistik und Gesellschaftslehre; II, Bevolkerungsstatistik,* 2. Lieferung, Tübingen, 1922, p. 176.
20. E. G. Ravenstein, "The laws of Migration", *Journal of the Royal Statistical Society,* 52, 1889, p. 285.

Capítulo 12: A cidade, a indústria, a classe trabalhadora

1. J. Purš, "The working class movement in the Czech lands", *Historica,* X, 1965, p. 70.
2. M. May, *Die Arbeitsfrage,* 1848, citado em R. Engelsing, "Zur politischen Bildung der deutschen Unterschichten, 1789-1863", *Hist. Ztschr.* 206, 2 de abril de 1968, p. 356.
3. *Letters and Private Papers of W. M. Thackeray,* ed. Gordon N. Ray, II, 356, Londres, 1945.
4. J. Purš, "The industrial revolution in the Czech lands", *Historica,* II, 1960, p. 210 e 220.
5. Citado em H. J. Dyos & M. Wolff (eds.), *The Victorian City,* Londres e Boston, 1973, I, p. 110.
6. Dyos & Wolff, op. cit., I, p. 5.
7. A. F. Weber, 1898, citado em Dyos e Wolff, op. cit., I, p. 7.
8. H. Croon, "Die Versorgung der Staedte des Ruhrgebietes im 19.u.20. Jahrhundert", mimeo (International Congress of Economic History, 1965), p. 2.
9. Dyos & Wolff, op. cit., I, p. 341.

10. L. Henneaux-Depooter, *Misères et luttes sociales dans le Hainaut 1860-96.* Bruxelas, 1959, p. 117; Dyos & Wolff, op. cit., p. 134.
11. G. Fr. Kolb, *Handbuch der vergleichenden Statistik,* Leipizig, 1879.
12. Dyos & Wolff, op. cit., I, p. 424.
13. Dyos and Wolff, op. cit., I, p. 326.
14. Dyos and Wolff, op. cit., I, p. 379.
15. J. H. Clapham, *An Economic History of modern Britain,* Cambridge, 1932, II, p. 116-17.
16. Erich *Maschke, Es entsteht ein Konzern,* Tübingen, 1969.
17. R. Ehrenberg, *Krupp-Studien,* Thünen-Archiv ii, Iena, 1906-09, p. 203; C. Fohlen, *The Fontana Economic History of Europe,* 4, *The Emergence of Industrial Societies,* Londres, 1973, I, p. 60; J. P. Rioux, *La révolution industrielle,* Paris, 1971, p. 163.
18. G. Neppi Modona, *Sciopero, potere politico* e *magistratura 1870-1922,* Bari, 1969, p. 51.
19. P. J. Proudhon, *Manuel du spéculateur à la bourse,* Paris, 1857, p. 429.
20. B. Gille, *The Fontana Economic History of Europe, 3: The Industrial Revolution,* Londres, 1973, p. 278.
21. J. Kocka, "Industrielles Management Konzeptionen und Modelle vor 1914", *Viertel-jahrschrift für Sozial — und Wirtschaftsgesch.* 56/3, outubro de 1969, p. 336, citado de *Emminghaus, Allgemeine* Gewerbslehre.
22. P. Pierrard, "Poesia et chanson... à Lille sous le 2e Empire", *Revue du Nord,* 46, 1964, p. 400.
23. G. D. H. Cole & Raymond Postgate, *The Common People,* Londres, 1946, p. 368.
24. H. Mottek, *Wirtschaftsgeschichte Deutschlands,* Berlim Ocidental, 1973, II, p. 235.
25. E. Waugh, *Home Life of the Lancashire Factory Folk During the Cotton Famine,* Londres, 1867, p. 13.
26. M. Anderson, *Family Structure in Nineteenth Century Lancashire,* Cambridge, 1973, p. 31.
27. O. Handlin (ed.), *Immigration as a Factor in American History,* Englewood Cliffs, 1959, p. 66-67.
28. J. Hagan & C. Fisher, "Piece-work and some of its consequences in the printing and coal mining industries in Australia, 1850-1930", *Labour History,* 25 de novembro de 1973, p. 26.
29. A. Plessis, *De la fête impériale au mur des Fédérés,* Paris, 1973, p. 157.
30. E. Schwiedland, *Kleingewerbe uber Hausindustrie* in *Österreich,* Leipzig, 1894, II, p. 264-65 e 284-85.
31. J. Saville & J. Bellamy (eds.), *Dictionary of Labour biography v.,* I, p. 17.
32. Engelsing, op. cit., p. 364.
33. Rudolf Braun, *Sozialer und kultureller Wandel in einem ländlichen Industriegebiet* im 19. *u. 20. Jahrhundert,* Erlenbach-Zurique e Stuttgart, 1965, p. 139, usa este termo especificamente para o período. Seus inestimáveis livros (veja também *Industrialisierung und Volksleben,* 1960) não podem ser suficientemente recomendados.
34. *Industrial Remuneration Conference,* Londres, 1885, p. 27.
35. *Industrial Remuneration Conference,* p. 89-90.
36. Beatrice Webb, *My Apprenticeship,* Harmondsworth, 1938, p. 189 e 195.
37. *Industrial Remuneration Conference,* p. 27 e 30.

Capítulo 13: O mundo burguês

1. Citado em L. Trénard, "Un industriel roubaisien du xix siècle", *Revue du Nord*, 50, 1968, p. 38.
2. Martin Tupper, *Proverbial Philosophy*, 1876.
3. Veja Emanie Sachs, *The terrible Siren*, Nova York, 1928, especialmente p. 174-75.
4. G. von Mayr, *Statistik und Gesellschatslehre iii Sozialstatistik*, Erste Lieferung, Tübingen, 1909, p. 43-5. Para a desconfiança nas estatísticas sobre prostituição, ibid., (5. Lieferung), p. 988. Para a intensa relação entre prostituição e infecções venéreas, Gunilla Johansson, "Prostituição em Estocolmo na segunda metade do século xix"(mimeo), 1974. Para estimativas sobre a preponderância e mortalidade decorrentes de sífilis, na França, veja T. Zeldin, *France 1848-1945*, Oxford, 1974, I, p. 304-06.
5. A liberdade de visitar garotas americanas é ressaltada na seção relevante do capítulo sobre estrangeiros em Paris, no soberbo *Paris Guide 1867*, 2 vols.
6. Sobre Cuba, Verena Martinez Alier, "Elopement and seduction in 19th century Cuba", *Past and Present*, 55, maio de 1972; sobre a América do Sul, veja E. Genovese, *Roll Jordan Roll*, Nova York, 1974, p. 413-30, e R. W. Fogel & Stanley Engermann, op. cit.
7. De "Maxims for Revolutionists" em *Man and Superman:* "Um homem moderadamente honesto, com uma mulher moderadamente encantadora, ambos beberrões moderados, numa casa moderadamente saudável: essa é a verdadeira unidade da classe média".
8. Zunkel, op. cit., p. 320.
9. Zunkel, op. cit., p. 526 n. 59.
10. Tupper, op. cit.: *"Of Home", p.* 361.
11. Tupper, op. cit., p. 362.
12. John Ruskin, "Fors Clarigera", em E. T. Cook & A. Wedderburn (eds.), *Collected Works*, Londres e Nova York, 1903-12, vol. 27, carta 34.
13. Tupper, op. cit.: "Of marriage", p. 118.
14. "Minha opinião é que, se uma mulher é obrigada a trabalhar, imediatamente (embora ela possa ser cristã ou bem nascida) ela perde a posição peculiar que o termo *lady* convencionalmente designa", Carta ao *Englishwoman's Journal*, VIII, 1866, p. 59.
15. H. Bolitho (ed.), *Further Letters of Queen Victoria*, Londres, 1938, p. 49.
16. Trénard, op. cit., p. 38 e 42.
17. Tupper, op. cit.: "Of joy", p. 133.
18. J. Lambert-Dansette, "Le patronat du Nord. Sa période triomphante", em *Bulletin de la Société d'Histoire moderne et Contemporaine*, 14, série 18, 1971, p. 12.
19. Charlotte Erickson, *British Industrialists: Steel and Hosiery, 1850-1950*, Cambridge, 1959.
20. H. Kellenbenz, "Unternehmertum in Südwestdeutschland", *Tradition*, 10, 4 de agosto de 1965, p. 183.
21. *Nouvelle Biographie Générale*, 1861; artigos: Koechlin, p. 954.
22. C. Pucheu, "Les grands notables de l'Agglomération Bordelaise du milieu du xixe siècle à nos jours", *Revue d'histoire économique et sociale*, 45, 1967, p. 493.
23. P. Guillaume, "La fortune bordelaise au milieu du xix siècle", *Revue d'histoire économique et sociale*, 43, 1965, p. 331, 332 e 351.

24. E. Gruner, "Quelques reflexions sur l'élite politique dans la Confédération Helvetique depuis 1848", *Revue d'histoire économique et sociale*, 44, 1966, p. 145 ff.
25. B. Verhaegen, "Le groupe libéral à la Chambre Belge (1847-1852)", *Revue Belge de Philologie et d'Histoire*, 47, 1969, 3-4, p. 1.176.
26. Lambert-Dansette, op. cit., p. 9
27. Lambert-Dansette, op. cit., p. 8; V. E. Chancellor (ed.), *Master and Artisan in Victorian England*, Londres, 1969, p. 7
28. Serge Hutin, *Les Francs-Maçons*, Paris, 1960, p. 103 e 114; P. Chevallier, *Histoire de la Francmaçonnerie française*, II; Paris, 1974. Para o mundo ibérico, o julgamento: "A livre maçonaria deste período não era senão a conspiração universal da classe média revolucionária contra a tirania feudal, monárquica e divina. Era a Internacional desta classe", citado em Iris M. Zavala, *Masones, comuneros y carbonarios*, Madri, 1971, p. 192.
29 T. Mundt, *Die neuen Bestrebungen zu einer wirtschaftlichen Reform der unteren Volksklassen*, 1855, citado em Zunkel, op. cit., p. 327.
30. Rolande Trempé, "Contribution à l'étude de la psychologie patronale: le comportement des administrateurs de la Société des Mines de Carmaux, 1856-1914", *Mouvement Social*, 43, 1963, p. 66.
31. John Ruskin, *Modern Painters*, citado em W. E. Houghton, *The Victorian Frame of Mind*, Newhaven, 1957, p. 116. Samuel Smiles, *Self help*, 1859, capítulo 11, p. 359-60.
32. John Ruskin, "Traffic", *The Crown of Wild Olives*, 1866, *Works* 18, p. 453.
33. Trempé, op. cit., p. 73.
34. W. L. Burn, *The Age of Equipoise*, Londres, 1964, p. 244n.
35. H. Ashworth em 1853-54, citado em Burn, op. cit., p. 243.
36. H. U. Wehler, *Bismarck und der Imperialismus*, Colônia-Berlim, 1969, p. 431.

Capítulo 14: Ciência, religião, ideologia

1. Francis Darwin & A. Seward (eds.), *More Letters of Charles Darwin*, Nova York, 1903, II, p. 34.
2. Citado em Engelsing, op. cit., p. 361.
3. *Anthropological Review*, IV, 1866, p. 115.
4. P. Benaerts et al., *Nationalité et nationalisme*, Paris, 1968, p. 623.
5. Karl Marx, *O capital*, I, pós-escrito à segunda edição.
6. Em *Electromagnetic Theory* de Julius Stratton do MIT, o dr. S. Zienau, com quem me encontro em dívida pelas referências que faço às ciências físicas, informa-me que isto veio num momento propício para o esforço de guerra anglo-saxão no campo do radar.
7. J. D. Bernal, *Science in History*, Londres, 1969, II, p. 568.
8. Bernal, op. cit.

8a. Lewis Feuer sugeriu recentemente que não foi Marx mas Edward Aveling quem abordou Darwin, porém isso não afeta a argumentação.

9. Marx a Engels, 19 de dezembro de 1860, *Werke* XXX, p. 131.
10. H. Steinthal & M. Lazarus, *Zietschrift für Völkerpsychologie und Sprachwissenchaft*.
11. F. Mehring, *Karl Marx, The Story of his Life*, Londres, 1936, p. 383.

12. E. B. Tylor, "The Religion of Savages", *Fortnightly Review* VI, 1866, p.83.
13. *Anthropological Review* IV, 1866, p. 120.
14. Kiernan, op. cit., p. 159.
15. W. Philips, "Religious profession and practice in New South Wales 1850-1900", *Historical Studies*, outubro de 1972, p. 388.
16. *Haydn's Dictionary of Dates*, 1889 ed.; artigo: Missions.
17. Eugene Stock, *A Short Handbook of Missions*, Londres, 1904, p. 97. As estatísticas neste manual parcial e influente são extraídas de J. S. Dennis, *Centennial Survey of Foreign Missions*, Nova York e Chicago, 1902.
18. *Catholic Encyclopedia;* artigo: Missions, Africa.

Capítulo 15: As artes

1. R. Wagner, "Kunst und Klima", *Gesammelte Schriften*, Leipzig, 1907, III, p. 214.
2. Citado em E. Dowden, *Studies in Literature 1789-1877*, Londres, 1892, p. 404.
3. Th. v. Frimmel, *Lexicon der Wiener Gemäldesammlungen*, A-L, 1913-1914; artigo: Ahrens.
4. G. Reitlinger, *The Economics of Taste*, Londres, 1961, capítulo 6. Eu tenho confiado bastante neste valioso trabalho, que traz ao estudo da arte um realismo financeiro adequado ao nosso período.
5. Asa Briggs, *Victorian Cities*, Londres, 1963, p. 164 e 183.
6. Reitlinger, op. cit.
7. R. D. Altick, *The English Common Reader*, Chicago, 1963, p. 355 e 388.
8. Reitlinger, op. cit.
9. F. A. Mumby, *The House of Routledge*, Londres, 1934.
10. M. V. Stokes, "Charles Dickens: a Customer of Coutts & Co.", *The Dickensian*, 68, 1972, p. 17-30. Estou em dívida com Michael Slater por esta referência.
11. Mulhall, op. cit.; artigo: Libraries. Uma nota especial deveria ser feita sobre o movimento da livraria pública britânica. Dezenove cidades instalaram tais livrarias na década de 1850, 11 na década de 1860, 51 na década de 1870 (W. A. Munford, *Edward Edwards*, Londres, 1963).
12. T. Zeldin, *France 1848-1945*, Oxford, 1974, I, p. 310.
13. G. Grundmann, "Schlösser und Villen des 19. Jahrhunderts von Unternehmern in Schlesien", *Tradition*, 10, 4 de agosto de 1965, p. 149-62.
14. R. Wischnitzer, *The Architecture of the European Synagogue*, Filadélfia, 1964, capítulo 10, especialmente p. 196 e 202-06.
15. Gisèle Freund, *Photographie und bürgerliche Gesellschaft*, Munique, 1968, p. 92.
16. Freund, op. cit., p. 94-96.
17. Citado em Linda Nochlin (ed.), *Realism and Tradition in Art*, Englewood Cliffs, 1966, p. 71 e 74.
18. Gisèle Freund, *Photographie et société*, Paris, 1974, p. 77.
19. Freund, op. cit., 1968, p. 111.
20. Freund, op. cit., p. 112-13.

21. Sobre a questão dos artistas e da revolução neste período, veja T. J. Clark, *The Absolute Bourgeois,* Londres, 1973, e *Image of the people: Gustave Courbet,* Londres, 1973.
22. Nochlin, op. cit, p. 77.
23. Nochlin, op. cit., p. 77.
24. Nochlin, op. cit., p. 53.
25. Mesmo em um centro de menor importância como a Boêmia, Munique, o Münchner Kunstverein tinha cerca de 4.500 membros em meados da década de 1870. P. Drey, *Die wirtschaftlichen Grundlagen der Malkunst. Versuch einer Kunstökonomie,* Stuttgart e Berlim, 1910.
26. "Na arte o artesão é quase tudo. Inspiração — sim, inspiração é uma coisa muito bela, mas um tanto *banal*; é, desta forma, universal. Todo burguês é mais ou menos afetado por uma aurora ou pôr do sol. Ele tem uma certa dose de inspiração." Citado em Dowden, op. cit., p. 405.

Capítulo 16: Conclusão

1. Johann Nestroy, *Sie Sollen Ihn Nicht Haben,* 1850.
2. D. S. Landes, *The Unbound Prometheus,* Cambridge, 1969, p. 240-41.
3. Burckhardt, op. cit, p. 116.
4. Burckhardt, op. cit, p. 171.

BIBLIOGRAFIA COMPLEMENTAR

Com algumas poucas exceções, as notas a seguir referem-se apenas a livros, e livros em língua inglesa. Isso não quer dizer que sejam os melhores disponíveis, embora frequentemente o sejam. Trata-se de uma concessão à ignorância de línguas estrangeiras da maioria dos leitores de língua inglesa pelo mundo.

A bibliografia do período é tão vasta que não é possível uma tentativa de cobrir todos os aspectos relacionados, mesmo que seletivamente, e as escolhas sugeridas são de cunho pessoal, às vezes mesmo fortuitas. Guias para leitura da maioria dos tópicos estão contidos em *A Guide to Historical Literature,* periodicamente revisto e editado pela American Historical Association. A bibliografia existente na *Cambridge Economic History of Europe,* vol. VI, é maior do que seu título sugere. *A Bibliography of Modern History* (1968) de J. Roach (ed.) também pode ser consultada, com alguma cautela. A maioria dos livros relacionados também contém referências bibliográficas, em notas de rodapé ou separadamente.

Entre as obras gerais de referência histórica, a *Encyclopaedia of World History,* de W. Langer, fornece as principais datas, assim como *Chronology of the Modern World* (1966), de Neville Williams. *Annals of European Civilization 1500-1900* (1949), de Alfred Mayer, trata das artes e das ciências. *A Dictionary of Statistics* de M. Mulhall (1892) ainda é o melhor compêndio para números. Para referência geral sobre o século XIX, a décima primeira edição da *Encyclopaedia Britannica,* ainda disponível em boas bibliotecas de universidades, é incomparavelmente superior às suas sucessoras, assim como a *Encyclopaedia of the Social Sciences* (1931) é — para nossas finalidades — superior à edição posterior de 1968. Compêndios biográficos e obras de referência em assuntos especiais são demasiadamente numerosos para serem mencionados. Entre os atlas históricos, o *Grosser Historischer Weltatlas* (1957) de J. Engel et al., o *Atlas of World History* (1957) de Rand-McNallye e o *Penguin Historical Atlas* (1974) são recomendados.

An Introduction to Contemporary History de G. Barraclough (1967) e *The Triumph of the Middle Classes* (1966) de C. Morazé — este último com mapas excepcionalmente bem-feitos — podem servir como introdução à história global. O elegante e erudito *The Lords of the Human Kind* (1969, 1972), de V. G. Kieman, analisa as atitudes europeias em relação ao mundo exterior. Os dois livros, *New Cambridge modern history*, v. X (J. P. T. Bury ed.), *The Zenith of European Power (1839-1870)* e as duas partes da *Cambridge Economic History*, v. VI (*The Industrial Revolutions and After*) vão além da Europa. Ambos podem ser consultados constantemente com bom proveito. Para análises mais estritamente sobre a Europa, *The ascendancy of Europe 1815-1848* (1972), de M. S. Anderson, e *The Age of Revolution, Europe 1789-1914* (1962), de E. J. Hobsbawm, vão além do continente. *Liberal Europe 1848-1875* (1974), de W. E. Mosse, cobre exatamente o mesmo período do presente livro. *Political and social Upheaval 1832-1852*, de William L. Langer (1969) — com a bibliografia — é de longe o melhor dos volumes cronologicamente relevantes da série *The Rise of Modern Europe*, editada pelo mesmo autor.

De obras gerais em campos mais especializados, *The Fontana Economic history of Europe*, de C. Cipolla (ed.) (1973, vols. 3, 4i, 4ii), é extremamente útil, mas sem dúvida a melhor introdução à história econômica do período é o soberbo *The Unbound Prometheus* (1969), de D. S. Landes, um desenvolvimento da contribuição deste autor à *Cambridge Economic History*. Os importantes volumes de *A History of Technology*, de C. Singer et al., são para referência. *The Culture of Western Europe: the Nineteenth and*

Twentieth centuries (1963), de G. L. Mosse, é uma adequada introdução a esse assunto. *Science in History* (1965) de J. D. Bernal é brilhante, mas as seções sobre o nosso período não devem ser tomadas de forma acrítica. Nem deveriam ser as seções de *The Social History of Art* de A. Hauser (1952). Vários volumes da *Penguin History of Art* cobrem o século XIX *European Society in Upheaval* (1975 ed.) de Peter Stearns é uma tentativa, talvez prematura, de cobrir a história social do continente. Duas obras de C. Cipolla, *The Economic History of World Population* (1962) e *Literacy and Development in the West* (1969), são breves e com úteis introduções. *The Growth os Cities in the 19th Century* (1889 e reimpressões) de A. F. Weber tem sido um inestimável compêndio desde sua publicação original.

Nem todos os países possuem uma história nacional de tamanho adequado e de fácil acesso em língua inglesa para o nosso período. A Inglaterra, por exemplo, não a tem, embora *The Origin of Modern English Society 1780-1880* (1969) de H. Perkin e *Midvictorin Britain 1850-1875* (1971) de Geoffrey Best sejam bons em história social, e *An Economic History of Modern Britain (1850-1880)* II (1932) de J. H. Clapham ainda seja excepcional. A melhor história da França é ainda de longe a *Nouvelle Histoire de la France Contemporaine,* vols. 8 e 9, de M. Agulhon (*1848 ou l'apprentissage de la Republique*) e Alain Plessis (*De la fête imperiale au mur des Fédéres*) (ambos em 1973 e sem tradução inglesa). *A History of Modern Germany 1840-1945* de Hajo Holborn (1970) é bom, mas para o nosso período *Restoration, Revolution, Reaction, Economics and Politics in Germany 1815-1871* (1958), de T. S. Hamerow, e *Social foundations of German unification* (1969), do mesmo autor, são altamente relevantes. *The Habsburg Empire 1790-1818* (1969) de C. A. Macartney e o expressivo *Spain 1808-1939* (1966) de Raymond Carr contêm ambos a maior parte do que precisamos saber sobre esses países, e *The Scandinavian Countries 1720-1865,* 2 vols. (1943), de B. J. Houve, mais do que isso. Histórias da Rússia refletem opiniões francamente discordantes.

Imperial Russia 1801-1917 (1967) de Hugh Seton Watson está repleto de informações, assim como *A History of the Russian National Economy* (1949) de P. Lyashchenko. *History of the Italian People,* II (1973) de G. Procacci é uma boa introdução embora um tanto comprimida; *Italy, a Modern History* (1959) de D. Mack Smith é uma obra antiga feita pelo maior especialista desse período da história italiana. *The Balkans since 1453* (1958) de L. S. Stravianos é uma visão geral muito boa.

Para o mundo não europeu, a maioria dos leitores talvez precise não de histórias do período, mas de introduções gerais a regiões com as quais não estão familiarizados. Para a China, isso pode ser encontrado em *China Readings* i de Franz Schurmann e O. Schell (eds.), o volume *Imperial China* (1967); para o Japão, no *The Japan Reader* I, o volume *Imperial Japan 1800-1945* (1973) de J. Livingston, J. Moore e F. Oldfhater (eds.); para o mundo islâmico, *Unity and Variety in Muslim Civilization* (1955) de G. von Grunebaum (ed.); para a América Latina, alguma coisa de *Readings in Latin American History II: Since 1810* (1966) de Lewis Hanke (ed.); para a Índia, *Agrarian conditions in Northern India, I: The United Provinces under British Rule* (1972) de Elizabeth Whitcombe; para o Egito, *Cotton and the Egyptian Economy 1820-1914* (1969) de E. R. J. Owen. Para os principais eventos nos seus respectivos países, *The Taiping Rebellion* (1966) de M. Franz e *The Meiji Restoration* (1972) de W. G. Beasley.

A bibliografia para a história americana é interminável. Qualquer história geral será adequada para aqueles que são totalmente estranhos em relação a este país, por exemplo, *The Making of American Society I; To 1877* (1972) de E. C. Rozwenc, suplementado pela *Encyclopaedia of American History* (1965) de R. B. Morris. Todas estão atrasadas em relação aos progressos da pesquisa.

O tema principal do presente livro é a criação de um único mundo sob a hegemonia capitalista. Para esse processo de exploração, veja *A History of Geographical Discovery and Exploration* (1931) de J. N. L. Baker; para os mapas, veja *Memoirs of Hydrography II* (vai de 1830 a 1880) de Cdr L. S. Dawnson RN (reimpresso em 1969); para o transporte, uma breve introdução por M. Robbins, *The Railway Age* (1962), e uma exuberante e triunfante crônica por W. S. Lindsay, *History of Merchant Shipping*, 4 vols. (1876). A expansão da colonização e dos empreendimentos é inseparável da história das migrações (veja o Capítulo 11); veja *Migration and economic Growth* (1954) de Brinley Thomas; para o lado humano, *The Immigrant in American History* (1940) de M. Hansen e *Invisible Immigrants: The Adaptation of English and Scotish Immigrants in 19th century America* (1972) de C. Erickson, enquanto *A New System of Slavery* (1974) de Hugh Tinker trata da exportação de trabalho endividado. Para as fronteiras em expansão, *Westward Expansion* de R. A. Billington (1949) e *Mining Frontiers of the Far West* (1963) de Rodman Wilson Paul. Para os empreendimentos capitalistas fora da Europa, o esplêndido *Bankers and Pashas: International Finance and Modern Imperialism in Egypt* (1958) de D. S. Landes, *The Migration of British Capital to 1875* (1927) de L. H. Jenks, *Europe, the world's banker* (1930) de H. Feis, *The Life and Labours of Mr. Brassey* (1872, reimpresso 1969), de A. T. Helps, e *Henry Meiggs, a Yankee Pizarro* (1946) de W. Stewart. Os dois últimos volumes tratam dos titãs da construção ferroviária. Uma olhada interessante nas atitudes da época é *The Political and Social Ideas of Jules Verne* (1972) de Jean Chesneaux, sobre o autor de *A volta ao mundo em oitenta dias.*

A história da burguesia, classe-chave de nosso período, ainda espera para ser bem escrita, pelo menos em inglês e em uma forma adequadamente acessível. *Victorian People* (1955) de Asa Briggs é uma útil introdução, mas o melhor guia ainda é a série de novelas dos *Rougon-Macquart* de Émile Zola, que analisa a sociedade do Segundo Império Francês e cuja autenticidade documental é bem alta. Veja também a introdução de Mario Praz para *The Nineteenth-century World* (1968) de G. S. Métraux e F. Crouzet (eds.). Entre as monografias, deve-se mencionar *La bourgeoisie parisienne 1815-1848* (versão reduzida 1970) de Adeline Daumard, *Les grands notables en France,* 2 vols. (1964) de A. Tudesq, adequado para o estudo da formação da consciência política no período da revolução de 1848, assim como "Industriebürgertum in Westdeutschland" de F. Zunkel, incluído em *Moderne deutsche sozialgeschichte* (1966) de H. U. Wehler (ed.). Para as aspirações da baixa classe média e de certa forma adequadas para as demais classes, *Self Help* (1859 e numerosas edições subsequentes) de Samuel Smiles. *The Age of Equipoise* (1964) de W. L. Burn é um excelente corte transversal da sociedade burguesa (inglesa), e *France 1848-1945*, V. I (1974) de T. Zeldin um guia bastante razoável para a sociedade burguesa francesa, incluindo família e sexo. *The Formation of the British liberal party 1857-68* (1972) é bem estimulante.

Embora existam excelentes livros sobre a cidade do século XIX além do volume de A. F. Weber (por exemplo, *Victorian Cities* (1963) de Asa Briggs e o enciclopédico *The Victorian City,* 2 vols. (1973), de H. J. Dyos e M. Wolff (eds.), guias gerais para o mundo dos trabalhadores manuais — diferentemente das histórias de suas organizações — são bastante escassos. *Useful Toil* (1974) de John Bumett edita autobiografias de trabalhadores ingleses com introduções adequadas, e *London Labour and the London Poor,* 4 vols. (originalmente 1861-1862), de Henry Mayhew é uma reportagem de gênio sobre a maior das cidades ocidentais. *Labouring Men* (1964), de E. J. Hobsbawm, contém alguns estudos relevantes. Numerosos estudos valiosos para alguns países em particular, especialmente a França, permanecem infelizmente sem tradução (inglesa). Poder-se-ia escolher *Les ouvriers en grève, 1871-1890*, v. II (1974) de Michelle Perrot, *Les mineurs de Carmaux* (1971) de Rolande Trempé e *Sozialer und kultureller Wandel in einem ländlichen Industriegebiet* (1965) de Rudolf Braun, cuja importância é bem maior que a restrita base de pesquisa (Suíça) poderia sugerir. O maciço *Geschichte der Lage der Arbeiter unter dem Kapitalismus,* 40 vols. (1960-1972) de

J. Kuczynski deve ser mencionado — os vols. 2, 3 e 18, 19 e 20 tratam dos trabalhadores alemães deste período.

Além das obras gerais já mencionadas, a terra, a agricultura e a sociedade agrária podem ser estudadas em *Peasants and Peasant Societies* (1971) de T. Shanin (ed.), *Lord and Peasant in Russia* (1961) de Jerome Blum, *Rural Russia under the Old regime* (1932) de Geroid T. Robinson, *English Landed Society in the 19th Century* (1963) de F. M. L. Thompson e *The farmer's Last Frontier* (1945) de F. A Shannon. Para a questão muito debatida do último período da escravidão, veja *The World the slaveholders Made* (1969) de Eugene G. Genovese, assim como *Roll, Jordan Roll: the world the slaves made* (1974) do mesmo autor, e também *Time on The Cross*, 2 vols. (1974), de R. W. Fogel e S. Engermann, uma obra controvertida. Para a menos conhecida economia do trabalho endividado, *Sugar Without Slaves* (1972) de Alan Adamson. *La terre* de Zola combina acuidade e preconceito urbano contra camponeses. Para os camponeses desenraizados, *Immigration as a Factor in American History* (1959) de O. Handlin (ed.).

The Struggle for Mastery in Europe, 1848-1918 (1954) de A. J. P. Taylor e *The European Powers and the German Question 1848-1871* de W. E. Mosse (1969) poderão servir para introduzir a história das relações internacionais; *A History of Militarism* (1938) de A. Vagts, *The Rise of Rail Power and Conquest* (1915) de E. A. Pratt, e "Nineteenth century military techniques" de H. Nickerson, editado no *Journal of World History*, IV (1957-58), para a história das guerras. *The Franco-Prussian War* (1962) de Michael Howard é uma monografia exemplar.

Para as atitudes da época acerca das duas grandes alternativas em disputa, os governos populares ou nacionais, veja *Physics and Politics* (1873) de Walter Bagehot e *The British Constitution* (1872, numerosas edições). A historiografia e a discussão do nacionalismo não são satisfatórias. "What is a Nation?" de Ernest Renan, editado em *Modern Political*

Doctrines de A. Zimmern (ed.) (1939) é um ponto de partida. O melhor livro é *Die vorkämpfer der nationalen bewegung bei den kleinen völkern Europas* (Praga, 1968) de M. Hroch; veja também "Commission internationele d'histoire des mouvements sociaux et des structures sociales", editado em *Mouvements nationaux d'indépendance et classes populaires aux 19e et 20e siècles,* V. I (1971). Sobre a extensão do voto na Inglaterra em 1867, *Before the socialists* (1965), capítulos III-IV, de Royden Harrison; para a Alemanha, o artigo de G. Mayer "Die Trennung der proletarischen von der bürgelichen Demokratie in Deutschland 1863-1870" editado no *Grünberg's Archiv,* ii (1911), p. 1-67. Veja também as obras de J. R. Vincent, T. S. Hamerow e T. Zeldin, *The political System of Napoleon III* (1958). Para as revoluções do período, *The Revolution of 1854 in Spanish History* (1966) de V. G. Kiernan, *The Federal Republic in Spain 1868-1874* (1962) de C. A. M. Hennessy e, entre a vasta literatura sobre a Comuna de Paris, incluindo a famosa obra de Marx — *A Guerra Civil na França —,* o livro de J. Rougerie, *Paris Libre 1871* (1971). *Political and social upheaval 1832-52* (1969) de W. L. Langer e *The 1848 Revolution* (1974) de Peter Stearns podem introduzir os leitores nas grandes revoluções de nosso período, sobre as quais Marx escreveu duas pequenas obras na época (*As lutas de classe na França* e O *Dezoito Brumário de Luís Bonaparte*), Engels escreveu uma obra (*Revolução e contrarrevolução na Alemanha*), e A. de Tocqueville, algumas extraordinárias passagens em suas *Memórias.* O maior de todos os combatentes da liberdade do período é o assunto de *Garibaldi* (1974) de J. Ridley, e os revolucionários russos são revistos numa obra clássica de F. Venturi, *Roots of Revolution* (1960).

From Wealth to Welfare: The Evolution of Liberalism (1963) de H. K. Girvetz descreve os sentidos em constante mudança da ideologia burguesa dominante; *Virgin Land* (1957) de Henry Nash Smith é um excelente guia para a ideologia do radicalismo, que encontrou sua expressão mais pura nas fronteiras — para isso veja também *Free Soil, Free Labor, Free*

Men (1970) de Eric Foner. *The origins of socialism* (1969) de G. Lichtheim é a melhor introdução a esse assunto. *A History of Socialist Thought, II: Marxism and Anarchism, 1850-1890* (1954) de G. D. H. Cole é ainda o mais acessível dos livros que tratam sobre essa questão de forma geral. Para uma crítica não socialista do capitalismo, veja talvez a maior das obras contemporâneas, *Reflexions on World History* (1945) de J. Burckhardt. *A History of Economic Thought* de E. Roll é concisa e inteligente, afastando-se de edição em edição das posições radicais que o autor defendia a princípio. *European positivism in the 19th Century* (1963) trata de uma corrente ideológica mais ou menos central em nosso período. *Karl Marx, The Story of his Life* (1936) de Franz Mehring é preferível a outras introduções à vida e obra de Marx, pois Mehring procura refletir aquilo que Marx quis dar a entender para a sua geração imediata de discípulos e seguidores. *A History of the Warfare of science and Theology* (1896) de A. D. White é valiosa para consulta pelas mesmas razões. Sobre o darwinismo, *Evolution and Society: A Study in Victorian Social Theory* (1966) de J. Burrow, e a introdução deste mesmo autor à edição da Penguin de *The Origin of Species* (1968), *Social Darwinism in American Thought* (1955) de R. Hofstadter e *Physics and Politics* (1873) de W. Bagehot.

A History of European thought in the 19th Century (4 vols., 1896-1914) de J. T. Merz permanece essencial para um estudo da ciência do século XIX. *The Life of William Thompson* (2 vols., 1910) de S. P. Thompson trata de uma figura central. *Science and Industry in the 19th Century* (1953) de J. D. Bernal é uma brilhante monografia. *Science and History*, do mesmo autor, também já mencionada. *A Hundred Years of Chemistry* (1948) é um tratamento conveniente de uma ciência crucial. Para as artes, além das obras gerais mencionadas, *The Economics of Taste*, I e II (1961, 1963) de G. Reitlinger discute a natureza do mercado das artes. *The Absolute Bourgeois* e *Image of the People* (1973), ambos de T. J. Clark, discutem arte e revolução, *Realism* (1971) de Linda Nochlin explica-se pelo título; veja também a obra desta autora, "The Invention of The *Avant-garde*: France 1830-1880", editada em *Art News Annual* 34, assim como o livro de Gisèle Freund, *Photographie und bürgerliche Gesellschaft* (1968). O artigo de Walter Benjamin, "Paris Capital of the 19th Century", publicado em *New Left Review* 48, 1968, é breve, mas profundo. *Studies in European Realism* (1950) de George Lukács é a obra de um notável crítico da prosa, e *Main Currents in Nineteenth Century Literature* (6 vols., 1901-1905), de George Brandes, fornece uma visão quase da época. *Aspects of Wagner* (1972) de Bryan Magee defende um grande mas desagradável compositor.

Sobre a crise que conclui nosso período, *Grosse Depression und Bismarckzeit* (1967) de Hans Rosenberg e *Recent Economic Changes* (1889) de David Wells.

Uma obra geral de interesse bastante considerável pode ser mencionada como conclusão: *Social Origins of Dictatorship and Democracy* (1967, Penguin 1973) de Barrington Moore.

ÍNDICE REMISSIVO

Este livro foi composto na tipografia Adobe Garamond Pro,
em corpo 12/16, e impresso em
papel off-white no Sistema Cameron da
Divisão Gráfica da Distribuidora Record.